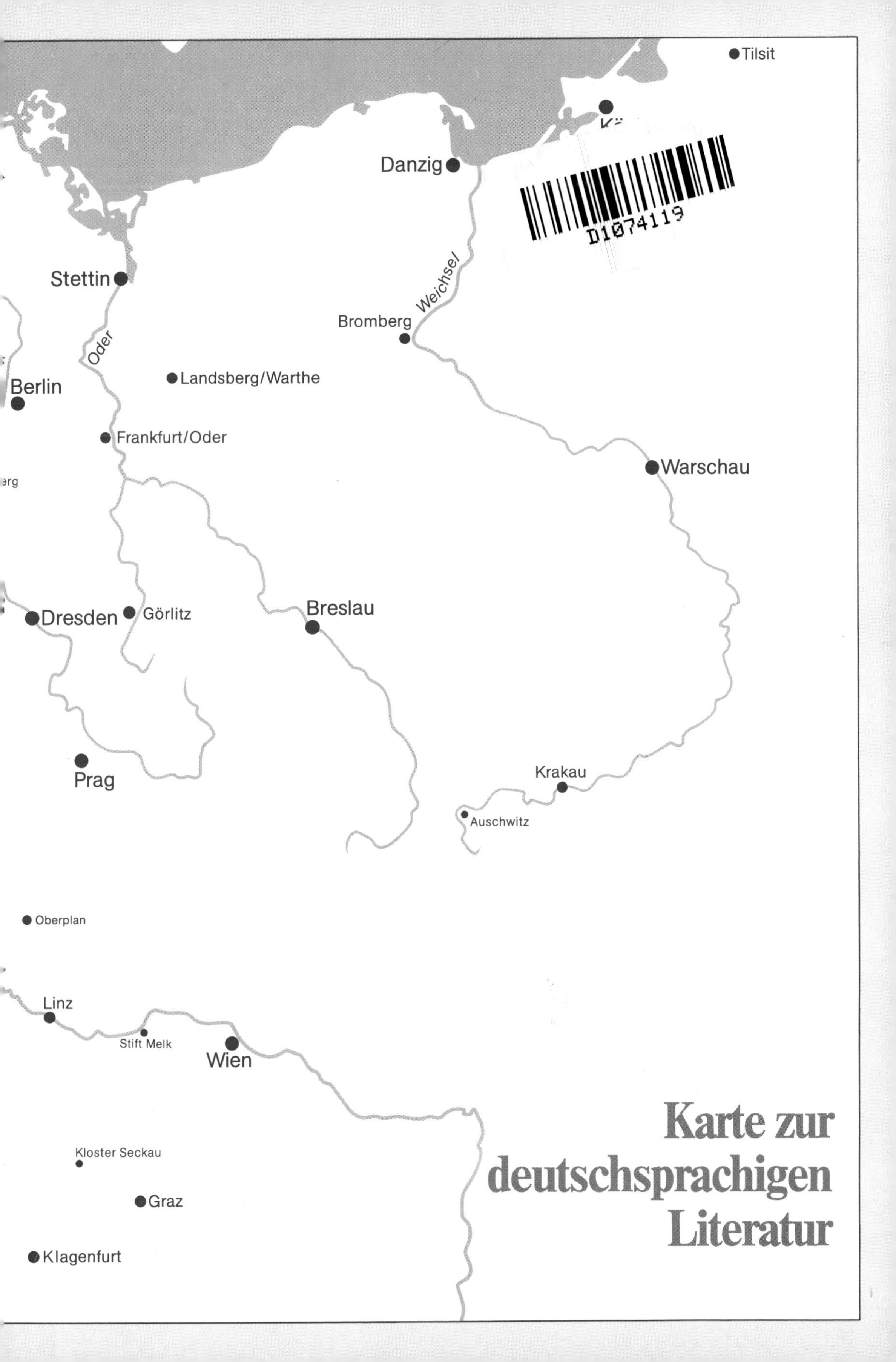
Tilsit
Danzig
Stettin
Oder
Weichsel
Bromberg
Landsberg/Warthe
Berlin
Frankfurt/Oder
Warschau
Dresden
Görlitz
Breslau
Prag
Krakau
Auschwitz
Oberplan
Linz
Stift Melk
Wien
Kloster Seckau
Graz
Klagenfurt
Karte zur
deutschsprachigen
Literatur

Barbara Baumann · Birgitta Oberle

Deutsche Literatur in Epochen

Barbara Baumann · Birgitta Oberle

Deutsche Literatur in Epochen

Max Hueber Verlag

Umschlaggestaltung
unter Verwendung einer Bronze („Der Lesende“) von Fidelis Bentele, Oberstaufen

3. 2. 1.	Die letzten Ziffern
2000 1999 98 97 96	bezeichnen Zahl und Jahr des Druckes.

Alle Drucke dieser Auflage können, da unverändert, nebeneinander benutzt werden.
2. überarbeitete Auflage 1996

Gesamtherstellung: Ludwig Auer GmbH, Donauwörth
Printed in Germany
ISBN 3-19-001399-3

Inhalt

Vorwort

aut prodesse volunt aut delectare poetae
(nützen und erfreuen wollen die Dichter) Horaz

Unsere Arbeit mit Studenten im Inland wie im Ausland hat uns zu diesem Buch angeregt.
Trotz zahlreicher verfügbarer Literaturgeschichten fehlte eine Einführung, die in übersichtlicher und knapper Form einen Zugang zu den Epochen der deutschen Literatur von ihren Anfängen bis in unsere Gegenwart bietet. Die *Deutsche Literatur in Epochen* soll einen Überblick vermitteln, der zum Weiterlesen anregt; deswegen erhebt sie auch keinen Anspruch auf Vollständigkeit.
Die besprochenen Texte haben wir nach Aussagekraft, Verständlichkeit und nach ihrer Bedeutung für die jeweilige Zeit ausgewählt. Im Einzelfall wurde auf Textbeispiele zurückgegriffen, die leicht zugänglich und meist auch als Taschenbuchausgaben erhältlich sind. Die Kapitel folgen im wesentlichen der traditionellen Epocheneinteilung. Dabei kommt dem 20. Jahrhundert besonderes Gewicht zu. Die Literatur seit dem Zweiten Weltkrieg haben wir nach den deutschsprachigen Ländern gegliedert (Bundesrepublik Deutschland, DDR, Österreich, deutschsprachige Schweiz).
Zitate und Daten wurden von uns soweit wie möglich anhand kritischer Ausgaben überprüft. Die angegebenen Erscheinungsdaten beziehen sich in der Regel auf das Jahr der ersten selbständigen Veröffentlichung des Werkes. Die Texte aus früheren Sprachstufen sind mit neuhochdeutscher Übersetzung zitiert.
Am Ende jeden Kapitels haben wir einige Kurzbiographien angefügt. Hier werden die bekanntesten und wichtigsten Vertreter der Epoche mit ihren bedeutendsten oder literaturgeschichtlich wirkungsvollsten Werken vorgestellt.
Die 22 Kapitel können auch einzeln und unabhängig voneinander erarbeitet werden, wobei das enge Verweissystem eine Hilfe bietet. Die Marginalien dienen zur Gliederung, sollen die Übersicht erleichtern und dazu beitragen, daß bestimmte Themen und Motive in ihrem Zusammenhang rasch aufgefunden werden können. Sie erscheinen in den drei Kategorien: Schriftsteller mit ihren Lebensdaten, Schlagwör-

ter und literaturwissenschaftliche Fachausdrücke sowie Themen und Motive.
Die Karte am Anfang des Buches enthält Orte, die für die deutschsprachige Literatur von Bedeutung sind – sei es als Orte literarischer Handlungen oder Geburts- bzw. Sterbeorte deutschsprachiger Schriftsteller. Die Sondersituation im Exil konnte dabei nicht berücksichtigt werden.
Die Problematik der Epochenüberschneidungen und der parallelen Strömungen in der deutschen Literatur veranschaulicht die Synopse am Ende des Buches. Die Zeittafel im Anhang basiert auf den im Text genannten Werken und ist durch Daten der Weltgeschichte ergänzt.
Um eine noch intensivere Arbeit mit diesem Buch zu ermöglichen, wird eine Sammlung von Arbeitsaufgaben gesondert veröffentlicht.
Beim Diskutieren und Überprüfen der einzelnen Kapitel, beim Erstellen der Druckvorlage und während der Herstellung des Buches haben uns deutsche und ausländische „Probeleser", Freunde und Helfer mit Rat und Tat unterstützt und ermutigt. Ihnen allen widmen wir dieses Buch.

Universität Bamberg
Sommer 1985

Vorwort zur zweiten Auflage

Nach zehn Jahren bat uns der Verlag um eine Aktualisierung dieser Literaturgeschichte. Das vorhandene Konzept hat sich bewährt und sollte beibehalten werden. Die Kapitel, die sich mit der Literatur nach 1945 auseinandersetzen, waren zu ergänzen. Es zeigte sich in diesen Jahren eine Fülle von Texten, bereits etablierte Autoren schrieben weiter, jüngere, noch unbekannte Autoren präsentierten ihre vielversprechenden Debüts. Je näher man der eigenen Gegenwart kommt, desto schwieriger und subjektiver wird die Auswahl. Wiederum haben wir uns für Texte entschieden, die uns in ihrer Themenwahl, Sprache und Aussagekraft symptomatisch erscheinen und die die Neugierde auf weitere Texte wecken. Auch diesmal ist nicht Vollständigkeit das oberste Gebot, sondern Information und Anregung zur eigenen Lektüre.
Für die Mitarbeit bei der Ergänzung des Österreich-Kapitels danken wir Patricia Preuß, die uns auch beim Korrekturlesen unterstützte.

Frühjahr 1996

Barbara Baumann-Eisenack
Birgitta Oberle

Deutsche Literatur von ihren Anfängen bis zum Ende des frühen Mittelalters

1

Althochdeutsche Literatur in der Karolingerzeit (750–900)

Die Hauptsprache des frühen und hohen Mittelalters war Latein. Fast alle Zeugnisse aus Politik, Verwaltung, Geschichtsschreibung, Theologie und anderen Wissenschaften wurden in lateinischer Sprache aufgeschrieben.

Erst im 8. Jh. n. Chr. begann die Überlieferung in deutscher Sprache, und zwar in den verschiedenen althochdeutschen Dialekten. Diese entwickelten sich später zum Mittelhochdeutschen und seinen Varianten. Im Vergleich zu lateinischen Texten wurde vom 8. bis ins 11. Jh. insgesamt nur wenig in der Sprache des Volkes („theodisca lingua" – aus „theodisk" entstand „deutsch") abgefaßt. Man zählt deshalb alle überlieferten deutschen Texte des Zeitraums zur deutschen Literatur, z. B. auch politische und religiöse Gebrauchstexte (Gebete, Beichtformeln, Taufgelöbnisse, Glaubenssätze, Predigten, Psalmen) oder Übersetzungen einzelner Wörter (Glossen, s. S. 15). Diese deutsche Literatur befaßte sich mit zentralen Lebensbereichen der Zeit wie Religion, Recht, Kriegerleben u. a. und stand so in einem unmittelbaren Bezug zur allgemeinen Geschichte.

Sprache des Volkes: „theodisca lingua"

Die Literatur war aber nicht nur eng mit der zeitgenössischen Kultur und Politik verbunden, sie überlieferte auch die bis dahin nur mündlich tradierte Dichtung vorangegangener Jahrhunderte. Das freie Vortragen von Literatur und ihre mündliche Weitergabe über einen längeren Zeitraum hinweg waren noch jahrhundertelang neben der schriftlichen Überlieferung üblich. Deshalb können die Entstehungszeit eines Erzählstoffes, die Zeit der Entstehung seines formulierten Textes und die Zeit seiner Niederschrift im Mittelalter mehr oder weniger stark differieren. Aus diesem Grund weichen verschiedene Handschriften eines Textes auch oft in der Wortwahl, im Umfang und sogar im Inhalt voneinander ab. Die Handschriften wurden einzeln mit Feder und Tinte auf Pergament, ab der Mitte des 14. Jhs. meist auf Papier angefertigt.

Zeitliche Verschiebung von Erzählstoff, Formulierung und Niederschrift

Am bekanntesten und umfangreichsten ist die Handschrift der *Älteren* oder *Lieder-Edda,* die im 13. Jh. in Skandinavien entstanden ist. Die etwa 30 Götter- und Heldenlieder sind in altnordischer Sprache geschrieben und wurden Anfang des 20. Jhs. von Felix Genzmer übersetzt.

Hildebrandslied

Das einzige Heldengedicht, das uns in althochdeutscher Mundart germanisches Gedankengut vermittelt, ist das *Hildebrandslied.* Es wurde von zwei Mönchen um 830/840 in Fulda aufgeschrieben. Der unvollständige Text steht in 68 Langzeilen auf den Deckelinnenseiten einer theologischen Handschrift. Das Gedicht berichtet – meist in Dialogform – vom schicksalsergebenen Leben des germanischen Kriegers, das durch absolute Gefolgschaftstreue bestimmt war: Der alte Hildebrand (ein Gefolgsmann Dietrichs von Bern) kommt nach dreißig Jahren in seine Heimat zurück. Er begegnet seinem Sohn Hadubrand, der jedoch den Vater nicht erkennt. Die Kriegerehre zwingt Vater und Sohn zum – wahrscheinlich tragisch endenden – Zweikampf (erst eine Bearbeitung aus dem 13. Jh. zeigt ein glückliches Ende).

Stabreimdichtung

Das Fragment ist in der Form des Stabreimverses (Alliteration) geschrieben: Zwei Kurzzeilen, die durch den Gleichklang im Anlaut der betonten Wörter miteinander verbunden sind, bilden eine Langzeile. Dabei reimen gleiche Konsonanten und alle Vokale miteinander und bilden sogenannte Stäbe:

Hiltibrant gimahalta, Heribrantes sunu – her uuas heroro man

Die zwei oder drei Stäbe der Langzeile tragen die Hauptbedeutung und heben wichtige Stellen hervor. Der Stabreim wird besonders in Heldengedichten verwendet, wo das formale, rhythmische Fortschreiten Würde und Regelhaftigkeit des Kriegerlebens widerspiegelt; denn in germanischer Zeit war der Dichter zugleich Krieger:

Ik gihorta ðat seggen,
ðat sih urhettun ænon muotin:
Hiltibra*nt* enti Haðubrant untar heriun tuem.
sunufatarungo*s* iro saro rihtun,
garutun sê iro guðhamun, gurtun sih iro suert ana,
helidos, ubar *hr*inga, do sie to dero hiltiu ritun.
(Auszug)

Ich hörte (glaubwürdig) berichten,
daß zwei Herausforderer aufeinanderstießen:
Hildebrand und Hadubrand, (allein) zwischen ihren beiden Heeren.
Sohn und Vater rückten da ihre Rüstung zurecht,
sie machten ihr Kampfgewand bereit und gürteten ihre Schwerter
über die Eisenringe, die kühnen Männer, als sie zu diesem Kampf ritten.

Die Alliteration wurde auch später als Stilmittel in der Lyrik angewandt (z. B. Klopstock, Goethe, Schiller; s. S. 66, 98, 104, 108).
In germanisch-heidnische Zeit reichen auch die Zaubersprüche zurück,

Zaubersprüche

mit denen die Menschen Götter und mythische Wesen um Hilfe gegen Krankheiten, Unheil und feindliche Mächte baten. In einer geistlichen Handschrift des 10. Jhs. hat man in Merseburg die beiden *Merseburger Zaubersprüche* gefunden. In eindringlichen Stabreimversen wird die Befreiung von Gefangenen aus ihrer Haft und die Heilung des verletzten Beines eines Pferdes erfleht:

Erster Merseburger Zauberspruch

Eiris sazun idisi, sazun hera duoder.
suma hapt heptidun, suma heri lezidun,
suma clubodun umbi cuoniouuidi:
insprinc haptbandun, inuar uigandun!

Einst ließen sich die Idisen nieder, setzten sich hierhin
und (setzten sich) dorthin.
Einige fesselten (die Feinde), andere hielten (das feindliche) Heer auf,
wiederum andere lösten die Fesseln (des Freundes):
löse dich aus den Fesseln, entflieh den Feinden!

Zweiter Merseburger Zauberspruch

P*h*ol ende Uuodan uuorun zi holza.
du uuart demo Balderes uolon sin uuoz birenki*t*.
thu biguol en Sin*th*gunt, Sunna era suister,
thu biguol en Friia, Uolla era suister,
thu biguol en Uuodan, so he uuola conda:
sose benrenki, sose bluotrenki,
sose lidirenki:
ben zi bena, bluot zi bluoda,
lid zi geliden, sose gelimida sin!

Phol und Wodan ritten in den Wald.
Da verrenkte sich Balders Fohlen einen Fuß.
Da besprach ihn Sindgund (und) Sunna, ihre Schwester,
da besprach ihn Frija (und) Volla, ihre Schwester,
da besprach ihn Wodan, so gut wie (nur) er es konnte:
wie die Verrenkung des Knochens, so die des Blutes,
so die des ganzen Gliedes!
Knochen an Knochen, Blut zu Blut,
Glied an Glied, als ob sie zusammengeleimt wären!

Andere Zaubersprüche wurden mit christlichen Gebeten und Segenssprüchen vermischt, so z. B. der *Wiener Hundesegen, Lorscher Bienensegen, Trierer Blutsegen, Bamberger Blutsegen, Wurmsegen.*

Karl der Große (747–814)

Entscheidend für das gesamte geistige Leben des Abendlandes war die Regierungszeit Karls des Großen (768–814). Der Aachener Hof des im Jahr 800 zum Kaiser gekrönten fränkischen Herrschers wurde zum Mittelpunkt seiner kulturellen Bemühungen: Nach antikem Vorbild sollten Wissenschaft, Kunst und Bildung wieder stärker gefördert werden und größere Bedeutung bekommen. Die wichtigsten Gelehrten der Zeit sammelten sich um den Kaiser. Sie arbeiteten in seiner neuge-

INCIPIUNT GLOSAE EX NOUO ET UETERIS TESTAMENTI

Erstes Blatt des Abrogans (Murbacher Handschrift)

gründeten Hofakademie oder in Klöstern. Unter ihnen waren die Langobarden Paulus Diaconus und Petrus von Pisa, die Franken Angilbert und Einhart (Karls Biograph), der Angelsachse Alkuin (Karls engster Berater an der Hofakademie) und sein Schüler Hrabanus Maurus, der Abt von Fulda. Die Klöster Fulda, St. Gallen, Reichenau u. a. wurden nach dem Tod Karls des Großen zu Trägern seiner angestrebten Reformen. In den neugegründeten Klosterbibliotheken, in Kloster- und Domschulen wurden antike und christliche Lehren und Sitten erneuert und stabilisiert, Sprache und Schrift reformiert (Karolingische Renaissance). Das Latein wurde verfeinert und blieb für Jahrhunderte die Sprache der Gelehrten. Doch auch die Volkssprache („theodisca lingua", erstmals 786 so genannt) sollte nach Karls Willen an Bedeutung gewinnen: In der *Admonitio Generalis* von 789 räumte man der Verkündigung des Christentums in der Volkssprache einen größeren

Raum ein. Diese Schrift zeigt die Bemühungen, sowohl das Christentum zu fördern wie die eigene Kultur und Sprache neu zu beleben. Religiöse Gebrauchstexte (s. S. 11) und Bibeltexte wurden in die deutsche Sprache übertragen. Das Althochdeutsche entwickelte sich dank der Bildungsarbeit in den Klöstern zu einer Sprache, in der man auch poetische Literatur verfassen und niederschreiben konnte.

Althochdeutsche Übersetzungsliteratur

Das älteste Zeugnis deutscher Literatur ist der *Abrogans,* ein lateinisch-deutsches Wörterbuch (ursprünglich ein lateinisches Synonymen-Lexikon). Er entstand etwa um 760 in Freising. Der Name kommt vom ersten (lateinischen) Wort der Handschrift „abrogans", was mit (althochdeutsch) „dheomodi" – „demütig" übersetzt ist (vgl. Abb. S. 14).

Abrogans

Neben Wörterverzeichnissen sind uns aus der Frühzeit „Glossen" überliefert. Die Glossen sind Übersetzungen oder Erklärungen zu einem lateinischen Text. Sie wurden zwischen dessen Zeilen (als Interlineargl0ssen), auf dem Rand (als Marginalglossen) und im fortlaufenden Text eingetragen.

Glossen

Der *Vocabularius Sancti Galli* (zwischen 770 und 790), der *Althochdeutsche Isidor (De fide catholica contra Judaeos,* kurz vor 800) und *Tatians Evangelienharmonie* (~830) sind die berühmtesten Zeugnisse dieser althochdeutschen Übersetzungarbeit. Mit dem althochdeutschen *Tatian* lag erstmals ein Buch über das Leben Jesu in deutscher Sprache vor.

Vocabularius Sancti Galli, Althochdeutscher Isidor, Tatian

Das *Vater unser* aus dem althochdeutschen *Tatian*

Fater unser, thu thar bist in himile, si giheilagot thin namo.
queme thín rihhi, si thín uuillo, só hér in himile ist
só si hér in erdu. unsar brót tagalihhaz gíb uns hiutu,
inti furlaz uns unsara sculdi, só uúir fúrlazemes unsaren sculdigon,
inti ni gileitest unsih in costunga,
úzouh árlosi unsih fón ubile.

Vater unser, du bist da im Himmel, geheiligt werde dein Name,
dein Reich komme, dein Wille geschehe, wie er im Himmel geschieht,
so geschehe er auf Erden. Unser tägliches Brot gib uns heute,
und vergib uns unsere Sünden, wie wir vergeben unseren Schuldigern,
und du mögest uns nicht in Versuchung führen,
sondern uns von Bösem erlösen.

Die *Altsächsische Genesis* und der ebenfalls altsächsische *Heliand* sind bereits selbständig verfaßte religiöse (Groß-)Dichtungen im Stabreimvers, die wohl um 830–850 in Fulda niedergeschrieben wurden. In den 6000 Versen des *Heliand* wurde das Leben Christi – nach dem Vorbild Tatians – in die germanische Welt übertragen und damit auch dem einfachen Volk bekanntgemacht. In der *Altsächsischen Genesis* wurde der Bibelstoff von der Erschaffung der Welt freier behandelt.

Altsächsische Genesis, Heliand

Zu den bekannt gewordenen Gebeten dieser Zeit gehört das *Wessobrunner Schöpfungsgedicht* oder *Wessobrunner Gebet* (Ende 8. Jh.), das die Erschaffung der Welt und die Existenz des allmächtigen Gottes beschreibt:

Wessobrunner Schöpfungsgedicht

De poeta

Dat gafregin ih mit firahim firiuuizzo meista,
dat ero ni uuas noh ufhimil,
noh paum *nihheinig* noh pereg ni uuas,
ni *suigli sterro* nohheinig noh sunna ni scein,
noh mano ni liuhta noh der mareo seo.
Do dar niuuiht ni uuas enteo ni uuenteo,
enti do uuas der eino almahtico cot,
manno miltisto. (Auszug)

Von einem Dichter

Das habe ich bei den Menschen als größtes Wunder erfahren:
daß es die Erde nicht gab noch oben den Himmel,
noch einen Baum und auch nicht einen Berg,
es schien nicht ein einziger Stern, nicht die Sonne,
es leuchtete weder der Mond noch die glänzende See.
Als es da also nichts gab, weder Anfang noch Ende,
gab es schon den einen allmächtigen Gott,
den reichsten an Gnade.

Muspilli

Ein Gegenstück dazu ist das *Muspilli* (entstanden im frühen 9. Jh.), eine aufrüttelnde Schilderung vom Weltende, vom Schicksal der Seele nach dem Tod und vom Jüngsten Gericht. Es wird auch das ,,verzweifeltste Stück althochdeutscher Dichtung" genannt.

Otfrids Evangelienbücher

Während diese Gebete in Stabreimen geschrieben sind, verwendete Otfrid von Weißenburg, der erste namentlich bekannte deutsche Dichter, in den fünf Büchern seiner *Evangelienharmonie* (~870) erstmals

Endreim

(stablosen) Endreimvers und alternierende Hebung und Senkung. Er erklärte im Vorwort, daß er in deutscher Sprache schreibe, weil diese fähig sei, lateinische Verskunst nachzuahmen.

Ludwigslied

Endreim zeigt auch das *Ludwigslied* (881/882), das älteste historische Gedicht in deutscher Sprache. Das christliche Heldenlied preist den Sieg Ludwigs III. über die Normannen bei Saucourt im Jahr 881 und stellt den Westfranken als Streiter Gottes im Kampf dar.

Das auf der Insel Reichenau entstandene Gedicht *Christus und die Samariterin* (~900) führt das letztemal in althochdeutscher Sprache Otfrids Verstradition fort.

Weltliche Texte

Weltliche Gebrauchsliteratur aus dieser Zeit ist in lateinischer Sprache überliefert. Einhart schrieb z. B. am Hof Karls des Großen die erste Herrscherbiographie des Mittelalters: *Vita Caroli Magni* (~830). Die *Admonitio Generalis* (789, s. S. 14) beschreibt Karls bildungspolitisches Programm. Die *Würzburger Markbeschreibungen* (vor 790) sind wichtige Zeugnisse, da sie Orts- und Eigennamen in deutscher Sprache überliefern.

Die *Straßburger Eide* (842) lassen das Problem mit den verschiedenen Sprachen erkennen. Die Söhne Ludwigs des Frommen, Karl der Kahle (Westfrankenkönig) und Ludwig der Deutsche (Ostfrankenkönig), verbündeten sich gegen ihren Bruder Lothar I. In diesen Eiden benutzten die Herrscher die jeweils fremde Sprache, um vom Heer des anderen verstanden zu werden:

Quod cum Lodhuuicus explesset, Karolus teudisca lingua sic hæc eadem verba testatus est:
In godes minna ind in thes christanes folches ind unser bedhero ge*h*al*t*nissi,
fon thesemo dage frammordes, so fram so mir got geuuizci indi ma*h*d furgibit,
so haldih t*h*esan minan bruodher, soso man mit *rehtu* sinan bruo*d*her scal,
in thiu thaz er mig so s*a*ma duo,
indi mit Lu*d*heren in no*h*heiniu thing ne gegango,
*t*he minan uuillon imo ce scadhen uuer*d*hen. (Auszug)

[lat.] Als Ludwig dies vollendet hatte, hat Karl in denselben Worten auf fränkisch wie folgt geschworen:
[ahd.] Aus Liebe zu Gott und zur Erlösung des christlichen Volkes und unser beider
will ich von diesem Tag an, soweit mir Gott Einsicht und Kraft verleiht,
diesem meinem Bruder so begegnen, wie man von Rechts wegen seinem Bruder begegnen soll,
damit er mir gegenüber genauso handle,
und ich lasse mich mit Lothar in keinen Vertrag ein,
durch den ich ihm [Ludwig] absichtlich schaden könnte.

Literatur aus der Zeit der Ottonen und frühen Salier (900–1050)

Ungefähr gleichzeitig mit dem Aussterben der Karolinger (911) und dem Beginn der Ottonenherrschaft brach die deutschsprachige Literatur bis zur Mitte des 11. Jhs. ab. 150 Jahre lang war allein die lateinische Sprache literaturfähig – und Latein blieb bis ins 17. Jh. die Sprache von Wissenschaft und Bildung.

Hrosvith von Gandersheim (~935–975)

Hrosvith von Gandersheim, die erste deutsche Schriftstellerin, verfaßte Legenden und Lesedramen in mittellateinischer Sprache (Vorbild war der römische Dichter Terenz). Der St. Galler Mönch Notker Balbulus (Notker der Stammler, ~840–912) schuf die lateinischen Sequenzen: Das Alleluja am Ende eines liturgischen Gesangs wurde erweitert und mit Text ausgestattet. Notkers Klosterbruder Tuotilo führte die Tropen, musikalisch-dramatische Wechselgesänge, in die Liturgie ein. Daran knüpfte später das geistliche Schauspiel (Oster- und Weihnachtsspiel, s. S. 34) an, das solche ,,Liturgie-Dramen" aus dem Gottesdienst herauslöste und selbständig aufführte. *Quem quaeritis in sepulchro, o christicolae? (Wen sucht ihr im Grabe, Christusliebende?)* ist der bekannteste Ostertropus.

Sequenzen und Tropen

Erster Roman: Ruodlieb

Aus dieser Zeit stammt auch *Ruodlieb,* der erste Roman in deutscher Sprache (Mitte 11. Jh.). Der Verfasser, ein Tegernseer Mönch, stellte seinen Helden als vorbildlichen christlichen Ritter dar, der seine Erfahrungen mit dem Hofleben macht.

Notker Labeo (~950–1022)

Große Verdienste um die deutsche Sprache machte sich in dieser Zeit als einziger der Benediktiner Notker Labeo, der am Ende der althoch-

Ende der althochdeutschen Sprachepoche

deutschen Sprachepoche steht. Seine zahlreich überlieferten Übersetzungen und Kommentare sollten lateinische Bibel- und Kirchentexte leichter verständlich machen. Notkers Hauptwerk *Psalter* zeugt von seiner Sorgfalt bei der Übertragung: „Notkers Anlautgesetz" (der erste Versuch einer Regelung der althochdeutschen Schreibsprache) beweist sein Formbewußtsein. Auch bei der Wahl des treffenden Wortes, für Rhythmus, Wortstellung und Syntax zeigte Notker großes Sprachempfinden.

Karte althochdeutscher Textüberlieferungen

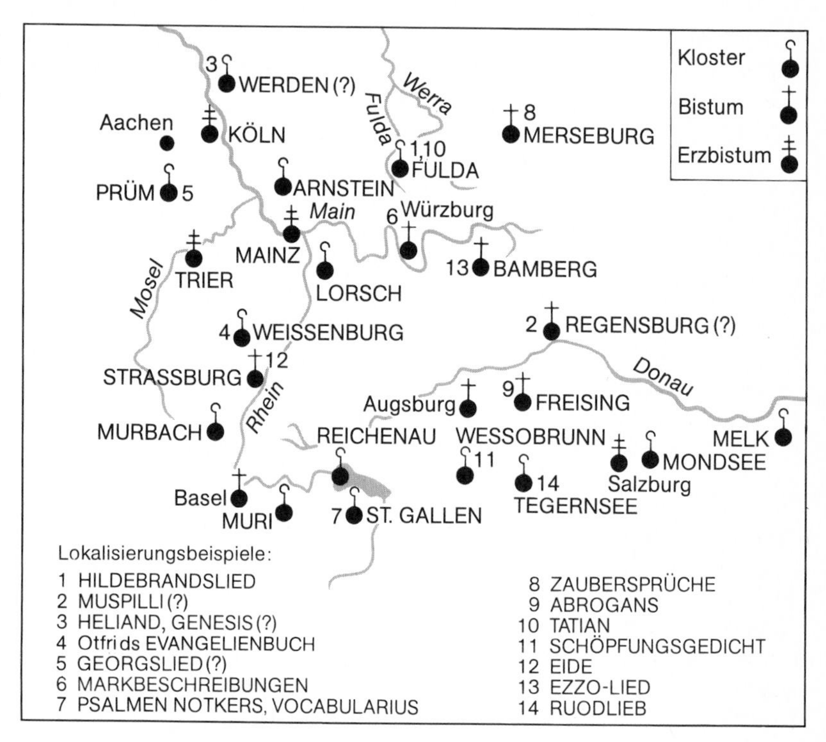

Buß- und Heilsdichtung in der Zeit der Salier, vorhöfische Dichtung und Spielmannsdichtung (1050–1170)

Nach der erwähnten Pause stand die Literatur in deutscher Sprache ganz im Zeichen der kirchlichen Reformbewegung. Ausgehend vom 910 gegründeten Kloster Cluny im französischen Burgund drang eine Welle der Rückbesinnung auf Zucht und die Forderung nach frommem Gehorsam und asketischer Weltflucht in den deutschen Sprachraum. Verschiedene Ordensgründungen fallen in diese Zeit. Es entstand eine neue Theologie, die Scholastik. Sie verstand Weltgeschichte als Offenbarung Gottes und versuchte, die Glaubenswahrheiten mit Hilfe der Philosophie wissenschaftlich zu begründen. In dieser Zeit der tiefen Religiosität fand der erste Kreuzzug (1096–1099) nach Judäa statt, um

Scholastik

die Stätten des Wirkens Christi von der islamischen Herrschaft zu befreien.

Weltverachtung, Scholastik (unter Abälard) und die zuerst vom Zisterziensermönch Bernhard von Clairvaux geprägte Mystik bestimmten das deutsche Geistesleben des frühen und beginnenden hohen Mittelalters. In der Mystik sollte die Trennung zwischen Gott und der menschlichen Seele durch asketische Abkehr von der Sinnenwelt aufgehoben werden.

Mystik

Die Literatur der Zeit bestand aus religiösen Gebrauchstexten (s. S. 11). Sie wurden in deutscher Sprache verfaßt und sollten allen Schichten des Volks verständlich sein, um allen den rechten Weg zur Ewigkeit weisen zu können.

Am Anfang dieser religiösen Dichtung steht das *Ezzo-Lied* (1063) eines Bamberger Domherrn, Ezzo. In dieser kurzen Weltchronik erscheint Gott als das rettende Licht aus Finsternis und Tod:

Buß- und Heilsdichtung

Lux in tenebris,	Licht in der Finsternis,
daz sament uns ist.	das bei uns ist.
der uns sin lieht gibit,	Der uns sein Licht gibt,
neheiner untriwon er ne fligit.	weiß von keiner Untreue.
in principio erat verbum,	Am Anbeginn war das Wort,
daz ist waro gotes sun.	das ist in Wahrheit Gottes Sohn.
von einimo worte er bechom	Durch ein Wort wurde er
dire werlte al ze dien gnadon.	dieser ganzen Welt zum Quell der Gnade.
(Auszug)	

Von dieser Heilsgewißheit hebt sich Nokers von Zwiefalten düsteres *Memento mori* (~1070, *Gedenke des Todes!*) deutlich ab. Im Hinblick auf das Jenseits fordert der gereimte Bußaufruf zur Weltabkehr und Askese im Geist von Cluny auf.

Mit einem ,,memento mori" beginnt auch das *Annolied* (wahrscheinlich um 1085). Das Lied schildert die Erschaffung der Welt bis zum Tod Christi und verherrlicht schließlich den Erzbischof Anno von Köln als einen Heiligen. Im Annolied taucht der Begriff ,,deutsch" erstmals als politischer Begriff auf, der Land und Leute einschließt.

Heinrich von Melk

Für heutige Leser fanatisch und grausam klingen die Warnungen vor Sittenverfall und Weltlust, die Heinrich von Melk in der *Erinnerung an den Tod* (memento mori) und im *Priesterleben* predigt (~1160). Mit diesem letzten Höhepunkt der Literatur der asketischen Weltabkehr geht die Zeit der kluniazensischen Bußdichtungen zu Ende.

Mariendichtung

Zarter und versöhnlicher ist der Ton der Mariendichtungen des 12. Jhs. Volkstümliche Frömmigkeit, die immer reicher ausgeschmückte Gestalt Marias, die als gütige Vermittlerin und Gebetserhörerin betrachtet wird, und eine erweiterte religiöse Symbolik kennzeichnen diese Blütezeit der Marienverehrung. Das *Melker Marienlied,* das *Arnsteiner Gebet,* die *Mariensequenzen* aus Seckau und Muri sind lyrische Formen der Marienverehrung:

Mariensequenz von Muri

Ave, vil liehtu maris stella,	Sei gegrüßt, heller Stern des Meeres,
ein lieht der cristinheit, Maria,	ein Licht der Christenheit, Maria,
alri magide lucerna.	Leuchte aller Jungfrauen.
(Auszug)	

Die Marienlyrik dieser Zeit lebt vor allem in Liedern bis heute fort. In erzählender Form schildert Wernhers *Marienleben* (1172) das Leben der Mutter Gottes. Es ist eingeteilt in *Driu liet von der maget (Drei Geschichten von der Magd).*

Vorhöfische Dichtung, Geschichtsdichtung und Legende

Im Laufe des 12. Jhs. wurde in der sogenannten vorhöfischen Dichtung die Betonung von weltlichen Abenteuern und ritterlichem Leben allmählich stärker. Die Epoche der religiös motivierten Dichtung kam dagegen nach und nach zu ihrem Ende. Der Akzent lag nicht mehr einseitig auf christlicher Lehre und kluniazensischer Weltabkehr, auch wenn die Verfasser der weltlichen Epen weiterhin meist dem geistlichen Stand angehörten. Man wollte Gott und zugleich der Welt gefallen.

Kaiserchronik

In der *Kaiserchronik* (~1150), der ersten deutschsprachigen Geschichtsdichtung in erzählender Form, sind geistliche Elemente mit weltlichen verbunden. Geschichte wird als Kaisergeschichte (Karls des Großen) dargestellt, wobei die religiöse Auffassung von Geschichte als Heilsgeschichte zugrundeliegt. Am Ende triumphiert das Christentum. Mit dem Jahr 1147 bricht die Chronik nach etwa 17000 Versen abrupt ab.

Dichtung nach französischen Vorlagen

Im *Alexanderlied* des „Pfaffen Lamprecht" (zwischen 1120 und 1150) wurde zum erstenmal in der deutschsprachigen Literatur ein antiker Stoff (Alexander der Große) einer französischen Vorlage nachgebildet (nicht mehr einem lateinischen Vorbild wie bisher). Für Jahrhunderte prägte von da an die französische Literatur Stil und Stoff der deutschen Dichtung.

Alexanderlied (Straßburger Fassung)

Daz liet, daz wir hie wirken,	Das Lied, das wir hier vortragen,
daz sult ir rehte merken.	dem sollt ihr gebührende Aufmerksamkeit schenken,
sîn gevôge ist vil gereht,	denn es ist genau und richtig gefügt.
iz tihte der paffe Lamprecht	Der Kleriker Lamprecht hat es gedichtet
unde saget uns ze mêre,	und uns ferner berichtet,
wer Alexander wêre. (...)	wer Alexander gewesen ist. (...)
Elberich von Bisenzun	Alberich von Besançon
der brâhte uns diz liet zû,	hat uns das Lied geliefert,
der hetiz in walischen getihtit.	der hat es auf Französisch gedichtet.
ih hân is uns in dûtischen berihtet.	Ich habe es uns ins Deutsche übertragen.
nieman ne schuldige mih:	Niemand beschuldige mich:
alse daz bûch saget, sô sagen ouh ih.	Wie es in der Vorlage steht, so steht es auch bei mir.
(Auszug)	

Das bedeutende altfranzösische Epos *Chanson de Roland* (~1100) war die Vorlage für das *Rolandslied* (~1170) des „Pfaffen Konrad". Der Verfasser formte seine Quelle entscheidend um und betonte statt der politischen die religiöse Seite. Das Lied besingt die Kämpfe Karls des Großen gegen die Mauren (Araber) und preist den heldenhaften Märtyrertod seines Neffen Roland. Rittertum und Frauenverehrung werden unter dem Aspekt des vorbildlichen Kreuzfahrers und Glaubensstreiters („miles christianus", s. *Ruodlieb,* S. 17) beschrieben.

Spielmannsdichtung

Die Zeit bot Erzählstoffe in reicher Fülle an. Berichte aus Italien, Frankreich und England, Erzählungen der Kreuzfahrer, eigene und fremde Sagen, Märchen und Tatsachenberichte sowie seltsame Abenteuer wurden in der Spielmannsdichtung zu unterhaltsamen Geschichten zusammengestellt. Verweltlichte Legendendichtung ohne den feierlichen Ernst der geistlichen und vorhöfisch-heroischen Literatur wurde in Verse gebracht und von den Spielleuten mündlich vorgetragen. Junge Geistliche und Absolventen der Klosterschulen zogen herum und unterhielten ihr teilweise adliges Publikum mit einer Mischung aus Ernst und Scherz.

Die bekanntesten Spielmannsepen sind *König Rother* (~1150) und *Herzog Ernst* (~1180). Sowohl bei der Brautwerbungs- und Entführungsgeschichte als auch hinter dem Konflikt zwischen Vater und Sohn bzw. Vasall und Herrscher kann man historische Gestalten und Begebenheiten erkennen. Erinnerung an Heldentum ist mit spielmännischer Fabulierkunst vermischt. Man kann erstmals von „Unterhaltungsdichtung" sprechen. Die Spielmannsdichtung hat, wie die vorhöfische Literatur, ihre Heimat meist im welfisch-bairischen Raum.

In der Spielmannsdichtung wie in der vorhöfischen Dichtung kann man bereits die Zeit der ritterlich-höfischen Gesellschaft erkennen, die die folgende Epoche bestimmt.

2 Hoch- und Spätmittelalter (1170-1500)

Literatur des Hochmittelalters (1170–1250)

Bereits die vorhöfische Dichtung und die Spielmannsdichtung ließen erkennen, daß in der zweiten Hälfte des 12. Jhs. der Einfluß der weltlichen Kräfte zunahm. Neben den bisher führenden Klöstern und Bischofssitzen (und ihrer weiterhin bestehenden Literatur) wuchsen Fürsten- und Adelshöfe zu geistigen Zentren der Zeit. Die Erfahrungen der Kreuzzüge (s. S. 18), die Stadtgründungen und das sich entwikkelnde Stadtbürgertum, die Ausbreitung von Bildung und Wissenschaft führten zu neuen gesellschaftlichen Strukturen und zu einem neuen Selbstbewußtsein der Menschen. Trotzdem dehnte sich die Schicht der Produzenten und das Literaturpublikum erst im Spätmittelalter auf die nichtadlige Gesellschaft aus.

Rittertum

Träger der neuen höfischen Kultur war das Rittertum, das nun, zur Zeit der Staufischen Kaiser, die führende Rolle in Gesellschaft und Politik übernahm. Das Ideal des Ritters war es, in lebensbejahender Einstellung („hoher muot") gesellschaftliche und religiöse Verpflichtungen miteinander zu verbinden. Der Wunsch, Gott und seiner Schöpfung, der Welt, zu gefallen, war Thema der gesamten mittelalterlichen Literatur. Die Leitbegriffe der idealisierten ritterlichen Ethik waren mittelhochdeutsch „êre" (Ansehen), „triuwe" (Treue), „milte" (großzügige Freigiebigkeit und Erbarmen mit Schwächeren), „staete" (Beständigkeit), „mâze" (Charakterfestigkeit und Selbstbeherrschung), „zuht" (gutes Benehmen und Beherrschung der gesellschaftlichen Regeln), „hoher muot" (heitere Grundeinstellung) und „minne". Mit der Minne widmete der Ritter sein Leben dem Dienst der höfischen Dame. Die adlige Frau hatte eine geachtete Stellung und konnte großen Einfluß ausüben.

Die Literatur hatte in erster Linie repräsentativen, weniger individuellen Charakter. Die Verfasser waren meist Ritter, nicht mehr Geistliche wie noch hundert Jahre früher. Sie trugen ihrem Hörerkreis ihre formale, idealistische, von individuellen Erlebnissen weitgehend freie und

Bamberger Reiter (aus dem Bamberger Dom, 13. Jh.)

oft didaktische Dichtung vor (Lehr- und Spruchdichtung). Individuelles Lesen war dem kleinen Kreis der Gebildeten vorbehalten, die lesen konnten.
Man darf bei der Bewertung dieser Form der Unterhaltung nicht übersehen, daß viele Dichter finanziell abhängig waren von ihrem adligen Herrn und dessen Hofhaltung; sie gehörten der Gruppe der „Ministerialen" an. Das Interesse des Publikums und die Tatsache, daß die Dichter persönlich vortrugen, hatten daher großen Einfluß auf den Inhalt der Texte.

Mittelhochdeutsche Sprache

Um von allen und überall verstanden zu werden, wählten die Autoren weitgehend dialektfreies Mittelhochdeutsch, das in Klang, Syntax und Wortschatz beweglicher und gefälliger erscheint als die althochdeutsche Sprache. Der Sprachstil wurde verfeinert und gewann – nicht zuletzt durch die Zunahme des französischen Einflusses seit 1170/80 – an Eleganz.
Die drei wichtigsten literarischen Gattungen des Hochmittelalters sind höfischer Roman, Heldenepos und Minnelyrik.

Der höfische Roman (höfisch-ritterliche Epik)

Der in Reimpaarversen geschriebene höfische Roman war ab der Mitte des 12. Jhs. die führende Gattung im episch-fiktionalen Bereich. Er hob sich in Form, Stoff, Thematik und Absicht von der (daneben weiterbestehenden) Heldendichtung ab und war ein Schritt in Richtung Leseliteratur (im Gegensatz zur vorgetragenen Literatur). Neben dem Wunsch, Gott und den Menschen zu gefallen, spiegeln die Romane auch soziale Probleme wider. Die im *Alexanderlied* und im *Rolandslied* (s. S. 20, 21) begonnene Übernahme französischer Vorbilder setzte sich verstärkt fort; denn die vorbildliche höfische Ritterkultur hatte sich in Frankreich früher als in Deutschland entwickelt. Die Autoren begegneten dem Vorwurf der Unwahrheit ihrer fiktionalen Literatur durch zahlreiche Verweise auf ihre Vorlagen und Quellen. Während die historisch orientierte Epik (nach Art des *Annoliedes,* s. S. 19, oder der *Kaiserchronik,* s. S. 20) stark zurücktrat, rückten neben dem „Liebesroman" zwei Stoffbereiche in den Vordergrund: antike Werke und die märchenhafte Welt der Artusritter.

Welt der Antike: Heinrich von Veldeke (12./13. Jh.)

Heinrich von Veldeke begann mit *Eneit* (vollendet 1189) die höfische Romantradition in Deutschland. Das Leben der Menschen aus der Zeit des römischen Vorbildes Vergil (70–19 v. Chr.) übertrug er auf die mittelalterlichen Umstände. Die vorbildliche Liebe, die der „mâze" gehorcht und nicht durch „unmâze" zerstörend wirkt, wurde erstmals in der neuen Form mit alternierenden Versen, reinen Reimen und weitgehend mundartfreier Sprache gepriesen.

Artuswelt: Hartmann von Aue (~1165 – ~1215)

Die Artuswelt, der zweite Stoffkreis des höfischen Romans, wurde nach dem französischen Vorbild Chrétien de Troyes (~1135–1190) von Hartmann auf deutsche Verhältnisse übertragen. Der britannische

Heerführer Artus (†537) war bei Chrétien das große ethische Vorbild des Rittertums: Ohne viel ins Geschehen eingreifen zu müssen, wird er zum Mittelpunkt der tapferen Ritterschar (Artusrunde, Tafelrunde). Der Artusritter, der die ritterlichen Idealvorstellungen in sich vereinigt, lebt im Einklang mit der Welt und mit Gott und besteht ohne Schaden seine märchenhaften Abenteuer.

Im *Erec,* dem ersten deutschen Artusroman (~1180/1185), zieht der Ritter Erec mit seiner Frau Enite zur Bewährung seiner ritterlichen Ehre auf zwei Abenteuerfahrten. Am Ende hat er zur „mâze" – auch in der Liebe zu seiner Frau – zurückgefunden. *Iwein* (~1202/1205) ist das inhaltliche Gegenstück: Dieser Ritter vergißt über seinen Abenteuern seine Frau. In einer Reihe von Bewährungsproben muß er die gebrochene Treue büßen, bevor er das Vertrauen des Artushofes erlangt und die Liebe seiner Frau zurückgewinnt.

Mehr individuelle Entscheidungen von den Helden werden in der höfischen Verslegende *Gregorius, der gute Sünder* (1187/89 oder ~1195) und der legendenhaften Erzählung *Der arme Heinrich* (~1195) verlangt. Beide Male kommen die Hauptfiguren, die nach höfischen Sitten vorbildhaft leben, ohne ihre Schuld zu erkennen, in eine verzweifelte Lage. Erst ihre freie Entscheidung und die Annahme ihres von Gott gewollten Schicksals führen sie zur Erlösung durch Gottes Gnade: Der Ritter Gregorius büßt doppelten Inzest (den eigenen und den seiner Eltern) und wird von Gott auf den Papststuhl berufen. Der aussätzige Heinrich verzichtet auf das Selbstopfer eines unschuldigen Mädchens, mit dem er nach seiner wundersamen Heilung ein neues Leben beginnt.

Wolfram von Eschenbach (~1170 – ~1220)

Wolfram von Eschenbach verband die Einzelthemen und Episoden (Märchen-, Artus- und Gralelemente) von Hartmanns Werken in seinem überragenden *Parzival* (1200/1210), von dem etwa 90 Handschriften (teils in Bruchstücken) erhalten sind. Parzivals Weg führt von kindlicher Unschuld über schuldhaftes Versagen zur Reue. Er reift mit Gottes Hilfe zum wissenden und fühlenden Menschen heran und kann an seinem Ziel Gott und der Welt gefallen:

swes leben sich sô verendet,
daz got niht wirt gepfendet
der sêle durch des lîbes schulde,
und der doch der werlde hulde
behalten kan mit werdekeit,
daz ist ein nützlu arbeit.
guotiu wîp, hânt die sin,
deste werder ich in bin,
ob mir deheiniu guotes gan,
sît ich diz maere volsprochen hân.
ist daz durch ein wîp geschehen,
diu muoz mir süezer worte jehen.
(Auszug)

Wer am Ende seines Lebens sagen kann, daß er seine Seele Gott bewahrt und sie nicht durch Sündenschuld verloren hat, und wer es außerdem versteht, sich durch würdiges Verhalten die Gunst der Menschen zu bewahren, der hat seine Mühen nicht vergebens aufgewandt. Edle und kluge Frauen werden mich nach der Vollendung dieses Werkes bei einigem Wohlwollen um so höher schätzen, und die Frau, für die ich's geschrieben habe, möge mir dafür ein freundliches Dankeswort gönnen.

Wolfram betrachtete dichterische Arbeit als ritterliche Tätigkeit, nicht als Zeichen von Bildung wie Hartmann. So ist auch seine Sprache deutlicher gegenüber Hartmanns gepflegter Stilkunst. Das Epos in 16 Büchern gehört zu den meistgelesenen Werken des Mittelalters; zusammen mit Richard Wagners gleichnamigem Musikdrama wird es in seiner Bedeutung oft mit Goethes *Faust* (s. S. 112) und dem *Nibelungenlied* (s. u.) verglichen.

Gottfried von Straßburg (spätes 12. – frühes 13. Jh.)

Gottfried von Straßburg, der dritte große Epiker des Hochmittelalters, gestaltete mit *Tristan und Isolt* (1200/1210) das Hauptwerk des dritten Stoffkreises der mittelalterlichen Romane. Der Autor appelliert an das „edele herze" des Publikums, damit es dem Liebespaar Tristan und Isolde verzeiht. Die beiden haben unter der Wirkung eines Zaubertranks gegen Isoldes Mann, König Marke, intrigiert. Man kann die Auflösung der geordneten ritterlich-höfischen Gesellschaft hier bereits erkennen: Die Macht der Leidenschaft drängt höfische und religiöse Normen in den Hintergrund.

Heldenepik

Die mittelalterliche Kriegergesellschaft war von Leitbildern der heroischen Literatur beeindruckt, mit denen sie sich und ihre Lebensform (teilweise) identifizieren konnte. Im Gegensatz zu den höfischen Romanen blieben die Dichter der Heldenepen anonym. Die Motive und Gestalten der Heldenepen reichen zurück bis in die Zeit der Völkerwanderung. Bereits das *Hildebrandslied* (s. S. 12) ließ die Charakterzüge des germanischen Helden erkennen: Sippen- und Gefolgschaftstreue, Tapferkeit und kriegerische Furchtlosigkeit sowie das Akzeptieren des vorbestimmten Schicksals. Im *Nibelungenlied,* das um 1200 entstanden ist, wurden germanische Stoffe, spielmännische Abenteuerschilderungen und ritterlich-höfische Elemente miteinander kombiniert. Das umfangreiche Werk (über 2300 Strophen in 39 „Aventiuren" – „Abenteuern") ist in zwei Hauptfassungen in 34 Handschriften und Fragmenten erhalten.

Nibelungenlied

Es ist nicht bekannt, welche Vorlagen der unbekannte Dichter, den man im bayrisch-österreichischen Raum vermutet, benutzte. In der Heldenliedersammlung der altnordischen *Lieder-Edda* (aufgezeichnet in der Mitte des 13. Jhs.) sind im *Sigurdlied* und im *Alten Atlilied* die Nibelungenstoffe überliefert. Eine weitere mögliche Zwischenstufe von etwa 1160, *Der Nibelunge Nôt,* ist verlorengegangen. Hier wird deutlich, daß die Entstehung des Stoffes und seine Aufzeichnung zeitlich weit auseinanderliegen können (s. S. 11). Konkrete, historisch fixierbare Ereignisse (besonders für den ersten Teil), Sagen, Fabel- und Märchenelemente, Natursymbole, heidnische und christliche Motive, uralte und neue Stoffe aus verschiedenen Quellen wurden miteinander verbunden. Die „Nibelungenstrophe", bestehend aus 4 Langzeilen mit je einem An- und Abvers, war für die mündliche Überlieferungstradition besonders geeignet:

Uns ist in alten mæren wunders vil geseit
von helden lobebæren, von grôzer arebeit,
von freuden, hôchgezîten, von weinen und von klagen,
von küener recken strîten muget ir nu wunder hœren sagen. (Auszug)

In alten Geschichten wird uns vieles Wunderbare berichtet:
von ruhmreichen Helden, von hartem Streit,
von glücklichen Tagen und Festen, von Schmerz und Klage,
vom Kampf tapferer Recken könnt Ihr jetzt Wunderbares berichten hören.

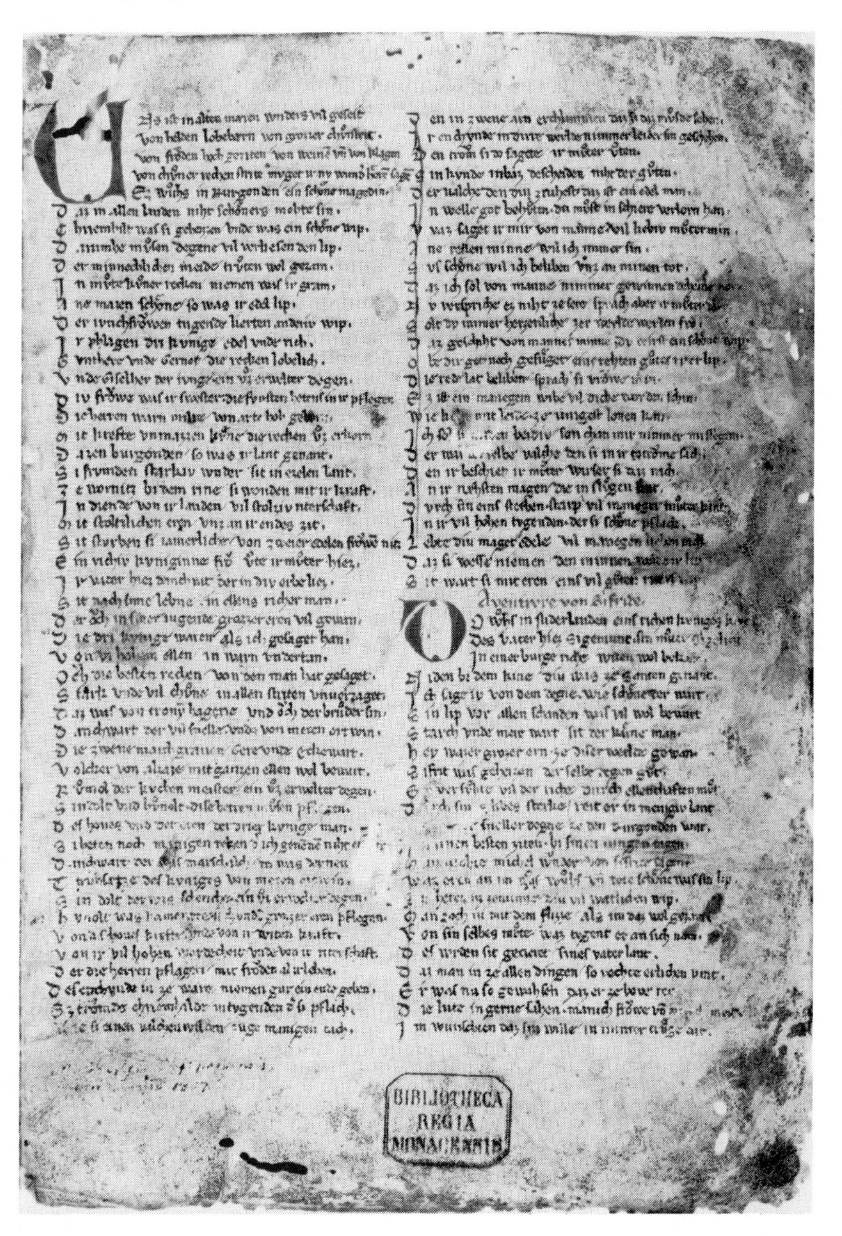

Erste Seite des Nibelungenlieds (Handschrift A, München)

Der erste (Siegfried-)Teil berichtet von der Werbung des Burgunderkönigs Gunther um Brunhild. Der edle Siegfried aus Niederlanden, der ihm dabei geholfen hat, bekommt zum Lohn Gunthers schöne Schwester Kriemhild. Nach der Doppelhochzeit kommt es zwischen den Königinnen zu Streitigkeiten um ihre Männer und deren Macht und Rangfolge. Bald darauf erschlägt Hagen, ein burgundischer Krieger aus dem prächtigen Königsgefolge, den tapferen Siegfried, um Brunhilds Beleidigung zu rächen.
Der zweite (Burgunden-)Teil berichtet von Kriemhilds zweiter Heirat mit dem mächtigen Hunnenkönig Etzel und ihrer Einladung an die Burgunden. Gunther und seine Brüder Gernot und Giselher nehmen die Einladung der Schwester an und ziehen mit ihrem Gefolge ins Land der Hunnen. Dort ereignet sich, was sich in vielen Andeutungen und Vorwarnungen abgezeichnet hatte: Kriemhild, die den Tod ihres geliebten Siegfried noch immer beweint, läßt die Burgunden überfallen, und in dem anschließenden Blutbad sterben beide Königshäuser mit ihren heldenhaften Kriegern aus. König Etzel, Dietrich von Bern und sein Waffenmeister Hildebrand sind die einzigen Überlebenden.
Das *Nibelungenlied* war schon im Mittelalter weit verbreitet; es ist auch seit seiner Wiederentdeckung 1755 durch verschiedene Übersetzungen und Neubearbeitungen recht lebendig geblieben.
Die *Klage,* die den älteren Handschriften des *Nibelungenliedes* folgt, greift den Schluß des Epos auf und versucht, ihn aus einem christlichen Geschichtsverständnis heraus zu kommentieren.

Kudrunlied

Im *Ambraser Heldenbuch,* einer Handschrift aus dem frühen 16. Jh. (1516), ist das *Kudrunlied* (~1230/1240) vollständig überliefert. Im Mittelpunkt steht Kudrun, eine Frau, die ihrem Verlobten trotz jahrelanger Trennung treu bleibt. Das Heldenepos wurde in leicht abgewandelter Nibelungenstrophe geschrieben und geht zurück auf eine um 1200 entstandene Hildesage. Es kann als eine Art Gegenstück zum *Nibelungenlied* betrachtet werden: Dem tragischen Untergang im *Nibelungenlied* steht im *Kudrunlied* ein glückliches Ende mit Versöhnungsbereitschaft und vierfacher Hochzeit gegenüber.
Verschiedene Epen und Sagenfassungen wurden besonders um die Gestalt Dietrichs von Bern (Theoderich von Verona) gedichtet; sie erreichten jedoch das *Nibelungenlied* nicht an Wirkung.

Minnesang

Die ersten uns bekannten deutschen Lieder waren einfache, von allgemein menschlichen Erfahrungen geprägte und anonym überlieferte Verse, wie z. B.

Dû bist mîn, ich bin dîn.	Du bist mein, ich bin dein.
des solt dû gewis sîn.	Dessen kannst du ganz sicher sein.
dû bist beslozzen	Du bist verschlossen
in mînem herzen:	in meinem Herzen:
verlorn ist daz slüzzelîn:	verloren ist das Schlüsselchen:
dû muost ouch immer drinne sîn.	du mußt für immer drinnen bleiben.

Der von Kürenberg (2. Hälfte 12. Jh.)

Einfach und in volkstümlichem Ton besingt auch noch Der von Kürenberg, der erste namentlich bekannte deutsche Lyriker, die Liebe. In seinem *Ich zôch mir einen valken,* in dem eine Frau zu Wort kommt, wünscht sich der Ritter zwar die Liebe der Frau, doch gibt er seine Freiheit dafür nicht auf.

Die Minnelyrik drängte jedoch nicht auf Erfüllung der Liebe, sondern war gesellschaftliche Konvention und geistreiche Unterhaltung vor allem der höfischen Kreise. Um 1160 entstand die streng geregelte Formkunst, die ab etwa 1180 eine Generation lang die Lyrik bestimmte. Sie ist uns nicht in zeitgenössischen Handschriften, sondern nur in kunstvoll ausgestalteten Sammlungen des 13. und 14. Jhs. überliefert (z. B. in der berühmten *Manessischen Handschrift*).

Minnedienst

Die meist adligen Dichter, die zugleich Sänger und Komponisten waren, huldigten in ihren vorschriftsmäßig geformten Liedern einer idealisierten Frau. Sie blieb unerreichbar – oft war sie die Frau des eigenen Herrn – und gewährte dem Sänger seinen ideellen Lohn durch ihren Gruß und ihre freundliche Haltung. Ein Ziel des Minnedienstes war es, die Trauer über unerfüllte Liebe zu bewältigen und in hochgemute Zustimmung („hoher muot“) zu verwandeln. Die höfische Gesellschaft wachte streng darüber, daß die entsagende Huldigung nicht in schwärmerische Liebe und leidenschaftliche Ehebruchspoesie ausartete. Man nahm den Minnedienst um seiner selbst willen und wegen der Einübung höfischer Sitten auf sich. Die Minnelyrik darf deshalb nicht als literarischer Ausdruck individueller Erlebnisse verstanden werden. Die Zentren waren die Höfe der Staufer, der Thüringer (Wartburg/Eisenach) und der Babenberger (Wien).

Friedrich von Hausen (~1150 – 1190)

Am Staufischen Hof lebte Friedrich von Hausen. In seiner schmerzlichen Reflexion *Mîn herze und mîn lîp diu wellent scheiden (Mein Herz und mein Leib wollen sich trennen*) beklagt er den unvereinbaren Gegensatz von seiner Pflicht als Kreuzritter und seiner Liebe zur erwählten Frau. Er war stark von Frankreich beeinflußt und schrieb seine Verse in der geläufigen neuen Liedform: Die einzelne Strophe ist in zwei gleiche Versgruppen (Stollen) gegliedert, die auch Aufgesang genannt werden, und denen der meist längere Abgesang folgt, der die Hauptaussage trägt.

Heinrich von Morungen († 1222)

Der bekannteste Dichter des Thüringer Hofes war Heinrich von Morungen. Seine Lieder variieren zwischen dem Lob der geliebten Frau und der Klage über seine unstillbare Sehnsucht nach ihr. In seinen „Wechseln“ (Frauen- und Männerstrophen wechseln in diesen Liedern ab) kompensierte er die unerfüllbare Sehnsucht durch Flucht in Phantasien und Visionen. Die schmerzliche Trennung der Liebenden bei Tagesanbruch besingen die „Tagelieder“ („Alba“).

Reinmar von Hagenau (Mitte 12. Jh. – vor 1210)

Hauptsächlich die Schmerzen und die Schwermut der wahren und reinen Minne besang Reinmar von Hagenau (auch Reinmar der Alte genannt) am Babenberger Hof in Wien. Seine Lieder sind melancholische Reflexionen über seine unermüdliche Werbung, die nicht erhört werden kann und darf, da die Frauen für ihn unantastbar sind:

bezzer ist ein herzesêr	Besser ist ein Weh im Herzen,
dann ich von wîben misserede.	als daß ich von Frauen schlecht rede.
ich tuon sîn niht: si sint von allem rehte hêr.	Ich tue es nicht: sie sind mit vollem Rechte unantastbar.
(Auszug)	

Walther von der Vogelweide (~1170 – ~1230)

Reinmars Schüler Walther von der Vogelweide griff nach anfänglicher Anpassung die Monotonie dieser unerfüllbaren Minne an. Der bekannteste mittelalterliche Lyriker besang und kommentierte in seinen Liedern auch politische Themen (z. B. den deutschen Thronstreit 1198–1210) und glich seine Lyrik wiederholt den jeweiligen Lebensumständen und den politischen Erfordernissen der Zeit an. Er hatte auf vielen Reisen neue Eindrücke gewonnen und fand einen eigenen, selbstbewußten Stil. Er suchte – anders als Reinmar – die Schuld für seine unerfüllte Liebe nicht bei sich oder der konventionellen Beschränkung, sondern bei der Auserwählten:

Iedoch sô tuot si leides mir sô vil.	Doch tut sie mir so viel Leides!
si kan mir versêren	Sie weiß mir zu verwunden
herze und den muot.	Herz und Sinn.
nû vergebez ir got dazs an mir missetuot.	Nun vergeb ihr Gott, was sie mir unrecht tut,
her nâch mac si sichs bekêren.	und dann mag sie sich bekehren.
(Auszug)	

Niedere Minne

Walther löste sich von der „hohen Minne" der höfischen Konvention und richtete seine Liebe, die nach Erfüllung drängte, auch an unverheiratete nichtadlige Mädchen („Mädchenlieder" oder auch „niedere Minne" genannt): *Herzeliebez frowelîn.* Damit provozierte er anfangs die gesellschaftliche Kritik:

Sie verwîzent mir daz ich	Sie werfen mir vor, daß ich
sô nidere wende mînen sanc.	mein Lied an niedrig Geborene richte.
daz si niht versinnent sich	Daß sie nicht begreifen,
waz liebe sî, des haben undanc!	was wirkliche Liebe ist; –
(Auszug)	sie sollen dafür verwünscht sein!

Walther führte den stilisierten Minnesang zurück zum persönlichen Liebeslied, das die gegenseitige Liebe zwischen Mann und Frau („ebene Minne") besingt. Er vereinte Minne und Liebe, auch wenn er später wieder zur höfischen Minne zurückkehrte.
Als Walther alt wurde, machte er eine tiefe Wandlung durch und lebte nach der Auffassung, daß man nicht gleichzeitig Gott und der Welt dienen könne. Er wandte sich von der Welt ab, die er nun als Übergangsstadium betrachtete und deren häßliche und finstere Seite er betonte:

diu Welt ist ûzen schœne, wîz grüen unde rôt,
und innân swarzer varwe, vinster sam der tôt.

Walther von der Vogelweide (Manessische Handschrift)

Die Welt ist außen schön, weiß, grün und rot –
und innen von schwarzer Farbe, finster wie der Tod.

Er erinnerte die Ritter an ihre Pflicht, zur Ehre Gottes in den Kampf zu ziehen, wie es z. B. in den Kreuzzügen geschah. Walther verwendete in seinem Alterswerk Metaphern und Allegorien, die ab dem Spätmittelalter häufig in der Literatur zu finden sind: Bestimmte Verhaltensweisen wurden symbolhaft personifiziert, z. B. Frau Minne, Frau Milte, Frau Welt. Die Gedichte an die trügerische „Frau Welt" und die Elegie *Owê war sint verswunden alliu mîniu jâr! (O weh, wohin sind alle meine Jahre verschwunden!)* geben die resignierte Stimmung des alten Dichters wieder, der die Anzeichen vom Zerfall der ritterlichen Kultur bereits erkannte.
Die Dorfpoesie Neidharts von Reuental (1180/90–vor 1246) wirkt wie eine derbe Parodie der Minnelyrik, die nach 1210 ihrem Ende zuging.

Literatur des Spätmittelalters (um 1250–1500)

Die Literatur des Spätmittelalters, dieser Epoche des Umbruchs und der Gegensätze, trägt die Uneinheitlichkeit und Widersprüchlichkeit der Zeit in sich. Aus der großen Vielfalt der Werke kann man charakteristische Tendenzen herausstellen.
Bereits zu Lebzeiten Walthers von der Vogelweide waren die innere Auflösung und der Zerfall der höfischen Kultur nach 1220 zu spüren:

swar ich zer werlte kêre, dâ ist nieman frô:
tanzen lachen singen zergât mit sorgen gar,
nie kein kristenman gesach sô jæmerlîche schar.

Wohin zur Welt ich mich wende, da ist niemand fröhlich:
Tanzen, Lachen, Singen vergehen ganz in Sorgen,
nie hat ein Christenmensch eine so klägliche Gesellschaft gesehn.

Wernher der Gartenaere (Mitte – Ende 13. Jh.)

Die Verserzählung *Meier Helmbrecht* (zwischen 1250 und 1282) von Wernher dem Gartenaere gibt ein satirisches Bild der Zeit, vom Zerfall des Rittertums und der Auflösung der Standesgrenzen. Der Bauernsohn Helmbrecht glaubt, aus der gefestigten Welt des Bauerntums zum Ritter aufsteigen zu können. Er wird jedoch nur Raubritter (Räuber). Hochmütig weist er alle Warnungen des Vaters zurück, bis dieser ihm in einer Notsituation nicht mehr helfen kann. Der verlorene Sohn findet ein schlimmes Ende.

Ende der ritterlich-höfischen Kultur

Die ritterlich-höfischen Ideale hatten an Wirkung verloren. In den Epen von Heinrich von dem Türlin, Rudolf von Ems und Konrad von Würzburg kann man ein Abnehmen des hochmittelalterlichen Gestaltungswillens und die Veränderung des dichterischen Stils gegenüber dem Hochmittelalter erkennen. Als mit dem Tod des letzten Stauferkaisers Friedrich II. (1194–1250) die Blütezeit des Rittertums vorbei war, hatte sich ein neues Lebensgefühl entwickelt. Dem sehnsüchtigen

Rückblick auf die vergangene Kaiserzeit stand auch die Faszination von der veränderten Wirklichkeit mit frischen Kräften entgegen. Die Belebung des Handels – die Geldwirtschaft löste den Naturalienhandel ab – und der damit verbundene Aufstieg der Städte ließ Kaufleute und Handwerker zu neuen, finanzkräftigen und selbstbewußten Ständen heranwachsen. Sie schlossen sich in Zünften und Gilden zusammen, zeigten damit ihren Gemeinschaftssinn und forderten mit Nachdruck Mitbestimmung am gesellschaftlichen Leben. Eine verweltlichte Volksliteratur, die in der Realität der damaligen Gegenwart wurzelte, wurde Ausdruck des neuen Selbstverständnisses. Neben Fürstenhof, Kirche und Kloster deutete sich allmählich die Stadt mit ihrem Bürgertum als neues Zentrum von Bildung und Literatur an. Die Einführung des Papiers anstelle des teuren Pergaments (14. Jh.) und die Erfindung des Buchdrucks (Mitte 15. Jh.) förderten die schriftliche Fixierung der Literatur. Dadurch wurde auch die Unterhaltungsliteratur weiter verbreitet, obwohl noch nicht so viele Menschen lesen konnten.

Beginn der Städtekultur

Die höfischen Epen wurden im ,,Volksbuch", wie man den fortentwickelten spätmittelalterlichen Prosaroman (seit Görres, 1807) auch nennt, verbürgerlicht: Die alten Stoffe wurden von heute meist unbekannten Verfassern in Prosa umgeschrieben oder nachgedichtet.

Volksbuch

Die Minnelyrik ging über in liedhafte Lyrik und entwickelte sich im ,,Volkslied" fort. Oswald von Wolkenstein, ein Südtiroler Adliger, besang die Erlebnisse zahlreicher Reisen in Liedern. Die Volkslieder (der Begriff wurde erst in der Romantik geprägt) waren ursprünglich ebenfalls Schöpfungen einzelner Sänger und Dichter. Sie wurden vom Volk aufgenommen und in der mündlichen Überlieferung zu Liedern geformt, die menschliches Erleben und Empfinden ausdrückten. Themen waren Liebe und Tod, Heimatverbundenheit und Wanderlust sowie Feste und Standesbewußtsein. Formale Gesichtspunkte wurden dabei nicht so stark betont; einfache Formen entsprachen den Inhalten besser. Auch zahlreiche geistliche Lieder stammen aus dieser Zeit, wie z. B. das bekannte Weihnachtslied *Es ist ein Ros entsprungen* oder das freudige Osterlied *Christ ist erstanden,* das ebenfalls noch heute gesungen wird.

Volkslied

In derselben stilistischen Tradition steht auch die politische Lyrik des Mittelalters, die Walther von der Vogelweide eingeleitet hatte (s. S. 30). Die Verfasser sind zum größten Teil unbekannt. Sie schrieben im Auftrag von Fürsten und Adligen (s. S. 24) und gestalteten häufig die regionalen Konflikte mit politischem Hintergrund im Sinne ihrer Auftraggeber.

Politische Lyrik

Im Meistersang ahmten bildungseifrige Handwerker den ritterlichen Minnesang nach. Er blieb begrenzt auf den verbindlichen Kanon vorgegebener (meist religiöser) Themen und das pedantische Einhalten der Formvorschriften (,,Tabulaturen") für die Dichtung, die in ,,Singschulen" gelehrt wurden. Aus dieser erlernbaren handwerklichen Kunst leitet sich auch die Bezeichnung der fahrenden Sänger als ,,Meister" ab.

Meistersang

Zeit des Umbruchs

Lebensfreude, Spaß am Volkstümlichen und an derber Satire waren jedoch nur ein Teil des spätmittelalterlichen Lebens. „Frau Welt" offenbarte in Konrad von Würzburgs († 1287) *Der Welt Lohn* (~1260) allegorisch ihr doppeltes Wesen mit strahlendem Gesicht und mit vom Gewürm zerfressenem Rücken. Die Zeit des Umbruchs war geprägt von sozialen und politischen Spannungen. Die Auseinandersetzungen zwischen den Ständen (Zunftkämpfe, Bauernaufstände) und die Suche nach neuen Orientierungspunkten förderten Resignation und Pessimismus. Naturkatastrophen und die wiederholten Pestepidemien, die in kurzer Zeit die Bevölkerung ganzer Städte auslöschen konnten, bewirkten weiterhin Weltuntergangsstimmung und Unsicherheit. Der Hundertjährige Krieg zwischen England und Frankreich (1339–1453) um die Vorherrschaft in Frankreich hinterließ seine Spuren auch in Deutschland. Eine Wendung zur Religion und ein verstärktes Todesbewußtsein wurden zum weiteren Charakteristikum des Spätmittelalters. Auch das religiöse Leben war voller Gegensätze und schwankte zwischen inniger Gottesverehrung und fanatischer Verfolgung Andersgläubiger.

Predigten

In eindringlichen Bußpredigten warnten die Mönche der neugegründeten Bettelorden (Franziskaner und Dominikaner) davor, sich in den Wirren der Welt zu verlieren. Berthold von Regensburg (~1210–1272) war der bekannteste dieser Prediger.

Scholastik und Mystik

Die scholastischen Lehren und Schriften des gelehrten Dominikanermönchs Thomas von Aquin (1225–1274) erreichten weite Verbreitung. Sein Hauptwerk, *Summa Theologiae* (entstanden 1267–1273), gilt als Höhepunkt der Scholastik.

Ins 13. und 14. Jh. fiel auch die Blütezeit der deutschen Mystik. Die bekanntesten Vertreter sind die Dominikaner Meister Eckhart von Hochheim, seine Schüler Johannes Tauler und Heinrich Seuse und auch Mechthild von Magdeburg (s. S. 37). Sie versuchten in ihren Schriften das unmittelbare Gotteserlebnis wiederzugeben, das man rational nicht erklären kann. Ihre Bemühungen um adäquaten sprachlichen Ausdruck für ihre Gottesvisionen und Gedanken erweiterten die deutsche Sprache um zahlreiche Wortschöpfungen. Heute sind viele dieser ursprünglich in der Mystik gebrauchten Wörter fester Bestandteil des deutschen Wortschatzes (z. B. Eindruck, Zufall, wesentlich, begreifen; Abstraktsuffixe -heit und -ung).

Geistliches Drama

Die geistlichen Dramen, die sich aus der Liturgie des frühen Mittelalters (s. S. 17) entwickelt hatten, wurden zu Volksschauspielen ausgeweitet. Die lateinischen Hymnen und Wechselgesänge der Weihnachts-, Passions- und Osterfeste wurden von Geistlichen und zunehmend auch von Laien dramatisiert und immer mehr ausgeschmückt. Der Kirchenraum wurde zu eng, und die teilweise mehrtägigen Spiele wurden auf Kirchen- und Marktplätze verlegt. Zum Teil regelten ausführliche Bühnenanweisungen das Geschehen auf der „Simultanbühne", wo jeder Handlung ein fester Platz mit symbolischer Bedeutung zugewiesen wurde. Der Anteil der deutschen Sprache und die

unterhaltenden Szenen (Spitzbübereien und Szenen um menschliche Schwächen) nahmen zu. Dadurch wurden die geistlichen Dramen populärer.
Das älteste deutschsprachige Osterspiel, das *Osterspiel von Muri*, stammt aus der Mitte des 13. Jhs. Die Tragik des Menschen, der zwischen Lebensfreude und religiöser Unsicherheit des ausgehenden Mittelalters hin- und hergeworfen wird, zeigt sich z. B. im *Innsbrucker Osterspiel* aus dem Jahr 1391. Neben diesen geistlichen Spielen bestanden jedoch weiterhin die weniger prunkvoll ausgestattenen Feiern im Kirchenraum. Die Oberammergauer Passionsspiele, die in der Barockzeit neu begründet wurden, gehen auf diese Tradition der geistlichen oder Mysterien-Spiele zurück. (In der Zeit der Reformation im 16. Jh. waren die Spiele untergegangen.)

Fastnachtsspiele

Als weltliche Gegenstücke entstanden im späten Mittelalter die Fastnachtsspiele. Sie wurden von Anfang an in deutscher Sprache aufgeführt und boten vor der Fastenzeit noch einmal Gelegenheit zu ausgelassenem Treiben. Hans Rosenplüt und Hans Folz sind Überlieferer der Gattung. Die derben und teilweise obszönen Alltagsszenen wurden erst später von Hans Sachs (s. S. 49) auf höheres Niveau gebracht.

Schwank- und Satiredichtung

Schon mit den *Schwänken des Pfaffen Amîs* hatte sich zwischen 1220 und 1250 die Freude des Spätmittelalters an derbem Schwank, spöttischer Parodie und unterhaltsamer Satiredichtung gezeigt. Mit den erfolgreichen Streichen des listigen Geistlichen kritisierte der Stricker – so nannte sich der Autor († ~1250) – die Torheit der Menschen in heiterer Form. Die durchtriebenen Späße sind Vorläufer des Volksbuches von *Till Eulenspiegel* (s. S. 47), in dem zu Beginn des 16. Jhs. die witzigen Streiche des Helden aus dem 14. Jh. gesammelt wurden.

Frühhumanismus

Gleichzeitig mit Scholastik und Mystik übte der Frühhumanismus großen Einfluß auf die deutsche Kultur und Literatur aus. Karl IV. (1316–1378) und sein Kanzler Johannes von Neumarkt hatten die Bewegung von Italien nach Prag gebracht, wo 1348 die erste deutsche Universität gegründet wurde. Die mittelhochdeutsche Muttersprache sollte nach lateinischem Vorbild erneuert, verfeinert und rhetorisch durchgebildet werden. Der neue Sprachwille und das veränderte Menschenbild kommen im *Ackermann aus Böhmen* am besten zum Ausdruck.

Johannes von Tepl (um 1350–1414)

Johannes von Tepl (Saaz) verfaßte um 1400 das einem juristischen Prozeßverfahren nachgebildete Streitgespräch zwischen dem personifizierten Tod und einem Bauern, dessen Frau gestorben ist. Die Wandlung des Bauern vom leidenschaftlichen Kläger bis hin zum einsichtigen Fürbitter für seine Frau, die kalte und sachliche Überheblichkeit und Weltverachtung des Todes werden in rhetorisch überragender Weise entwickelt und gipfeln im Schiedsspruch Gottes:

Ihr habt beide gut gefochten: den zwingt sein Leid zu klagen, diesen der Angriff des Klägers, die Wahrheit zu sagen. Darum Kläger, habe Ehre! Tod, habe Sieg! Jeder Mensch ist pflichtig, dem Tod das Leben, den Leib der Erde, die Seele uns zu geben.

Die beiden Gegner werden als die miteinander kämpfenden Zeitalter betrachtet: Der Tod hält an der weltfeindlichen Haltung der mittelalterlichen Kirche fest, während sich im rebellierenden Ackermann und seiner Hochschätzung des menschlichen Lebens bereits die kommende Renaissance ankündigt.
Die ersten Ansätze des Humanismus waren in Deutschland jedoch nicht von langer Dauer. Die neue freiheitliche Geisteshaltung war mit der Verbrennung des tschechischen Reformators Johannes Huß (1415) beendet, und erst gegen Ende des 15. Jhs. brach eine liberalere Gesinnung wieder stärker durch.

Kurzbiographien Hochmittelalter

GOTTFRIED VON STRASSBURG (spätes 12. – frühes 13. Jh.)
Über den vielseitig gebildeten Dichter ist – auch aus seinem Werk – so gut wie nichts bekannt. Er war vermutlich kein Ritter, sondern Jurist oder Kleriker in Straßburg. Bekannt wurde er mit

Tristan und Isolt (Versroman, 1200/10)

HARTMANN VON AUE (OUWE) (~1165 – 1215)
Hartmann bezeichnete sich selbst als gelehrten Dichter aus dem Ritterstand; er war Ministeriale eines freiherrschenden Geschlechts von Aue. Beim Tod seines Herrn legte er ein Gelübde ab, am Kreuzzug (entweder 1189/90 oder 1197/98) teilzunehmen. Dabei überwand er seine Lebenskrise und wandte sich – auch als Dichter – wieder der Welt zu. Hartmann war Minnesänger und bedeutender Epiker nach französischem Vorbild, mit klarem, rhetorisch geprägtem Versstil.

Erec (Artusroman, ~1180/85)
Gregorius, der gute Sünder (höfische Verslegende, 1187/89 oder ~1195)
Der arme Heinrich (höfische Verslegende, ~1195)
Iwein (Artusroman, ~1202/05)

REINMAR VON HAGENAU/REINMAR DER ALTE (Mitte 12. Jh. – vor 1210)
Reinmar war wahrscheinlich Ministeriale im Dienst des Geschlechts von Hagenau (Elsaß). Seine kunstvollen Minnelieder bilden den Höhepunkt des hohen Minnesangs. Er verteidigte seine konventionelle Minneauffassung gegen die neue Minnekonzeption seines Schülers Walther von der Vogelweide.

WALTHER VON DER VOGELWEIDE (~1170 in Österreich – ~1230 in Würzburg)
Er kam um 1188 nach Wien, wo er seine literarische Kunst bei Reinmar von Hagenau lernte. Nach dem Tod seines Herrn Herzog Friedrich I. von Österreich zog er als Besitzloser in Europa von Hof zu Hof und schloß sich verschiedenen Gönnern an. Sein Leben lang mußte er sich um die Sicherung seiner Existenz bemühen; von Friedrich II. erhielt er schließlich 1220 ein Lehen bei Würzburg. Der bedeutendste Lyriker des Hochmittelalters distanzierte sich früh vom hohen Minnesang und griff seinen Lehrer Reinmar von Hagenau an.

Walther schrieb Lieder der „ebenen" und „niederen" Minne, Kreuzzugslieder, politische Lyrik (ca. 80 Lieder, ca. 100 Sprüche).

WOLFRAM VON ESCHENBACH (~1170 – ~1220 in Eschenbach bei Ansbach, heute Wolframseschenbach)
Seine Lebensumstände sind aus seinem Werk rekonstruierbar. Er war stolz auf seine ritterliche Herkunft; doch da die Familie verarmt war, war er zeitlebens auf die Gunst vermögender Herren angewiesen. Er erzählt von einer glücklichen Ehe. Seit ~1203 war er am Hof Hermanns von Thüringen, wo er mit Walther von der Vogelweide zusammentraf.

Parzival (Versroman, 1200/10)
Willehalm (Fragment einer höfischen Erzählung, zwischen 1212 und 1218)
Titurel (Verserzählung, zwischen 1215 und 1219)
Minnelieder (~1165 – ~1215)

Kurzbiographien Spätmittelalter

MEISTER ECKHART (~1260 in Hochheim bei Gotha – 1328 in Avignon)
Der Dominikanermönch war Oberer und Lehrer in verschiedenen Klöstern. 1302 wurde er Magister der Theologie in Paris. 1326 wurde er in einem Inquisitionsprozeß der Ketzerei angeklagt. Papst Johannes XXII. verurteilte nach Eckharts Tod 28 seiner theologischen Schriften, die großen Einfluß auf das geistige Leben des Spätmittelalters hatten, als Irrlehren. Meister Eckhart wurde zum Verkünder der mystischen Innenschau und zum bedeutenden deutschen Sprachschöpfer. Er verfaßte mystische Schriften und Predigten.

MECHTHILD VON MAGDEBURG (~1210 in Niedersachsen – 1282 oder 1283 in Eisleben)
Die gelehrte deutsche Mystikerin lebte in einer klösterlichen Gemeinschaft in Magdeburg. 1271 ging sie ins Kloster der Zisterzienserinnen in Eisleben. In ihren Visionen kritisierte sie die Zeit und die Kirche.

Das fließende Licht der Gottheit (Mystische Schrift, 1250 – 1281/82, Übersetzung ~1345 von Heinrich von Nördlingen)

OSWALD VON WOLKENSTEIN (~1377 in Tirol – 1445 in Meran)
Oswald von Wolkenstein wurde in einer Tiroler Adelsfamilie geboren. Er führte ein abenteuerliches Wanderleben. Seit 1415 stand er im Dienst von König Sigismund. 1421–23 war er in österreichischer Gefangenschaft. Er schuf den Übergang vom Minnelied zum volkstümlichen Lied.

HEINRICH SEUSE (1295 am Bodensee – 1366 in Ulm)
Mit 13 Jahren trat Seuse ins Dominikanerkloster Konstanz ein. Er war Schüler von Meister Eckhart (Köln 1322–24), dessen spekulative Mystik ihn prägte. 1343/44 war er Prior des Konstanzer Konvents; 1348 ging er nach Ulm. Er schrieb Predigten und die erste deutsche Autobiographie:

Der Seuse (~1362)

Johannes Tauler (~1300 – 1361 in Straßburg)
Tauler trat 1315 in den Dominikanerorden ein. Er war Prediger und Mystiker in Straßburg und Basel und (~1326) ein Schüler von Meister Eckhart. Tauler betonte die praktische Religiosität und verfaßte Predigten (1339/71).

Johannes von Tepl/von Saaz (~1350 in Tepl/Böhmen – 1414 in Prag-Neustadt)
Ab 1378 war er Stadtschreiber und Schulvorsteher und auch Jurist in Saaz. 1411 wurde er Stadtschreiber und Notar in Prag-Neustadt. Der Tod seiner ersten Frau am 1. August 1400 war der Anlaß für sein bekannt gewordenes Streitgespräch:

Der Ackermann aus Böhmen (~1400)

Humanismus und Reformation (1470/80-1600) 3

Zeitalter der Entdeckungen

Die zweite Hälfte des 15. und das 16. Jh. waren die Zeit des Übergangs vom Mittelalter zur Neuzeit. 1492 hatte Columbus Amerika entdeckt, 1497–99 fand der Portugiese Vasco da Gama den Seeweg nach Ostindien. Mit der ersten Weltumsegelung (1519–22) brachte der Portugiese Magellan den Beweis für die Kugelform der Erde. 1543 veröffentlichte der Astronom Nikolaus Kopernikus sein Hauptwerk *De revolutionibus orbium coelestium* (*Über die Bewegungen der Himmelskörper*), in dem er die Sonne als Fixpunkt darstellte, um den die Erde und andere Planeten kreisen. Das traditionelle ptolemäische Weltbild des Mittelalters war dadurch gestürzt und die Vorstellung von Europa als Mittelpunkt der bewohnten Erde nicht länger haltbar. Neue See- und Landkarten wurden entworfen und förderten das Verständnis der neuen Erfahrungen. Neben einem letzten Festhalten an den Traditionen des Mittelalters setzte sich in Politik und Gesellschaft, in Wissenschaft und Kunst ein neues, optimistisches und selbstbewußtes Lebensgefühl immer stärker durch. „O saeculum, o literae, juvat vivere!“ (O Jahrhundert, o Wissenschaften, es ist eine Lust zu leben!) jubelte 1518 der Nürnberger Humanist Ulrich von Hutten. Mit der Entdeckung der Welt kam die Entdeckung des Menschen; der Mittelpunkt des Denkens war nicht mehr allein Gott, sondern immer mehr die Welt und der Mensch in ihr. Aus Italien kam der Einfluß der Renaissance (Wiedergeburt): Die Sehnsucht nach geistiger Erneuerung führte zur Entdekkung der schöpferischen Kräfte des einzelnen. Die antike Welt schien dafür das beste Vorbild zu sein. Die zahlreichen Gelehrten, die 1453 bei der türkischen Eroberung von Konstantinopel – heute Istanbul – nach Rom geflohen waren, unterstützten eine freie und selbstbewußte, nicht mehr durch kirchliche Dogmen und Scholastik bestimmte Beurteilung und Wiederbelebung der Antike. Vernunft und Logik traten in den Vordergrund und verdrängten die starren Lehrtraditionen des ausgehenden Mittelalters und vor allem der Scholastik (s. S. 18, 34); das individuelle Gewissen wurde zur entscheidenden Instanz. Diese „Renaissance“ erstreckte sich in Italien auf alle Lebensbereiche.

Italienische Renaissance

Wiederbelebung antiker Kultur

Die italienische Renaissance hatte großen Einfluß auf ganz Europa. In Deutschland bestimmte sie nicht so sehr die politisch-staatliche Entwicklung; sie beeinflußte seit 1500 die wissenschaftliche und literarische Bewegung, die man als ,,Humanismus" bezeichnet. Das lateinische Wort ,,humanitas" bedeutet sowohl Menschlichkeit als auch Bildung, Herzensbildung. Die Bildungsbereiche, die sich mit dem menschlichen Selbstverständnis und mit der universellen Bildung des Menschen beschäftigten, standen im Mittelpunkt der humanistischen Bewegung. 1456 wurde an der Universität Wien der erste Lehrauftrag für die ,,studia humanitatis" vergeben; statt der mittelalterlichen formalen Bildung durch die freien Künste (artes liberales) wurde die umfassende Formung des ganzen Menschen angestrebt. Deutsche Künstler und Gelehrte gingen zum Studium nach Italien, wo z. B. so bekannte Maler lebten wie Leonardo da Vinci, Michelangelo, Raffael und Tizian; dadurch förderten sie einen lebhaften Kulturaustausch zwischen beiden Ländern. Aus Deutschland wurden Albrecht Dürer, Hans Holbein d. J., Matthias Grünewald sowie Tilman Riemenschneider, Veit Stoß und in der Musik der gebürtige Niederländer Orlando di Lasso besonders bekannt.

Deutscher Humanismus

Die Gelehrten beschäftigten sich mit römischen und griechischen Textquellen – vor allem auch mit der Bibel; sie verfaßten Übersetzungen antiker Schriftsteller und erstellten kritische Ausgaben ihrer Werke. Daneben schrieben sie Nachdichtungen antiker Werke in lateinischer Sprache, wobei Stil und Rhetorik der Vorbilder streng eingehalten wurden. Wie im Mittelalter blieb Latein die Sprache der Gebildeten, die sich vom Volk deutlich unterschieden. In verstärktem Maß gehörten jetzt auch Adlige und vor allem (reiche) Bürger zu den Gebildeten. Sie prägten Kunst, Literatur und Wissenschaft. Die Italiener Dante Alighieri, Francesco Petrarca und Giovanni Boccaccio waren ihre Vorbilder; aus der Zeit der Antike galten Horaz, Quintilian und Cicero als vorbildlich. Die Zentren des deutschen Humanismus waren neben den Universitätsstädten Basel, Erfurt, Heidelberg, Straßburg, Tübingen und Wien die finanzstarken Handelsstädte meist im süddeutschen Raum. Der Geldhandel löste endgültig die Naturalienwirtschaft ab. Reiche Unternehmerfamilien wie z. B. die Fugger in Augsburg ermöglichten die Verbreitung der neuen humanistischen Kultur (vgl. das Haus der Medici in Florenz). Die von Johannes Gutenberg in Mainz erfundene Buchdruckerkunst mit beweglichen Metallettern – 1455 erschien die berühmte Gutenberg-Bibel – förderte die Verbreitung der Literatur. Die hauptsächlich zum Vortrag bestimmte Literatur (s. S. 24) wurde nun von Werken abgelöst, die mehr für die Leserezeption gedacht waren. Die Produktion und Verbreitung der Bücher steigerte sich rasch: Die Jahresproduktion deutscher Drucke stieg von ca. 100 (1515) auf ca. 1000 (1524).

Erasmus von Rotterdam (1466/67/69–1536)

Der bedeutendste europäische Humanist war der Niederländer Erasmus von Rotterdam, ein universal gebildeter Theologe. Seine erste textkritische Ausgabe des Neuen Testaments im griechischen Urtext

(1516/1519) verwendete Luther für seine Bibelübertragung. Die *Adagia* (1500), eine Sammlung von 4000 antiken Sprichwörtern, wurde eine Fundgrube für andere Dichter. Erasmus kritisierte – jedoch ohne die Dogmen zu überwinden – die oberflächliche Religiosität der Kirche und wurde daher oft als Wegbereiter der Reformation betrachtet (von der er sich jedoch zunehmend distanzierte). In seinem bekanntesten und auch heute noch gelesenen Werk *Morias Encomion seu Laus Stultitiae* (*Lob der Torheit,* 1509) tritt die Torheit persönlich auf. In ironisch-satirischen Reden demonstriert sie, daß alle Berufe und Stände ihr das Leben verdanken, daß der Weise eigentlich töricht und von ihr abhängig ist:

> Was ist denn das menschliche Leben schon anderes als ein Schauspiel, in dem die einen vor den anderen in Masken auftreten und ihre Rolle spielen, bis der Regisseur sie von den Brettern abruft.

Mit diesem Spiel hat Erasmus den Satz des römischen Dichters Horaz (65–8 v. Chr.) verwirklicht, der fordert, „lachend die Wahrheit zu sagen" (ridendo dicere verum).
Für uns heute schwieriger zugänglich sind die Werke der Humanisten Konrad Celtis (1459–1508) und Johannes Reuchlin (1455–1522). Celtis verfaßte die erste Poetik des deutschen Humanismus (*Ars versificandi et carminum,* 1486). Reuchlin schrieb 1506 die erste hebräische Grammatik, ein wichtiges Hilfsmittel für die Theologen.

Ulrich von Hutten (1488–1523)

Ulrich von Hutten, ein revolutionärer und kämpferischer Vertreter des deutschen Humanismus, war einer der Autoren der 1515/17 anonym herausgegebenen *Epistolae obscurorum virorum (Dunkelmännerbriefe).* Die 110 fingierten Briefe sind das satirische Gegenstück zu den *Epistolae clarorum virorum (Briefe berühmter Männer),* die Reuchlin 1514 herausgab. Reuchlin rechtfertigte sich darin gegen die Kölner Theologen, mit denen er einen Streit über die Judenfrage führte. Die *Dunkelmännerbriefe* ahmten – in absichtlich primitivem Latein – die geistige Beschränktheit und Frömmelei der Kölner Geistlichen nach. Sie sind somit eine witzige Bloßstellung der scholastischen Gegner Reuchlins. Spätscholastische Wissenschaft und Theologie wurden zugunsten des freieren humanistischen Denkens verurteilt. Die erfolgreiche Satire wurde jedoch von Erasmus und Luther eher abgelehnt; Hutten stand schließlich vom Humanismus und von der Reformationsbewegung isoliert.

Die Reformation

Während sich der Humanismus in Europa weiter ausbreitete, wurde die Bewegung in Deutschland durch die Reformation und die Bauernkriege (1524/25) unterbrochen.

Martin Luther (1483–1546)

Martin Luther, der anfangs dem Humanismus nahe stand, wurde zur wichtigsten deutschen Gestalt des 16. Jhs. Im Zentrum seiner Lehre steht der Glaube an einen gnädigen Gott, der den zum Guten unfähigen Sünder von seinen Sünden freispricht. Dieses Freisprechen von den Sünden geschieht aufgrund des Opfertodes Jesu Christi und ist nicht mit der Bedingung guter Taten verknüpft. Luthers 95 Thesen, die

Göttlicher Schrifftmessiger / woldenckwürdiger Traum / welchen der Hochlöbliche / Gottselige Churfürst Friederich zu Sachsen / etc. der Weise genant / aus sonderer Offenbarung Gottes / gleich jtzo für hundert Jahren / nemlich die Nacht für aller Heiligen Abend / 1517. zur Schweinitz dreymal nach einander gehabt / Als folgenden Tages D. Martin Luther seine Sprüche wider Johann Tetzels Ablaßkrämerey / an der Schloßkirchenthür zu Wittenberg angeschlagen. Allen jetzo jubilierenden Christen nützlich zu wissen / in dieser Figur eigentlich fürgebildet.

GLeICh aM ersten reChten eVangeLIsChen LVtherIsChen IVbeLfest

ICh habe offt in den Ländern / als ich ein Kind war / eine Prophecenung gehöret / Keyser Friedrich würde das heilige Grab erlösen / vnd / wie dann der Propheten Art vnd Natur ist / daß sie ehe erfüllet als verstanden werden / sehen sie allezeit anders wohin / denn die Wort für der Welt lauten: Also deucht mich auch / daß diese Prophecenung in diesem vnserm Churfürsten Hertzog Friedrichen zu Sachsen erfüllet sey. Denn was können wir für ein ander heilig Grab verstehen / denn die heilige Schrifft / darinn die Warheit Christi durch die Papisten getödtet / ist begraben gelegen / welches die Büttel / das ist / die bettel Orden vnd Ketzermeister behütet vnd bewahret haben / daß kein Jünger Christi käme vnd stele sie? Nun kan niemand leugnen / daß vnter Hertzog Friedrich / dem Churfürsten zu Sachsen / die lebendige Warheit des Evangelij ist herfür kommen / etc.

Somnium Friderici sapientis Electoris Saxoniæ.

DEr Ehrwürdige Herr Georgius Spalatinus hat mir Antonio Musæ glaubwürdig erzehlet einen Trawm / welchen Hertzog Friedrich Churfürst zu Sachsen gehabt hat zur Schweinitz / die Nacht zuvor / ehe Doctor Martin Luther seine erste propositiones wider den Bapst / vnd beyde Johan Tetzels Predigten von der Römischen Gnade vnd Ablaß / zu Wittenberg öffentlich zu vertheidigen / hat angeschlagen / welchen Trawm auch seine Churfürstl. Gn. bald frühe morgens jhme zum Gedächtniß hat auffgezeichnet / auch denselben jhrem Herrn Bruder / Hertzogen Hansen zu Sachsen / in beysein des Cantzlers / referiret vnd gesaget hat: Herr Bruder / Ewer Liebe muß ich erzehlen / was mich diese Nacht getrawmet hat / möchte gerne seine Bedeutung wissen / ich habe jhn so eigentlich vnd wol gemercket / vnd ist mir so tieff eingebildet / daß mich düncket / ich könte jhn nicht vergessen / wenn ich tausend Jahr leben solte / denn er mir dreymal nach einander vorkommen / doch jmmer verbessert. Hertzog Johan hat gefraget: War es dann ein guter oder böser Trawm? Wir wissen es nicht / Gott weis es / saget der Churfürst. Hertzog Johannes fraget weiter: Herr Bruder / E. L. setze nicht viel darauff / wenn mir etwas träwmet / so bitte ich allwege vnsern HErrn GOtt / er wolle es zum besten wenden / oder schlage mir jhn aus dem Sinne / wiewol ich auch diß bekennen muß / daß mir viel Träwme / beyde gut vnd böse / sind vorkommen / welche ich hernach erst verstanden habe / aber gemeiniglich in schlechten sachen. Es sage E. L. was war denn der Trawm? Churfürst Friedrich saget: Ich wils E. L. sagen: Als ich mich auff den Abend zu Bette legte / ziemlich matt vnd müde / war ich bald vber dem Gebet eingeschlaffen / vnd hatte bey drittehalb Stunden fein sanffte geruhet / als ich nun erwachte / vnd ziemlich munter worden / lag ich / vnd hatte allerley Gedancken biß nach 12. in Mitternacht / gedacht vnter andern / wie ich allen lieben Heiligen / vnd neben mir mein Hofgesinde / zu Ehren bringen wolte / betet auch für die liebe Seelen im Fegfewer / vnd beschloß bey mir / jhnen auch zu hülff in jhrer Glut zu kommen / bat den lieben Gott vnd seine Gnade / daß er doch mich vnd meine Räthe / vnd Landschafft / in rechter Warheit wolte leiten / vnd zur Seligkeit verhelffen / auch allen bösen Buben / die vns vnser Regiment sawer machen / nach seiner Allmacht wehren: nach Mitternacht war ich bald nach solchen Gedancken wieder eingeschlaffen / da träwmet mir / wie der allmächtige Gott einen Münch eines feinen erbarn Angesichts zu mir schicket / der war S. Pauli des lieben Apostels natürlicher Sohn / der hatte bey sich zu Gefehrten aus Gottes Befehl alle liebe Heiligen / die solten dem Münch vor mir Zeugniß geben / daß es kein Betrug mit jhm were / sondern er sey warhafftig ein Gesandter Gottes / vnd ließ mir Gott gebieten / ich solte dem Münch gestatten / daß er mir etwas an meine Schloß Capell zu Wittenberg schreiben dürffte / es würde mich nicht gerewen / ich ließ jhm durch den Cantzler sagen / weil mich Gott solches heist / vnd er auch fein gewaltig Zeugniß hat / so möchte er schreiben / was jhm geboten wer. Darauff fehet der Münch an zu schreiben / vnd macht so grobe Schrifft / daß ich sie hie zur Schweinitz erkennen konte / er führet auch so eine lange Feder / daß sie auch biß gen Rom mit dem Hindertheil reichte / vnd einem Löwen / der zu Rom lag / mit dem Sturtz in ein Ohr stach / daß der Sturtz zum andern Ohr wieder heraus gieng / vnd streckte sich die Feder ferner / biß an der Bäpstlichen Heiligkeit dreyfache Krone / vnd stieß so harte daran / daß sie begunte zu wackeln / vnd wolte jhrer Heiligkeit vom Häupte fallen. Wie sie nun also im Fall ist / deucht mich / Ich vnd E. L. stunden nicht weit davon / streckte auch meine Hand aus / vnd wolte sie helffen halten / in demselben geschwinden zugreiffen erwachte ich / vnd hielt meinen Arm in die höhe / war gantz erschrocken / vnd auch zornig mit auff den Münch / daß er seine Feder im schreiben nicht bescheidener führet. Als ich mich aber recht besann / da war es ein Trawm / ich aber war noch voll Schlaffes / giengen mir die Augen bald wieder zu / vnd war wieder fest eingeschlaffen / ehe ich es recht gewar worden / da ist mir dieser Trawm wieder vorkommen / denn ich hatte wieder mit dem Münch zu thun / vnd sahe jhm zu / wie er jmmer fortschreibe / vnd mit dem Sturtz der Feder stach er jmmer weiter auff den Löwen zu Rom / vnd durch den Löwen auff den Bapst / darüber der Löw so grewlich brüllete / daß die gantze Stadt Rom / vnd alle Stände des heiligen Reichs zulieffen / zu erfahren / was da were / vnd da begehrte Bäpstliche Heiligkeit an die Stände / man solte doch dem Münch wehren / vnd sonderlich mich dieses Frevels berichten / darüber erwachte ich zum andern mal / verwundert mich / daß der Trawm wieder kommen war: ließ mich doch so gar nichts anfechten / bat aber / Gott wolte Bäpstliche Heiligkeit für allem Vbel behüten / vnd schlieff also zum dritten mal wieder ein / da kam der Münch mir zum dritten mal für / vnd bemüheten vns sehr / dieses Münchs Feder zu zerbrechen / vnd den Bapst hinweg zu leitē / aber je mehr wir vns an der Feder versuchten / je mehr sie starrete vnd knarrete / daß mir es in den Ohren wehe thet / worden endlich alle so verdrossen vnd müde darüber / daß wir abliessen / verlohre sich einer nach dem andern vnd besorgten vns / der Münch möchte mehr können / als Brodt essen / er möchte vns jrgend einen Schaden zufügen / Nichts desto weniger aber ließ ich den Münch fragen / denn jetzt war ich zu Rom / bald zu Wittenberg / wo er doch zu solcher Feder kommen were? vnd wie es zugehe / daß sie so zehe vnd fest sey? Ließ er mir sagen / sie were von einer alten Böhemischen hundertjährigen Ganß / einer seiner alten Schulmeister hette jhn damit verehret / vnd gebeten / weil sie sehr gut were / er wolte sie zu seinem Gedächtniß behalten / vnd brauchen / er hat sie auch selbst temperiret / daß sie aber so lange währet / vnd so feste were / käme daher / daß man jhr den Geist nicht nemen / noch die Seele / wie mit andern Federn geschicht / heraus zihen könte. Darüber er sich auch selbst nicht gnug verwundern könte. Bald darnach kömpt ein ander Geschrey aus / es weren aus der langen Münchs Feder vnzehlich viel andere Schreibfedern hier zu Wittenberg gewachsen / vnd es sey mit lust anzusehen / wie sich viel gelehrte Leute darumb reissen / vnd meynen eins theils / diese newe junge Federn würden mittler zeit auch so groß vnd lang werdē / wie dieses Münchs Feder / vnd es werde gewißlich etwas sonderlichs auff diesen Münch vnd auff seine lange Feder erfolgen. Da ich nu gäntzlich im Trawm bey mir beschloß / mich je ehe je besser mit dem Münch in eigner Person zu vnterreden / da wachet ich endlich zum dritten mal auff / vnd war jetzo Morgen worden / wundert mich sehr vber dem Trawm / gedacht jhm nach / vnd bildet mir jhn wol ein / wie er nach einander mir war vorkommen / vnd zeichnete mir bald die vornembste stück zum Gedechtniß auff / bin gäntzlicher meynung / dieser Trawm sey nicht ohne Bedeutung / weil er mir so offt ist vorkommen / vnd bin bald willens / ich wil jhn meinem Beichtvater offenbaren / doch habe ich E. L. vorhin auch etwas wissen lassen / E. L. vnd Cantzler sagen mir jhr gutdüncken davon. Hertzog Johan saget: Herr Cantzler / was düncket euch / von träwmen ist nicht viel allemal zu halten / doch sind sie auch nit gäntzlich zu verwerffen / wenn wir hier einen verstendigen frommen Joseph oder Danielem hettē / der könte es treffen. Der Cantzler spricht: E. Churf. Gn. wissen / daß man pfleget zu sagen: Jungfrawen / gelehrter Leute / vnd grosser Herrn Träwme haben gemeiniglich etwas hinder sich / allein was es sey / wird man allererst / wenn sie nach etlicher Zeit / wenn sich etwa Händel zutragen / daraus man alßdenn vermutung nimmet / vnd spricht: Sihe / darauff hat gewißlich jener Trawm gewiesen / wie E. Churf. Gn. viel solcher Exempel werden bekant seyn. Sonst spricht Joseph: Träwme außzulegen / stehet Gott alleine zu: Vnd Daniel saget: Gott im Himel allein kan verborgene ding offenbaren / darumb befehlen E. L. vnd E. Churf. Gn. nur diesen Trawm dem lieben Gott / die Münche haben offt bey grossen Herrn viel Vnglück gestifftet / an diesem Trawm vom Münche ist diß das beste / daß er von Gott gesand ist / zu schreiben Befehl hat / vnd daß alle Heiligen seine Zeugen sind / es were dann / daß der Teuffel vnter einem guten Schein sein Spiel haben wolte / E. Churf. Gn. wird am besten wissen den Sachen / neben andächtigen Gebet / Christlich nachzudencken. Hertzog Johan spricht: Ich halte es mit euch / Herr Cantzler / denn daß wir vns lange darüber grämen vnd martern sollen / ist nicht zu achten / Gott wird alles / so dieser Trawm von jhm herkömmet / wissen zum besten zu wenden / vnd vns zu seiner zeit die rechte Bedeutung mitzutheilen / oder so es ein böses bedeut / abzuschaffen. Hertzog Friedrich Churfürst spricht: das thue der getrewe Gott / allein daß ich des Trawms in deß nicht vergesse / ich habe auch wol bey mir meine Gedancken vnd Außlegung / aber die behalte ich noch zur zeit bey mir alleine / doch wil ich sie auffzeichnen / es wird vielleicht die Zeit hernach geben / ob ich es recht werde getroffen haben / vnd wir wollen vns diese Tage wieder miteinander vnterreden / etc.

HOc Somnium Illustrissimi Electoris Saxoniæ, ego D. K. ex Autographo M. Anthonij Musæ Superintendentis Rochlicensis descripsi, Anno 91. die omnium Sanctorum Cal. Novembris, cùm in valle Ioachimica exul viverem, quod Autographum tùm temporis penes se habebat Reverendus Vir D. M. Bartholomæus Schönbach Rochlicensis, verbi divini in vallibus minister. Asignârat autem Dominus Musa hoc Somnium ex ore vel recitatione D. Georgij Spalatini, &c.

Flugblatt zu Luthers Thesenanschlag

er am 31. 10. 1517 an die Schloßkirche in Wittenberg angeschlagen haben soll, erlangten als Flugschrift innerhalb weniger Wochen weite Verbreitung. Sie waren ein Protest gegen die Praxis des Ablasses, mit dem sich die Gläubigen durch festgelegte Gebete und vor allem durch Geldspenden von ihren Sünden freikaufen konnten. Die Kirche hatte schon länger Kritik provoziert, weil sie ihre eigentlichen geistlichen Aufgaben nicht mehr erfüllte und das Ablaßwesen förderte. Luther griff diese Mißstände an. Er bezeichnete das Evangelium, das gepredigte Wort Gottes, und das Vertrauen in Gott als einzige Mittel, Gnade zu erlangen. Luther berief sich auf die Autorität der Bibel und verneinte die Unfehlbarkeit des Papstes im kirchlichen Lehramt:

Das ist das einzige göttliche Werk, daß ihr glaubt an den, den Gott gesandt hat, welchen Gott der Vater allein verordnet hat.

Luther vertrat seine Lehren in den drei Streitschriften von 1520: *An den christlichen Adel deutscher Nation von des christlichen Standes Besserung*, *Von der Freiheit eines Christenmenschen* und *De Captivitate Babylonica Ecclesiae Praeludium (Präludium von der Babylonischen Gefangenschaft der Kirche)*. Als er auf dem Reichstag in Worms (1521) seine Lehren nicht widerrufen wollte, gipfelte der Streit im Kirchenbann (Exkommunikation), den der Papst über den „Ketzer" aussprach.

Luthers Bibelübersetzung

Eine der bedeutendsten Leistungen Luthers war seine Bibelübersetzung. Da das Evangelium Grundlage und Mittelpunkt seiner Lehre war, sollte sie jedem zugänglich und verständlich sein; nur so konnte sie die Basis für das persönliche Urteil in Glaubensfragen werden. 1534 wurde in Wittenberg die erste vollständige Bibelübersetzung gedruckt, der Luther den griechischen und hebräischen Urtext zugrundegelegt hatte. Zwar hatte es auch schon vorher gedruckte deutsche Bibeln gegeben (z. B. eine Übersetzung von Johann Mentelin, 1466), doch Luthers Zielsetzung war völlig neu: Ihm kam es nicht nur auf die rein sachliche Wiedergabe an, sondern er wollte die Heilige Schrift in eine Form übertragen, die das volkstümliche Sprachempfinden berücksichtigte. In seinen Tischreden und besonders im *Sendbrief vom Dolmetschen (Ein sendbrieff D. M. Luthers. Von Dolmetzschenn und Fürbit der heiligenn,* 1530) gab er Rechenschaft über die Grundsätze seiner Schreibkunst:

Man mus nicht die buchstaben inn der lateinischen sprachen fragen, wie man sol Deutsch reden, wie diese esel thun, sondern man mus die mutter im hause, die kinder auff der gassen, den gemeinen man auff dem marckt drumb fragen, und den selbigen auff das maul sehen, wie sie reden und darnach dolmetzschen; so verstehen sie es den und mercken, das man Deutsch mit in redet.

Beitrag zur Vereinheitlichung der deutschen Sprache

Luther hat die deutsche Sprache entscheidend beeinflußt und mitgestaltet. Sein Ziel – und darin stimmte er mit den Absichten der Humanisten überein –, allgemeinverständlich zu sein, hatte verstärkte Bemühungen um Einheitlichkeit zur Folge. Anders als die Humanisten, die sich um eine dem Lateinischen nachempfundene Kunstsprache bemühten, ging es Luther um eine anschauliche und verständliche Volkssprache. Die Sprache der sächsischen und kaiserlichen Kanzleien nannte er als sein Vorbild:

> Ich habe keine (...) eigene Sprache im Deutschen, sondern brauche der gemeinen deutschen Sprache, daß mich beide, Ober- und Niederländer [Norddeutsche] verstehen mögen. Ich rede nach der sächsischen Kanzlei, welcher nachfolgen alle Fürsten und Könige in Deutschland.

Man nimmt an, daß die weite Verbreitung von Luthers Werken mitverantwortlich war für die Vereinheitlichungstendenzen in Lautstand, Flexion, Wortschatz und Syntax der deutschen Sprache. Ebenfalls im Zusammenhang mit der Reformierung der Kirche standen Luthers Kompositionen von deutschen Kirchenliedern, bei denen er auf bekannte Melodien zurückgriff. Die Gläubigen konnten die Lieder mitsingen und vor allem auch verstehen. Noch heute sind Luthers Kirchenlieder fester Bestandteil des protestantischen (evangelischen) Gottesdienstes:

> Ein feste Burg ist unser Gott,
> Ein gute Wehr und Waffen.
> Er hilft uns frei aus aller Not,
> Die uns jetzt hat betroffen.
> Der alt böse Feind,
> Mit Ernst er's jetzt meint.
> Groß Macht und viel List
> Sein grausam Rüstung ist.
> Auf Erd ist nicht seinsgleichen.

Religiöse Auseinandersetzungen

Die sich immer weiter ausbreitende Reformation, die auch radikale Tendenzen zeigte, unterschied sich zunehmend vom rationalistischen Humanismus. Die Gemeinsamkeiten (Berufung auf Quellen, philologisches Interesse am Urtext und Vertrauen auf das Wort) konnten beide Strömungen nicht zusammenhalten. Erasmus, dessen Angriffe gegen das Papsttum als reformationsfreundlich galten, versuchte, die Konfessionen wieder zusammenzuführen. Die Einigung gelang ihm jedoch nicht. Wissenschaft, Kunst und Politik wurden eingesetzt für die Zwecke der Reformation; die heftigen religiösen Auseinandersetzungen drängten den Humanismus bald in den Hintergrund.
Doch auch die Reformation selbst war keine einheitliche Bewegung. Die nach ihren geistigen Führern (Luther, Calvin und Zwingli) benannten Gruppen der Lutheraner, Calvinisten und Zwinglianer rivalisierten auch untereinander. Der Religionskrieg fand trotz verschiedener Versuche zu seiner Beilegung (z. B. auf Reichstagen wie 1530 in Augsburg) kein Ende. Der „Augsburger Religionsfriede" (1555), der die freie Wahl der Konfession garantieren sollte, konnte die Religionskonflikte nicht beenden.

Gegenreformation

In der Gegenreformation (ab etwa 1560) kämpften katholische Kreise um die Rückgewinnung ihrer protestantisch gewordenen Gebiete. Die teilweise blutigen Auseinandersetzungen führten in den Dreißigjährigen Krieg (1618–1648) und endeten erst mit dem Westfälischen Frieden (1648).

Flugblatt und Flugschrift

Wichtig für die Entwicklung des gedruckten Schrifttums waren im 16. Jh. die Flugblätter (Einblattdrucke) und Flugschriften (mehrblättrige Schriften). Damals wurden sie als „Zettel", „Brief", „Büchlein" oder „neue Zeitung" bezeichnet (z. B. Luthers *Sendbrief*, s. o.). Völlig verschiedene Inhalte wurden in dieser Form bekanntgegeben: religiöse Anweisungen und Gebete, Abbildungen berühmter Personen, Darstellungen von Wundern, Berichte von Naturkatastrophen, Gedichte, Lieder (auch die Kirchenlieder Luthers), Totenanzeigen, moralische Anweisungen, Kalender. Solche Schriften dienten der Bevölkerung zur Information und Unterhaltung, zur Erbauung und zum Gebet. Im Bauernkrieg erfüllten die Flugschriften wichtige Funktionen: Sie formulierten die bestehenden Mißstände und machten die Ziele und Aktionen der Bauernbewegung weithin bekannt. Die Texte wurden manchmal – um den Inhalt auch dem nicht lesekundigen Publikum verständlich zu machen – durch treffende Bilder und Bildüberschriften ergänzt. Die in solchen Bildern versteckten Anspielungen, Motive und Symbole wurden allerdings nur von den Gebildeten verstanden. Die Flugblätter und Flugschriften sprachen also alle Gruppen der Bevölkerung an.

Doktor Faustus

Etwa um 1480–1540 lebte in Deutschland der Magier, Alchimist, Astrologe, Geisterbeschwörer, Scharlatan und Marktschreier Doktor Faustus. Schon zu seinen Lebzeiten gab es Sagen und Legenden um seine Gestalt, die mittelalterlichen Zauberglauben mit neuzeitlichem Wissensdrang verband. 1587 wurden die Erzählungen über den Aufsehen erregenden Gelehrten erstmals zusammengefaßt im anonym erschienenen „Volksbuch von Doktor Faustus": *Historia von D. Johann Fausten, dem weitbeschreyten Zauberer und Schwartzkünstler (...) mehrertheils auß seinen eygenen hinderlassenen Schrifften, allen hochtragenden, fürwitzigen und Gottlosen Menschen zum schrecklichen Beyspiel, abscheulichen Exempel und treuherziger Warnung zusammengezogen, und in den Druck verfertiget.*

Das Buch war sehr beliebt; es wurde ins Französische, Englische und Niederländische übersetzt und seit Beginn des 17. Jhs. auch auf Bühnen und in Puppentheatern aufgeführt. Von den zahlreichen späteren Bearbeitern des Stoffes seien nur die bekanntesten genannt: Lessing, Klinger, Goethe, Grabbe, Lenau, Heine und Thomas Mann.

Volksbuch

Die Gattung der Volksbücher war im 16. Jh. eine sehr beliebte Form der Unterhaltungsliteratur (s. S. 33). Man versteht darunter Fabeln, Schwänke, Legenden, Sagen und Umarbeitungen mittelalterlicher Epen.

Im streitlustigen 16. Jh. waren Satiren (Spott- und Strafgedichte seit der Antike) und Schwänke (pointiert zugespitzte Wiedergabe komischer Begebenheiten), die man auch in Volksbüchern finden konnte, beliebte Mittel der Auseinandersetzung. Italienische Parallelen gab es

Titelblatt
der Erstausgabe
des Volksbuchs
(1587)

HISTORIA
Von D. Johañ
Fausten/dem weitbeschreyten
Zauberer vnnd Schwartzkünstler/

Wie er sich gegen dem Teuffel auff eine be-
nandte zeit verschrieben/ Was er hierzwischen für
seltzame Abentheuwer gesehen/ selbs angerich-
tet vnd getrieben/ biß er endtlich seinen wol verdienten Lohn
empfangen.

Mehrertheils auß seinen eygenen hinderlassenen Schrifften/ allen hochtragenden/
fürwitzigen vnd Gottlosen Menschen zum schrecklichen
Beyspiel/ abscheuwlichen Exempel/ vnd treuw-
hertziger Warnung zusammen gezo-
gen/ vnd in den Druck verfertiget.

IACOBI IIII.

Seyt Gott vnderthänig/ widerstehet dem
Teuffel/ so fleuhet er von euch.

CVM GRATIA ET PRIVILEGIO.

Gedruckt zu Franckfurt am Mayn/
durch Johann Spies.

M. D. LXXXVII.

in den Werken von Francesco Poggio Bracciolini *(Facetien)* und Boccaccios Novellenzyklus *Decamerone* (1472/73 von Arigo ins Deutsche übertragen). Das niederdeutsche Tierepos *Reynke de Vos* (*Reinecke Fuchs,* 1498), die Volksbücher von *Till Eulenspiegel* (*Ein kurtzweilig Lesen von Dil Ulenspiegel,* 1510/11) sowie *Die Schildbürger* (1598) sind angriffslustige Satiren, die ein zentrales Thema der Satirendichtung behandeln: die Welt als Narrenhaus.

Narrenliteratur
Sebastian Brant (1458–1521)

Schon 1494 hatte Sebastian Brant sein in ganz Europa populär gewordenes *Narrenschiff* herausgegeben. Diese Zeit- und Ständesatire stand am Anfang des auflebenden Humanismus – nach dem *Ackermann aus Böhmen* (~1400, s. S. 35) hatte es keine bemerkenswerte „humanistische" Literatur mehr gegeben. In Brants Grundhaltung ist noch das Weltbild des ausgehenden Mittelalters erkennbar. Der Dichter lädt alle Narren auf sein Schiff zur Reise nach Narragonien. In satirischen Reimpaarversen werden den närrischen Vertretern aller Stände die Zeitkrankheiten und die eigenen Fehler und Schwächen demonstriert. Brant erkannte die Wirkungskraft von Illustrationen und fügte jedem der 112 Narrentypen ein Emblem (s. S. 60) mit seiner allegorisierten Person bei. Man vermutet, daß ein Teil dieser Holzschnitte der damals schon berühmte Künstler Albrecht Dürer (1471–1528) geschaffen hat. Der außerordentliche Erfolg des Werkes ist sicherlich auch auf diese Bilder zurückzuführen. In Komposition und Aufmachung entspricht das *Narrenschiff* den Flugblättern mit moralisierend-didaktischer Absicht. Anklänge an den *Ackermann aus Böhmen* weisen noch auf die Vorzeit des Humanismus zurück. Die Mahnungen vor den schlimmen Konsequenzen der Narrheit erinnern an die mittelalterliche „memento-mori"-Tradition (s. S. 19):

Der ist ein Narr, der nicht der Schrift
Will glauben, die das Heil betrifft,
Und meint, daß er zu Recht so lebe,
Als ob's nicht Gott noch Hölle gebe. (...)
Denn Gott spricht nach der Wahrheit sein:
„Wer *hier* gesündigt, hat *dort* Pein,
Und wer sich hier zur Weisheit kehrt,
Der wird in Ewigkeit geehrt."

Schlechte Tischsitten, unnützes Studium, Selbstgerechtigkeit und Glaubenszerfall werden ebenso verlacht wie die Drucker und Schreiber. Erste Referenzen an die Entdeckung Amerikas sind zu erkennen im Kapitel *Alle Länder erforschen wollen:*

Viel haben erkundet fremdes Land,
Von denen keiner sich selbst erkannt.

Nach dem Grundsatz „prodesse aut delectare" (nützen und erfreuen) wird in heiterer Form jedem Leser sein eigenes närrisches Verhalten im Spiegel gezeigt. Durch Selbsterkenntnis soll er lernen und sich auf diese Weise für die Weisheit entscheiden – damit er gerettet werden

Das Narren Schyff.

Gen Narragonien.
Hi ſunt qui deſcendunt mare in nauibus
faciẽtes opationem in aquis multis.
Aſcendũt vſq; ad cęlos/ & deſcẽdunt vſq;
ad abyſſos: aĩa eorũ in malis tabeſcebat
Turbati ſunt & moti ſunt ſicut ebrius: &
omnis ſapientia eorũ deuorata eſt.
Pſalmo .Cvi.

Titelblatt
der Erstausgabe

kann. Denn der größte Narr ist, wer nur über die Mitmenschen und ihre Fehler lacht, seine eigenen Narrheiten aber nicht erkennt. Nach dem *Lob der Torheit* (1509, s. o.) erinnerte *Die Narrenbeschwörung* (1512) von Thomas Murner an Sebastian Brants Werk. Murners bekannteste Schrift war die polemische Satire gegen Luther: *Von dem großen lutherischen Narren* (1522), die Luther als ,,Störer der Weltordnung" heftig angriff. Der Inhalt dieser Schrift war zündend. Doch die Zensur für antireformatorische Werke war in reformierten Gebieten verschärft worden, und das Verbot des Straßburger Rates verhinderte eine größere Wirkung von Murners Werk.

Thomas Murner (1475–1537)

Auf der Seite der protestantischen Bewegung wirkte Johann Fischart (~1546–1590) mit seinen Satiren; 1572 schrieb er den *Eulenspiegel* in Verse um. Jörg Wickrams *Rollwagenbüchlein* (1555) ist eine weitere bekannte Schwanksammlung, die unterhaltsamen Realismus und moralisierende Belehrung vermischt. Wickrams Romane (sein bedeutendstes Werk ist *Der Goldfaden,* 1557) sind heute kaum noch bekannt. Als erste Ansätze zu Romanen, die das neue bürgerliche Selbstverständnis ausdrücken, haben sie jedoch für die Entwicklung der Gattung Bedeutung.

Jörg Wickram (~1505–vor 1562)

Die Tradition der Narrenliteratur, der Schwänke, der unterhaltsamen Fabeln und Fastnachtsspiele setzte der Nürnberger Hans Sachs fort. Er führte die bürgerliche Alltagswelt vor. Ihre Schwächen, Leiden und Ängste wurden in Knittelversen (vierhebige, alternierende Paarreime) besprochen, ebenso wie ihre Stärken, Freuden und Wünsche. Der außerordentlich produktive Dichter führte den Meistersang (s. S. 33) zu seinem Höhepunkt (ca. 4200 Meisterlieder). Er verfaßte auch sehr viele Flugschriften. Sachs verspottete in Fastnachtsspielen (s. S. 35) meist verständnis- und liebevoll die menschlichen Schwächen. *Der fahrende Schüler im Paradeis* (~1550) ist eines der Spiele, die auch heute noch gern von Laienbühnen aufgeführt werden.

Hans Sachs (1494–1576)

Eine völlig andere Art von Theater zeigten die Humanistendramen. Sie wurden in lateinischer Sprache nach antiken Vorbildern (Aristophanes, Terenz, Plautus, Seneca) im 16. Jh. aufgeführt. Die Dramen wurden in Akte und Szenen eingeteilt, die Einschnitte durch das Auftreten von Chören gekennzeichnet. Prolog, Argument – das den Spielinhalt wiedergab – und Epilog waren feste Bestandteile. Titel- und Verfasserangabe und Personenverzeichnis wurden mitgedruckt. Die Bühne hatte die besondere Form der ,,Badezellenbühne": mit Vorhängen abgeteilte Schauplätze. Moralische Lehrsätze wurden in der Spielform leicht verständlich vermittelt. Nicht die Handlung war betont, sondern durch die vorherige Bekanntgabe des Inhalts traten die Gestalt und das Wort mehr in den Vordergrund. So war das Drama für die oft spielenden Schüler (Schuldrama) eine gute Übung in lateinischer Sprache und gesellschaftlichem Auftreten. Stoffe des Alten und Neuen Testaments wurden bevorzugt bearbeitet (z. B. Susanna, Joseph, der verlorene Sohn, Tobias). Die Dramen unterstützten die moralisch-didaktischen Absichten der Kirche.

Humanistendrama

Jesuitendrama

Die Ordensgemeinschaft der Jesuiten, die seit 1549 in Deutschland ihre Missionen und Schulen einrichteten, setzten ihr Schultheater als gegenreformatorische und politische Propaganda ein. In den seit 1567 existierenden didaktischen Jesuitendramen wurde (in lateinischer Sprache) der Triumph der Kirche über ihre Feinde gefeiert. In der folgenden Barockzeit erreichte dieses religiöse Theater seinen Höhepunkt.

Einfluß aus Spanien: Amadîs-Roman

Nach Italien wurde nun Spanien zum künstlerisch-geistigen Vorbild. Der Spanier Rodrigues de Montalvo schrieb um 1490/92 die vier Bücher *Amadîs de Gaula*. Die französische Übertragung (von 1540/1548), mit der der Roman großen internationalen Ruhm erreichte, wurde ab 1569 ins Deutsche übersetzt und auf 24 Bände erweitert. Die Welt der Ritter wurde neu belebt und mit Elementen der modernen Welt kombiniert. Diese Mischung von Gedankengut aus Rittertum und Renaissance zeigt die geistige und sprachliche Situation am Ende des Humanismus. Die Amadîs-Romane bereiteten der Gattung des Romans den Weg und leiteten von der Zeit der europäischen Renaissance über zum Zeitalter des Barock.

Kurzbiographien Humanismus und Reformation

SEBASTIAN BRANT (1458 – 1521 in Straßburg)
Brant studierte seit 1475 in Basel Jura und promovierte 1489. 1492 wurde er Dekan der juristischen Fakultät. Ab 1499 übte er – wieder in Straßburg – verschiedene Ämter aus. Brant war ein Gegner Luthers und stand geistesgeschichtlich zwischen Mittelalter und Humanismus, mit dem er sich früh auseinandersetzte. Er übertrug lateinisches Gedankengut in volkstümliche deutsche Sprache.

Gedichte, Flugschriften, Übersetzungen
Das Narrenschiff (Moralsatire, 1494)

ERASMUS VON ROTTERDAM, seit 1496 DESIDERIUS ERASMUS (1466, 1467 oder 1469 in Rotterdam – 1536 in Basel)
1492 wurde Erasmus zum Priester geweiht, 1495–99 studierte er in Paris und promovierte 1506 zum Doktor der Theologie. Nach langen Reisen durch Europa lebte er ab 1521 in Basel. Erasmus war einer der führenden Vertreter des Humanismus seiner Zeit. Trotz seiner Kritik an der Kirche und am Papsttum distanzierte er sich zunehmend von der Reformation und war ein Gegner der Glaubensspaltung.

Adagia (lateinische Sprichwörtersammlung, 1500)
Enchiridion militis Christiani (Handbüchlein des christlichen Soldaten, 1503)
Morias Encomion seu Laus Stultitiae (Lob der Torheit, ironisch-satirische Schrift, 1509)

MARTIN LUTHER (1483 – 1546 in Eisleben/Thüringen)
Luther wurde 1483 als zweiter Sohn einer Bergmannsfamilie geboren. 1505 wurde er Magister der Artistenfakultät Erfurt und trat in den Augustinerorden ein. Dort wurde er zum Priester geweiht und wurde 1512 Doktor der Theologie. An der Universität Wittenberg war er Lehrer der Bibelexegese. Seit dem Bekanntwerden seiner 95 Thesen (1517) wurde sein Konflikt mit der katholischen Kirche immer stärker. 1520 sagte er sich öffentlich vom Papsttum los. 1521 wurden Bann und Reichsacht über ihn verhängt, weil er seine Lehren nicht widerrufen wollte. Seine Freunde brachten ihn auf der Wartburg bei Eisenach (als „Junker Jörg") in Sicherheit. Dort übersetzte er 1522 das Neue Testament. 1525 heiratete er die ehemalige Nonne Katharina von Bora.

An den christlichen Adel deutscher Nation (Streitschrift, 1520)
Von der Freiheit eines Christenmenschen (Streitschrift, 1520)
De Captivitate Babylonica Ecclesiae Praeludium (*Präludium von der babylonischen Gefangenschaft der Kirche,* Streitschrift, 1520)
Bibelübersetzung (erste Gesamtausgabe 1534)
Briefe, Tischreden, Kirchenlieder

ULRICH VON HUTTEN (1488 bei Fulda – 1523 auf der Insel Ufenau im Zürichsee)
Hutten floh 1505 aus der Klosterschule und studierte bis 1511 als fahrender Student an mehreren Universitäten. Ein Italienaufenthalt brachte ihn in Kontakt mit den führenden Humanisten. Nach dem Aufenthalt in Rom wurde er zum Gegner des Papsttums. Seine scharfen Anklagen machten ihn zu einem gefürchteten Publizisten. Er war politisch aktiv und zerstritt sich mit Humanisten und Reformationsanhängern. Schließlich flüchtete er 1521 ins politische Asyl nach Zürich.

Epistolae obscurorum virorum (*Dunkelmännerbriefe,* humanistische Satire; Mitverfasser, 1515/17)

4 Barock (1600–1700)

Das 17. Jahrhundert ist die Stilepoche des Barock, der sich in der Literatur, in der Architektur, in der Malerei und auch in der Musik entwickelte. Die Barockdichtung, die man lange als überladen und schwulstig betrachtete, wurde seit Anfang des 20. Jhs. intensiver erforscht und erfuhr dadurch eine Neubewertung. ,,Barroco" ist ursprünglich ein portugiesisches Wort und bedeutet ,,unregelmäßige Perle". Diese Erklärung weist bereits auf die verschiedenen und teilweise gegensätzlichen Komponenten hin, aus denen sich das Lebensgefühl der Menschen in diesem Jahrhundert zusammensetzte: Lebensfreude und Weltschmerz klingen aus den Gedichten. In den Romanen spürt man Lebensgier und gleichzeitig die Sehnsucht nach dem Jenseits. Man findet Dichtungen, die der christlichen sowie der antiken Tradition verpflichtet sind. Geschliffene Sentenzen mit kunstvollen rhetorischen Figuren stehen neben derbsprachlichen Erzählungen. Einflüsse aus fremden Literaturen wurden aufgenommen, aber die Sprachgesellschaften dieser Zeit bemühten sich um einen möglichst reinen deutschen Wortschatz.

Dreißigjähriger Krieg

Dieses Jahrhundert wurde geprägt vom Dreißigjährigen Krieg (1618–1648), der durch die Auseinandersetzungen zwischen Protestantismus (Reformation) und Katholizismus (Gegenreformation) entstanden war (s. S. 44). Große Teile Deutschlands wurden verwüstet, ein Drittel der Bevölkerung kam ums Leben. Verzweifelte und verunsicherte Menschen blieben zurück. Ihr besonderes Verhältnis zum Tod drückt sich in der Lyrik aus.

Absolutismus

Trotz der großen Kriegsschäden gelang den vielen kleinen Fürstenhöfen ein rascher Wiederaufbau. Nach dem Vorbild Frankreichs (Ludwig XIV.) wurden die Fürstenhöfe zu Mittelpunkten des politischen und kulturellen Lebens. Wer an diesen Höfen etwas gelten wollte, mußte sich den Sitten und Gebräuchen anpassen, das galt auch für die Schriftsteller. Das öffentliche Leben erhielt nach dreißig Kriegsjahren wieder Ordnung und Gesetze.

Die von katholischer Seite geführte Gegenreformation erhielt viele

Groß Europisch Kriegs-Balet/ getantzet durch die Könige vnd Potentaten/ Fürsten vnd Respublicken/ auff dem Saal der betrübten Christenheit.

Einführung.

KOmpt her ihr New-Zeitungs Leute/
Schawt an / wz getantzt wird heute/
In einem Fürstlichen Ballet/
Welch's der Neyd eynsetzen thet.
Seht / wir Christen Potentaten/
Einander hassen/ verrahten/
Land vnd Leut alles drauff geht
Vmbzutantzen diß Balet.

Der Delphin in Franckreich / oder junge König der Meister im Balet.

Der 1. Gang.

BIn ich gleich noch jung von Jahren
Spanien wird mein Macht erfahren
Mein Fuß ich vast setzen thet.
Zu tantzen in dies'm Balet.

2. St.

Denn: Cronen vnd Pistoletten
Lernen vnsere Füß recht tretten.
Nach der Pfeiff von teutschem Tack
Da der Tanz auff gehet strack.

3.

Kompt Vranien auch ans tantzen
Ich seh schon der Sieger-Crantzen
Auff ein jedes Haupt gesetzt
Durch Gewin diß Balets.

4.

Ich seh'die Ehr' gnug zug'winnen
Durch die wolgeschliffene Sinnen/
Schwedens Fürst/ der Held Gustav
Sprang sein Cabriolen prav.

5.

Torstensohn der folgt ihm wieder
Vnd füg't nach dem Tanz sein Glieder
Springt noch wol den Bömischē Tanz
Vmb ein grünen Lorber Kranz.

6.

Don Ian ist auch an Tanz kommen
Hat mich bey der Hand genommen
Ihm thet ich trewlich beystand
Nun tanzt er im Balet zuhand.

7. H. Von Saphoyen vnd L. zu Hessen.

Hessen vnd mein mit Consorten/
Mit mir zum Tanz fertig worden/
Biß diß Balet wird ge'endt
Oder sich zu Ruhe wend.

8. Castilien vnd seine Bundsgenossen.

Nicht auß; ich will es noch wagen/
Solt' ich nach Monsieur was fragen?
Ich folg der Spielleut Maß / Thon
Vnd soist kosten mir mein Kron.

9.

Solte mich Monsieur braveren
Ich wil jhm wol tantzen lehren/
Dan mein Fuß ist leicht genug
Mit Ducatons wol geschucht.

10. Römische Kayser.

So lang ich kan mein Arme rühren/
Will ich diesen Tanz außführen/
Ich hab Castilien an Hand
Der thut mir trewlich Beystand.

11. Hertzog von Beyern.

Dantzen kan mich nicht ergetzen/
Könt ich mich nur recht drauß schwetzen/
Vor mich ist da kein erhahl
Ich mach nur mein Beutel kahl.

12. Schweden Todt.

Hier liegt nun der kluge Springer/
Der berümbt Römer Zwinger/
Der noch in seinem letzten Tanz
G'wan ein grünen sieges Kranz.

13. König von Böhmen.

Ich war wol der erst von allen
Der früh vbel ist gefallen/
Auß mangel guten Beystand
Es kost mir mein Cron vnd Land.

15. Chur Sachsen.

Diß spiel thut mich schon verdriessen
Ich möcht gern was Ruh' genissen/
Such zu tretten auß dem Tanz
O weh/ ich seh darzu kein Schanz

16. Chur Brandenburg.

Last frey einander beginnen/
Für mich seh' kein Schanz zug'winnen/
Ehe ich den Tanz außgelehrt/
Bin ich frey darauß gekehrt.

17. König von Dennemarck.

Ich bin an die Reih' gekommen/
Das hat mein Tasch wol vernommen/
Schweden hat mich darzu bracht/
Eh' ich hierauff war bedacht.

18. Lothringen.

Wie auch der von Lothringen/
Krätz't sich in theils tritt vnd springen/
Doch der Thon der geh't was hoch/
Sust jhm' nicht wol im Vermog.

19. Die Cantons der Schweitzer.

Wir dantzen an beyden Seyten/
Vmbzuhalten zwischen beyden/
Vnd zu lugen nach dem Tack/
Der im Spiel am besten knack.

20. Die Italianische Fürsten vnd Stände.

Wir müssen Balet seh' halten/
Vmb zuseh'n mit wems zuhalten/
Vnd sehn gern die Mittelstraß/
Das niemands zu hoch gienge was.

21. Fürst. Ragozi.

Am Tanz werd mich lassen mercken/
So lang mich die Cronen stercken
Mein ein Fuß stehet vast
Der ander auffs Schweds Tackpast

22. Türckische Kayser.

Ich lawre auch auff meine Schantzen/
Vmb mit im Balet zu tantzen/
Dann durch solch Vneinigkeit/
Seynd meine Füsse außgespreyt.

23. Chur Mayntz/ Cölln vnd Trier.

So tantzen kan vns nicht erquicken/
Mehr Vnheyls wird vns zu rücken/
So der Herr der's all regiert
Teutschlands Plagen nicht abkehrt.

24. Römischer Pabst.

Auff jedes tritt muß ich passen/
Nach solch's muß ich die Weiß fassen
Wenn ich seh' ders best tanzt nur
Nach dem stell' ich die Mensur.

25. Cardinäl.

Wer vns nur am meist kan schmieren/
Dem zu nutz wir musiciren/
Denn nach krafft deß besten Gelt/
Wird vns Spielwerck angestellt.

26. König in Engelland.

Ich bin auch zum Tanz gekommen/
Das hat mein Schatz wol vernommen/
Mein Vorsatz wer mir geglückt/
Hett mirs Essex nicht verrückt.

27. St.

Ich solt gern mein Füß setzen
Nach der Spielleut alt Gesetzen
Thon zu hoch/ aber nichts taug
Das ligt P. L. M. im Aug.

28. Zancksüchtiger Neyd.

Weh/ o Fürsten weh! zusammen/
Vor dem Himmel thut euch schamen/
Mein Zanckäpffel die ich geb
Machen das all's schütt vnd bebt.

30. Straff droben der Engel.

Halt o! Fürsten/ last euch rahten/
Ihr wühlt nach ewrem eygnen Schaden
Da wofern jhr nicht auffhört
Bring ich Hūger/ Pest vñ Schwerd
Last' den Fried wider zunehmen/
Thut euch alles zanckens schämen/
Jeder sey mit dem vergnügt/
Was jhm Gott hat zugefügt.
Dann wird jeder Mensch in Frewden
Voll-vergnügt/ ruhen/ weyden.
Dann das wütend Schwerd ver-
(schlingt/
Was der heilige Fried gewinnt.

Register der Namen der Königen/ Potentaten/ Fürsten vnd Ständen/ die allhier gerepræsentiret werden/ vnd in diesem Balet gezeichnet seyn.

A. Der Delphin/ oder junge König von Franckreich. B. Der König von Portugal. C. Der Printz von Vranien. D. General Dorstenson. E. Der König von Castilien. F. Der Kayser. G. Der Hertzog von Beyern. H. Der König von Dennemarck. I. Der König von Schweden Todt. K. Der König von Böhmen. L. Der Churfürst von Sachsen. M. Der Churfürst von Brandenburg. N. Der Hertzog von Lotringen. O. Der Cantons der Schweitzer. P. Die Italianische Fürsten. Q. Der Fürst Ragozi. R. Der Türckische Keyser. S. Chur Meyntz/ Cölln vnd Trier. T. Der Römische Pabst. V. Die Cardinäl. X. Der König von Engelland. Y. Der General Essex. Z. Der Engel mit dem Schwerd. Aa. Der Neyd/ außwerffend seine Zanckäpffel.

Flugblatt aus dem Dreißigjährigen Krieg

Impulse aus den katholischen Ländern Europas: aus Italien, Spanien und Frankreich. Das bemerkt man vor allem in der Musik, der Malerei und der Literatur. Im 16. Jh. waren in Deutschland viele Volksbücher (s. S. 45) entstanden, diese Entwicklung riß im 17. Jh. völlig ab. Statt dessen bevorzugte man kleine literarische Formen aus den romanischen Ländern, wie z. B. das Sonett, die Ode, das Epigramm. Ein Durcheinander der Formen war entstanden. In dieser Situation erschien 1624 Martin Opitz' *Buch von der Deutschen Poeterey. In welchem alle jhre eigenschafft und zuegehör gründtlich erzehlet, und mit exempeln außgeführet wird.* Hier entwickelte Opitz seine ästhetischen Ansichten, vor allem im Hinblick auf die Sprache und die Versform der Dichtung. Die Sprache der Dichtung sollte hochdeutsch sein und nicht mehr lateinisch oder mundartlich. Außerdem sollten Fremdwörter vermieden werden. Opitz' Werk, das als Begründung neuhochdeutscher „Wörterkunst" verstanden werden kann, wirkte wie kaum ein anderes „Regelbuch". Im Barockzeitalter entstanden viele Beispielsammlungen *(Florilegia, Adagia, Exempla);* Opitz' Sprach- und Formvorschriften wirkten aber noch weiter bis zum Ende des 18. Jhs.

Martin Opitz (1597–1639)

Sprachgesellschaften

In der ersten Hälfte des Jahrhunderts entstanden die Sprachgesellschaften. In solchen Gesellschaften schlossen sich Gelehrte, Adlige, Dichter und Fürsten zusammen, um die Muttersprache zu pflegen und sie von fremden Einflüssen freizuhalten. Später kümmerten sich diese Gesellschaften auch um eine größere Einheitlichkeit der Orthographie. 1617 wurde nach italienischem Vorbild die „Fruchtbringende Gesellschaft" in Weimar gegründet, sie wollte

> die hochdeutsche Sprache in ihrem rechten Wesen und Stande, ohne Einmischung fremder Wörter, aufs möglichste und tunlichste erhalten und sich sowohl der besten Aussprache im Reden, als auch der reinsten Art im Schreiben und Reime-Dichten befleißigen.

Philipp von Zesen (1619–1689)

1643 entstand in Hamburg durch die Initiative Philipp von Zesens die „Deutschgesinnte Genossenschaft", 1656 in Lübeck der „Elbschwanenorden" und weitere mehr. Die puristischen Bestrebungen hatten großen Einfluß auf die Sprache und Literatur der Zeit.

Epik des Barock

Roman-übersetzungen

Opitz übertrug 1626–1631 den Staatsroman *Argenis* des Schotten Barclay in die deutsche Sprache und bearbeitete 1638 den schon vorher übersetzten Schäferroman *Arcadia* des englischen Dichters Sidney. Mit beiden Übersetzungen wollte er seinem *Buch von der Deutschen Poeterey* noch mehr Nachdruck verleihen und seinen Dichterkollegen zeigen, was in anderen, hier in den englischen Literaturen schon möglich war (seit Mitte des 16. Jhs.) und in Deutschland möglich werden sollte. Im Zeitalter des Barock sprach man noch nicht von der Gattung „Roman". Erst später versuchte man, die neue Prosaform vom Epos zu unterscheiden. Die Romane des Barock lassen sich in drei verschiedene Kategorien einteilen. Es gab Schäferromane, Staatsromane und Schelmen- oder Abenteuerromane.

Schäferroman

Die Schäferromane gehen zurück auf antike Hirtendichtungen und entwickeln meistens eine Liebesgeschichte, die im Kontrast zum gleichzeitig ablaufenden politischen Geschehen steht. Die Handlung spielt sich zwischen „locus amoenus“ und „locus terribilis“, zwischen Idylle und Schrecken ab. Die Amadîs-Romane aus Spanien (s. S. 50), Longos' *Daphnis und Chloë* (2./3. Jh. n. Chr.), aber auch Boccaccio hatten Einfluß auf diese Entwicklung der deutschen Literatur. Opitz schrieb 1630 die *Schäferei von der Nymphen Hercinie.* Die Hauptfigur ist Opitz selbst, der in Hirtenkleidung eine Wanderung durch das Riesengebirge unternimmt. Er führt viele Gespräche mit Freunden, und eines Tages treffen sie die Nymphe Hercinie, die der ganzen in Gedichtform geschriebenen Geschichte eine unwirkliche Wendung gibt. Ebenfalls ein Schäferroman ist *Ritterholds von Blauen Adriatische Rosemund. Last hägt Lust* (1645) von Ph. von Zesen. Hier wird der große Konflikt der Zeit, der Krieg zwischen Katholizismus und Protestantismus, verarbeitet. Die katholische Rosemund aus Venedig (adriatisch) hat keine Hoffnung, den evangelischen Dichter Markhold jemals heiraten zu können.

Es folgte eine Welle von heute kaum mehr bekannten Schäferromanen, die oft auch autobiographischen Charakter hatten. Das wurde freilich unter vielen Masken versteckt.

Staatsroman

Der Staatsroman (auch höfischer oder heroischer Roman) setzte sich erst um 1640 durch. Ort der Handlung war immer die Umgebung der obersten Gesellschaftsschicht, die Helden waren jeweils Idealtypen. Im Mittelpunkt stand oft ein Liebespaar, das viele Abenteuer bestehen muß, bevor es zusammenkommt. Diese Romane erfüllten meistens eine erzieherische Funktion. Die dargestellte Zeit wurde durch viele parallel geschehende Ereignisse erweitert. Herzog Anton Ulrich von Braunschweig schrieb einen solchen Staatsroman: *Die Durchleuchtige Syrerinn Aramena* (1669–1673).

Schelmenroman

Schelmenromane haben als Wurzel den spanischen Picaro-Roman und die deutsche Schwankliteratur des 15./16. Jhs. (s. S. 35). Der Schelmenroman spielt unter besitzlosen Schichten, meistens unter Soldaten des Dreißigjährigen Krieges. Sie haben oft ein wenig ausgebildetes moralisches Empfinden. Die Romane sind in der Ich-Form geschrieben und berichten von den Lebensumständen eines im Elend aufgewachsenen Menschen, der sich mit allen rechten und unrechten Mitteln seinen Weg durchs Leben bahnt. Der Held ist ein negativer Held, er kann sich nur mit Gaunereien durchs Leben schlagen. Der Humor dieser Romane hat meistens einen tragischen oder pessimistischen Zug.

Hans Jakob Christoffel von Grimmelshausen (~1622–1676)

H. J. Ch. von Grimmelshausen schuf das Paradebeispiel des Schelmenromans, es ist zugleich der erste deutsche Prosaroman. Er trägt den langen Titel *Der Abentheuerliche Simplicissimus Teutsch, Das ist: Die Beschreibung deß Lebens eines seltzamen Vaganten genant Melchior Sternfels von Fuchshaim wo und welcher gestalt Er nemlich in diese Welt kommen was er darinn gesehen gelernet erfahren und außgestanden auch warumb er solche wieder freywillig quittirt. Überauß lustig und maenniglich nutzlich zu lesen. An Tag geben von German Schleifheim von Sulsfort.* Dieser episodenhafte Roman erschien 1668 in fünf Büchern in einer Mundart-Ausgabe. Simplicius, das ist der Einfältige, wächst bei einem Einsiedler heran und beendet auch sein eigenes Leben als Einsiedler. Dazwischen liegen novellenartige, oft satirische Berichte aus seinem Soldatenleben, die zusammen die Lebensgeschichte und Entwicklung des Simplicius darstellen. Der Roman hat trotz aller Exkurse die streng entwickelte Struktur einer allmählich aufsteigenden und wieder fallenden Glückskurve. Nach turbulenten Ereignissen zieht Simplicius eine Bilanz seines Lebens:

> Dein Leben ist kein Leben gewesen / sondern ein Tod; deine Tage ein schwerer Schatten / deine Jahr ein schwerer Traum / deine Wollüst schwere Sünden / deine Jugend eine Phantasei und deine Wohlfahrt ein Alchimistenschatz / der zum Schornstein hinausfährt und dich verläßt / ehe du dich dessen versiehest!

Nicht nur das, was möglich war, sondern auch das, was möglich sein konnte, wurde dargestellt. Diese „mögliche Realität" ist ein Kennzeichen der Barockliteratur. Diesem Roman folgten eine ganze Reihe von – oft anonymen – *Simpliciaden,* die großen Anklang beim Publikum fanden. Erst nachträglich konnte dieser erste Schelmenroman Grimmelshausen zugeschrieben werden. Bis in die heutige Zeit wurde die Form des Schelmenromans immer wieder aufgegriffen; man könnte zum Beispiel auch Günter Grass' *Blechtrommel* (1959) in diese Tradition stellen (s. S. 239).

Johann Beer (1655–1700)

Auch der Österreicher Johann Beer schrieb Romane, die man der Gattung des Schelmenromans zurechnen kann. 1682 erschienen die in Österreich spielenden *Zendorii à Zendoriis Teutsche Winternächte* und als Fortsetzung 1683 *Die kurtzweiligen Sommertäge.* Eine Gesellschaft von zehn Freunden, darunter der Erzähler, erlebt allerlei Abenteuer, Verwechslungen, Entführungen und will sich schließlich ins Eremitenleben zurückziehen; doch diesen Plan geben nach einer kurzen Zeit alle bis auf den Erzähler wieder auf. Die beiden Romane sind in der Ich-Form geschrieben, sie verwirklichen die Forderung des „prodesse aut delectare": Der Roman soll nützen und erfreuen, zugleich moralisch-belehrend und unterhaltsam sein. Tugenden sollen gerühmt, Laster immer gestraft werden.

Christian Reuter (1665–~1712)

In Reuters Schelmenroman *Schelmuffsky Curiose und Sehr gefährliche Reiße-Beschreibung zu Wasser und Land* (1696) berichtet der Ich-Erzähler von so unglaublichen Ereignissen, daß er sich selbst als Lügner entlarvt. Reuter verspottete das Lesepublikum, das nicht genug abenteuerliche Erzählungen lesen und hören konnte.

Drama des Barock

Neben den Romanen entstanden zu dieser Zeit auch viele Dramen. Am Anfang des barocken Schauspiels stand das prunkvoll ausgestattete Jesuitendrama, in dem oft mehr als hundert Darsteller mitspielten (s. S. 50). Es wurde meistens in lateinischer Sprache aufgeführt, das Publikum bekam deutsche Programmhefte. Jakob Bidermanns (1578–1639) *Cenodoxus* (1602 uraufgeführt) demonstriert die Fragwürdigkeit der humanistischen Ideale am Beispiel eines Arztes, um dessen Seele die Mächte des Guten und die des Bösen kämpfen. Schließlich siegt Cenodoxus' Eigensucht, er kann nicht gerettet werden.

Jesuitendrama

Ähnlich wie das Jesuitendrama verfolgte auch das protestantische Schuldrama didaktische Absichten. Christian Weises (1642–1708) *Trauer-Spiel von dem Neapolitanischen Haupt-Rebellen Masaniello* (1682 uraufgeführt) schildert eine Revolution des Volkes von Neapel. Weise befürwortet nicht die Revolution, sondern läßt Mitleid mit dem Volk erkennen.

Protestantisches Schuldrama

Aus England kamen Ende des 16. Jh. einige Laienspielgruppen nach Deutschland und zeigten während der Messen und Jahrmärkte Singspiele, Komödien und Tragödien von Shakespeare, Marlowe und anderen. 1620 erschien in Leipzig eine Sammlung von englischen Schauspielen. In Deutschland begann die Entwicklung solcher Schauspiele erst in der zweiten Hälfte des 17. Jhs. Andreas Gryphius' Stück *Absurda Comica oder Herr Peter Squentz. Schimpff-Spiel* (1647–1650 entstanden, 1658 erschienen) lehnt sich an Shakespeares *Sommernachtstraum* (1600) an. Es bringt ebenfalls ein Spiel – eine absurde Komödie – im Spiel: Peter Squentz führt zu Ehren des Königs mit seinen Leuten die Geschichte von Pyramus und Thisbe auf, doch das Spiel bleibt laienhaft, und sie machen viele Fehler. Diese Komödie ist unregelmäßig gebaut, sie besteht aus drei verschieden langen Akten und verwendet eine manchmal derbe Sprache.

Lustspiel

Andreas Gryphius (1616–1664)

Ein weiteres Lustspiel von Gryphius, *Horribilicribrifax. Teutsch* (1650 entstanden, 1663 erschienen), stellt die beiden Soldaten Don Daradiridatumtarides Windbrecher von Tausend Mord und Don Horribilicribrifax von Donnerkeil auf Wüsthausen vor, die durch allerhand Liebesintrigen große Verwirrungen stiften. Man kann hier Einflüsse von italienischen Komödien und von den deutschen Volksstücken aus dem 16. Jh. feststellen; doch gerade die Sprache des Stückes gibt ihm seinen ganz eigenen Charakter: Am Ende des Dreißigjährigen Krieges gab es unter den Soldaten ein großes Sprachengewirr; man kann in Gryphius' Stück sieben Fremdsprachen zählen.

Die Tragödie hatte einen anderen Ursprung. Bereits 1625 hatte Opitz das Trauerspiel *Die Troerinnen* von Seneca übersetzt und im Vorwort die Tragödie „die führnehmste Art der Poeterey" genannt. In seinem *Buch von der Deutschen Poeterey* geht er aber auf die Tragödie kaum ein.

Tragödie

G. Ph. Harsdörffers dichtungstheoretische Schrift *Poetischer Trichter/ Die Teutsche Dicht- und Reimkunst/ohne Behuf der lateinischen Sprache/in VI Stunden einzugießen* erschien 1647–1653 und behandelt detailliert den Aufbau, die Personenauswahl und die Sprache der Tragödie. Entsprechend den fünf Akten soll nach Harsdörffer ein Trauer-

Georg Philipp Harsdörffer (1607–1658)

spiel fünf Tage dauern, und die „Lehr- und Denksprüche [sollen] gleichsam des Trauerspiels Grundsäulen [sein]".
Gryphius schrieb einige Trauerspiele in dieser Weise. Sein erstes war *Leo Armenius, oder Fürsten-Mord* (1660). Es handelt von der konspirativen Ermordung des byzantinischen Feldherrn Leo Armenius. In diesem fünfaktigen Stück wird das Prinzip des Absolutismus sichtbar. Die Machthaber sind über Recht und Unrecht erhaben, selbst der Sturz eines Tyrannen erzeugt immer wieder neue Tyrannen. *Leo Armenius* ist in alexandrinischen Versen geschrieben. Am Ende eines Aktes, den Gryphius ,,Abhandelung" nennt, wird der Chor aus der griechischen Tragödie nachgeahmt.

Daniel Casper von Lohenstein (1635–1683)

Am Ende des Dramas der Barockzeit stand D. C. von Lohenstein. *Cleopatra* (1661) ist noch stark von Gryphius beeinflußt, weist aber in der Figur des Oktavius bereits auf die kommende Zeit der Aufklärung hin.

Lyrik des Barock

Die Epoche des Barock war auch eine Epoche der Lyrik, für die Opitz ebenfalls Regeln aufgestellt hatte. Am häufigsten wurden die Formen des Sonetts, der Ode und des Epigramms benutzt. Das Sonett ist eine aus Italien stammende, streng geregelte Gedichtform. Es besteht aus 14 Versen, die in zwei Quartette und zwei Terzette gegliedert sind. Die Einzelstrophen drücken oft variierte oder antithetische Gedanken aus, müssen aber immer im Zusammenhang gesehen werden. Die Quartette beinhalten meistens die Exposition, die Terzette geben die Schlußbetrachtung (conclusio). Das Versmaß der Sonette ist der Alexandrinervers mit regelmäßigem Wechsel von Hebung und Senkung. Die hohe Bewertung der Form eignete sich für Inhalte, deren persönliche Prägung hinter dem Formzwang verschwand. Mit dem Ich der Barocklyrik wird meistens die ganze Menschheit angesprochen.

Sonett

Die beiden Dichter Paul Fleming und Andreas Gryphius schlossen sich den Neuregelungen von Opitz an.

Paul Fleming (1609–1640)

Paul Fleming veröffentlichte 1631 eine Sammlung lateinischer Liebesgedichte. Seine gesammelten Gedichte *Teutsche Poemata* erschienen 1641/42, erst nach seinem frühen Tod. Die Liebe blieb Flemings Thema, seine Gedichte sind oft persönlicher als die meisten barocken Sonette und schwächten dadurch die geforderte Regelhaftigkeit. Oft verzichtete er zum Beispiel auf die häufige Verwendung von Substantiven. Auch er litt unter dem Dreißigjährigen Krieg und forderte in vielen seiner Gedichte seine Mitmenschen auf, den Mut nicht zu verlieren:

An sich

Sei dennoch unverzagt, gib dennoch unverloren,
weich keinem Glücke nicht, steh' höher als der Neid,
vergnüge dich an dir und acht' es für kein Leid,
hat sich gleich wider dich Glück, Ort und Zeit verschworen.

Was dich betrübt und labt, halt Alles für erkoren,
nimm dein Verhängnüs an, laß Alles unbereut.
Tu, was getan muß sein, und eh' man dirs gebeut.
Was du noch hoffen kannst, das wird noch stets geboren.

Was klagt, was lobt man doch? Sein Unglück und sein Glücke
ist ihm ein jeder selbst. Schau alle Sachen an,
dies Alles ist in dir. Laß deinen eiteln Wahn,

und eh du förder gehst, so geh' in dich zurücke.
Wer sein selbst Meister ist und sich beherrschen kann,
dem ist die weite Welt und Alles untertan.

Fleming unternahm sehr viele Reisen (u. a. nach Persien und Rußland), deren Eindrücke sich auch in vielen Gedichten widerspiegeln. Sehr bekannt sind auch heute noch viele seiner Kirchenliedertexte.

Andreas Gryphius (1616–1664)

Der Schlesier Gryphius brachte ebenfalls die leidvollen Erfahrungen des Dreißigjährigen Krieges in seine Dichtung ein. Er stellt mit ausdrucksvollen Bildern und oft pathetischen Worten die Vergänglichkeit dar: „Die Herrlichkeit der Erden muß Staub und Asche werden." Viele Sonette zeugen von der Unsicherheit des barocken Menschen, der die Welt als Jammertal erlebt. Es gab zwei Haltungen: Entweder die Flucht in den trotzigen Lebensgenuß „carpe diem" (Nutze den Tag! Genieße den Augenblick!) oder die Hoffnung auf das rettende Jenseits, in dem der Mensch Gottes Ewigkeit erfahren darf. Gryphius' *Sonn- und Feyertags-Sonette* erschienen 1639. Das Lebensgefühl des Menschen, ein Spielball der Götter zu sein, und der dem barocken Zeitalter typische Gedanke der „vanitas" („Eitelkeit", aber auch „Vergänglichkeit") werden besonders im folgenden Sonett anschaulich gemacht:

Es ist alles eitel

Du siehst, wohin du siehst, nur Eitelkeit auf Erden,
Was dieser heute baut, reißt jener morgen ein;
Wo jetztund Städte stehn, wird eine Wiesen sein,
Auf der ein Schäferskind wird spielen mit den Herden.

Was jetzund prächtig blüht, soll bald zutreten werden.
Was jetzt so pocht und trotzt, ist morgen Asch und Bein;
Nichts ist, das ewig sei, kein Erz, kein Marmorstein.
Jetzt lacht das Glück uns an, bald donnern die Beschwerden.

Der hohen Taten Ruhm muß wie ein Traum vergehn.
Soll denn das Spiel der Zeit, der leichte Mensch, bestehn.
Ach! was ist alles dies, was wir vor köstlich achten,

Als schlechte Nichtigkeit, als Schatten, Staub und Wind,
Als eine Wiesenblum, die man nicht wiederfindt.
Noch will, was ewig ist, kein einig Mensch betrachten.

Paul Gerhardt (1607–1676)

Noch bekannter als Flemings Lieder wurde Paul Gerhardts protestantische (Kirchen-)Lieddichtung, die trotz der Bedrohung durch den Krieg jedem einzelnen noch Hoffnung zu geben versucht. Seine Lieder *Geh' aus mein Herz und suche Freud* und *Nun ruhen alle Wälder* sind noch heute sehr bekannt.

Angelus Silesius (1624–1677)

Auf katholischer Seite hat Angelus Silesius die Dichtung der Zeit theologisch und philosophisch beeinflußt. 1675 erschien der *Cherubinische Wandersmann,* eine Sammlung von kurzen Sprüchen und Epigrammen. Diese Sprüche stehen in der Tradition der Mystik (s. S. 34), die das unmittelbare Erleben Gottes erreichen will. Silesius faßt hier in logisch-strenger Form seine Erfahrungen zusammen:

Du mußt, was Gott ist, sein
Soll ich mein letztes End und ersten Anfang finden,
So muß ich mich in Gott und Gott in mir ergründen
Und werden das, was er: ich muß ein Schein im Schein,
Ich muß ein Wort im Wort, ein Gott in Gotte sein.

Friedrich Spee von Langenfeld (1591–1635)

Auch Spee von Langenfeld, ein Jesuit, schloß sich Opitz an und versuchte mit poetischer Dichtung in deutscher Sprache der neulateinischen und der ausländischen Literatur ihren hohen Rang streitig zu machen. Erst viele Jahre nach seinem Tod wurde 1649 die *Trutz-Nachtigall,* ein Zyklus von geistlichen Oden, herausgegeben. Spee wollte wie eine Nachtigall Gott loben und ihm durch innige Hingabe näher kommen. Die mystische Tradition erhielt hier eine erotische Wendung.

Christian Hoffmann von Hoffmannswaldau (1617–1679)

Ausschweifende, sinnliche Liebe schilderte von Hoffmannswaldau in seinen freizügigen, manchmal schlüpfrigen Gedichten. Seine affektierte Sprache und der prunkvolle Stil wurden von den Dichtern der Aufklärung abgelehnt. Bis in das 20. Jh. galt Hoffmannswaldaus Lyrik als repräsentativ für die Barockliteratur.

Epigramm

Die bekanntesten Epigramme des Barock stammen von Friedrich von Logau. Unter einem Epigramm versteht man einen Sinnspruch, der in prägnanter Weise einen Gedanken zu einer Situation formuliert. Logaus Verse sind geistreich und witzig. Gottfried Keller, der Dichter des poetischen Realismus (s. S. 158), stellte seiner Novellensammlung *Das Sinngedicht* (1881) folgenden Vers Logaus voran:

Wie willstu weisse Lilien / zu rothen Rosen machen?
Küß eine weisse Galathe / sie wird erröthet lachen.

Emblem

In der Barockdichtung spielt das Emblem eine große Rolle. Die Dichtung war in viel stärkerem Maß als heute noch mit Bildern, z. B. mit Holzschnitten, verbunden. Bereits 1531 hatte Andreas Alciatus eine Sammlung von 98 Holzschnitten herausgegeben. Der Holzschnitt (pictura) stellt einen Gegenstand oder ein bestimmtes Ereignis, auch aus der Mythologie, dar. Dazu gibt es eine Überschrift (inscriptio) und eine Unterschrift (subscriptio), die das Bild auf einen bestimmten Sachverhalt beziehen. Besonders bekannt ist das Bild vom Felsen, gegen den die Welle schlägt. Der Felsen bedeutet hier Beständigkeit. Mit Kenntnis der Embleme lassen sich viele Anspielungen und Bilder in der Literatur des Barock, aber auch in der Literatur der folgenden Epochen erklären.

Emblem
Fels und Welle

DVM TRAHIMVS, TRAHIMVR.

Es bleibet steiff und still /
Ich zieh auch wie ich will.

MEin Hertzgen zieht mich nicht / und doch werd' ich gezogen /
Ich ziehe was ich mag / und sie bleibt unbewogen:
Sie steht gleich wie ein Felß / wie sehr ich mich bemüh /
Daß ich auff meine Seit' und hin zu mir sie zieh.
Je minder daß sie sich von mir nun läßt bewegen /
Je mehrer Lust kan sie jedoch in mir erregen:
Sie bleibet steiff und fest und unbeweglich stehn /
Und ich muß Tag und Nacht um ihrentwillen gehn.

Kurzbiographien Barock

Paul Fleming (1609 in Hartenstein/Erzgebirge – 1640 in Hamburg)
Der Sohn eines evangelischen Pfarrers studierte in Leipzig Medizin und beschäftigte sich mit Musik und Poesie. 1633 wurde er durch Krieg und Pest vertrieben und reiste mit einer Gesandtschaft Herzog Friedrichs III. nach Rußland und Persien. 1639 kam er zurück und wollte in Hamburg eine Arztpraxis eröffnen.

Teutsche Poemata (Gedichtsammlung, 1641/42)

Paul Gerhardt (1607 in Gräfenhainichen/Sachsen – 1676 in Lübben/Spreewald)
Paul Gerhardt war Sohn eines Gastwirts und Bürgermeisters. Er studierte Theologie in Wittenberg, wurde 1651 Pfarrer (Probst) in Mittenwalde/Mark

und 1657 Diakonus der Berliner Nicolaikirche. 1666 wurde er vom Dienst suspendiert, weil er das Toleranzedikt des Großen Kurfürsten nicht unterzeichnen wollte, das die Betonung der Lehrunterschiede von Lutheranern und Reformierten verbot. 1669 wurde er schließlich Archidiakonus in Lübben.

Geistliche Andachten (Kirchenlieder, 1666/67)

HANS JAKOB CHRISTOFFEL VON GRIMMELSHAUSEN (um 1622 in Gelnhausen/Hessen – 1676 in Renchen/Baden)
Grimmelshausen wuchs in einfachen protestantischen Bürgerkreisen auf. Als 15jähriger geriet er unter die Soldaten des Dreißigjährigen Krieges, den er bis zum Ende mitmachte. Er konvertierte zum katholischen Glauben und arbeitete später als Gutsverwalter, Burgvogt und Gastwirt. Seit 1667 stand Grimmelshausen als Schultheiß in Renchen im Dienst des Bischofs von Straßburg.

Der Abentheuerliche Simplicissimus Teutsch . . . (1668/69)

ANDREAS GRYPHIUS, eigentlich GREIF (1616 – 1664 in Glogau/Schlesien)
Gryphius verbrachte eine schwere Jugend, erwarb aber umfassende Bildung. 1636 wurde er Hauslehrer beim Pfalzgrafen in Schönborn, der ihn 1637 zum Dichter „krönte". Seit 1639 hielt Gryphius in Leiden Vorlesungen in Philosophie, Naturwissenschaften und Geschichte. Nach einer Studienreise durch Europa (1644–47) wurde er 1650 Syndikus der evangelischen Stände des Fürstentums Glogau.

Sonnette (1637, 1639, 1643) und *Oden* (1643)
Cardenio und Celinde oder Unglücklich Verliebte (Trauerspiel, 1657)
Absurda Comica oder Herr Peter Squentz („Schimpff-Spiel", 1658)
Leo Armenius, oder Fürsten-Mord (Trauerspiel, 1660)
Horribilicribrifax. Teutsch („Schertzspiel", 1663)

CHRISTIAN HOFFMANN VON HOFFMANNSWALDAU (1617 – 1679 in Breslau)
Hoffmannswaldau war Ratsherr in Breslau. Er schrieb weltliche und geistliche Lieder.

Deutsche Übersetzungen und Getichte (ab 1679)
Herrn von Hoffmannswaldau und andrer Deutschen auserlesene und bißher ungedruckte Gedichte (Anthologie, herausgegeben von Benjamin Neukirch, 1695–1727)

FRIEDRICH FREIHERR VON LOGAU (1604 in Brockut/Schlesien – 1655 in Liegnitz)
Logau verwaltete nach seinem Jura-Studium das Gut seiner Familie. Durch den Krieg geriet er in wirtschaftliche Not, wurde aber 1644 Kanzleirat und später Regierungsrat am Hof des Herzogs Ludwig von Brieg, mit dem er 1654 nach Liegnitz ging.

Deutscher Sinn-Getichte Drey Tausend (Epigramme, 1654)

MARTIN OPITZ (1597 in Bunzlau/Schlesien – 1639 in Danzig)
Opitz besuchte die Lateinschule und das Gymnasium und studierte anschließend in Frankfurt/Oder und Heidelberg. 1625 wurde er zum Dichter (poeta

laureatus) „gekrönt". 1626–32 war er Sekretär und Kanzleileiter beim Grafen von Dohna. Er unternahm viele Reisen. 1637 wurde er Hofhistoriograph, dann Sekretär des Königs von Polen in Danzig, wo er später an der Pest starb.

Buch von der Deutschen Poeterey... (1624)
Teutsche Poemata und Aristarchus Wieder die verachtung Teutscher Sprach... (1624)
Schäferei von der Nymphen Hercinie (1630)

ANGELUS SILESIUS, eigentlich JOHANN SCHEFFLER (1624 – 1677 in Breslau)
Silesius studierte Medizin in Straßburg, Leiden und Padua. Während seines Studiums lernte er die Denkweise der Mystiker kennen, was in seinen Schriften Niederschlag fand. 1653 trat er zum Katholizismus über und erhielt 1661 die Priesterweihe. Er gehörte zur schlesischen Gegenreformation.

Geistreiche Sinn- und Schlußreime (1657, erweitert im *Cherubinischen Wandersmann*, 1675)
Sinnliche Beschreibung Der Vier Letzten Dinge (1675)

5 Pietismus, Rokoko und Empfindsamkeit (1670–1780)

Pietismus (1670–1740)

Im Anschluß an die reformatorischen Tendenzen in der Literatur des Barock (evangelische Kirchenlieder von Paul Gerhardt, s. S. 59, Sonette von Gryphius, s. S. 59, und Fleming, s. S. 58) entstand um 1700 die Bewegung des Pietismus, die sich auch auf die Literatur auswirkte. Das Wort „Pietist" war ursprünglich ein Schimpfwort und bezeichnete eine übertriebene Frömmigkeit. Unter Pietismus („pietas" – „Frömmigkeit") versteht man protestantische Bestrebungen zur Erneuerung und Intensivierung des religiösen Lebens.

Philipp Jacob Spener (1635–1705)

Hauptvertreter dieser Bewegung war der Pfarrer P. J. Spener. Seine Programmschrift *Pia Desideria: oder Hertzliches Verlangen Nach Gottgefälliger Besserung der wahren Evangelischen Kirchen* ... (1675) verlangte ein tätiges, von den Quellen der Bibel ausgehendes Christentum. Die Bekehrung des Menschen und soziales Engagement standen im Mittelpunkt. Diese Aufgaben förderten das starke Zusammengehörigkeitsgefühl der Pietisten. Das wirkte sich zum Beispiel in der Einrichtung von Waisenhäusern und in der Gründung der „Herrnhuter Brüdergemeine" durch N. L. Graf von Zinzendorf (1700–1760) aus. Der Pietismus strebte die Rückkehr zur Phantasie an und geriet damit in schärfsten Gegensatz zur frühen Zeit der Aufklärung (s. S. 75). Der Pietismus deckte sich jedoch mit der Aufklärung in dem Wunsch nach Toleranz, in der Ablehnung von Luthers Dogmatismus und in der Achtung vor dem Menschen und der göttlichen Schöpfung.

Der Pietismus brachte ganz persönliche Gefühle und Empfindungen in die Literatur. Das religiöse Erleben und das Erlebnis der Natur standen im Vordergrund. Die Konzentration auf das Gefühlsleben wurde mit der Zeit zum Selbstzweck; religiöse Erbauungsliteratur und Naturschwärmerei ließen den ursprünglichen Anspruch des Pietismus kaum noch erkennen.

Gerhard Tersteegen (1697–1769)

Die geistliche Lieddichtung wurde durch Ph. J. Spener und G. Tersteegen, aber auch durch Chr. F. Gellert (s. S. 86) repräsentiert. In Tersteegens Gedicht *Der Gottheit Spiegel* aus der Sammlung *Geistliches Blumen-Gärtlein inniger Seelen* (1729) sind Wortschatz und Glaubensauffassung des Pietismus erkennbar:

Dein lautrer Seelengrund der Gottheit Spiegel ist;
Die mindste Eigenheit macht seinen Glanz vergehen;
Rühr nichts, was unrein, an; wo du recht stille bist,
Wirst du, in Gottes Licht, Gott selbst bald in dir sehen.

Barthold Heinrich Brockes (1680–1747)

B. H. Brockes' *Irdisches Vergnügen in Gott* (1721–1748 in 9 Bänden erschienen) ist eine Sammlung von eigenen Gedichten und von Übersetzungen, darunter auch Übersetzungen aus *Night Thoughts on Life, Death and Immortality (Nachtgedanken über Leben, Tod und Unsterblichkeit,* 1742–1745) des Engländers E. Young. Hauptthema der Gedichtsammlung ist die liebevolle Betrachtung der Natur, vor allem der kleinen unscheinbaren Naturerscheinungen bis hin zum „bewundernswerten Stäubchen". Das genaue Beobachten war Ausgangspunkt für immer weiter ins Detail gehende Spekulationen in den Gedichten, die manchmal über hundert Strophen hatten. Brockes sah in der Schönheit der geordneten Natur einen Beweis für die Existenz Gottes.
Von der genauen Beobachtung der Natur war es nur ein kleiner Schritt zur Selbstbeobachtung. Später entstandene sogenannte Bekenntnisliteratur gehört auch zur Literatur des Pietismus. Hierzu zählt man die Autobiographien von Spener und A. H. Francke (1663–1727), dem Gründer der Waisenhäuser in Halle. *Johann Heinrich Jung's, genannt Stilling Lebensgeschichte* (1835) ist eine späte Folge der pietistisch beeinflußten Literatur. Stilling – der Beiname weist hin auf die Bezeichnung der Pietisten als „die Stillen im Lande" – betrachtet seinen Lebenslauf als unmittelbar von Gott gelenkten Weg. Auch die *Bekenntnisse einer schönen Seele* aus Goethes Bildungsroman *Wilhelm Meisters Lehrjahre* (1795/96, s. S. 109) gehören in diese Tradition.

Johann Heinrich Jung-Stilling (1740–1817)

Friedrich Gottlieb Klopstock (1724–1803)

Hauptvertreter pietistischer Literatur ist F. G. Klopstock. Mit 24 Jahren veröffentlichte er die ersten drei Gesänge von *Der Messias. Ein Heldengedicht* (1748). Dieses Werk beschäftigte Klopstock viele Jahre seines Lebens. Der Einfluß der englischen Literatur, besonders John Miltons *Paradise Lost (Das verlorene Paradies,* 1667), auf dieses Heldengedicht ist unübersehbar. Klopstocks biblisches Epos ist das erste seit der mittelalterlichen Heldenepik (s. S. 26) veröffentlichte Epos. Es beschreibt aber nicht Handlungen, sondern Stimmungen und Visionen, weshalb man den *Messias* im literaturwissenschaftlichen Sinn eigentlich nicht als Epos bezeichnen kann. Klopstock benutzte nicht den von Gottsched (s. S. 77) empfohlenen Alexandrinervers, sondern den Hexameter, der nach seiner Meinung der deutschen Sprache angemessener war. Klangfülle, Stabreim (s. S. 12) und besondere Dynamik kennzeichnen die Sprache des *Messias*:

Sing, unsterbliche Seele, der sündigen Menschen Erlösung,
Die der Messias auf Erden in seiner Menschheit vollendet
Und durch die er Adams Geschlechte die Liebe der Gottheit
Mit dem Blute des heiligen Bundes von neuem geschenkt hat.

In 20 Gesängen besingt Klopstock die Erlösung des sündigen Menschen und die Natur, in der sich Göttliches direkt ausdrückt. Durch seinen *Messias* wurde Klopstock rasch berühmt als Vertreter eines neuen Schriftsteller-Typus, der sich auf dichterische Sendung berief und daraus sein Selbstverständnis gewann. Doch bereits zu Klopstocks Zeit waren seine weitläufigen, enthusiastischen Verse keine leichte Lektüre – was Lessing 1753 zu folgendem Epigramm veranlaßte:

Wer wird nicht einen Klopstock loben?
Doch wird ihn jeder lesen? – Nein.
Wir wollen weniger erhoben
Und fleißiger gelesen sein.

Rokoko (1730–1750)

Der Begriff ,,Rokoko" kam gegen Ende des 17. Jhs. auf und bezeichnete die verspielten Muschelornamente in der nachbarocken Architektur. Die Literatur des zu Ende gehenden Barockzeitalters und der beginnenden Epoche der Aufklärung hatte einen spielerischen, heiteren Charakter und war ganz auf die Freuden des Lebens gerichtet. Die Strenge des Pietismus und der frühen Aufklärung wurde durch die leichten, graziösen Formen des Rokoko gemildert. Dies sind kleine literarische Formen, wie zum Beispiel die Idyllen und die anakreontischen Gedichte.

Salomon Geßner (1730–1788)
Idyllen

Bekannt für seine *Idyllen* (1756) ist der Schweizer S. Geßner, der vorher den Schäferroman des Griechen Longos *Daphnis und Chloë* (2./3. Jh. n. Chr.) übersetzt hatte. Die Idyllen sind eng verwandt mit der antiken Hirtendichtung. Sie schildern in Prosa oder auch in Versen das heitere, ländliche Leben. Die auftretenden Personen sind meistens Schäfer, Liebende, Sänger oder Flötenspieler. Die Idyllen beschreiben ein goldenes Zeitalter, das außerhalb von Raum und Zeit der historischen Wirklichkeit liegt. Schiller ordnete die ,,Idyllen" in seinem Aufsatz *Über naive und sentimentalische Dichtung* (1795/96, s. S. 106) der sentimentalischen Dichtung zu und sagte:

so haben sie [die Idyllen], bei dem höchsten Gehalt für das *Herz,* allzu wenig für den *Geist* (...) Sie können nur dem kranken Gemüte *Heilung,* dem gesunden keine *Nahrung* geben.

Anakreontik

Anakreontische Lieder gehen auf den griechischen Dichter Anakreon (6. Jh. v. Chr.) zurück und sind thematisch auf die Motive Liebe, Geselligkeit, Wein und auf die Figuren Schäfer, Musen, Nymphen und Faune begrenzt. Bacchus (der Gott der Fruchtbarkeit und des Wei-

Titelblatt
der Erstausgabe
mit einer
Radierung
des Autors

nes), Amor (der Gott der Liebe) und Venus (die Göttin der Schönheit) spielen ebenfalls eine große Rolle. Anakreontische Lieder spiegeln epikureische Lebensfreude und spielen in der freien, schönen und unverdorbenen, jedoch kulissenartigen und stilisierten Natur. Überall ist das Motiv ,,carpe diem!" (Nutze den Tag! Genieße den Augenblick! – aus einer Ode des römischen Dichters Horaz) zu spüren.

Friedrich von Hagedorn (1708–1754)

Ein bekannter Vertreter der unverbindlich spielerischen Anakreontik ist F. von Hagedorn. Seine *Sammlung Neuer Oden und Lieder* (1742–1752) besteht aus leichten, graziösen Gedichten, die frei von jedem moralischen, religiösen oder auch pädagogischen Anspruch sind. Im Gedicht *Anakreon* heißt es:

Ihr Dichter voller Jugend,
Wollt ihr bei froher Muße
Anakreontisch singen,
So singt von milden Reben,
Von rosenreichen Hecken,
Vom Frühling und von Tänzen,
Von Freundschaft und von Liebe,
Doch höhnet nicht die Gottheit,
Auch nicht der Gottheit Diener,
Auch nicht der Gottheit Tempel.
Verdienet, selbst im Scherzen,
Den Namen echter Weisen.
(Auszug)

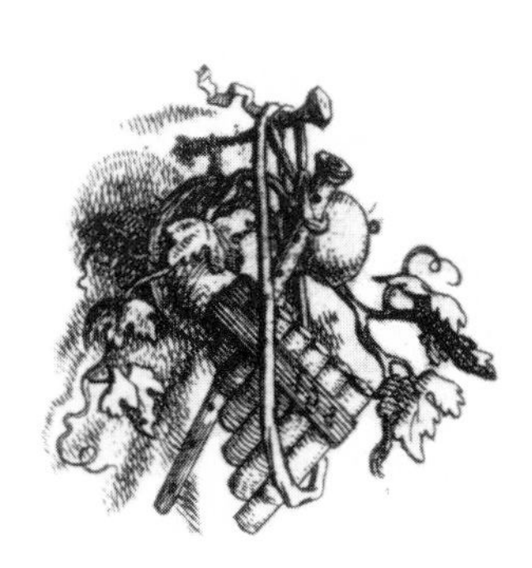

Johann Wilhelm Ludwig Gleim (1719–1803)

Der ,,Dichtervater" Gleim (er förderte viele junge Dichter) variierte in seinem *Versuch in Scherzhaften Liedern* (1744–1758) das Thema der Lebensfreude. Im Kontrast dazu stehen seine *Preußischen Kriegslieder in den Feldzügen 1756 und 1757, von einem Grenadier* (1758), die von preußischem Patriotismus im Siebenjährigen Krieg (1756–1763) geprägt sind. Um Gleim sammelte sich der ,,Hallesche Dichterkreis", zu dem auch Johann Peter Uz (1720–1796) und Johann Nikolaus Götz (1721–1781) gehörten, die 1746 Anakreons Dichtungen in die deutsche Sprache übersetzten. Uz wandte sich später der von der Aufklärung beeinflußten Lehrdichtung zu und verfaßte die Schrift *Versuch über die Kunst stets fröhlich zu sein* (1760).

,,Hallescher Dichterkreis"

Christoph Martin Wieland (1733–1813)

Der bekannteste deutsche Dichter des Rokoko war C. M. Wieland. Neben seinen Leistungen für die Aufklärung (s. S. 85) verfaßte er auch Werke, die der spielerischen Anmut der Rokoko-Literatur zuzuordnen sind. 1768 erschien das kleine Versepos *Musarion, oder Die Philosophie der Grazien*. Musarion verkündet dem Jüngling Phanias ihre Philosophie des Maßes und des heiteren Lebensgenusses. Sie beweist ihm, daß weder Weltverachtung noch Weltverherrlichung als Lebensideal gelten kann:

Auch lernt' er gern, und schnell, und sonder Müh,
Die reizende Philosophie,
Die, was Natur und Schicksal uns gewährt,

Vergnügt genießt, und gern den Rest enbehrt;
Die Dinge dieser Welt gern von der schönen Seite
Betrachtet; dem Geschick sich unterwürfig macht,
Nicht wissen will was alles das bedeute, (...)
Nicht stets von Tugend *spricht,* noch, von ihr sprechend, *glüht,*
Doch, ohne Sold und aus Geschmack, sie *übet;*
Und, glücklich oder nicht, die Welt
Für kein Elysium, für keine Hölle hält.

Sein letztes großes Versepos *Oberon* gab Wieland 1780 heraus. Er verband Motive aus *1001 Nacht*, Elemente aus der französichen Ritterepik und Shakespeares *Sommernachtstraum* in heiterem Ton zu einer gefälligen Einheit. Goethe schätzte das erfolgreiche Werk, das vielfach nachgeahmt und auch als Oper umgearbeitet wurde (1826 von Carl Maria von Weber), als „Meisterwerk poetischer Kunst".

Empfindsamkeit (1740–1780)

Die Literatur der Empfindsamkeit bekam ihre wesentlichen Impulse – wie die Literatur der Aufklärung (s. S. 75) – aus Frankreich und vor allem aus England. G. E. Lessing hatte für die Übersetzung des englischen Romans *Sentimental Journey* (L. Sterne, 1768) den Titel „Empfindsame Reise" vorgeschlagen. E. Youngs *Nachtgedanken über Leben, Tod und Unsterblichkeit (Night Thoughts on Life, Death and Immortality,* 1742–1745) wirkten stark auch auf die deutsche Literatur.

Der Begriff „empfindsam"

„Empfindsam" wurde in der 2. Hälfte des 18. Jhs. zum Modewort. 1793 erklärte J. C. Adelung in seinem Wörterbuch das Wort „empfindsam":

1. Fähig, leicht sanfte Empfindungen zu bekommen, fähig leicht gerührt zu werden; für das gemeinere und vieldeutige empfindlich.
2. Sanfte Empfindungen verrathend, erweckend.

Die empfindsame Literatur hatte ihre Wurzeln im Pietismus. Das religiöse Gefühl, die christliche Nächstenliebe, das bewundernde Betrachten jeder winzigen Naturerscheinung und das Belauschen der eigenen Stimmungen fanden in der empfindsamen Literatur ihre Fortsetzung. Es war die große Zeit der Briefe, Tagebücher und Bekenntnisliteratur, der schwärmerischen Freundschaften und der tränenreichen Rührseligkeit. Das Wunderbare war – wie Bodmer und Breitinger gefordert hatten (s. S. 78) – Bestandteil der empfindsamen Literatur. Überhaupt blieben Aufklärung und Empfindsamkeit miteinander verbunden, bis mit der *„Werther-Debatte"* (1774, s. S. 95) die gegenseitige Polemisierung der Bewegungen begann.

Das Drama der Aufklärung war gekennzeichnet durch Formenstrenge und scharfe Trennung von Tragödie und Komödie.

Weinerliche Lustspiele

Zwischen 1740 und 1750 entstanden eine Reihe von sogenannten Rührstücken, die diese Trennung durch Rührung aufhoben. Lessing nannte sie 1753 „weinerliche Lustspiele"; der Begriff war der französischen Bezeichnung „comédie larmoyante" nachgebildet worden. Die auftretenden Figuren kann man jeweils eindeutig charakterisieren, sie sind entweder gut oder böse, klug oder töricht, schön oder häßlich – Zwischenstufen kommen nicht vor. Die Stücke spielen im bürgerlichen Alltag; meistens handelt es sich um eine durch Intrigen komplizierte, zum Schluß jedoch glücklich endende Brautwerbung. 1745 wurden in Leipzig zwei Rührstücke von Gellert aufgeführt: *Die Betschwester* und *Die zärtlichen Schwestern.*

Christian Fürchtegott Gellert (1715–1769)

Ode

Gellerts *Lehrgedichte und Erzählungen* (1754, s. S. 86) tragen zunehmend sentimentale Züge, seine Oden gehören der empfindsamen Literatur an. Einen Höhepunkt der deutschen Odendichtung aber bilden die Oden Klopstocks, der sich vom strengen Pietismus der Empfindsamkeit zugewandt hatte. Seine Oden, die lyrische Form des Feierlichen und Erhabenen, sind meistens strophisch und ohne Reim aufgebaut. Ihr Inhalt gerät in die Nähe des Pathetischen und Enthusiastischen („Seelendichtung"). 1771 gab Klopstock eine exemplarische Sammlung *Oden* heraus, die er thematisch in drei Bücher gegliedert hatte. Um diese Zeit war der „Messias-Dichter" des Pietismus schon sehr berühmt – er konnte also mit einem großen Publikum rechnen. Um sie verständlich zu machen, stellte er den *Oden* manchmal ein Schema des jeweiligen Versmaßes voran, weniger bekannte Namen erläuterte er in Fußnoten. Das zweite Buch der Sammlung umfaßt den Themenkreis Freundschaft, Verehrung und Liebe:

Friedrich Gottlieb Klopstock (1724–1803)

Die künftige Geliebte

Dir nur, liebendes Herz, euch, meine vertraulichsten Tränen,
Sing ich traurig allein dieses wehmütige Lied.
Nur mein Auge soll es mit schmachtendem Feuer durchirren,
Und, an Klagen verwöhnt, hör es mein zärtliches Ohr! (Auszug)

Tränen, Wehmut, Trauer – aber auch Tränen der Freude, Hoffnung und Schwärmerei sind die Stimmungen, die in der Literatur der Empfindsamkeit ausführlich geschildert werden. Das geschah einerseits in den zahlreichen Briefwechseln dieser Zeit, andererseits in den sogenannten Bekenntnisbüchern.

Roman

Sophie von La Roche (1731–1807)

In dieser Zeit entstanden auch Briefromane, z. B. *Geschichte des Fräuleins von Sternheim. Von einer Freundin derselben aus Original-Papieren und anderen zuverlässigen Quellen gezogen* (1771) von Sophie von La Roche:

Das Fräulein von Sternheim an Emilia:
O meine Emilia! wie nöthig ist mir eine erquickende Unterhaltung mit einer zärtlichen und tugendhaften Freundin!

Dieser erste empfindsame Roman einer Frau wurde von Wieland, einem Vetter der Verfasserin, herausgegeben und wurde als Unterhaltungsliteratur für Frauen verstanden. Er ist inhaltlich und formal beeinflußt von Samuel Richardsons Briefromanen *Pamela, oder Die belohnte Tugend* (1740) und *Clarissa, oder Die Geschichte einer jungen Dame* (1748) – ebenfalls empfindsamen Charakterzeichnungen.

Johann Martin Miller (1750–1814)

Millers sentimentaler Roman *Siegwart. Eine Klostergeschichte* (1776) ist autobiographisch gefärbt und erzählt die Geschichte Xaver Siegwarts, der als Mönch sein Leben beschließt. Er soll einer sterbenden Nonne die letzte Beichte abnehmen und stirbt, als er in ihr Marianne erkennt, mit der ihn einst eine unerfüllbare Liebe verbunden hatte.

Lyrik ,,Göttinger Hain"

1772 gründeten Göttinger Studenten den Freundschaftsbund ,,Göttinger Hain". Sie verehrten Klopstock und machten den Dichter zu ihrem großen Vorbild. Johann Heinrich Voß gab dieser Gruppe den Namen nach Klopstocks Ode *Der Hügel und der Hain.* Der *Göttinger Musenalmanach* (ab 1770) wurde zur Zeitschrift des Göttinger Hains, zu dem Voß, Hölty, Miller und weitere Dichter gehörten. Sie wollten die deutsche Literatur vom französischen Vorbild, das in der deutschen Aufklärung bestimmend war (s. S. 75), befreien und religiöse, patriotische und sittliche Ideale in der Dichtung betonen.

Neben Klopstocks ,,erhabener Form " der Dichtung übernahmen sie auch anspruchslosere, volksliedhafte Dichtung nach anakreontischem Vorbild. Der Bund junger Dichter löste sich aber 1774 schon wieder auf, sie gingen ihre eigenen Wege.

Ludwig Christoph Heinrich Hölty (1748–1776)

Auch Höltys Gedichte drücken die Stimmung der Empfindsamkeit aus. Er gilt als einer der ersten Balladendichter. Seine Lyrik folgt den Themen Natur, Liebe, Tod und ist in einer leicht verständlichen und schlichten Sprache geschrieben:

Der alte Landmann an seinen Sohn

Üb immer Treu und Redlichkeit
  Bis an dein kühles Grab
Und weiche keinen Fingerbreit
  Von Gottes Wegen ab.
Dann suchen Enkel deine Gruft
  Und weinen Tränen drauf,
Und Sommerblumen, voll von Duft,
  Blüh'n aus den Tränen auf.
(Auszug)

Johann Heinrich Voß (1751–1826)

J. H. Voß, ebenfalls ein Mitglied des Göttinger Hains, übersetzte zahlreiche antike Werke, unter anderem auch die *Ilias* und die *Odyssee* von Homer in Hexameter und erwarb sich damit große Anerkennung. Er löste sich bald von seinem Vorbild Klopstock und schrieb Idyllen und Balladen. *Luise,* ,,ein ländliches Gedicht in drei Idyllen", erschien 1795 in seiner endgültigen Fassung. Die in Hexametern geschriebene Idylle spielt nicht mehr in der Welt der Antike, sondern spiegelt wirklichkeitsnah das bürgerlich-behagliche Leben der Zeit wider. Voß' *Luise* regte Goethe zu seinem Epos *Hermann und Dorothea* (1797, s. S. 108) an. Goethe sagte über das Werk von Voß:

Wahrlich, es füllt mit Wonne das Herz, dem Gesange zu horchen,
Ahmt ein Sänger wie der Töne des Altertums nach.

Matthias Claudius (1740–1815)

M. Claudius hatte nur lose Verbindung zu den anderen Dichtern seiner Zeit. 1775–1812 erschien *Asmus omnia sua secum portans oder Sämmtliche Werke des Wandsbecker Bothen.* Hinter dieser Sammlung, die den Namen einer Wochenzeitschrift trug, die M. Claudius 1771–1775 herausgab, verbarg sich der Dichter selbst. Der *Wandsbecker Bothe* besteht aus Texten, die im Laufe der Zeit alle von Claudius verfaßt wurden. Sie wurzeln in einer tiefreligiösen Überzeugung und sind frei von jedem leidenschaftlich ausbrechenden Gefühl. Claudius ist heute vor allem durch seine Gedichte bekannt, die von gefühlvoll-frommer Stimmung zeugen und eine einfache Sprache sprechen, z. B. sein bekanntes *Abendlied* (1779):

Holzschnitt von Ludwig Richter (1803–1884)

Der Mond ist aufgegangen

Wie ist die Welt so stille,
Und in der Dämmrung Hülle
So traulich und so hold!
Als eine stille Kammer,
Wo ihr des Tages Jammer
Verschlafen und vergessen sollt.

Seht ihr den Mond dort stehen? –
Er ist nur halb zu sehen,
Und ist doch rund und schön!
So sind wohl manche Sachen,
Die wir getrost belachen,
Weil unsre Augen sie nicht sehn.

Wir stolze Menschenkinder
Sind eitel arme Sünder
Und wissen gar nicht viel;
Wir spinnen Luftgespinste
Und suchen viele Künste
Und kommen weiter von dem Ziel.

So legt euch denn, ihr Brüder,
In Gottes Namen nieder;
Kalt ist der Abendhauch.
Verschon uns, Gott! mit Strafen,
Und laß uns ruhig schlafen:
Und unsern kranken Nachbar auch!

Kurzbiographien Pietismus, Rokoko, Empfindsamkeit

BARTHOLD HEINRICH BROCKES (1680 – 1747 in Hamburg)
Brockes stammte aus einer reichen Kaufmannsfamilie, studierte Jura und unternahm zahlreiche Reisen. 1716 gründete er die „Patriotische Gesellschaft", 1724–26 war er Herausgeber der Moralischen Wochenschrift *Der Patriot.*

Irdisches Vergnügen in Gott (Gedichtsammlung in 9 Bänden, 1721–48)

MATTHIAS CLAUDIUS (1740 in Reinfeld/Lübeck – 1815 in Hamburg)
Der Sohn einer Pfarrerfamilie studierte in Jena 1759–63 Theologie und Jura. 1768 wurde er Redakteur der *Hamburgischen Neuen Zeitung.* 1771–75 gab er den *Wandsbecker Bothen* heraus, die erste deutsche Volkszeitung mit politischen, wissenschaftlichen und literarischen Beiträgen. 1774 veröffentlichte Claudius seine ersten Gedichte und Beiträge, die der christlich-sittlichen Erziehung dienen sollten. Sein Pseudonym war „Asmus" oder „Wandsbecker Bothe" – und diesen Namen gab er auch seiner Gedichtsammlung. Mit den Mitgliedern des Göttinger Hains war Claudius lose befreundet.

Asmus omnia sua secum portans oder Sämmtliche Werke des Wandsbecker Bothen (1775–1812)

CHRISTIAN FÜRCHTEGOTT GELLERT (1715 – 1769) → s. S. 87

FRIEDRICH GOTTLIEB KLOPSTOCK (1724 in Quedlinburg – 1803 in Hamburg)
Klopstock wurde in einer pietistischen Familie geboren, besuchte 1739–45 das Gymnasium Schulpforta (wie später auch F. Nietzsche) und studierte 1745–48 in Jena und Leipzig Theologie. In Zürich entzweite er sich 1750 mit J. J. Bodmer (s. S. 78). 1751 wurde er von König Friedrich V. nach Dänemark berufen. 1754 heiratete er Meta Müller (in seinen Oden „Cidli" genannt). Nach dem Tod des dänischen Königs lebte er vorwiegend in Hamburg. Die Dichter des Göttinger Hains sahen Klopstock als ihr Vorbild. Durch seinen *Messias* erlangte Klopstock frühen Ruhm. Seine Beerdigung wird als Großereignis beschrieben.

Der Messias. Ein Heldengedicht (I–III in *Bremer Beiträge,* 1748; vollendet 1773)
Hermanns Schlacht. Ein Bardiet für die Schaubühne („vaterländisches Gedicht", 1769)
Oden (1771)

SOPHIE VON LA ROCHE (1731 in Kaufbeuren – 1807 in Offenbach/Main)
Sophie von La Roche wuchs in einer Patrizierfamilie in Augsburg auf. Die gebildete Arzttochter führte eine bürgerliche Ehe in geachteter Stellung. Ihr Vetter C. M. Wieland, mit dem sie zeitweise verlobt war, ermöglichte ihr die Herausgabe von Büchern, mit denen sie das Schema der traditionellen Familien- und Liebesromane des 18. Jahrhunderts durchbrach. Mit aktiven und selbständigen Frauengestalten sowie praktischen Ratschlägen für die weibliche Lebensführung beeindruckte die erste deutsche Unterhaltungsschriftstellerin ihre Zeitgenossen. Sie hatte Kontakt mit Goethe, der sie und ihre Tochter Maximiliane (später verheiratete Brentano) sehr schätzte. Die Großmutter der Geschwister Brentano starb als eine für ihre Zeit ungewöhnlich reiseerfahrene und schriftstellerisch produktive Frau.

Geschichte des Fräuleins von Sternheim . . . (Briefroman, herausgegeben von C. M. Wieland, 1771)
Mütterlicher Rath für junge Mädchen (1797)

CHRISTOPH MARTIN WIELAND (1733 in Oberholzheim/Biberach – 1813 in Weimar)
Wieland wurde pietistisch erzogen. Er studierte Philosophie in Erfurt und Jura in Tübingen. 1752–54 verbrachte er bei J. J. Bodmer (s. S. 87) in Zürich, wo er anschließend bis 1758 Hauslehrer war. 1769 nahm er in Erfurt eine Professur für Philosophie an. 1772 wurde Wieland Prinzenerzieher in Weimar. Ab 1775 lebte er als Schriftsteller bis zu seinem Tod in oder bei Weimar. 1773–1810 war er der Herausgeber der deutschen Literaturzeitschrift *Der Teutsche Merkur* (ab 1790 *Der neue Teutsche Merkur*).

Übersetzungen antiker Autoren
Übersetzung von 22 Dramen Shakespeares
Der Sieg der Natur über die Schwärmerey, oder Die Abentheuer des Don Sylvio von Rosalva (komischer Roman, 1764)
Geschichte des Agathon (Roman, 1766/67, 1773, 1794)
Musarion, oder Die Philosophie der Grazien (Versepos, 1768)
Oberon (Versepos, 1780)

Aufklärung (1720–1785)

6

Die Aufklärung war eine von Westeuropa (England und Frankreich) ausgehende Geistesbewegung des 18. Jhs. Das Symbol der Aufklärung ist die aufgehende Sonne, die alles beleuchtet und überstrahlt („lumen ingenii"). Mit dieser Lichtmetapher ist die Vernunft gemeint, der in diesem Zeitalter eine ganz entscheidende Rolle zukommt. Was vernünftig ist, ist gleichzeitig auch gut, so argumentierte man in der Aufklärung.

Frankreich

In Frankreich reichen die Wurzeln der Aufklärung zurück bis René Descartes (1596–1650), dessen Aussage „cogito, ergo sum" (ich denke, also bin ich) die Erprobung des rein analytischen Denkens einleitete. Bei ihm war die Vernunft das wichtigste Instrument der Erkenntnis (Rationalismus). In dieser Zeit lösten sich die Wissenschaften von ihren Bindungen an die Religion.

England

Aus England kam die Lehre des Empirismus, vertreten vor allem durch John Locke (1632–1704). Für ihn war die Quelle des Denkens und Erkennens nicht die Vernunft, sondern die Sinneswahrnehmungen und Erfahrungen. Diese Ansicht wurde von David Hume (1711–1776) weiterentwickelt, der sagte, daß das menschliche Bewußtsein durch Assoziationen und Erfahrungen erworben werde.

Deutschland
Gottfried Wilhelm Leibniz (1646–1716)

In Deutschland gilt G. W. Leibniz als philosophischer Wegbereiter der Aufklärung. Seine Monadenlehre betont die Wichtigkeit aller Stufen des Daseins vom kleinsten Zellverband bis hin zu Gott („ultima ratio rerum"). Jede Stufe (Monade) strebt nach der für sie „besten aller möglichen Welten", nach dem Übergang in die nächst höhere Monade:

Jeder gegenwärtige Zustand einer einfachen Substanz ist natürlicherweise eine Folge ihres vorhergehenden Zustandes, ebenso wie in ihr das Gegenwärtige mit dem Zukünftigen schwanger geht.

Christian Wolff (1679–1754)

Chr. Wolff schuf – aufbauend auf der französischen und englischen Aufklärung und den Thesen Leibniz' – sein philosophisches System: Das, was logisch ableitbar ist, ist auch vernünftig, natürlich und moralisch gut („bonum commune"). Literatur und Philosophie im Zeitalter der Aufklärung stehen nicht – wie im Barock – im Zusammenhang mit gleichen Tendenzen in Musik, Malerei oder Architektur. Die Literatur der Aufklärung war von pädagogischen Bemühungen geprägt. Die Ausbildung von Verstand und Vernunft wurde als das Wichtigste angesehen. Für Wolff war die Glückseligkeit des Menschen das Ziel jeder Handlung. Die Überzeugung, daß mit vernünftigem Handeln das Glück der Menschen herbeizuführen sei, hatte auch Folgen für die Staatsauffassung des sogenannten aufgeklärten Absolutismus in Europa.

Was ist Aufklärung?

Rückblickend beantworteten zwei Philosophen in der *Berlinischen Monatsschrift* vom Dezember 1783 die Frage *Was ist Aufklärung?* Moses Mendelssohn schrieb:

Moses Mendelssohn (1729–1786)

> Bildung, Kultur und Aufklärung sind Modifikationen des geselligen Lebens; (...)
> Bildung zerfällt in *Kultur* und *Aufklärung*. Jene scheint mehr auf das *Praktische* zu gehen. (...) *Aufklärung* hingegen scheine sich mehr auf das *Theoretische* zu beziehen. Auf vernünftige Erkenntis (objekt.) und Fertigkeit (subj.) zum vernünftigen Nachdenken über Dinge des menschlichen Lebens nach Maßgebung ihrer Wichtigkeit und ihres Einflusses in die Bestimmung des Menschen.

Immanuel Kant (1724–1804)

Immanuel Kant gab die später so berühmt gewordene Antwort:

> *Aufklärung ist der Ausgang des Menschen aus seiner selbstverschuldeten Unmündigkeit. Unmündigkeit* ist das Unvermögen, sich seines Verstandes ohne Leitung eines anderen zu bedienen. *Selbstverschuldet* ist diese Unmündigkeit, wenn die Ursache derselben nicht am Mangel des Verstandes, sondern der Entschließung und des Mutes liegt, sich seiner ohne Leitung eines anderen zu bedienen. Sapere aude! Habe Mut, dich deines *eigenen* Verstandes zu bedienen! ist also der Wahlspruch der Aufklärung.

Die pädagogischen Bemühungen der Aufklärung spiegelten sich auch auf dem damaligen Buchmarkt wider. Die in deutscher Sprache gedruckte Literatur nahm auf Kosten der in lateinischer Sprache gedruckten Bücher zu. Lexika und Zeitschriften gewannen an Bedeutung. In den westeuropäischen Ländern erschienen in dieser Zeit einige große Enzyklopädien, die das gesamte Wissen der Zeit sammelten und verbreiteten: in Frankreich die 1751–1780 von Diderot und d'Alembert herausgegebene *Encyclopédie ou Dictionnaire raisonné des sciences, des arts et des métiers* (in 35 Bänden), in England 1768–1771 die *Encyclopaedia Britannica*. In Deutschland kam 1732–1754 das 64bändige *Große vollständige Universal-Lexikon aller Wissenschaften und Künste* heraus; nach seinem Verleger nennt man es das „Zedlersche Lexikon".

Enzyklopädien

Moralische Wochenschriften

Kennzeichnend für die Zeit sind die zahlreichen Moralischen Wochenschriften, die nach englischem Vorbild in Deutschland erschienen. Sie vermittelten Bildung auf gesellige Art und Weise und behandelten Themen aus dem Alltag (Familienleben, religiöse Erziehung usw.). In *Der Vernünftler* (1713–1714, herausgegeben von J. Mattheson), der

Zeitschriften

ersten Moralischen Wochenschrift in Deutschland, wurde noch häufig aus englischen Wochenschriften übersetzt. J. J. Bodmer und J. J. Breitinger begründeten 1721–1723 in der Schweiz die *Discourse der Mahlern.* Ab 1724 erschien in Hamburg *Der Patriot,* dessen Herausgeber B. H. Brockes (s. S. 65) war. 
Der Schriftsteller und Buchhändler F. Nicolai (1733–1811) gründete gemeinsam mit M. Mendelssohn und G. E. Lessing 1757 die Zeitschrift *Bibliothek der schönen Wissenschaften und der schönen Künste.* 1765 begann Nicolai mit der *Allgemeinen Deutschen Bibliothek* (1765–1804), die als gelehrte Zeitschrift bezeichnet wurde und vorwiegend Rezensionen und Auszüge aus aktuellen Werken druckte. C. M. Wieland gab 1773–1810 den *Teutschen Merkur* heraus (ab 1790 *Der neue Teutsche Merkur*). Diese erste bedeutende Literaturzeitschrift Deutschlands erschien monatlich und genoß großes Ansehen. Sie beschäftigte sich mit literarischen, politischen, philosophischen und theologischen Fragen der Zeit und gab dem Bürgertum auf diese Weise Gelegenheit zur Meinungsbildung. Wieland trug außerdem durch die Übersetzung von 22 Shakespeare-Dramen zur wachsenden Beliebtheit der englischen Literatur in Deutschland bei. Er übertrug auch Werke antiker Schriftsteller (Horaz) in die deutsche Sprache.
In Berlin veröffentlichte Nicolai die *Briefe, die Neueste Litteratur betreffend* (1759–1765). Sie können als Nachfolger der Moralischen Wochenschriften angesehen werden. Durch sie wurde Literatur nicht nur verbreitet, sondern auch analysiert und kritisiert. Nicolais Mitarbeiter waren Mendelssohn und Lessing.

Johann Christoph Gottsched (1700–1766)

Am Anfang der deutschen Literatur der Aufklärung stand 1730 Gottscheds *Versuch einer Critischen Dichtkunst vor die Deutschen* mit dem Untertitel *darinnen erstlich die allgemeinen Regeln der Poesie, hernach alle besondere Gattungen der Gedichte, abgehandelt und mit Exempeln erläutert werden, überall aber gezeiget wird: Daß das innere Wesen der*

Poesie in einer Nachahmung der Natur bestehe. In dieser Schrift wandte sich Gottsched ab vom Stil des Barock. Er berief sich auf zwei Autoritäten: Er ging aus von der Poetik des Aristoteles, die das Wesen der Literatur in der Nachahmung sieht, und von der Poetik des Horaz, die fordert, daß der Dichter sowohl nützen als auch erfreuen soll („prodesse aut delectare").

Orientierung an griechischen Poetiken

Naturnachahmung

Die Nachahmung der Natur in der Dichtung fordert die Kenntnis der Natur. Im Zeitalter der Aufklärung sah man in der Natur das Walten eines vernünftigen Prinzips, dem ein Plan zugrunde liegt. Wenn Dichtung als Nachahmung der Natur verstanden wird, dann muß es auch für die Dichtkunst vernünftige Regeln geben. So kann man den Anspruch des Vernünftigen in der Dichtung verstehen, den Gottsched vertrat. Auch der Geschmack sollte sich nach den Regeln der Vernunft richten:

> Wer einen guten Geschmack hat, der muß richtig von der klar empfundenen Schönheit eines Dinges urteilen, das ist, nichts vor schön halten, was nicht wahrhaftig schön ist: und nichts vor häßlich erklären, was nicht häßlich ist. (...) Derjenige Geschmack ist also gut, der mit den Regeln übereinkommt, die von der Vernunft in einer Art von Sachen allbereit festgesetzet worden.

Literaturstreit

Die starren Regeln Gottscheds lösten heftigen Widerspruch aus, besonders bei den beiden Schweizern J. J. Bodmer und J. J. Breitinger. Der Streitpunkt war *Das verlorene Paradies* (*Paradise Lost,* 1667) des Engländers J. Milton. Bodmer hatte es 1732 ins Deutsche übersetzt. Milton hatte eine sehr individuelle und symbolhafte Sprache benutzt, was sich mit Gottscheds Regelhaftigkeit nicht vertrug. Gottsched orientierte sich an der formenstrengen und rationalistischen Literatur Frankreichs und lehnte die englische Literatur ab. Er setzte die Vernunft der Phantasie entgegen. Bodmer verfaßte die *Critische Abhandlung von dem Wunderbaren in der Poesie und dessen Verbindung mit dem Wahrscheinlichen* (1740). Auch für Bodmer war es wichtig, das vollkommen Unwahrscheinliche aus der Literatur herauszuhalten. Die Wahrheit sollte jedoch mit Hilfe der Phantasie ausgemalt werden, so daß die Literatur bei Bodmer die Nachahmung des Möglichen (bei Gottsched Nachahmung des Wirklichen) anstreben sollte. Ebenfalls im Jahr 1740 erschien die *Critische Dichtkunst* von Breitinger. Auch er orientierte sich an der englischen Literatur und trat für das Wunderbare in der Literatur ein:

Johann Jakob Bodmer (1698–1783)

Johann Jakob Breitinger (1701–1776)

> Das Wahrscheinliche erwirbt seiner [des Dichters] Erzählung Glauben, und das Wunderbare verleiht ihr eine Kraft, die Aufmerksamkeit des Lesers zu erhalten und eine angenehme Verwunderung zu gebären.

Im 18. Jh. spielten das Schauspiel und die Entwicklung einer Dramentheorie eine große Rolle. Gottsched betrachtete in seinem *Versuch einer Critischen Dichtkunst* das französische klassizistische Drama als Vorbild. Durch Übersetzungen (seine Frau übersetzte Komödien von Molière) wollte er das französische Drama auch dem deutschen Publikum bekannt machen. Gottsched übernahm die Forderung nach den

Bevorzugung französischer Dichtung

drei Einheiten (die Einheit der Handlung, die Einheit des Ortes und die Einheit der Zeit). Er postulierte weiterhin eine Fabel als Kern des Dramas, die zwar Verwirrung stiften durfte, sich am Ende jedoch zufriedenstellend auflösen sollte. Wichtig waren für Gottsched auch die in einem Drama auftretenden Personen, die Charaktere:

Es muß (...) der Poet seinen Hauptpersonen eine solche Gemütsbeschaffenheit geben, daraus man ihre künftigen Handlungen wahrscheinlich vermuthen, und wenn sie geschehen, leicht begreifen kann.

Reformierung des Theaters

Gottsched verurteilte die derbe Sprache der Barock-Dramen. Der Hanswurst oder Harlekin, der keinen Charakter im oben genannten Sinn darstellte und aus den englischen und italienischen (Commedia dell'arte) Komödien stammte, wurde 1737 von der Bühne verbannt. Auch alles Opernhafte (Nähe zum Phantastischen) wurde als störend empfunden und abgeschafft. Mit Unterstützung von Caroline Neuber, der Schauspielerin und Direktorin einer Theatergruppe in Leipzig, reformierte Gottsched das Theater der Wandertruppen. Von nun an ging es ernst und moralisierend zu; die wandernden Theatertruppen spielten nicht mehr nur an Fürstenhöfen, sondern auch vor bürgerlichem Publikum. (Eine solche Wandertruppe schilderte Goethe am Anfang von *Wilhelm Meisters Lehrjahre*, 1795/96, s. S. 109). Volkstümliches Theater, Schwänke und Possen (wie z. B. bei Gryphius, s. S. 57) wurden kaum noch gespielt, wodurch das Theater einiges von seiner Lebendigkeit verlor. Gottsched verfaßte selbst ein Drama, *Der sterbende Cato* (1732). Es sollte seine Ideen beispielhaft vorführen, hatte aber nur mäßigen Erfolg. Gottsched hatte der Literatur der Aufklärung durch seine Reform von Sprache, Dichtkunst und Theater wichtige Impulse gegeben. Die Starrheit seiner Ansichten und seine unnachgiebige Haltung im Streit um neue Formen und Inhalte der Literatur drängten ihn jedoch ins Abseits.

Johann Elias Schlegel (1719–1749)

J. E. Schlegels *Vergleichung Shakespears und Andreas Gryphs* (1741) ging auf die Übersetzung eines Shakespeare-Dramas *(Julius Caesar)* ein, die Gottsched heftig abgelehnt hatte. Schlegel begrüßte die lebendigen Charaktere Shakespeares, die historischen Persönlichkeiten nachgebildet sind. Er kritisierte jedoch die ungewöhnliche Sprache. In seinem eigenen Lustspiel *Die stumme Schönheit* (1747) richtete er sich gegen Gottscheds Konzept der moralisierenden Pädagogik und ließ dem Vergnügen noch genügend Raum. Das Lustspiel besteht nur aus einem Akt, verwendet aber noch den alexandrinischen Vers.

Gotthold Ephraim Lessing (1729–1781)

G. E. Lessing schrieb seine ersten Lustspiele noch unter dem Einfluß Gottscheds. Bald löste er sich von dessen Regelhaftigkeit und wandte sich der englischen Literatur zu. Er wurde zum erbitterten Kämpfer gegen die Anhänger der französischen Klassik: In seinem berühmt gewordenen *17. Literaturbrief* vom 16. 2. 1759 (innerhalb der *Briefe, die Neueste Litteratur betreffend*) schrieb er:

Der Engländer erreicht den Zweck der Tragödie fast immer, so sonderbare und ihm eigene Wege er auch wählet; und der Franzose erreicht ihn niemals, ob er gleich die gebahnten Wege der Alten betritt.

Bürgerliches Trauerspiel

1755 entstand das erste deutsche bürgerliche Trauerspiel, Lessings *Miß Sara Sampson.* Den Begriff „bürgerliches Trauerspiel" hatte Lessing aus dem Französischen übersetzt („drame bourgeois", Diderot). Doch die Anregung zu dieser Dramengattung war mit George Lillos *Der Kaufmann von London* (Uraufführung in London 1731) aus England gekommen. Lessings Absicht war es, beim Publikum Mitleid mit den handelnden tugendhaften Personen zu erregen und dadurch eine Besserung des Charakters zu bewirken.

Ständeklausel

Im Drama des 18. Jhs. lockerte sich allmählich die schon von Horaz aufgestellte Ständeklausel. Durch diese waren der Tragödie und der Komödie jeweils ganz bestimmte Personengruppen zugeordnet. In der Tragödie sollten nur Personen von großer Würde und hohem Stand (Könige, Fürsten usw.) auftreten, in der Komödie nur Bürger und Personen von niedrigem Stand, da ihnen die „tragische Fallhöhe" fehlte. Dieser Personenkreis eignete sich nach Meinung der Aufklärung nicht für eine Tragödie; seine Sorgen und sein Scheitern konnten nie so tragisch sein wie das Scheitern hochgestellter Persönlichkeiten. Bürgerliche oder private Schicksale boten daher keinen Stoff für Tragödien. Mit dem langsam wachsenden Selbstbewußtsein des Bürgertums verlor die Ständeklausel zunehmend an Bedeutung, auch Familienkonflikte wurden nun auf der Bühne dargestellt. Nicht Helden oder typisierte Figuren, sondern Menschen mit ihren Leidenschaften und ihren Schwächen traten auf.

Lessings *Miß Sara Sampson* (1755) zeigt solch einen privaten Konflikt. Die Personen sind nicht eindeutig gut oder eindeutig schlecht. Sie qualifizieren sich durch das Leiden oder Mitleiden und durch das Erkennen eventueller eigener Schuld.

Familie als Thema

Das wichtigste Motiv dieses bürgerlichen Trauerspiels sind die Familienbindungen, die auch bei größten moralischen Verfehlungen nicht zerreißen. Die Beziehung zwischen Vater und Tochter ist ein von nun an häufig wiederkehrendes Motiv. Lessing hatte mit diesem Bühnenstück großen Erfolg, wozu auch die vielen Wanderbühnen beitrugen, die das Stück häufig aufführten.

Das Tragische erfuhr in den bürgerlichen Trauerspielen eine psychologische, subjektive Deutung. Die Identifikation der Zuschauer mit Handlung und Personen wurde möglich.

Lustspiel

Auch das Lustspiel *Minna von Barnhelm oder Das Soldatenglück* (1767) versucht, den von Vorurteilen freien Menschen vorzustellen. Das Stück ist vermutlich autobiographisch gefärbt, denn Lessing nahm selbst am Siebenjährigen Krieg zwischen Österreich und Preußen (1756–1763) teil, der den zeitlichen Hintergrund für dieses Stück bildet. Auch das ist neu im deutschen Drama, denn bisher hatten Dramen in historisch fernen Zeiten gespielt. Es geht um den Konflikt zwischen Liebe und Ehre. Minna von Barnhelm trifft unvermutet ihren verschollen geglaubten Verlobten, den Major von Tellheim. Ohne Ehre (er ist aus dem Militär entlassen worden) und Vermögen fühlt sich Tellheim jedoch unwürdig, das „sächsische Edelfräulein" zu heiraten. Durch raffiniertes Spiel und geschickte Rede gelingt es Minna schließlich, Tellheim doch noch für sich zu gewinnen. Am Schluß der *Minna von Barnhelm* steht eine Hochzeit als Motiv für die Zusammengehörigkeit über ständische Grenzen hinaus. Die Vernunft des Herzens verbindet die Menschen trotz aller gesellschaftlichen Konventionen.

Wir haben kein Theater. Wir haben keine Schauspieler. Wir haben keine Zuhörer . . .,

klagte Lessing 1760 im *81. Literaturbrief.* Seine Bemühungen um ein eigenständiges deutsches Drama gipfelten am 22. 4. 1767 in der Gründung des Hamburgischen Nationaltheaters. Man wollte ein feststehendes Theater, das den Schauspielern das Herumreisen ersparen und ihre wirtschaftliche Lage verbessern sollte. Diese Bemühungen scheiterten zwei Jahre später wieder. Wichtiges Dokument aus dieser Zeit ist Lessings *Hamburgische Dramaturgie* (1767–1769), „ein kritisches Register von allen aufzuführenden Stücken". Die Sammlung von 52 Theaterkritiken weitete sich aus zu einer dramentheoretischen Schrift. Lessing behandelte zunächst das Problem der Katharsis: Aristoteles definierte sie als Wirkung des Dramas. Schrecken und Mitleid sollten von Leidenschaften reinigen. Lessing sah in der Katharsis eine Umwandlung von Mitleid und Furcht in „tugendhafte Fertigkeiten", d. h. das Drama sollte die Möglichkeit zu moralisch verantwortlichem Handeln zeigen. Leidenschaften durften durchaus vorgeführt werden. Die drei Einheiten der Handlung, des Ortes und der Zeit sah Lessing bei den Franzosen zu streng verstanden. Bei Aristoteles schienen ihm diese Forderungen weit weniger streng gewesen zu sein.

Nationaltheater

Katharsis

Einheit von Handlung, Ort, Zeit

Lessings Trauerspiel *Emilia Galotti* (1772) ist in Prosa geschrieben und geht auf einen Bericht des römischen Geschichtsschreibers Livius (59 v. Chr.–17 n. Chr.) zurück. Livius erzählte von Virginia, die von ihrem Vater getötet wurde, damit sie nicht Opfer des zudringlichen Appius Claudius werde. Die Tugend steht hier noch höher als das Leben. Lessing verlegte die Handlung in das zeitgenössische Italien: Der Prinz von Guastalla läßt den Grafen Appiani heimtückisch ermorden und dessen Verlobte Emilia auf sein eigenes Schloß bringen. Emilia – nicht ganz sicher, ob sie den Verführungskünsten des von ihr verabscheuten Prinzen nicht doch noch erliegen wird – verlangt von ihrem Vater, daß er sie töte und so ihre Ehre bewahre:

Geben Sie mir, mein Vater, geben Sie mir diesen Dolch.

Man betrachtet *Emilia Galotti* als eines der ersten politischen Dramen in Deutschland. Livius berichtete von einem Volksaufstand nach Virginias Tod. Lessing hat dies nicht übernommen. Sein Stück beinhaltet eine scharfe Verurteilung der Skrupellosigkeit, mit der eine Person von

Politisch-historisches Drama

Titelblatt der Erstausgabe

Emilia Galotti.

Ein Trauerspiel
in
fünf Aufzügen.
Von
Gotthold Ephraim Lessing.

Berlin
bey Christian Friedrich Voß, 1772.

---

hohem Stand in die Privatsphäre einer Familie einbrechen konnte. Das Bürgertum, hier vertreten durch die Familie Galotti, wird sich seiner eigenen Schwäche bewußt. Emilias einzige Möglichkeit der Auflehnung gegen das herrschende System ist ihr Selbstopfer. Die Unschuldigen sterben in diesem Stück, die Schuldigen bleiben am Leben. Das hat zwei Funktionen: Zum einen wird die Ungerechtigkeit dadurch noch stärker betont, zum andern ist es „Aufklärung“ über solche Zustände. Auch Emilia ist, wie Sara, ein gemischter Charakter, womit Lessing einen weiteren Schritt hin zu einem eigenständigen deutschen Drama tat. Das Drama ist sehr genau konstruiert, so daß Friedrich Schlegel

(s. S. 128) später darüber urteilte, *Emilia Galotti* sei „ein großes Exempel der dramatischen Algebra".
1779 (im gleichen Jahr wie Goethes erste Fassung des klassischen Dramas *Iphigenie auf Tauris,* s. S. 102) erschien Lessings „dramatisches Gedicht" *Nathan der Weise*. Die Geschichte entnahm Lessing Boccaccios *Decamerone* (1349/1353). Dieses erste in Blankversen geschriebene Drama ist das bedeutendste Stück der Aufklärung.

Analytisches Drama

Nathan der Weise ist ein analytisches Drama. Die Vorgeschichte wird den im Drama handelnden Personen und dem Publikum Schritt für Schritt aufgedeckt. Der Sarazene Sultan Saladin, der Jude Nathan und der das Christentum vertretende Tempelherr sind Exponenten der drei großen Religionen. Sie begegnen sich in Jerusalem zur Zeit der Kreuzzüge. Saladin erwartet von Nathan eine Antwort auf die Frage nach der besten Religion:

Was für ein Glaube, was für ein Gesetz
hat dir am meisten eingeleuchtet?
(. . .) Ein Mann, wie du, bleibt da
Nicht stehen, wo der Zufall der Geburt
Ihn hingeworfen: oder wenn er bleibt,
Bleibt er aus Einsicht, Gründen, Wahl des Bessern.

Ringparabel

Nathan antwortet dem Sultan mit der berühmten Ringparabel, in der die drei Ringe die drei Religionen – Islam, Judentum und Christentum – repräsentieren. Die Parabel handelt von einem einzigen Ring, den ein Vater jeweils seinem liebsten Sohn vererbt. Einem Vater waren seine drei Söhne gleich lieb. Deswegen ließ er nach dem Muster des einen Ringes zwei andere anfertigen. Die drei Brüder wollten nun von einem Richter wissen, welcher Ring der „echte" sei. Die Antwort des Richters in der Parabel ist zugleich die Antwort Nathans an den Sultan:

Der echte Ring
Vermutlich ging verloren. Den Verlust
Zu bergen, zu ersetzen, ließ der Vater
Die drei für einen machen.
(. . .) Hat von
Euch jeder seinen Ring von seinem Vater:
So glaube jeder sicher seinen Ring
Den echten.
(. . .)
Es eifre jeder seiner unbestochnen
Von Vorurteilen freien Liebe nach!
Es strebe von euch jeder um die Wette,
Die Kraft des Steins in seinem Ring' an Tag
Zu legen! komme dieser Kraft mit Sanftmut,
Mit herzlicher Verträglichkeit, mit Wohltun,
Mit innigster Ergebenheit in Gott
Zu Hilf'!

Die Handlung des Dramas ist um diese Ringparabel gruppiert. Zum Schluß stellt sich heraus, daß die Repräsentanten der drei Religionen verwandtschaftlich vereint sind: Nathan hat das elternlose Christenmädchen Recha in seinem Haus erzogen, ohne ihr etwas über ihre Herkunft zu sagen. Sultan Saladin begnadigt den Tempelherrn, da dieser Saladins verstorbenem Bruder Assad so ähnlich sieht. Der Tempelherr rettet Recha aus den Flammen ihres Hauses und verliebt sich in sie. Zum Schluß erkennen sich Recha und der Tempelherr als Geschwister; sie sind die Kinder des toten Assad. Nathan steht zwar außerhalb dieser Familie, doch er ist eigentlich der geistige Vater. Er verkündet eine natürliche Religion der Humanität und tritt für Toleranz und Vernunft ein. Dadurch relativierte Lessing den Totalitätsanspruch der Religionen und ließ die idealen Kräfte des Menschen deutlich hervortreten.
Lessings Drama muß man im Zusammenhang mit dem Literaturstreit zwischen Lessing und dem Hamburger Pastor Goeze sehen. 1777 gab Lessing – ohne Nennung des Verfassers – eine religionskritische Schrift heraus. Goeze empörte sich über die freidenkenden Tendenzen dieser Schrift. Lessing antwortete ihm mit den *Anti-Goezes* 1778/79. Er entwickelte im Lauf der Zeit eine immer klarere religiöse Denkweise, die die Eigenverantwortlichkeit des Individuums gegenüber den Zwängen der Religion propagierte. Lessing erhielt schließlich vom Herzog von Braunschweig Schreibverbot für seine theologischen Schriften. Mit *Nathan der Weise* wich er mit seinem Anliegen in die Dichtung aus.
In den gleichen Zusammenhang gehört auch *Die Erziehung des Menschengeschlechts* (1780). In 100 Paragraphen führt Lessing seine Gedanken vor. Drei Schritte repräsentieren den Erziehungsplan. Der zentrale Begriff der Offenbarung wird am Schluß durch den Begriff der Vernunft ersetzt. Zunächst ist der Mensch auf Offenbarungen Gottes angewiesen, das Alte Testament und die Ausprägung des Judentums zeigen Gott als den Erzieher des Menschen. Auf der nächsten Stufe wird die Offenbarung mit der Vernunft verbunden, es ergibt sich eine menschliche Religiosität. Auf der dritten Stufe ist der Mensch selbst fähig, das Gute zu lieben und das Böse zu hassen. In § 4 heißt es:

> Erziehung gibt dem Menschen nichts, was er nicht auch aus sich selbst haben könnte: sie gibt ihm das, was er aus sich selber haben könnte, nur geschwinder und leichter. Also gibt auch die Offenbarung dem Menschengeschlechte nichts, worauf die menschliche Vernunft, sich selbst überlassen, nicht auch kommen würde: sondern sie gab und gibt ihm die wichtigsten dieser Dinge nur früher.

Im Zeitalter der Aufklärung gewann neben dem Drama auch der Roman an Bedeutung.

Friedrich von Blanckenburg (1744–1796)

Die erste bedeutende Poetik des Romans stammt von F. von Blanckenburg: *Versuch über den Roman* (1774). Blanckenburg orientierte sich an den englischen Romanen und versuchte, die noch kaum beachtete Gattung bekannt zu machen und ihr vor allem mehr Geltung zu verschaffen.

Poetik des Romans

Blanckenburg sah im Roman eine Weiterentwicklung des Epos. Beide Formen sind gleichrangig, jedoch zeitbedingt. Er unterschied das Epos als Heldengedicht, das die Taten und Ereignisse darstellt und den Menschen aus öffentlicher Sicht sieht, vom Roman, der die privaten Handlungen und Empfindungen des Menschen darstellt. Die psychologisierende Schilderung im Roman bezweckt größere Identifikationsmöglichkeit des Lesers mit der Hauptfigur und hat damit eine pädagogische Absicht. Deswegen kommt es auch auf realistische Schilderung an: Das Werk des Dichters soll eine kleine Welt darstellen, in der man mehr erkennen kann, als dies in der großen möglich ist.

Gottfried Schnabel (1692–1752)

Bereits 1731-1743 war G. Schnabels *Wunderliche Fata einiger Seefahrer* erschienen. Ludwig Tieck bearbeitete das Werk neu und gab es 1828 unter dem heute bekannten Titel *Die Insel Felsenburg* heraus. Der Roman gehört zur Gattung der von der englischen Literatur beeinflußten Robinsonaden (Vorbild war Daniel Defoes *Robinson Crusoe,* 1719) und entwirft ein Gegenbild zum Europa des 18. Jhs. Auf einer Insel, einem „Asyl der Redlichen", sammeln sich Gleichgesinnte, die alle zusammen eine große Familie bilden. Der Kontrast zu Europa wird im Gespräch mit Neuankömmlingen gezeigt, die den Inselbewohnern ihr bisheriges Leben erzählen. In der *Insel Felsenburg* mischen sich Elemente des Abenteuerromans mit Motiven der Empfindsamkeit s. S. 69). In der Utopie einer solchen Inselgemeinschaft manifestiert sich angesichts der nicht zufriedenstellenden Wirklichkeit die Flucht des Bürgers in die Innerlichkeit.

Christoph Martin Wieland (1733–1813)
Bildungsroman

1766/67 erschien die *Geschichte des Agathon* von Ch. M. Wieland. Mit diesem Roman, den Wieland mehrmals umarbeitete (1773; 1794) begann die Tradition des deutschen Bildungsromans. Im Mittelpunkt des Romans steht jeweils ein Individuum, dessen Persönlichkeit im Laufe der Ereignisse so ausgebildet wird, daß ein harmonisches Verhältnis von Charakter und Willen entsteht. Es ist die Darstellung des Ichs in der Auseinandersetzung mit der Welt. Menschen und Umgebung wirken auf den Helden. Das Motto für den im antiken Griechenland spielenden Roman stammt von Horaz: „quid virtus et quid sapientia possit" (was die Tugend und was die Weisheit vermag). Agathon, ein junger Athener, erlebt alle Stufen der menschlichen Existenz vom Sklaven bis zum Herrscher:

> Alles aber, was er [Agathon] gesehen hatte, befestigte ihn in der Überzeugung: „Daß der Mensch – auf der einen Seite den Tieren des Feldes, auf der andern den höhern Wesen und der Gottheit selbst verwandt – zwar eben so unfähig sei, ein bloßes Tier als ein bloßer Geist zu sein; aber, daß er nur alsdann seiner Natur gemäß lebe, wenn er immer *empor steige;* daß jede höhere Stufe der *Weisheit* und *Tugend*, die er erstiegen hat, seine Glückseligkeit erhöhe; daß *Weisheit* und *Tugend* allezeit das richtige *Maß* sowohl der öffentlichen als der Privatglückseligkeit unter den Menschen gewesen."

Wieland läßt Agathon, dem er auch autobiographische Züge verliehen hat, durch Griechenland ziehen (die Reise bzw. das Wandern ist ein typisches Merkmal des Bildungsromans), bis Agathon eine vernünftige und in sich harmonische Lebensbasis findet. Die einzelnen Schritte werden mit psychologischem Einfühlungsvermögen geschildert. Die sich allmählich zur Persönlichkeit entwickelnde Hauptperson wirkt dadurch lebensechter und erlaubt eine unmittelbare Beteiligung des Lesers. Lessing urteilte: „[*Agathon*] ist der erste und einzige Roman für den denkenden Kopf, von klassischem Geschmacke."

Kleine literarische Formen

In der Literatur der Aufklärung haben auch die kleinen literarischen Formen ihren Platz. In der Lyrik überwiegen Formen, die sich für pädagogische Zwecke eignen. Gellerts *Lehrgedichte und Erzählungen* (1754) umfassen auch Fabeln, in denen er sich auf die französischen Vorbilder, vor allem von La Fontaine, bezieht. Sie sind meist in unregelmäßigen Versen geschrieben und schwanken zwischen lyrischer und epischer Form. In der Fabel *Die Biene und die Henne* gibt Gellert eine Erklärung für den Nutzen der Fabel:

Christian Fürchtegott Gellert (1715–1769)

Fabeln

Du fragst, was nützt die Poesie?
Sie lehrt und unterrichtet nie.
Allein, wie kannst du doch so fragen?
Du siehst an dir, wozu sie nützt:
Dem, der nicht viel Verstand besitzt,
Die Wahrheit, durch ein Bild, zu sagen.

Auch Lessing schrieb seit 1747 Fabeln und Erzählungen. Er bezog sich auf die Fabeln Äsops, von denen er auch viele übersetzte und bearbeitete und forderte in seiner *Abhandlung über die Fabel* die knappe, geistreiche und ernste Form. Träger der sehr kurz dargestellten Handlung sind meist Tiere (der mächtige Löwe, der schlaue Fuchs, die fleißige Ameise). Den Nutzen der Fabel nannte Lessing „heuristisch" (der Leser findet darin eine Lehre).

Georg Christoph Lichtenberg (1742–1799)

Aphorismen

G. Chr. Lichtenberg machte in Deutschland den Aphorismus bekannt. Seine Aphorismen erschienen jedoch erst 1800–1806 innerhalb seiner *Vermischten Schriften*. Hier verbindet sich die Lust am Beobachten mit scharfsichtiger, aufklärerischer Analyse. Lichtenberg selbst hat seine Aphorismen – das heißt eigentlich „Gedankensplitter" – nicht nach Themen geordnet. Sie erfassen alles, womit ein Mensch in seinem Leben konfrontiert werden kann. Über die Aufklärung urteilte er:

Wir haben mit der Feder mehr Bastionen erstiegen, als mancher mit Schwert und Bannstrahl.

Justus Möser (1720–1794)

Feuilletons

1774–1786 erschienen die *Patriotischen Phantasien* von J. Möser. Diese Feuilleton-Sammlung gibt Einblicke in die politische, wirtschaftliche und soziale Organisation eines kleinen Staatswesens, die Möser selbst in Osnabrück gewonnen hatte. Goethe war beeindruckt von diesen Feuilletons und schrieb in *Dichtung und Wahrheit*:

Ein vollkommener Geschäftsmann spricht zum Volke in Wochenblättern, um dasjenige, was eine einsichtige wohlwollende Regierung sich vornimmt oder ausführt, einem jeden von der rechten Seite faßlich zu machen.

Kurzbiographien Aufklärung

JOHANN JAKOB BODMER (1698 in Greifensee/Zürich – 1783 in Zürich)
Bodmer studierte Theologie und unterrichtete 1725–75 Geschichte und Politik am Gymnasium in Zürich. Der Schweizer kannte Klopstock, Wieland und Goethe. Im Streit mit Gottsched betonte er die schöpferische Phantasie. Er entdeckte das *Nibelungenlied,* den Minnesang und einen Teil der *Manessischen Handschrift* neu; er schätzte und übersetzte Werke des englischen Dichters Milton. Bodmer war Mitbegründer und Mitherausgeber der Moralischen Wochenschrift *Discourse der Mahlern.* Seine eigene Dichtung war ohne große Bedeutung.

Von dem Einfluß und Gebrauche der Einbildungskrafft (1727)
Critische Abhandlung von dem Wunderbaren in der Poesie und dessen Verbindung mit dem Wahrscheinlichen (1740)

JOHANN JAKOB BREITINGER (1701 – 1776 in Zürich)
Wie sein Freund Bodmer studierte Breitinger Theologie, aber auch Philosophie, und wurde 1731 Professor für hebräische und griechische Sprache am Gymnasium in Zürich. Neben Arbeiten zur Schweizer Geschichte und Altertumskunde gab er auch Werke mittelhochdeutscher Dichter heraus. 1721–23 war er Mitherausgeber der *Discourse der Mahlern.* Breitinger vertrat die Theorie, daß das Kunstwerk nicht nur belehren, sondern auch durch das Wunderbare das Gemüt bewegen sollte.

Critische Abhandlung von der Natur, den Absichten und dem Gebrauche der Gleichnisse (1740)
Critische Dichtkunst (1740)

CHRISTIAN FÜRCHTEGOTT GELLERT (1715 in Hainichen – 1769 in Leipzig)
Gellert besuchte die Fürstenschule in Meißen. Er studierte 1734–1738 Theologie, Philosophie und Literatur und schloß sich zunächst an Gottsched an. 1745 wurde er in Leipzig Professor für Poesie. Gellert war Mitarbeiter an den *Bremer Beiträgen.* Er ist der volkstümlichste Dichter der Aufklärung und schrieb auch empfindsame Literatur.

Die Betschwester (rührendes Lustspiel, 1745)
Die zärtlichen Schwestern (rührendes Lustspiel, 1747 in *Lustspiele*)
Leben der schwedischen Gräfin G. . . . (Roman, 1746/48)
Lehrgedichte und Erzählungen (1754)

JOHANN CHRISTOPH GOTTSCHED (1700 bei Königsberg – 1766 in Leipzig)
Gottsched studierte Theologie, Philosophie und Philologie. 1724 kam er nach Leipzig, wo er ab 1730 Professor für Poesie, ab 1734 Professor der Logik und der Metaphysik war. Er entwarf ein poetologisches Regelsystem, das von den Grundlagen der Philosophie Chr. Wolffs abgeleitet war. Er wandte sich gegen den „Schwulst" des Barock. Er strebte eine Reform der deutschen Literatur an und hatte 1730–40 großen Einfluß. Sein Dogmatismus verschloß ihm den Zugang zu dichterischer Leistung und führte zur Kontroverse mit Bodmer und Breitinger. Er erwarb sich in Zusammenarbeit mit Caroline Neuber Verdienste um das Theater (1727–41): Er sorgte für deklamatorische Ausbildung der Schauspieler und hob das soziale Ansehen des Standes. Gottsched war auch

wichtig als Übersetzer und gab die Moralische Wochenschrift *Die vernünftigen Tadlerinnen* heraus (1725/26).

Versuch einer Critischen Dichtkunst vor die Deutschen (1730)
Der sterbende Cato (Trauerspiel, 1732)
Grundlegung einer deutschen Sprachkunst (1748)

IMMANUEL KANT (1724 – 1804 in Königsberg)
Kant war der Sohn eines Sattlers. 1740–45 studierte er an der Königsberger Universität. Nach seiner Promotion und Habilitation wurde er 1755 Privatdozent. 1770 wurde Kant Professor für Logik und Metaphysik in Königsberg. Seine philosophischen Schriften haben bis heute ihre große Bedeutung nicht verloren.

Kritik der reinen Vernunft (1781)
Kritik der praktischen Vernunft (1788)
Kritik der Urteilskraft (1790)

GOTTHOLD EPHRAIM LESSING (1729 in Kamenz bei Dresden – 1781 in Braunschweig)
Der protestantische Pfarrerssohn studierte Medizin und Theologie in Leipzig. Zwischen 1748 und 1767 arbeitete er mit Unterbrechungen als Journalist und freier Schriftsteller in Berlin. Er war befreundet mit Friedrich Nicolai und Moses Mendelssohn. 1760–65 war Lessing Sekretär des Generals Tauentzien in Breslau; 1767 wurde er Dramaturg, Berater und Kritiker am Deutschen Nationaltheater in Hamburg. 1770–81 arbeitete er als Bibliothekar in Wolfenbüttel; 1777 begann sein Streit mit Hauptpastor Goeze in Hamburg.

Miß Sara Sampson (bürgerliches Trauerspiel, wahrscheinlich 1755)
Briefe, die Neueste Litteratur betreffend (herausgegeben mit Moses Mendelssohn und Friedrich Nicolai, 1759–65)
Fabeln (Fabeln und Erzählungen, 1753 im ersten Teil von *Lessings Schriften;* 1759)
Laokoon, oder Über die Grenzen der Malerei und Poesie (kunsttheoretische Schrift, 1766)
Hamburgische Dramaturgie (1767–69)
Minna von Barnhelm oder Das Soldatenglück (Lustspiel, 1767)
Emilia Galotti (Trauerspiel, 1772)
Nathan der Weise (dramatisches Gedicht, 1779)
Die Erziehung des Menschengeschlechts (theologisch-philosophische Schrift, 1780)

GEORG CHRISTOPH LICHTENBERG (1742 bei Darmstadt – 1799 in Göttingen)
Lichtenberg war das 18. Kind eines Generalsuperintendenten. 1763–66 studierte er in Göttingen Mathematik und Naturwissenschaften. 1770 wurde er dort Professor der Experimentalphysik, 1775 Professor der Naturwissenschaften. Lichtenberg wurde vor allem durch seine ironisch-satirischen *Aphorismen* bekannt.

Bemerkungen vermischten Inhalts (~1889; als *Aphorismen* 1902)

CHRISTOPH MARTIN WIELAND (1733 – 1813) → s. S. 74

Sturm und Drang (1767–1785/90)

7

Zusammentreffen verschiedener Geisteshaltungen

Die Epoche des Sturm und Drang ist eine Folge der Aufklärung: Die junge Generation wehrte sich gegen das Zweckmäßigkeitsdenken und gegen die Betonung der Vernunft. Die von der Renaissance entdeckte Individualität wurde zum Programm; die Einheit von Leib, Seele und Geist bestimmte den Menschen. Diese ,,erste revolutionäre Jugendbewegung" in der deutschen Literatur wurde von der um 1750 geborenen Generation getragen. Mit ihrer Weiterentwickung zu einem neuen Stil (oder ihrem Verstummen) starb die Sturm und Drang-Bewegung etwa um 1785 bereits wieder ab.

Die literarischen Epochen überschneiden sich zu dieser Zeit und erlauben keine chronologische Reihung: 1779 entstanden Lessings *Nathan der Weise* als ein Höhepunkt der Aufklärung und die Urfassung von Goethes klassischem Werk *Iphigenie auf Tauris*. Zwei Jahre später erschien Schillers Sturm und Drang-Drama *Die Räuber*. Die Sturm und Drang-Epoche wird in der modernen Literaturwissenschaft heute weniger als eine zu überwindende Vorstufe zur Klassik oder als eine jugendliche Unreife vor der klassischen Reife betrachtet; vielmehr wird die Bewegung als ergänzendes, ,,neues, dynamisches Stadium der Aufklärung" verstanden (Georg Lukács). Die Dichter des Sturm und Drang verband ein starkes Zusammengehörigkeitsgefühl. Sie schlossen sich in Straßburg, Frankfurt und in Schwaben zusammen.

Der Begriff ,,Sturm und Drang" wurde von dem 1776 erschienenen gleichnamigen Schauspiel F. M. Klingers (ursprünglicher Titel: *Wirrwarr*) auf die ganze Epoche übertragen. Die von Herder 1773 herausgegebene Sammlung *Von deutscher Art und Kunst* ist die Programmschrift der deutschen Sturm und Drang-Bewegung. Schon der Titel machte die endgültige Loslösung vom normativen Vorbild der französischen Literatur deutlich. Herder verstand unter ,,deutsch" sowohl germanisch und nordisch als auch volkstümlich. In dieser Schrift ist auch Goethes Aufsatz über das Straßburger Münster *Von deutscher Baukunst* (1772) enthalten, in dem er eine positive Neubewertung der gotischen Baukunst gab:

Johann Gottfried Herder (1744–1803)

Mit welcher unerwarteten Empfindung überraschte mich der Anblick, als ich davor [vor das Straßburger Münster] trat! Ein ganzer, großer Eindruck füllte meine Seele, den, weil er aus tausend harmonierenden Einzelheiten bestand, ich wohl schmecken und genießen, keineswegs aber erkennen und erklären konnte.

J. G. Herder

Obwohl Johann Georg Hamann (1730–1788) und H. W. von Gerstenberg (s. S. 92) Tendenzen des Sturm und Drang vorwegnahmen, bestimmt man im allgemeinen den Begriff dieser typisch deutschen Bewegung mit dem Erscheinen von Johann Gottfried Herders *Über die neuere Deutsche Litteratur* 1767. In diesen Fragmenten erkennt man die Neubewertung von Bildung und Sprache im Sturm und Drang:

Wer über die Literatur eines Landes schreibt, muß ihre Sprache auch nicht aus der Acht lassen. (. . .) der Genius der Sprache ist also auch der Genius von der Literatur einer Nation.

In seinem *Journal meiner Reise im Jahre 1769* (erschienen 1846) schlug sich Herders Wende zum Sturm und Drang nieder: Angesichts der Freiheit, die er auf einer Schiffsreise empfand, brach er in diesem Tagebuch aus der Enge seiner bisherigen Existenz aus. In der ,,Höllenfahrt der Selbsterkenntnis" nahm er Abschied von seiner bisherigen Büchergelehrsamkeit; er lehnte Übernommenes, Nachgeahmtes und Angelerntes nun völlig ab.

Politische Situation

Der Unabhängigkeitskrieg der englischen Kolonien in Amerika führte 1776 zur Gründung der Vereinigten Staaten. In Frankreich standen Interessen von Hof, Adel und Geistlichkeit denen von Volk und Bürgertum gegenüber; die Revolution von 1789 kündigte sich an. Deutschland dagegen war völlig zersplittert: 300 kleine Höfe und zwei Konfessionen spalteten das Land in Teilstaaten, die ökonomisch, sozial und politisch weitgehend voneinander getrennt waren. Die gesellschaftliche und wirtschaftliche Lage führte zu allgemeiner Unzufriedenheit. In der Literatur fand man Hoffnung auf Besserung und Überwindung der kleinstaatlichen Grenzen. Sie bezog nun verstärkt auch Themen und Personen der sozial niedrigen Schichten mit ein. Herder, Schiller und Klinger stammten aus einfachen Familienverhältnissen. Ein neues Interesse für Volk und Volkskunst aller Art erwachte. In Kunst und Sprache des Volkes war das ursprünglich nationale Wesen noch lebendig. Herder sah in seiner *Abhandlung über den Ursprung der Sprache* (1772) eine direkte Verbindung zwischen der Entwicklung der Sprache und der Bildung und Entwicklung des Menschengeschlechts. Hamann sah in der Poesie als ,,Muttersprache des menschlichen Geschlechts" den Ursprung. In diesem Zusammenhang stand auch Herders Herausgabe der *Volkslieder* (1778/79). In den Volksliedern wollte er die unverfälschte Volksseele finden. Die Wirkung dieser Sammlung beschränkte sich nicht auf Deutschland; die Volksliedbegeisterung regte ganz besonders auch die slawischen Völker an, die Wurzeln ihrer eigenen Dichtung zu erforschen.

Suche nach den Ursprüngen

„Genie“

Direkt verbunden mit der Suche nach dem Ursprung ist die Hervorhebung des Genies im Sturm und Drang. Genialität wurzelt in rational und sprachlich nicht faßbarem Vermögen. Der zentrale Begriff bezeichnete ein neues Lebensgefühl, das Standesgrenzen und traditionelle Einschränkungen jeder Art durchbrach. Die alles umfassende Persönlichkeit des Genies sollte Individualität, Sinnlichkeit, Herz, Vernunft, Phantasie und Gefühl in einem „fruchtbaren Chaos“ in sich vereinen. „Natur“, „Genie“, „Kraft“, „Leidenschaft“ und „Gefühl“ waren daher die Kennworte der Sturm und Drang-Dichter:

> Jeder Mensch von edeln lebendigen Kräften ist Genie auf seiner Stelle, in seinem Werk, zu seiner Bestimmung, und wahrlich, die besten Genies sind außer der Bücherstube. (Herder)

Vorbild Shakespeare

Der Geniekult und die damit eng verbundene Hochschätzung William Shakespeares (1564–1616) prägten das Selbstverständnis der ganzen Generation, für die Shakespeare das Genie schlechthin war. Die frühere Orientierung an französischen Vorbildern (Corneille, Racine) wurde nun endgültig abgelehnt. Durch die Übersetzung von Shakespeares Gesamtwerk (Wielands Übersetzung war die für den Sturm und Drang entscheidende), durch zahlreiche Feiern, Reden und Schriften wurde dem Genie gehuldigt. Shakespeare hatte historische Gestalten einmalig neu geschaffen und individuell geformt und wurde damit für den Sturm und Drang eine fast gottähnliche Gestalt (messianischer Charakter). Das Genie war Teil der schaffenden Natur; es verstand sich – nach dem englischen Philosophen Shaftesbury – als zweiten Schöpfer neben Gott. Das Genie ahmte nicht die, sondern der Natur nach, und die fremde Dichtung – besonders die der Griechen – sollte nur Ansporn sein, eine eigene originale Nationaldichtung zu schaffen.

Beispiel Prometheus

Der sich gegen die übermächtigen Götter auflehnende Prometheus wurde zum Symbol für die gesetzgebende Instanz des Genies. In seiner Rede *Zum Schäkespears Tag* (1771) rief Goethe aus:

> Und ich rufe: Natur! natur! nichts so Natur als Schäkespears Menschen. (. . .) Er wetteiferte mit dem Prometheus, bildete ihm Zug vor Zug seine Menschen nach, nur in kolossalischer Größe.

Drama des Sturm und Drang

Die im Sturm und Drang herausragende Gattung war das Drama, das nun meist statt in Versen in Prosa geschrieben wurde. Es eignet sich am besten, den Gesamtcharakter der Bewegung zu erklären. Schauspieltruppen, Lessings Vorbild und Theorien, höfische Theaterkultur hatten den Weg bereitet. 1776 wurde das Wiener Burgtheater, 1779 das Mannheimer Nationaltheater eröffnet. Goethes Shakespeare-Rede, der kritischere Shakespeare-Aufsatz Herders und J. M. R. Lenz' *Anmerkungen übers Theater* (1774) haben das neue Drama entscheidend beeinflußt.

Die Tragödie *Ugolino* von H. W. von Gerstenberg (1768) war ein Vorläufer des Sturm und Drang-Dramas. Der 33. Gesang von Dante

Heinrich Wilhelm von Gerstenberg (1737–1823)

Alighieris *Inferno* (aus *La Divina Commedia,* 1472) wird unter Beibehaltung der drei Einheiten (Ort, Zeit und Handlung) dramatisiert. Neu ist die krasse Darstellung der Leidenschaften, der emotionale Ausdruck des als „Lesedrama" konzipierten Stücks.
Gerstenberg, Herder, Goethe und Lenz entwickelten an Shakespeares Beispiel ihre Theorien für die Dramen des Sturm und Drang: Aristoteles, Lessing und die Franzosen wurden abgelehnt; Personen und Charaktere standen im Mittelpunkt. Wie im Leben existierten neben den starken und vorbildlichen Menschen auch die schwachen und haltlosen. Tragische und komische Elemente wurden miteinander verbunden (vermischte Empfindungen), Leidenschaften erregt. Die klassischen Einheiten von Ort, Zeit und Handlung wurden weitgehend aufgehoben. Die neue Einheit lag im Einvernehmen von Dichter und Publikum, in der Verbindung von Literatur und Wirklichkeit.

Historisches Drama: Johann Wolfgang von Goethe (1749–1832)

Goethes historisches Drama *Götz von Berlichingen mit der eisernen Hand* (1773) entspricht genau den neuen Theorien. Der Stoff führt in die Zeit der Bauernkriege 1524/25 zurück. Herder hatte Goethes Interesse für die dichterische und geschichtliche Welt Shakespeares geweckt. Auf Herders Veranlassung hin glättete Goethe sein Werk; doch auch in der neueren Fassung blieb der Bruch mit den traditionellen Einheiten erhalten. Der neue Weg wurde erkennbar: In unbestimmter Zeitdauer wechseln 56 „Bilder" von Ort zu Ort. Eine sehr emotional geführte (*Götz*-)Debatte war die Folge.
Der Ritter Götz, ein starker, selbstsicherer Kämpfer (im Krieg hat er seine rechte Hand verloren), kann sein natürliches Recht auf Freiheit im Handeln und Denken nicht in die neue Zeit hinüberretten:

Stirb, Götz – Du hast dich selbst überlebt, die Edeln überlebt.

Er stirbt unter den berühmt gewordenen Worten seiner Schwester Maria: „Wehe dem Jahrhundert, das dich von sich stieß!" Der feindliche Vertreter der neuen Zeit ist Götz' früherer Jugendfreund Adalbert von Weislingen. Die auftretenden Personen kommen aus allen Ständen und sprechen eine ihnen gemäße, für sie charakteristische Sprache. Der Einfluß Luthers und Hans Sachs' (s. S. 41; 49) auf Goethe wird in der Sprache deutlich erkennbar. Goethes Geschichtsdrama verhalf der Gattung im Sturm und Drang erstmals zu großer literarischer Wirkung.

Friedrich Maximilian Klinger (1752–1831)

Ein weiteres Beispiel für das historische Drama des Sturm und Drang ist F. M. Klingers Tragödie *Die Zwillinge* (1776). Klinger bekam dafür den ersten Preis in einem Dramenwettbewerb der Ackermannschen Theatergruppe. (Denselben Stoff behandelte auch Joh. A. Leisewitz, der Dramatiker des Göttinger Hains, s. S. 71, der sein Stück *Julius von Tarent* ebenfalls einreichte.) Typisch für den Sturm und Drang waren Klingers Thematik und Stil: Familienkonflikt durch Bruderzwist, Generationsprobleme, Freundschafts- und Eifersuchtsmotive, wie auch der affektgeladene, bildhaft-dynamische Stil.

Neben den historischen Dramen entstanden im Sturm und Drang auch Dramen in der Tradition des bürgerlichen Trauerspiels; meist wurden konkrete Zeitprobleme und Mißstände aufgegriffen. Im 18. Jahrhundert, als die Monarchie und der Staatsapparat sich ausweiteten, standen immer mehr Menschen im Dienst von einflußreichen Persönlichkeiten, Fürsten oder der Kirche. Studenten oder junge nicht-adlige Bürger mußten z. B. als Privatlehrer („Hofmeister") Adelskinder in Fachwissen und gesellschaftlichen Umgangsformen unterrichten. Die aus der kleinbürgerlichen Atmosphäre ausbrechenden jungen Menschen führten den Konflikt herbei. J. M. R. Lenz kritisiert in *Der Hofmeister oder Vortheile der Privaterziehung* (1774) die Arroganz der Adelsgesellschaft, die den völlig abhängigen Lehrer – „Sklave im betreßten Rock" – bis zur Selbstentmannung demütigt. Lenz' „Tragikkomödie" ist ein „Spiel, das man mit einem lachenden und einem weinenden Auge sieht, in dem das eine nur die Kehrseite des anderen ist, und beide sich gegenseitig verstärken." Das Thema des verführten adligen Mädchens wird tragisch und komisch zugleich mit der Kritik an der Privaterziehung höher gestellter Söhne und Töchter verknüpft; es geht eigentlich um die Nachteile der Privaterziehung. Das Stück wurde 1950 von Bert Brecht für das „Berliner Ensemble" (s. S. 262) bearbeitet, als Lenz im 20. Jh. neu entdeckt wurde. Noch lebensgetreuer sind die Gestalten in Lenz' sozialkritischem Drama *Die Soldaten* (1776) gezeichnet. Voll Ironie und tragisch-komisch wird ihre problematische Stellung in der Gesellschaft beleuchtet. Lenz kannte das Milieu aus eigener Erfahrung. Er verfremdete seine eigenen Erlebnisse so wenig, daß er immer wieder fürchten mußte, angeklagt zu werden.

Bürgerliches Drama

Jakob Michael Reinhold Lenz (1751–1792)

Die Darstellung der Gesellschaft trägt bei Lenz Merkmale eines Lustspiels:

Komödie ist Gemälde der menschlichen Gesellschaft, und wenn die ernsthaft wird, kann das Gemälde nicht lachend werden.

Tragisch dagegen ist das Schicksal der einzelnen Personen, da sie nicht verantwortlich sind für die sittlichen und gesellschaftlichen Umstände, denen sie ausgeliefert sind. Die Umwelt wird zum Gegenspieler der Personen. Anders als die übrigen Dichter des Sturm und Drang stellte Lenz keine „Kraftkerle" dar. Die Figuren kommen aus verschiedenen Ständen und bleiben ihnen verhaftet; das verraten Sprache und Gestik. Die drei Einheiten sind völlig aufgehoben, die Schauplätze wechseln sprunghaft, Szenen bleiben Fragmente aus zerrissenen Sprachfetzen. Die Dynamik der Handlung wird in der raschen Abfolge der Szenen (*Die Soldaten*: 35 Szenen) deutlich. Zuweilen halten nur wenige Sätze einen charakteristischen Moment fest. Die Psychologisierung der Figuren gewinnt an Raum. Eine Lösung des Konflikts scheint nur durch den Bruch mit gesellschaftlichen Konventionen möglich zu sein. Doch Lenz beschränkt sich auf die Darstellung der Zustände. Er verspottet alle Schichten, ruft aber nicht direkt zu Reform oder Revolution auf.

Heinrich Leopold Wagner (1747–1779)

Das Motiv der unstandesgemäßen Liebe und ihrer Folgen ist auch das Thema von H. L. Wagners wichtigstem Stück *Die Kindermörderinn,* ebenfalls aus dem Jahre 1776. Die Bezüge zur Straßburger Umgebung und Gesellschaft basieren auf Wagners eigener Erfahrung. Die Milieuschilderungen aus verschiedenen Schichten sind neue Elemente des bürgerlichen Dramas. Obwohl manchmal unrealistisch, werden die kraftvolle Sprache und die betonte Lehrhaftigkeit des Sturm und Drang deutlich.

Friedrich Schiller (1759–1805)

Das tragische Ende dieses Stücks zeigt das starre Denken und die Konventionen der Gesellschaft, an denen auch die Figuren von Schillers Jugenddramen scheitern. Das noch heute oft aufgeführte Drama *Die Räuber* (1781 erschienen, 1782 uraufgeführt) war von Anfang an ein großer Bühnenerfolg. In energischer, affektgeladener Sprache werden typische Sturm und Drang-Motive (die Rivalität der ungleichen, feindlichen Brüder und der Vater-Sohn-Konflikt) kombiniert. Bereits die Bühnenanweisungen und die pathetische Gebärdensprache der Figuren drücken Vitalität und Leidenschaft aus. Durch die Intrigen des neidischen Franz kommt es nicht zur Versöhnung zwischen seinem Bruder Karl und dem alten Vater Moor. Karl, ein freiheitsliebender, tatkräftiger ,,Kerl", stellt sich aus Verzweiflung an die Spitze einer Räuberbande:

Die

Räuber.

Ein Schauspiel.

Frankfurt und Leipzig,

1781.

Titelblatt der Erstausgabe (anonym) im Selbstverlag

Die

Räuber.

Ein Schauspiel

von fünf Akten,

herausgegeben

von

Friderich Schiller.

Zwote verbesserte Auflage.

Frankfurt und Leipzig.

bei Tobias Löffler. in Manheim

1782.

Titelblatt der 2. Auflage

Menschen haben Menschheit vor mir verborgen, da ich an Menschheit appellierte; weg dann von mir Sympathie und menschliche Schonung! – Ich habe keinen Vater mehr, ich habe keine Liebe mehr, und Blut und Tod soll mich vergessen lehren, daß mir jemals etwas teuer war!

Als der gefangene Vater davon hört, stirbt er vor Kummer; Franz tötet sich selbst. Karl muß sich entscheiden zwischen seiner treuen Geliebten Amalia und der Räuberbande, an die er durch einen Schwur gebunden ist. Nur indem er die Frau tötet und sich selbst ausliefert (damit verhilft er einem armen Taglöhner zu einer Belohnung), kann er sich aus der tragischen Schuld befreien. Mit diesem späten Drama des Sturm und Drang – es war Schillers erstes Drama – erwies sich Schiller als „legitimer Erbe Shakespeares". Es gehört zu den beeindruckendsten Werken der Zeit.
In *Kabale und Liebe* (1784; ursprünglicher Titel *Luise Millerin*) thematisierte Schiller den unüberbrückbaren Standesunterschied. Die Liebe zwischen der Bürgerstochter Luise Miller und dem adligen Major Ferdinand muß scheitern. Ferdinands gestörte Beziehung zu seinem Vater und sein Verhältnis zur Gesellschaft spiegeln seine Worte wider: „Mein Vaterland ist, wo mich Luise liebt." Luises enge Bindung an Familie und Moral machen ihre absolute Zugehörigkeit zu deren gesellschaftlichen und religiösen Konventionen deutlich. Das muß zum Konflikt führen: „Der Himmel und Ferdinand reißen an meiner blutenden Seele." Beide Figuren sind zu sehr ihrem Stande verhaftet, eine Verbindung ist nicht möglich. Daran kann auch ihre Liebe nichts ändern. Aggressive Anklagen gegen die Willkür des Absolutismus, Kritik am Mätressentum, aber auch an der Starrheit des Bürgertums waren Folgen von Schillers eigenem Erleben. Eine Änderung der Machtverhältnisse strebte Schiller jedoch ebensowenig wie Lenz an. Übersetzungen ins Englische (1795) und Französische (1799) und auch die Tatsache, daß der württembergische Herzog Karl Eugen die Aufführung des Stücks verbieten ließ, trugen zum großen Erfolg des Werkes bei.

Roman: Goethes Werther

Ein Höhepunkt des Sturm und Drang war Goethes (1749–1832) weitgehend autobiographischer Briefroman *Die Leiden des jungen Werthers* (1774). Goethe traf mit seinem psychologisierenden Werk genau die Stimmung der Zeit. Seine Begegnung mit Herder hatte sich auch hier stark ausgewirkt. Der Roman (in fiktiven Briefen geschrieben, die als Tagebuch zusammengefügt sind), der lebende Personen und noch gegenwärtige Zeitereignisse kaum verschlüsselte, löste heftige öffentliche Diskussionen aus. Die Dichter des Sturm und Drang feierten die stürmischen Gefühlsausbrüche Werthers, seine grenzenlose Sehnsucht nach Identität mit der Natur. Mit seinem Freitod hatte Werther das Recht auf Eigengesetzgebung bis zur letzten Konsequenz verwirklicht; die junge Generation erkannte ihre eigenen Gefühle und Proteste in seiner Gestalt. Das führte zu einem „Werther-Fieber". Werthers berufliche Untätigkeit, seine unerlaubte Liebe zu Lotte und besonders

sein Freitod wurden jedoch auch angegriffen. Der übersensible Werther (Figur der Empfindsamkeit) lebt nach seinen eigenen „originalen" Vorstellungen und Gesetzen (aufklärerisch) und wird durch sein emanzipiertes Handeln zum Helden des Sturm und Drang.
Erst in zweiter Linie ist der Roman eine tragische Liebesgeschichte. Im Vordergrund steht der unmittelbare Ausdruck, die Darstellung von Gefühlen und Erlebnissen des Individuums, das mit gesellschaftlichen Normen bricht. Im Brief vom 10. Mai wird die pantheistische Weltanschauung, in der die Natur Ausdruck der göttlichen Kraft ist, besonders deutlich:

Am 10. Mai.
Eine wunderbare Heiterkeit hat meine ganze Seele eingenommen, gleich den süßen Frühlingsmorgen, die ich mit ganzem Herzen genieße. Ich bin allein und freue mich meines Lebens in dieser Gegend, die für solche Seelen geschaffen ist wie die meine. Ich bin so glücklich, mein Bester, so ganz in dem Gefühle von ruhigem Dasein versunken, daß meine Kunst darunter leidet. Ich könnte jetzt nicht zeichnen, nicht einen Strich, und bin nie ein größerer Maler gewesen als in diesen Augenblicken. Wenn das liebe Tal um mich dampft, und die hohe Sonne an der Oberfläche der undurchdringlichen Finsternis meines Waldes ruht, und nur einzelne Strahlen sich in das innere Heiligtum stehlen, ich dann im hohen Grase am fallenden Bache liege, und näher an der Erde tausend mannigfaltige Gräschen mir merkwürdig werden; wenn ich das Wimmeln der kleinen Welt zwischen Halmen, die unzähligen, unergründlichen Gestalten der Würmchen, der Mückchen näher an meinem Herzen fühle, und fühle die Gegenwart des Allmächtigen, der uns nach seinem Bilde schuf, das Wehen des Alliebenden, der uns in ewiger Wonne schwebend trägt und erhält; mein Freund! wenn's dann um meine Augen dämmert, und die Welt um mich her und der Himmel ganz in meiner Seele ruhn wie die Gestalt einer Geliebten – dann sehne ich mich oft und denke: Ach könntest du das wieder ausdrücken, könntest du dem Papiere das einhauchen, was so voll, so warm in dir lebt, daß es würde der Spiegel deiner Seele, wie deine Seele ist der Spiegel des unendlichen Gottes! – Mein Freund – Aber ich gehe darüber zugrunde, ich erliege unter der Gewalt der Herrlichkeit dieser Erscheinungen.

Karl Philipp Moritz (1756–1793)

Die Auseinandersetzung des Individuums mit der gesellschaftlichen Wirklichkeit ist auch das Thema von K. Ph. Moritz' „psychologischem Roman" *Anton Reiser*, der 1785–1790 in vier Teilen erschien.
Das Leben Anton Reisers, eines Mannes aus der unteren Mittelschicht, steckt voller Zwiespälte, aus denen er in seinen Selbstreflexionen nicht herausfindet. Gesellschaftliche Demütigungen und Abhängigkeiten machen ihn zum ruhelosen Wanderer und Außenseiter; in Phantasien, rauschhaften Erlebnissen und im Schauspielerberuf sucht er erfolglos Selbstbestätigung. Die Rezeption von Youngs *Nachtgedanken über Leben, Tod und Unsterblichkeit* (1742–1745, ins Deutsche übersetzt 1754), die Shakespeare-Verehrung, Goethes *Werther* und Bürgers *Lenore* (s. u.) sind in diesen ebenfalls zum Teil autobiographischen Roman eingearbeitet. Die Autobiographie J. J. Rousseaus (*Les Confessions*, 1782/1789) und Goethes *Wilhelm Meisters theatralische Sendung* (1776) wirkten deutlich auf K. Ph. Moritz.

Der Umfang der epischen Leistung dieser Epoche ist ziemlich gering. Erst in späteren Jahren zeigte sich die Auswirkung und die Bedeutung von Moritz' Anfängen des realistischen Romans.

Ballade

Die Lyrik der Sturm und Drang-Zeit gliedert sich im wesentlichen in den Bereich der zu neuer Popularität gekommenen Ballade und in die Lyrik des jungen Goethe. Mit dem Interesse am Volkslied (z. B. *Heidenröslein,* 1. Fassung 1771), am Ursprünglichen und Lebendigen hing die Popularisierung der Balladendichtung eng zusammen. Dazu kam der Einfluß von Bischof Percys Sammlung *Reliquies of Ancient English Poetry* (1765) und Macphersons *Fragments of Ancient Poetry* (1760), einer frei bearbeiteten irisch-schottischen Sagendichtung. Bisher war die Volksballade (italienisch ,,ballare", tanzen) mit ihrer sprunghaften und schematischen Erzählweise bekannt, die an die mittelalterliche Heldenepik (s. S. 26) anschloß. Im 18. Jh. begann die Entwicklung der Kunstballade. Neue Themen waren soziale und religiöse Konflikte, herrschende Normen wurden in Frage gestellt. Stilmittel und Motive von Volksballade, Volkssage und Aberglauben mischten sich mit Bänkelsangelementen:

Man lerne das Volk im ganzen kennen, man erkundige seine Phantasie und Fühlbarkeit, um jene mit gehörigen Bildern zu füllen und für diese das rechte Kaliber zu treffen.
(G. A. Bürger)

Gottfried August Bürger (1747–1794)

G. A. Bürger gestaltete in seiner volkstümlichen Ballade *Lenore* (1773 im *Göttinger Musenalmanach*) einfache Empfindungen und das innere Wirken übersinnlicher strafender Mächte. Äußere Handlung und psychische Vorgänge werden gleicherweise ,,auf die Bühne" gebracht. Die Phantasie schloß beide Bereiche zur Einheit zusammen. Religiöse Motive, die Sprache der Bibel und des Kirchenliedes, Wiederholungen, populäre Redewendungen und lautmalende Passagen weckten unmittelbare Ergriffenheit bei der über den Tod hinausgehenden Liebe zwischen der lebenden Lenore und ihrem verstorbenen Bräutigam.
Zu besonders provozierenden Darstellungen wurde das beliebte Motiv des (vom Adligen) verführten Bürgermädchens und – als Weiterführung – das Motiv der Kindsmörderin in vielen Sturm und Drang-Balladen gestaltet, z. B. L. Ch. H. Hölty: *Adelstan und Röschen*, *Die Nonne;* Bürger: *Des Pfarrers Tochter von Taubenhain;* Christian Friedrich Daniel Schubart: *Das schwangere Mädchen.* Der oftmals pathetisch gesteigerte Stil wird auch als ,,Explosivstil" bezeichnet.

Die frühe Lyrik Goethes

Goethes frühe Balladen sind weniger gesellschaftskritisch geprägt. *Der König in Thule* (1. Fassung 1774 im *Urfaust*) und *Erlkönig* stecken voller Andeutungen und Symbole.
Typisch für die Sturm und Drang-Zeit ist auch die frühe Lyrik Goethes, die unter dem Einfluß Herders stand. Im 10. Buch von *Dichtung und Wahrheit* beschreibt Goethe seine Begegnung mit Herder 1770 in Straßburg als das ,,bedeutendste Ereignis, was die wichtigsten Folgen für mich haben sollte". *Mailied* (1771) und *Willkommen und Abschied*

(1771/1789) spiegeln seine Liebe zu Friederike Brion in Sesenheim (*Sesenheimer Lieder*), bei der Goethe die von Herder gelobte Schlichtheit und Natürlichkeit fand:

Und doch, welch Glück, geliebt zu werden!
Und lieben, Götter, welch ein Glück!

Der alte Pfarrhof zu Sesenheim, Zeichnung von Goethe (1779)

Die vielen Überarbeitungen des erstgenannten und die konsequente Gestaltung von Vers, Reim und Strophenform des zweiten Gedichts weisen darauf hin, daß auch diese sehr subjektiven und emotionalen Gedichte aus reflektiertem Rückblick geschrieben wurden – also wohldurchdachte Kunstprodukte sind. Diese und zahlreiche andere Gedichte Goethes sind oft vertont worden. Hymnischen Charakter – in Anknüpfung an Pindar (5. Jh. v. Chr.) und Klopstock (s. S. 65, 70) – zeigen *Wandrers Sturmlied* (1772) und *An Schwager Kronos* (1774). Die Gedichte parallelisieren in pantheistischer Weise den Sturm in der Natur und den Sturm der Gefühle.
Ausdruck von Goethes „titanischem Schöpfungswillen“ sind *Mahomets Gesang* (1772/73) und *Ganymed* (1774), die Kunst und Künstlerverständnis thematisieren. In *Prometheus* (1774) weist das Sich-Selbst-Behaupten gegen die Götter auf einen wesentlichen Zug des Sturm und Drang hin:

Hier sitz' ich, forme Menschen
Nach meinem Bilde,
Ein Geschlecht, das mir gleich sei,
Zu leiden, weinen,
Genießen und zu freuen sich,
Und dein nicht zu achten,
Wie ich.
(Auszug)

Kurzbiographien Sturm und Drang

GOTTFRIED AUGUST BÜRGER (1747 in Molmerswende/Harz – 1794 in Göttingen)
Der Pastorensohn studierte Theologie, Jura und Philosophie in Halle und Göttingen. Er war mit den Dichtern des „Göttinger Hains" (s. S. 71) befreundet und war 1779–94 Redakteur des *Göttinger Musenalmanachs*. Bürger arbeitete als Amtmann und Privatdozent.

Gedichte (1778, 1779; darin u. a. *Lenore, Das Lied vom braven Mann, Des Pfarrers Tochter von Taubenhain*)

JOHANN WOLFGANG VON GOETHE (1749 – 1832) → s. S. 114

JOHANN GOTTFRIED HERDER (1744 in Mohrungen – 1803 in Weimar)
Der Sohn eines pietistischen Kantors und Lehrers studierte 1762–64 Medizin, Theologie und Philosophie in Königsberg, wo er von Kant und Hamann beeinflußt wurde. 1764–69 arbeitete er als Lehrer und Prediger in Riga. 1769 unternahm Herder eine Seereise nach Nantes, die nach eigenen Angaben seine Wendung von der Aufklärung zum Sturm und Drang brachte. Er lernte 1770 in Straßburg Goethe kennen, dessen Frühwerk er entscheidend beeinflußte. Ab 1776 lebte er als Oberhofprediger und Generalsuperintendent in Weimar. Herder war befreundet mit Jean Paul und Wieland. – Der Anreger des Sturm und Drang hatte außerordentlichen Einfluß auf die europäische Geistesgeschichte, und zwar weit über seine Zeit hinaus.

Über die neuere Deutsche Litteratur (Fragmente, 1767)
Abhandlung über den Ursprung der Sprache (1772)
Von deutscher Art und Kunst (programmatische Texte der Sturm und Drang-Bewegung, 1773)
Volkslieder (1778/79; 1807)
Briefe zur Beförderung der Humanität (1793–97)
Journal meiner Reise im Jahre 1769 (1846, vollständig 1878)

FRIEDRICH MAXIMILIAN KLINGER (1752 in Frankfurt/Main – 1831 in Dorpat/Estland)
Klinger war mit Goethe befreundet, der ihn während seines Studiums in Gießen (1774–76) unterstützte. Er war Schauspieler und Theaterdichter. 1780 wurde Klinger Offizier. Als Kurator der Universität Dorpat (1803–17) war er wichtiger Vermittler deutscher Kultur im heute russischen Estland. – Der wichtige Dramatiker gab der Epoche des Sturm und Drang mit seinem gleichlautenden Drama den Namen.

Sturm und Drang (Drama, 1776; ursprünglicher Titel *Wirrwarr*)
Die Zwillinge (Drama, 1776)

JAKOB MICHAEL REINHOLD LENZ (1751 in Seßwegen/Livland – 1792 in Moskau)
Lenz studierte 1768–71 Theologie in Königsberg. In Straßburg, wo er als Hofmeister arbeitete, lernte er Herder, Jung-Stilling und Goethe kennen, in dessen Schatten er zeitlebens zu stehen glaubte. 1776 folgte er Goethe nach Weimar, wo er sich durch sein Benehmen am Hof unmöglich machte. Seit 1777

führte der bereits seelisch Kranke ein unstetes Wanderleben. Bei seinen Eltern in Riga erholte er sich, ging nach Moskau und lebte dort im Elend bis zu seinem Tod.

Anmerkungen übers Theater (1774)
Der Hofmeister oder Vortheile der Privaterziehung (Komödie, 1774)
Die Soldaten (Komödie, 1776)
Der neue Menoza (Komödie, 1774)

KARL PHILIPP MORITZ (1756 in Hameln – 1793 in Berlin)
Moritz wuchs in ärmlichen Verhältnissen auf, war Hutmacherlehrling und Schauspieler. In Erfurt und Wittenberg studierte er dann Theologie. 1782 reiste er nach England, 1786 nach Italien, wo er Goethe kennenlernte. 1789 wurde Moritz Professor für Altertumskunde in Berlin.

Anton Reiser (Roman, 1785–90)

FRIEDRICH VON SCHILLER (1759 – 1805) → s. S. 115

HEINRICH LEOPOLD WAGNER (1747 in Straßburg – 1779 in Frankfurt/Main)
Wagner studierte in Straßburg, wo er ein Freund Goethes wurde. Er arbeitete als Hofmeister, nach seiner Promotion 1776 war er als Anwalt in Frankfurt/Main tätig.

Die Kindermörderinn (Tragödie, 1776; bearbeitet unter dem Titel *Evchen Humbrecht oder Ihr Mütter merkts Euch!*, 1779)

Klassik (1786–1805)

8

Die Epoche der Klassik wird in der deutschen Literatur im wesentlichen von zwei Dichtern repräsentiert: von Johann Wolfgang von Goethe und von Friedrich von Schiller. Die Zeit der Klassik kann man mit Daten aus der Biographie beider Dichter eingrenzen: 1786 reiste Goethe zum ersten Mal nach Italien, 1805 starb Schiller.

Johann Wolfgang von Goethe (1749–1832)
Friedrich von Schiller (1759–1805)

„Klassik" ist auf der einen Seite ein Epochenbegriff, auf der anderen Seite wird damit allgemein ein Höhepunkt bezeichnet. So kann man sagen, daß jede Nationalliteratur ihre eigene Klassik hat. Im 18. Jh. verstand man unter „Klassik" vor allem die römische und die griechische Antike, die durch den Einfluß der italienischen Renaissance (15./16. Jh.) auch in Deutschland wiederentdeckt worden war (s. S. 39).

Entscheidenden Einfluß auf die deutsche Klassik hatte J. J. Winckelmann mit seiner kurzen Schrift *Gedanken über die Nachahmung der Griechischen Werke in der Malerei und Bildhauer-Kunst* (1755). Schon in Dresden hatte Winckelmann Gelegenheit gehabt, Kopien von römischen und griechischen Plastiken zu studieren, bevor er nach Italien reiste. Mit seiner Schrift lieferte er die Grundlagen für ein neues, von Harmonie und Schönheit bestimmtes Kunstverständnis:

Johann Joachim Winckelmann (1717–1768)

> Der einzige Weg für uns, groß, ja, wenn es möglich ist, unnachahmlich zu werden, ist die Nachahmung der Alten, (. . .)
> Das allgemeine vorzügliche Kennzeichen der griechischen Meisterstücke ist endlich eine edle Einfalt, und eine stille Größe, sowohl in der Stellung als im Ausdrucke. So wie die Tiefe des Meers allezeit ruhig bleibt, die Oberfläche mag noch so wüten, ebenso zeiget der Ausdruck in den Figuren der Griechen bei allen Leidenschaften eine große und gesetzte Seele.

Im Gegensatz zu den vorangegangenen Kunst- und Literaturepochen sollten in der Klassik alle menschlichen Kräfte in eine gebändigte, harmonische Form gebracht werden. Weder zuviel Verstand (Aufklärung) noch zuviel Gefühl (Sturm und Drang) galten als vorbildlich, sondern das apollinische Schönheitsideal des Altertums. Unter dem Apollinischen versteht man eine maßvolle, strenge Form, eine in der Vernunft begründete, ruhige und heitere Erhabenheit.

Goethe war 1775 an den kleinen Fürstenhof der Herzogin Anna Amalia nach Weimar gekommen, der lange Zeit wegen seiner kunstfreundlichen Atmosphäre und der vielen Gäste der „Weimarer Musenhof" genannt wurde. Er hatte Winckelmanns Schrift gelesen, und in Frankfurt hatte ihn sein Vater bereits mit der Antike vertraut gemacht, so daß er schon lange Zeit den Plan hatte, einmal selbst nach Italien zu reisen und alles mit eigenen Augen zu sehen.

Italien – Kunst der Antike

Im September 1786 reiste Goethe kurzentschlossen von einem Kuraufenthalt in Karlsbad nach Italien (Rom, Neapel und Sizilien); erst im Juni 1788 kehrte er wieder nach Weimar zurück. Zeugnis dieser Reise, die als Wendepunkt in seinem Leben betrachtet wird, ist die später aus Briefen und Tagebüchern zusammengestellte *Italiänische Reise* (1829) mit dem Motto „Auch ich in Arkadien". In Italien vollendete Goethe Dramen, die er bereits in Weimar entworfen hatte. Wieder dorthin zurückgekehrt, veröffentlichte er *Iphigenie auf Tauris* (1787), *Egmont* (1788) und *Torquato Tasso* (1790).

Goethes klassische Dramen

Das Trauerspiel *Egmont* hatte Goethe schon 1775, in der Zeit des Sturm und Drang, begonnen. *Egmont* ist ein Werk des Übergangs. Formal ist das am Nebeneinander von Vers und Prosa zu sehen, inhaltlich an der Figur des Egmont, einer historischen Gestalt aus dem niederländischen Freiheitskampf gegen Spanien im 16. Jahrhundert. Goethe hielt sich in der Gestaltung des Trauerspiels nicht genau an historische Tatsachen. Egmont ist ein selbstbewußter, sorgloser und vertrauensvoller Held, der an sein gutes Schicksal, an seinen guten Dämon glaubt. Weder seine Geliebte Klärchen noch der politisch kluge Oranien können ihn von der Gefahr überzeugen, die der spanische Gesandte Herzog Alba für die Niederlande bedeutet. Klärchen nimmt Gift, Egmont erkennt erst kurz vor seiner Hinrichtung die tödliche Bedrohung. Einen letzten Triumph erlebt er, als sich der Sohn seines Gegners Alba zu ihm bekennt:

EGMONT:

War dir mein Leben ein Spiegel, in welchem du dich gerne betrachtetest, so sei es auch mein Tod. (. . .) Eines jeden Tages hab ich mich gefreut, an jedem Tage mit rascher Wirkung meine Pflicht getan, wie mein Gewissen mir sie zeigte. (. . .) Ich höre auf zu leben; aber ich habe gelebt; so leb auch du, mein Freund, gern und mit Lust, und scheue den Tod nicht.

Iphigenie auf Tauris war schon 1779 in einer ersten Prosafassung im Weimarer Theater aufgeführt worden. Doch erst in Rom gab Goethe dem Stoff, der auf ein Drama des Griechen Euripides (5. Jh. v. Chr.) zurückgeht, die klassische Form. Er setzte ihn in jambische Blankverse (fünfhebiger Jambenvers ohne Reim) um, denn der Klarheit und Harmonie des Inhalts sollte auch die Sprache entsprechen. Die aus dem Tantalidengeschlecht stammende Griechin Iphigenie muß fern von ihrer Familie als Priesterin auf der Insel der Skythen, einem barbarischen Volk, leben. Sie gerät in ein tragisches Dilemma, als sie in zwei

Fremden ihren Bruder Orest und dessen Freund Pylades erkennt: Einerseits hat sie sich jahrelang in die Heimat zurückgesehnt, andererseits muß sie die Gesetze des Herrschers Thoas beachten, der jeden Fremden, der das Ufer betritt, umbringen läßt. Im *Parzenlied,* der blutigen Geschichte des Tantalidengeschlechts, heißt es:

Es fürchte die Götter
Das Menschengeschlecht!
Sie halten die Herrschaft
In ewigen Händen,
Und können sie brauchen,
Wie's ihnen gefällt.

Die Situation für Iphigenie, Orest und Pylades scheint aussichtslos. Pylades schlägt eine Rettung durch Betrug vor, doch die Lösung des tragischen Konflikts kommt in diesem Drama von Iphigenie. Sie kann mit Menschlichkeit und mit Vernunft den Fluch der Götter brechen, der auf dem Tantalidengeschlecht ruht. Nicht durch die Götter, sondern durch den Menschen wird eine Rettung herbeigeführt. Auch der Barbar Thoas kann sich Iphigenies menschlicher Haltung nicht mehr entziehen, sie darf in die Heimat zurückkehren.
Von *Torquato Tasso* gab es schon 1780 eine erste Fassung. Im Juni 1789 beendete Goethe dieses Schauspiel in Weimar. Tasso ist eine historische Gestalt am Fürstenhof in Ferrara im 16. Jh. Ein zeitgenössischer Kritiker verglich *Torquato Tasso* mit *Werther* (s. S. 95) und nannte Tasso einen „gesteigerten Werther". Thema ist der Gegensatz zwischen dem Dichter (Tasso) und dem Staatsmann (Antonio), der Gegensatz zwischen dem kontemplativen und dem aktiven Leben. Tasso muß zum Schluß erkennen, daß er Kunst und Realität nicht vereinbaren kann und ruft aus:

Und wenn ein Mensch in seiner Qual verstummt,
Gab mir ein Gott, zu sagen, wie ich leide.

Leidenschaften und Bewegungen werden hier in Blankversen wiedergegeben. Goethe hielt in *Torquato Tasso* streng die Einheit von Handlung, Ort und Zeit ein. Über alle seine Dichtungen sagte er, sie seien „Bruchstücke einer großen Konfession". In *Torquato Tasso* hat Goethe viele autobiographische Züge hineingearbeitet. Wie schon im *Werther*, so überwand er auch hier eine persönliche Krise mit Hilfe seiner Dichtung. In Weimar drohte ihn eine ähnliche Problematik zu ersticken, er sah einen Ausweg in der langen Italienreise.
Die italienische Reise und die Eindrücke der südlichen Landschaft, die Architektur des Altertums und die Begegnung mit Menschen des Südens ermöglichten Goethe nicht nur die Durchführung und Beendigung schon vorhandener Dramenentwürfe, sondern gaben auch Anstoß zu neuen Themen und Werken, vor allem auf dem Gebiet der Lyrik.

Goethes Lyrik

Goethes *Römische Elegien*, ein Zyklus von zwanzig Gedichten, entstanden erst nach seiner Reise. 1795 veröffentlichte er sie in Schillers Zeitschrift *Die Horen*. Das Thema – die Freiheit und die Freuden der sinnlichen Liebe – war zu dieser Zeit sehr gewagt. Die Elegien gestalten die Begegnung des Nordens mit dem Süden (Goethe und die römische Witwe Faustine), die Begegnung der Antike mit dem gegenwärtigen Neuen. Amor, der Gott der Liebe, wird hier zum Wegweiser in die Antike, aber auch ins gegenwärtige Leben:

Eine Welt zwar bist du, o Rom; doch ohne Liebe
wäre die Welt nicht die Welt, wäre denn Rom auch nicht Rom.

In den Elegien fand Goethe die Form für bis dahin Unaussprechliches. Die Rezeption der Antike brachte neue Formen und neue Inhalte. Die Elegien sind im klassischen Versmaß des Hexameters und des Pentameters geschrieben, bestehen also aus Distichen. Die Werke der römischen Liebesdichter der Antike, Catull, Properz und Tibull, hatten Beispiele gezeigt, wie Leidenschaften und Sinnesfreuden in der strengen äußeren Form gebändigt werden konnten.
Goethes *Venetianische Epigramme* (1796) sind eine Sammlung von 103 kurzen „Gelegenheitsgedichten", die in der Form ebenfalls einen römischen Dichter – Martial – zum Vorbild hatten. Sie kreisen um ganz verschiedene Themen und werden durch erotische Gedichte ergänzt. Die Epigramme entstanden 1790 während eines Aufenthaltes in Venedig, auf Goethes zweiter Reise nach Italien. Die Elegien und Epigramme geben meist eine heitere, zufriedene Stimmung wieder.
Die in Weimar entstandenen Naturgedichte („Lieder") sind bestimmt von der Sehnsucht nach Harmonie, aber auch von der Gewißheit einer Harmonie, die von der Natur auf den Menschen übertragen werden kann:

Wandrers Nachtlied (1776)

Der du von dem Himmel bist,
Alles Leid und Schmerzen stillest,
Den, der doppelt elend ist,
Doppelt mit Erquickung füllest,
Ach, ich bin des Treibens müde,
Was soll all der Schmerz und Lust?
Süßer Friede,
Komm, ach komm in meine Brust!

Ein Gleiches (1780)

Über allen Gipfeln
Ist Ruh,
In allen Wipfeln
Spürest du
Kaum einen Hauch;
Die Vögelein schweigen im Walde.
Warte nur, balde
Ruhest du auch.

Drama des Übergangs

1787 erschien Schillers *Dom Karlos, Infant von Spanien* (ab 1805 *Don Carlos. Ein dramatisches Gedicht*). Die Wahl des Stoffes deutet noch auf Schillers Jugenddramen der Sturm und Drang-Periode, doch formal zeigt das Drama schon Züge der Klassik. Schillers historisches Drama ist zugleich ein Ideendrama. Im Vordergrund steht das Ideal der menschlichen Freiheit und Selbstbestimmung. Drei große Themen wurden in diesem Drama gestaltet: die Freundschaft zwischen dem Marquis Posa und dem Prinzen Carlos, die unglückliche Liebe des

Prinzen zu seiner Stiefmutter Elisabeth und der Konflikt zwischen Vater und Sohn, zwischen König Philipp II. von Spanien und seinem Sohn Carlos. Die eigentliche Hauptfigur ist der Marquis Posa, der das Humanitätsideal verkörpert. Er erreicht jedoch nicht sein Ziel, Don Carlos den Weg zu einer menschenwürdigen Herrschaft zu bahnen, sondern provoziert ungewollt die Ermordung Don Carlos' und wird später auch selbst getötet.

Die klassischen Dramen Schillers entstanden erst ab 1795; vorher beschäftigte er sich mit kunsttheoretischen Fragen und schrieb vorwiegend Gedichte. 1788 verfaßte er das philosophische Gedicht *Die Götter Griechenlands*. Es zählt nicht zur Erlebnislyrik (wie die gleichzeitig entstandenen Elegien und Epigramme von Goethe), sondern zur „Bildungslyrik". In dem Gedicht wird die Annäherung von Göttern und Menschen geschildert. Die moderne – entgötterte – Welt trifft auf die Welt des griechischen Mythos. Die Verehrung der Götter in der Antike wird in der modernen Zeit zwangsläufig zu einer Sehnsucht nach den Göttern:

Schillers Lyrik

Ja, sie kehrten heim und alles Schöne,
Alles Hohe nahmen sie mit fort,
Alle Farben, alle Lebenstöne,
Und uns blieb nur das entseelte Wort.

Um dieses Gedicht entstand eine große Diskussion; man warf Schiller sogar Gotteslästerung vor.

Schillers Gedicht *Die Künstler* (1788, neue Fassung 1789) besteht aus 33 Strophen im jambischen Rhythmus und beschreibt Schillers Verständnis von der Antike. Die Kunst gibt dem Menschen die Möglichkeit, sich höher zu entwickeln. Deshalb haben die Künstler die Aufgabe, nicht nur durch didaktischen Inhalt, sondern vor allem durch die schöne Form zu wirken. Die Harmonie, die in allem waltet, soll sichtbar gemacht werden. Dem Künstler kommt die Aufgabe eines Erziehers der Menschheit zu.

Auseinandersetzung mit Kant

Wichtig für die Literatur der Klassik sind Kants Schriften, die vor allem von Schiller rezipiert wurden. Schiller ging es um den Begriff der Schönheit, die er im Anschluß an Kants Philosophie darstellen wollte.

Schillers kunsttheoretische Schriften

Seine Schrift *Über Anmuth und Würde* (1793) hat Schiller selbst als „Vorläufer meiner Theorie des Schönen" bezeichnet. Im Gegensatz zu Kant fordert Schiller eine sittliche Handlung, die zugleich auch schön ist. Die Pflicht und die Neigung zu einer Handlung sollen übereinstimmen. Kant hatte in der *Kritik der praktischen Vernunft* (1788) den kategorischen Imperativ formuliert:

Handle so, daß die Maxime deines Willens jederzeit zugleich als Prinzip einer allgemeinen Gesetzgebung gelten könne.

Schiller sagte in seinem Aufsatz:

Sind Anmuth und Würde, jene noch durch architektonische Schönheit, diese durch Kraft unterstützt, in derselben Person vereinigt, so ist der Ausdruck der Menschheit in ihr vollendet, und sie steht da, gerechtfertigt in der Geisterwelt, und freigesprochen in der Erscheinung.

Die thematisch hier anschließende Schrift *Über die ästhetische Erziehung des Menschen in einer Reihe von Briefen* (1795) enthält den programmatischen Satz:

Denn, um es endlich auf einmal herauszusagen, der Mensch spielt nur, wo er in voller Bedeutung des Worts Mensch ist, und *er ist nur da ganz Mensch, wo er spielt.*

Auch in dieser Schrift versuchte Schiller, die von Kant aufgestellten Gegensätze von Vernunft und Sinnlichkeit, von Pflicht und Neigung zu überwinden.
Eine dritte kunsttheoretische Schrift Schillers ist die Abhandlung *Über naive und sentimentalische Dichtung* (1795/96). Schiller teilte die Dichtung und die Dichter ein in naive und „sentimentalische". Naive Dichtung (die Dichtung des Altertums) ist noch unberührt vom Wissen um Veränderungen. Der naive Dichter versucht, den paradiesischen Zustand möglichst genau nachzuahmen und steht noch ganz im Einklang mit der Natur. Insofern nannte Schiller Goethe einen naiven Dichter. Der sentimentalische Dichter fühlt den Verlust der Übereinstimmung zwischen Kunst und Natur. Er versucht, in seiner Dichtung den Einklang wiederherzustellen. Er strebt nach einem verlorenen Ideal. Schiller sah die „modernen" Dichter und auch sich selbst als sentimentalische Dichter.
1791 rezensierte Schiller Bürgers Gedichte (s. S. 97). Er faßte in diesem Text *Über Bürgers Gedichte* noch einmal das zusammen, worauf es ihm in der Lyrik ankam. Man sollte nicht – wie Bürger – versuchen, dem breiten Publikum zu gefallen und dabei alle Prinzipien der Kunst vergessen. Als Ziel der klassischen Lyrik formulierte Schiller die Harmonisierung der Interessen der Volksmasse mit dem Interesse des klassischen Künstlers, der mit Hilfe seiner Lyrik die Menschen zu einem höheren Ideal erziehen will.
Schillers *Lied von der Glocke* (1799) beschreibt den Arbeitsprozeß des Glockengießens und reflektiert auch diese Tätigkeit. So verwirklicht er auf eine besondere Weise die Forderung, die er für die klassische Lyrik in der Schrift *Über Bürgers Gedichte* ausgesprochen hatte.

Begegnung von Schiller und Goethe

Goethe und Schiller trafen sich 1794 zum ersten Mal zum Gespräch. Goethe berichtete Schiller über die Urpflanze, die er in Italien gefunden zu haben glaubte, aus der sich alle weiteren Variationen aller anderen Pflanzen ergeben würden. Goethe notierte das Gespräch:

Er [Schiller] (. . .) sagte: das ist keine Erfahrung, das ist eine Idee. (. . .) ich (. . .) versetzte: das kann mir sehr lieb sein, daß ich Ideen habe ohne es zu wissen und sie sogar mit Augen sehe.

In der Elegie *Die Metamorphose der Pflanzen* (erschienen im *Musen-Almanach auf das Jahr 1799*) gestaltete Goethe eine auf der italienischen Reise gewonnene Einsicht. Das Gesetz der Natur sah er in einer Folge von Veränderungen aus einer Urgestalt. Diese Überlegung steht im Zusammenhang mit Goethes zahlreichen naturwissenschaftlichen Schriften, zu denen auch *Zur Farbenlehre* (1810) gehört.
Schiller gab von 1785–1793 die Zeitschrift *Thalia* heraus, deren Beiträge er fast alle selbst schrieb.

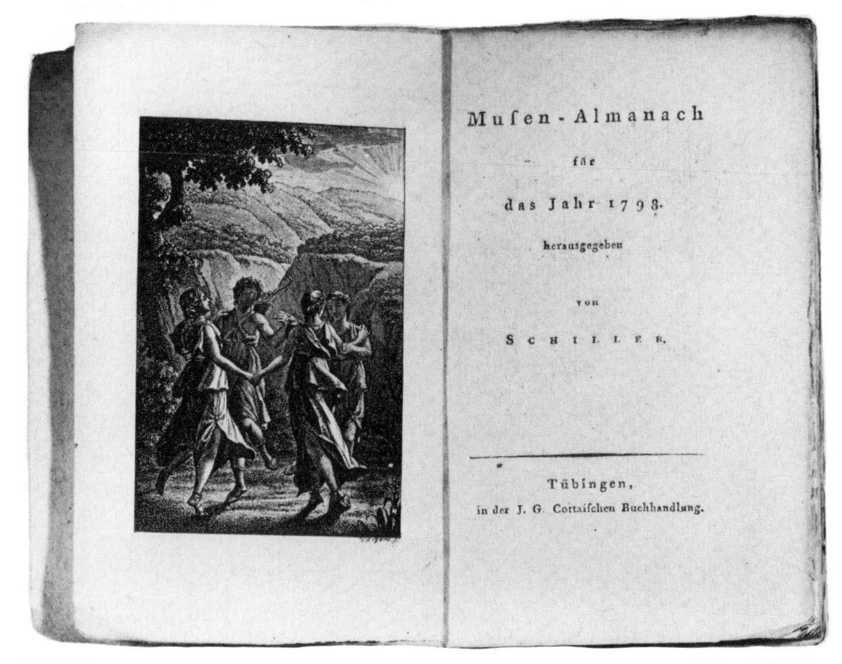

Muſen-Almanach
für
das Jahr 1798.
herausgegeben
von
SCHILLER.

Tübingen,
in der J. G. Cottaiſchen Buchhandlung.

Der sogenannte Balladenalmanach enthält alle 1797 von Goethe und Schiller gedichteten Balladen

Schillers und Goethes gemeinsame Arbeiten

Im Zusammenhang mit seiner Freundschaft zu Goethe – sie prägte die Werke beider Dichter – stand 1794 Schillers Gründung einer neuen Zeitschrift. In der *Ankündigung der Horen* legte Schiller die Grundprinzipien der Zeitschrift fest, die man auch als Grundprinzipien der Freundschaft zwischen Schiller und Goethe verstehen kann, die – noch weiter gefaßt – wiederum für die gesamte Epoche der klassischen Literatur maßgebend waren: Das Tagesgeschehen sollte ausgeklammert werden, das Erziehungsziel war die ,,Beförderung der Humanität", Schönheit sollte bei der Erkenntnis und Vermittlung der Wahrheit mitwirken. Schillers *Die Horen* erschienen 1795–1797, Mitarbeiter waren außer Goethe auch W. von Humboldt, J. G. Fichte und A. W. Schlegel (s. S. 128).
Schiller veröffentlichte in den *Horen* einen Teil seiner Schriften und auch seine Gedichte, die man als ,,Gedankenlyrik" bezeichnet. Die

Gedankenlyrik steht zwischen dem Erlebnisgedicht und dem Lehrgedicht. Sie formuliert gedankliche Erkenntnisse, ohne jedoch das persönliche Engagement auszuschließen. Zu den in den *Horen* erschienenen Gedichten gehören *Der Spaziergang* und *Das Ideal und das Leben*.
Die Horen hatten aber nicht den Erfolg, den Schiller und Goethe sich gewünscht hatten. Die gemeinsam verfaßten *Xenien* sollten den Angriffen auf die *Horen* entgegentreten. Schiller suchte aus den ca. 1000 Xenien die literatursatirischen heraus, um sie im *Musen-Almanach auf das Jahr 1797* zu veröffentlichen. Die *Xenien* (in der Antike wurden Xenien als Begleitverse für Gastgeschenke gedichtet) bestehen, wie die *Venetianischen Epigramme*, aus Distichen. Sie weisen auf den römischen Dichter Martial zurück und haben einen allgemeinen, ironisch dargestellten Inhalt oder greifen witzig und frech bekannte Zeitgenossen an:

Das Desideratum

Hättest du Phantasie und Witz und Empfindung und Urteil,
Wahrlich, dir fehlte nicht viel, Wieland und Lessing zu sein!

Schiller und Goethe traten hier als Richter über die Literatur auf, die andere Dichter in diesen Jahren geschrieben hatten. Die gemeinsame Kritik der beiden Klassiker isolierte sie von ihren Kollegen. So war die

Balladenjahr 1797

Voraussetzung für weiteres gemeinsames Schaffen im „Balladenjahr 1797" gegeben. Schillers Balladen tragen einen eindeutig dramatischen Zug (*Der Ring des Polykrates*, *Der Taucher*, *Die Kraniche des Ibykus*, *Der Handschuh*). Goethe bevorzugte diese Gattung, weil sie lyrisch, episch und dramatisch beginnen und nach Belieben die Form wechseln konnte; *Der Schatzgräber*, *Die Braut von Korinth*, *Der Gott und die Bajadere*, *Der Zauberlehrling* entstanden in diesem Jahr. Eine weitere gemeinsame Arbeit der beiden Klassiker ist der Aufsatz *Über epische und dramatische Dichtung* (1797 entstanden). Die Gattung des Epos wird hier von der des Dramas abgegrenzt. Die Definitionen beider Gattungen sind auch heute noch gültig:

Das epische Gedicht stellt vorzüglich persönlich beschränkte Tätigkeit, die Tragödie persönlich beschränktes Leiden vor; das epische Gedicht den *außer sich wirkenden* Menschen: Schlachten, Reisen, jede Art von Unternehmung, die eine gewisse sinnliche Breite fordert; die Tragödie den *nach innen geführten* Menschen, und die Handlungen der echten Tragödie bedürfen daher nur wenigen Raums.

Im gleichen Jahr erschien in der Zeitschrift *Athenäum* F. Schlegels romantisches Fragment über die Universalpoesie (s. S. 129). Hier liefen also klassische und romantische Entwicklungen parallel. Anlaß für den Aufsatz *Über epische und dramatische Dichtung* war A. W. Schlegels Rezension über Goethes Epos *Hermann und Dorothea* (1797).

Epos

Dieses Epos besteht aus neun Gesängen in Versform, jeder Gesang ist einer Muse gewidmet. Die Handlung spielt vor dem Hintergrund der Französischen Revolution, die Goethe ablehnte:

Jedes Gewaltsame, Sprunghafte, ist mir in der Seele zuwider, denn es ist nicht naturgemäß.

Das Epos erzählt die glücklich endende Liebesgeschichte von Hermann, einem schüchternen jungen Mann, und Dorothea, einem vor den Revolutionstruppen geflüchteten Mädchen. Diese Geschichte trägt alle Merkmale des Klassischen: die äußere Form (neun Gesänge im Versmaß des Daktylus) und der Inhalt, in dem das idyllische Geschehen episch breit erzählt wird und die Charakterisierung der Personen jeweils Typisches enthält; sie werden häufig mit ganz bestimmten Adjektiven genannt: die „gute, verständige Mutter", der „treffliche Hermann".

Erziehung durch das Theater

In dieser Zeit war die Erziehung des Menschen durch das ästhetische Erlebnis des Theaters ein wichtiges Thema. Schon 1785 war Schillers Schrift *Was kann eine gute stehende Schaubühne eigentlich wirken?* erschienen, die er 1802 in veränderter Form *Die Schaubühne als eine moralische Anstalt betrachtet* veröffentlichte. 1791 hatte Goethe die Leitung des Weimarer Hoftheaters übernommen.
1795/96 erschien der klassische Bildungs- und Erziehungsroman *Wilhelm Meisters Lehrjahre*. Goethe hatte die ursprüngliche Fassung *Wilhelm Meisters theatralische Sendung* wiederholt umgearbeitet.
Die Erziehung Wilhelms wird in *Wilhelm Meisters Lehrjahren* vom geheimen Bund der sogenannten Turmgesellschaft übernommen. Das Theatermilieu hat zunächst großen Einfluß auf Wilhelm, er wird allmählich zum tätigen Menschen ausgebildet. Die klare, formvollendete Sprache ist das klassische Merkmal des Romans, ebenso wie die erzieherischen Absichten der Turmgesellschaft, die Wilhelm zu einem nützlichen Glied der Gesellschaft machen will. Einige Personen des Romans, z. B. der Harfner und Mignon, weisen jedoch schon in die Zeit der Romantik. Aus *Wilhelm Meisters Lehrjahre* stammt auch Goethes berühmte Definition des Romans und des Dramas:

Im Roman sollen vorzüglich Gesinnungen und Begebenheiten vorgestellt werden; im Drama Charaktere und Taten. Der Roman muß langsam gehen, und die Gesinnungen der Hauptfigur müssen (. . .) das Vordringen des Ganzen zur Entwickelung aufhalten.

Schillers Dramen

Während Goethe am *Wilhelm Meister* arbeitete, kümmerte sich Schiller um die Herausgabe der *Horen* und kam seinen Verpflichtungen als Professor der Philosophie an der Universität Jena nach. Erst 1800 veröffentlichte er wieder ein Drama: *Wallenstein*. Es spielt im Dreißigjährigen Krieg (1618–1648). Hauptfigur ist der böhmische Feldherr Wallenstein, „des Glückes abenteuerlicher Sohn". Die Bändigung dieses historischen Stoffes fiel Schiller zunächst schwer. Er teilte das Drama schließlich in das Vorspiel *Das Lager* und die beiden fünfaktigen Teile *Die Piccolomini* und *Wallensteins Tod*. Schiller hatte den

Text in jambische Verse gesetzt und schrieb darüber an Goethe:

Der Rhythmus leistet bei einer dramatischen Produktion noch dieses Große und Bedeutende, daß er, indem er alle Charaktere und alle Situationen nach Einem Gesetz behandelt, und sie, trotz ihres innern Unterschiedes, in Einer Form ausführt, er dadurch den Dichter und seinen Leser nöthiget, von allem noch so Charakteristisch-Verschiedenen etwas Allgemeines, rein Menschliches zu verlangen.

Die Handlung umfaßt vier Tage und stellt Situationen von Wallensteins Untergang dar. Schiller gestaltete die Tragödie eines Charakters, der an die Berechenbarkeit der geschichtlichen Entwicklung glaubt, der aber zu spät erkennt, daß andere Kräfte seine Pläne vernichten. Im Kontrast zu Wallensteins sich düster vollziehendem Schicksal steht die Liebe zwischen Max Piccolomini und Thekla, Wallensteins Tochter. Auch für sie gibt es keine Chance für ein selbstbestimmtes Leben in Freiheit. Sie gehen in den Tod.
Im gleichen Jahr (1800) entstand ein weiteres historisches Drama: *Maria Stuart.* Schiller dramatisierte das Schicksal der schottischen Königin Maria Stuart (1542–1587). Das analytische Drama (s. S. 83) beginnt mit dem Todesurteil, das die englische Königin Elisabeth über ihre Rivalin Maria Stuart spricht. Es endet mit Marias physischer Niederlage (sie wird nach jahrelanger Gefangenschaft auf Befehl Elisabeths hingerichtet), die aber gleichzeitig ein moralischer Sieg für Maria ist. Das Drama ist symmetrisch aufgebaut. Der dramatische Höhepunkt liegt im dritten Akt, in der Begegnung der beiden Königinnen. Eine große Rolle spielt das Motiv des Scheins. Marias moralische Überlegenheit zeigt sich erst im sicheren Bewußtsein des eigenen Todes, erst hier fällt die vom ersten Akt an betonte äußere Schönheit mit Marias „innerer Schönheit" zusammen, der Schein wird nun zur Wirklichkeit.
Noch weiter vom historischen Stoff entfernte sich Schiller in *Die Jungfrau von Orleans*, einer „romantischen Tragödie in fünf Akten" (1801). Mit göttlichem Auftrag kämpft Johanna im französischen Heer gegen die Engländer. Als sie sich in einen englischen Feldherrn verliebt, wird die Annahme dieses göttlichen Auftrags problematisch. Ihre Erhabenheit wird erst sichtbar, als Johanna dieser Versuchung widersteht und wieder ganz der göttlichen Stimme gehorcht. Sie fällt im Kampf. Das Klassische dieses Trauerspiels wird durch Johanna verkörpert, für die die „Pflicht" am Ende zur „Neigung" wird. In diesem Drama sind bereits romantische Züge zu erkennen, besonders in der legendenhaften Gestaltung des historischen Stoffes und im Schluß des Trauerspiels. Johanna sagt kurz vor ihrem Tod:

Wie wird mir – Leichte Wolken heben mich –
Der schwere Panzer wird zum Flügelkleide.
Hinauf – hinauf – Die Erde flieht zurück –
Kurz ist der Schmerz und ewig ist die Freude!

Schillers Frankreichkarte für die Arbeit an der Jungfrau von Orleans

Schillers Drama *Die Braut von Messina oder Die feindlichen Brüder* ist „ein Trauerspiel mit Chören" (1803). In diesem Stück griff er die Tradition des antiken Theaters wieder auf und stellte den Hauptpersonen Chöre zur Seite, die das Reflektieren des Geschehens übernehmen. Schiller hat das in einem Aufsatz begründet: *Über den Gebrauch des Chors in der Tragödie* (1803), den er dem Trauerspiel voranstellte:

> Die alte Tragödie, welche sich ursprünglich nur mit Göttern, Helden und Königen abgab, brauchte den Chor als eine notwendige Begleitung, (. . .) In der neuen Tragödie wird er zu einem Kunstorgan; er hilft die Poesie *hervorbringen.*

In der Literaturgeschichte findet die klassische Periode mit Schillers Tod 1805 ein Ende. Im gleichen Jahr erschien Goethes Schrift *Winckelmann und sein Jahrhundert*, in der er eine Bilanz des Klassischen zog. Winckelmann (s. S. 101) war für Goethe ein Beispiel des auf allen Gebieten der Wissenschaft und des menschlichen Lebens ausgebildeten Menschen, der ihm als Anreger vorausgegangen war. Die Epoche der Romantik in der deutschen Literatur hatte schon um 1798 begonnen. Goethe äußerte sich gegenüber den Romantikern negativ, er empfand das Klassische als das Gesunde, das Romantische als das Kranke.

Goethes (nachklassisches) Spätwerk

Goethes zweiteiliger Roman *Die Wahlverwandtschaften* (1809) überträgt einen Begriff aus der Chemie auf menschliche Beziehungen: Zwei miteinander verbundene Elemente können sich plötzlich voneinander lösen, wenn andere Elemente hinzukommen, und können mit diesen neue Verbindungen eingehen. Das Ehepaar Charlotte und Eduard, Charlottes Nichte Ottilie und ein Hauptmann geraten in das Kräftefeld der „Wahlverwandtschaften". Charlotte entsagt aus sittlicher Verpflichtung dem Hauptmann. Ottilie jedoch zerbricht an der sittlichen Forderung der Entsagung und an dem Dämonischen, von dem sie in ihrer Liebe zu Eduard ergriffen wird:

Ich bin aus meiner Bahn geschritten, und ich soll nicht wieder hinein. Ein feindseliger Dämon, der Macht über mich gewonnen, scheint mich von außen zu hindern, hätte ich mich auch mit mir selbst wieder zur Einigkeit gefunden.

Auch *Wilhelm Meisters Wanderjahre oder Die Entsagenden* (1821) ist ein Alterswerk Goethes, in dem das Thema der Entsagung – wie schon in den *Wahlverwandtschaften* – eine große Rolle spielt. (Ursprünglich waren *Die Wahlverwandtschaften* als Novelleneinlage für dieses Werk geplant.) Die geschlossene Form des Romans ist fast aufgelöst, die Figur Wilhelm Meisters tritt in den Hintergrund. Zum Schluß wird Wilhelm von seinem Schwur entbunden, nie an einem Ort zu bleiben, sondern immer weiter zu wandern. Er wird zum Arzt ausgebildet, um als ein tätiges Mitglied der Gemeinschaft wirken zu können.

Faust

1808 erschien *Faust. Eine Tragödie* (Teil I). Der Stoff, der in einem Volksbuch *Historia von D. Johann Fausten* (1587) überliefert ist (s. S. 45), hatte Goethe schon seit vielen Jahren beschäftigt. *Faust. Ein Fragment* (*Urfaust,* 1790) entstand noch in der Sturm- und Drang-Periode, es behandelte vorrangig die Gretchen-Tragödie. In *Faust I* rückte die Gelehrten-Tragödie in den Vordergrund. Goethe brachte den Stoff in klassische Form: Einem „Prolog im Himmel" folgen fünf Akte. Die Tragödie ist in reimenden Versen geschrieben, von denen viele zu sogenannten geflügelten Worten geworden sind, z. B.:

Denn was man schwarz auf weiß besitzt,
kann man getrost nach Hause tragen.

Das Schicksal des Gelehrten Faust, den die Wissenschaften in seinem Wissensdrang nicht mehr befriedigen können, ist das Schicksal des strebenden, doch auch irrenden Menschen. Der Teufel Mephisto bietet Faust seine Dienste um den Preis seiner Seele an. Der Pakt wird zur Wette; Faust sagt:

Werd' ich zum Augenblicke sagen:
Verweile doch! du bist so schön!
Dann magst du mich in Fesseln schlagen,
Dann will ich gern zugrunde gehn!

Mephisto führt Faust durch alle Bereiche des Lebens, Fausts Liebe zu Gretchen wird von ihm begünstigt. Doch die Macht des Bösen bringt Gretchen Unglück; sie tötet ihr Kind und wird hingerichtet.
Von *Faust. Der Tragödie zweiter Teil* (1832) existierte zunächst nur die Helena-Tragödie. In einer letzten Schaffensperiode zwischen 1825 und 1831 gestaltete Goethe die übrigen Akte. Wie in den *Wahlverwandtschaften* die Chemie, so spielen in *Faust II* Goethes Überlegungen zur Physik (*Zur Farbenlehre*) und Geologie eine Rolle. Die Handlung umfaßt das nordische Mittelalter, die griechische Antike und die Verbindung beider Kulturkreise in der Figur Euphorions, des Sohns von Faust und Helena.
In beiden *Faust*-Teilen wird Goethes Prinzip der Parallelisierung und auch der Steigerung in der Wiederholung sichtbar (z. B. Walpurgisnacht in *Faust I*, klassische Walpurgisnacht in *Faust II*).
Die Einlösung der Wette in *Faust II* zeigt zwei unterschiedliche Zeitauffassungen. Faust meinte in der Wette die Ewigkeit des schönen Augenblicks, Mephisto den zeitlich begrenzten Augenblick. Faust ruft hier aus:

Zum Augenblicke dürft' ich sagen:
Verweile doch, du bist so schön!
Es kann die Spur von meinen Erdetagen
Nicht in Äonen untergehn –
Im Vorgefühl von solchem Glück
Genieß' ich jetzt den höchsten Augenblick.

Entsagung und das Bewußtsein von der Vergänglichkeit des Augenblicks prägen auch die drei Elegien *Trilogie der Leidenschaft* (1827). In der zweiten, der *Marienbader Elegie* (1823), erinnert sich Goethe an seine Liebe zu der jungen Ulrike von Levetzow und spricht im Gedicht zu ihr:

Du hast gut reden, dacht ich: zum Geleite
Gab dir ein Gott die Gunst des Augenblicks, (. . .)
Mich schreckt der Wink, von dir mich zu entfernen –
Was hilft es mir, so hohe Weisheit lernen!

Goethes lyrisches Alterswerk *West-Östlicher Divan* (1819, erweitert 1827) wandte sich der orientalischen Kultur zu und folgte dem Vorbild des persischen Dichters Hafez (14. Jh.). Goethe gab hier seiner großen Liebe zu der jungen Marianne von Willemer Ausdruck; auch in diesem Gedichtzyklus wird das Thema der Entsagung gestaltet. Der *Divan* besteht aus zwölf Büchern, deren Gedichte sich wie in einem Dialog aufeinander beziehen. Das neunte Buch, das *Buch Suleika*, ist ein Zwiegespräch des Liebespaares Hatem und Suleika. In dem darin enthaltenen Gedicht *Gingo Biloba* wird das Spannungsfeld zwischen Einheit und Doppelheit, zwischen Trennung und Wiedervereinigung dargestellt. Damit ist das große Thema der Klassik noch einmal ausgedrückt, das Streben nach Harmonie in der sichtbar bleibenden Mannigfaltigkeit:

Gingo Biloba

Dieses Baums Blatt, der von Osten
Meinem Garten anvertraut,
Gibt geheimen Sinn zu kosten,
Wie's den Wissenden erbaut.

Ist es *ein* lebendig Wesen,
Das sich in sich selbst getrennt?
Sind es zwei, die sich erlesen,
Daß man sie als *eines* kennt?

Solche Fragen zu erwidern,
Fand ich wohl den rechten Sinn:
Fühlst du nicht an meinen Liedern,
Daß ich eins und doppelt bin?

Kurzbiographien Klassik

JOHANN WOLFGANG VON GOETHE (1749 in Frankfurt/Main – 1832 in Weimar)
Goethe wuchs in Frankfurt auf und erhielt von seinem Vater Privatunterricht, 1765 ging er zum Studium nach Leipzig. Ab 1770 studierte er Jura in Straßburg, wo er von Herder viele Anregungen bekam. Seine Liebe zu Friederike Brion drückte er in den *Sesenheimer Liedern* aus. 1772 lernte er in Wetzlar Charlotte Buff kennen, die als „Lotte" in den Briefroman *Werther* einging. Nach einem kurzen Aufenthalt in Frankfurt zog Goethe nach Weimar, wo ihn eine tiefe Freundschaft mit dem Erbprinzen Karl August von Sachsen-Weimar-Eisenach verband. Hier begegnete er auch Charlotte von Stein, die auf viele seiner Dichtungen einen wichtigen Einfluß hatte. Ab 1776 übernahm er Pflichten in dem kleinen Staatswesen und beim Bergbau in Ilmenau. Er betrieb mineralogische und botanische Studien. 1786 reiste Goethe das erste Mal nach Italien, 1788 kehrte er mit vielen beendeten Schriften und neuen Entwürfen nach Weimar zurück. Seit 1788 lebte er mit Christiane Vulpius zusammen, die er 1806 heiratete. 1794 begann die Freundschaft und fruchtbare Zusammenarbeit mit Schiller. 1808 traf er Napoleon in Leipzig, 1812 begegnete er Beethoven. Seit 1823 war Johann Peter Eckermann (1797–1854) sein Sekretär. 1827–30 erschienen Goethes *Werke. Vollständige Ausgabe letzter Hand* in 60 Bänden.

Faust. Ein Fragment (*Urfaust,* 1772–75; erschienen 1790)
Götz von Berlichingen mit der eisernen Hand (Schauspiel, 1773)
Prometheus (Gedicht, 1774)
Clavigo (Trauerspiel, 1774)
Die Leiden des jungen Werthers (Briefroman, 1774)
Italiänische Reise (Tagebuchaufzeichnungen 1786–1788, 1829)
Iphigenie auf Tauris (Schauspiel, 1787; Uraufführung 1802)
Egmont (Trauerspiel, 1788)

Torquato Tasso (Schauspiel, 1790; Uraufführung 1807)
Römische Elegien (Gedichtzyklus, 1795 in *Die Horen*)
Venetianische Epigramme (1796, unter dem Titel *Epigramme. Venedig 1790* in Schillers *Musen-Almanach auf das Jahr 1796*)
Wilhelm Meisters Lehrjahre (Roman, 1795/96)
Xenien (Epigrammsammlung von Schiller und Goethe, im *Musen-Almanach auf das Jahr 1797)*
Balladen (1797)
Hermann und Dorothea (Versepos, 1797)
Über epische und dramatische Dichtung (gemeinsam mit Schiller, 1797; gedruckt 1827)
Die Metamorphose der Pflanzen (Elegie, 1799)
Faust. Erster Teil (Tragödie, 1808)
Die Wahlverwandtschaften (Roman, 1809)
Zur Farbenlehre (naturwissenschaftliche Abhandlung, 1810)
Aus meinem Leben. Dichtung und Wahrheit (Autobiographie, I 1811, II 1812, III 1814, IV 1833 postum)
West-Östlicher Divan (Gedichtzyklus, 1819; erweitert 1827)
Wilhelm Meisters Wanderjahre oder Die Entsagenden (Roman 1821; erweitert 1829)
Trilogie der Leidenschaft (Gedichttrilogie, 1827)
Faust. Der Tragödie zweiter Teil (1832)

FRIEDRICH VON SCHILLER (1759 in Marbach/Neckar – 1805 in Weimar)
1773 trat Schiller in die Herzogliche Militärakademie in Stuttgart ein, wo er Jura und Medizin studierte. Trotz Einengung der persönlichen Freiheit begann er 1774 mit der Arbeit an den *Räubern*. 1780–82 lebte er als Militärarzt in Stuttgart, 1782 wurden *Die Räuber* mit großem Erfolg im Mannheimer Theater uraufgeführt. In der folgenden Zeit war Schiller Theaterdichter in Mannheim und beschäftigte sich mit geschichtlichen Studien. 1789 wurde er zum unbezahlten Professor der Geschichte und Philosophie nach Jena berufen. 1790 heiratete er Charlotte von Lengefeld, 1791 wurde er lungenkrank und gab in der Folge das Lehramt auf. Mit Hilfe finanzieller Unterstützung widmete Schiller sich philosophischen Studien. 1794 traf er Goethe, mit dem er in den folgenden Jahren viel zusammenarbeitete. 1799 zog er nach Weimar, wo er an Goethes Hoftheater mitarbeitete und einige seiner Dramen noch beenden konnte.

Die Räuber (Schauspiel, 1781)
Die Verschwörung des Fiesko zu Genua. Ein republikanisches Trauerspiel (1783)
Kabale und Liebe (bürgerliches Trauerspiel, 1784)
An die Freude (Hymne, in *Thalia,* 1786)
Thalia (Zeitschrift, 1785–93)
Was kann eine gute stehende Schaubühne eigentlich wirken (theoretische Schrift; 1785 in *Thalia*)
Dom Karlos, Infant von Spanien (Drama, 1787)
Geschichte des Abfalls der vereinigten Niederlande von der spanischen Regierung (historische Schrift, 1788)
Was heißt und zu welchem Ende studiert man Universalgeschichte (Antrittsvorlesung Jena, 1789)
Geschichte des Dreißigjährigen Kriegs (historische Schrift, 1791–93)
Über Bürgers Gedichte (1791)

Über Anmuth und Würde (philosophischer Essay, 1793)
Über die ästhetische Erziehung des Menschen in einer Reihe von Briefen (1795)
Über naive und sentimentalische Dichtung (1795/96)
Die Horen (Zeitschrift, 1795–97)
Balladen (1797)
Über epische und dramatische Dichtung (gemeinsam mit Goethe, 1797; gedruckt 1827)
Wallenstein (dramatisches Gedicht, 1800)
Maria Stuart (Trauerspiel, 1801)
Die Jungfrau von Orleans (romantische Tragödie, 1801)
Die Braut von Messina oder Die feindlichen Brüder (Trauerspiel mit Chören, 1803)
Wilhelm Tell (Schauspiel, 1804)

JOHANN JOACHIM WINCKELMANN (1717 in Stendal – 1768 in Triest)
Winckelmann stammte aus einer Schusterfamilie. Er besuchte die Lateinschule und wurde Bibliothekar in Dresden. Er bekam ein Stipendium für einen Aufenthalt in Rom, wo er wegen seiner umfassenden Kenntnisse der antiken Kunst Präsident der Altertümer des Vatikans wurde. Winckelmann gilt als Begründer der neueren Archäologie. Er wurde auf einer Reise in Triest ermordet.

Gedanken über die Nachahmung der Griechischen Werke in der Malerei und Bildhauer-Kunst (kunsttheoretische Schrift, 1755)

Zwischen Klassik und Romantik (1793–1811)

9

Einige bedeutende Dichter der Zeit der ausgehenden Klassik lassen sich literaturgeschichtlich nicht auf eine Epoche festlegen. F. Hölderlin, Jean Paul, H. von Kleist und J. P. Hebel stehen zwischen Klassik und Romantik und werden deshalb isoliert von beiden Bewegungen betrachtet.

Friedrich Hölderlin (1770–1843)

Mit seinem künstlerischen Selbstverständnis und seiner idealistischen Geisteshaltung kam F. Hölderlin der Romantik nahe. Er schrieb zu einer Zeit, als die europäische Romantik in der dichterischen Phantasie eine Kraft sah, die die verlorene Einheit des Menschen mit der Natur wiederherstellen konnte. Hölderlins Werke jedoch stehen eher in klassischer Tradition und in der Nachfolge Klopstocks. Gedankliche Klarheit und strenges Formbewußtsein fanden in seiner Vorliebe für Oden, Hymnen und Elegien ihren Ausdruck.

Oden und Hymnen

Hölderlins frühe Oden und Hymnen zeigen Beziehungen zur schwäbischen pietistischen Tradition. Auch die Hymnendichtung des jungen Schiller wirkte als Vorbild, obwohl sich Hölderlin von Schiller zurückzog, um seinem starken Einfluß zu entgehen. Trotzdem erschien die erste Fassung seines Romans *Fragment des Hyperion* in Schillers Zeitschrift *Neue Thalia* (1794). Beeindruckt von der Wissenschaftslehre Fichtes – er lernte ihn, Schiller, Goethe und Herder in Jena kennen –, arbeitete Hölderlin den Roman um. In der endgültigen Fassung *Hyperion oder Der Eremit in Griechenland,* die 1797/1799 erschien, näherte sich der Dichter wieder seinem ersten Entwurf. Hölderlin legte mit diesem Roman die Linie seines späteren Werkes fest, das durch das Bewußtsein seiner Berufung zum prophetischen Dichter geprägt ist.

Romanfragment

Dichterisches Sendungsbewußtsein

Sinnbild der Schönheit: Diotima

Die Schönheit, die in der Gestalt der Freundin Diotima verkörpert ist, war für Hölderlin das gestaltende Prinzip der griechischen Kultur: Schönheit hebt die Gegensätze auf. Diotima, deren Vorbild seine Geliebte Susette Gontard war, spielt in Hölderlins Werk eine große Rolle. Seine Liebe zu ihr und der Abschied spiegeln sich in vielen Gedichten, z. B. auch in *Geh unter, schöne Sonne* (1800):

O du des Himmels Botin! wie lauscht ich dir!
Dir, Diotima! Liebe! wie sah von dir
Zum goldnen Tage dieses Auge
Glänzend und dankend empor. Da rauschten

Lebendiger die Quellen, es atmeten
Der dunkeln Erde Blüten mich liebend an,
Und lächelnd über Silberwolken
Neigte sich segnend herab der Aether. (Auszug)

Trauerspiel

Auch die drei als Fragmente erhaltenen Fassungen des Trauerspiels *Der Tod des Empedokles* (entstanden 1797/98–1800, erschienen in Fragmenten 1826) zeugen von Hölderlins Faszination von der antiken Welt. Nach den Quellen des Diogenes Laertius (3. Jh. n. Chr.) behandelt das Drama den Opfertod des Philosophen, Priesters, Arztes, Dichters und Sehers Empedokles (5. Jh. v. Chr.). Nach mehreren Umdeutungen fand Hölderlin eine neue Motivation für Empedokles' Tod: Wie Hyperion ersehnt Empedokles die harmonische Einheit von Mensch und Natur. Das Volk wendet sich von Empedokles ab, es will seine Lehren von einer „geistigen Religion" nicht mehr hören. Um dem Volk die Augen für die Ernsthaftigkeit seiner Lehren zu öffnen, stürzt Empedokles sich in den Ätna. Nur der historische Moment des Todes kann die bestehenden Gegensätze aufheben.

Werkbegleitende Aufsätze

Entscheidenden Aufschluß über die Zielsetzung des Werkes an der „Wende der Zeit" gibt der Aufsatz *Grund zum Empedokles*, der der Niederschrift der dritten Fassung vorausging. Hölderlins Aufsätze, die seine Werke und seinen Lebensweg erhellen, sind meistens zugleich philosophische, poetische und ästhetische Abhandlungen.

Elegie

In den folgenden Jahren wandte sich Hölderlin der Form der Ode, der Hymne und – als „Durchgangsstufe" – der Elegie zu. Heimatlosigkeit als Bedingung für das Dichtertum und das Schicksal des Vaterlandes sind häufige Themen dieser sprachlich besonders schönen Werke. Die Elegie *Brod und Wein* (vollendet 1800/01) blickt in die griechische Vergangenheit zurück. Sie endet jedoch nicht mit den Klagen über die dunkle Gegenwart, sondern die Zukunft bringt die Aussicht auf Vollendung der historischen Entwicklung, die Hoffnung, „den Tag mit der Nacht auszusöhnen". Die Wiederkehr der Götter wird immer wieder formuliert:

Brod ist der Erde Frucht, doch ists vom Lichte gesegnet
Und vom donnernden Gott kommet die Freude des Weins.
Darum denken wir auch dabei der Himmlischen, die sonst
Da gewesen und die kehren in richtiger Zeit, (Auszug)

Hölderlin, der seit 1802 an zerrüttetem Geisteszustand litt und anfangs noch alle Kraft auf seine Arbeit richtete, konnte sich nicht mehr konsequent um die Veröffentlichung seiner Gedichte kümmern. Freunde sorgten für ihre Publikation, was zum Teil erst nach seinem Tod 1843 geschah. Auch darin liegt ein Grund für die späte und schwierige Zusammenstellung und Erforschung von Hölderlins Gesamtwerk. Lyriker des 20. Jhs. setzten sich mit Hölderlin auseinander und orientierten sich an seinem lyrischen Werk. Sein Lebensweg wurde in der modernen Literatur verschiedentlich aufgegriffen (z. B. von Paul Celan, Peter Härtling und Peter Weiss).

Jean Paul (1763–1825)

Wenige Dichter wirkten so widersprüchlich auf ihre Um- und Nachwelt, provozierten begeisterte Bewunderung (Stifter, Gotthelf, C. F. Meyer, George) und kompromißlose Ablehnung (Goethe, Schiller, Heine, Nietzsche) wie Jean Paul (eigentlich Johann Paul Friedrich Richter). Für den selbstbewußten Jean Paul war Dichten das Spiegelbild seines Lebens. Die empfindsamen Romane des Engländers S. Richardson und des Iren L. Sterne wirkten stark auf die Haltung des jungen Dichters. Der Rationalismus, die englischen und französischen Philosophen und Autoren der Aufklärung bestimmten seinen Bildungsweg. Den Künstlernamen Jean Paul (erstmals 1792) dürfte sich der Dichter in Anlehnung an sein besonderes Vorbild Jean Jacques Rousseau gewählt haben.

Erste Schaffensphase: Satiren

Jean Pauls erste Arbeitsphase war gekennzeichnet durch seine witzigen, aber bitteren Satiren. Das *Lob der Dummheit* lehnte sich z. B. an Erasmus' *Lob der Torheit* (s. S. 41) an. Der Tod von zwei Freunden, der Selbstmord seines Bruders sowie die Vision des eigenen Todes weckten in Jean Paul das Bewußtsein von Tod und Vergänglichkeit, das sein ganzes Werk durchzieht. Während Jean Paul lange Zeit Notizen, Stoffe, Techniken und Erfahrungen sammelte, wandelte sich sein Stil.

Zweite Schaffensphase: ,,eine Art Idylle"

Als erstes Werk seines neuen Schaffensabschnitts entstand 1791 das *Leben des vergnügten Schulmeisterlein Maria Wutz in Auenthal. Eine Art Idylle* (erschienen 1793). Es gehört zu den beliebtesten und bekanntesten Werken Jean Pauls. Einige herausgehobene Momente im Leben des Sonderlings Wutz zeigen, wie das Schulmeisterlein die Kunst versteht, ,,stets fröhlich zu sein". Durch die Kraft seiner Phantasie hebt Wutz in der Erinnerung die Wirklichkeit auf:

Im Dezember (. . .) ließ er allemal das Licht eine Stunde später bringen, weil er in dieser Stunde seine Kindheit – jeden Tag nahm er einen andern Tag vor – rekapitulierte.

In der *Vorschule der Ästhetik* (1804) definierte Jean Paul seine Idylle, die im Gegensatz zur traditionellen Idylle (s. S. 66) auf den Tod gegründet ist, als

epische Darstellung des *Vollglücks* in der *Beschränkung.* (. . .) Die Beschränkung in der Idylle kann sich bald auf die der Güter, bald der Einsichten, bald des Standes, bald aller zugleich beziehen.

Schulmeisterlein Wutz schafft sich bewußt und in ,,herkulischer Arbeit" trotz seiner finanziellen Beschränktheit seine ,,Art Idylle", indem er die Bücher, die er sich nicht kaufen kann, mit seiner eigenen Phantasie und Weltsicht selbst schreibt. Hinter der beinahe übertriebenen Fröhlichkeit und Bejahung des Lebens dürfen Jean Pauls bittere Töne nicht überhört werden – auch wenn er das naiv-kindliche Wesen der Menschen nicht mehr wie in seinen früheren Satiren verachtete.

Dritte Schaffensphase: Romane

Neben Aufsätzen und kleineren Erzählungen schrieb Jean Paul in seiner dritten Phase hauptsächlich Romane. Im „General- und Kardinalroman" *Titan* (1800–1803) sind die Absichten seines Denkens und seiner Kunst am deutlichsten verwirklicht. Die Zusammenhänge und Hintergründe der Personen und Handlungen werden erst allmählich erkennbar, so daß sich der Leser nur langsam zurechtfindet. Jean Paul gibt die politische und geistige Situation Deutschlands eindringlich wieder. Der Roman wendet sich gegen die Weimarer Klassik (besonders der Gegensatz zu Goethes *Wilhelm Meisters Lehrjahre*, s. S. 109, wird deutlich). Die Absage an die Ironie der Romantik (s. S. 128) und die Ablehnung der Selbstüberschätzung des Ich im Sturm und Drang stellen Jean Paul damit außerhalb der literarischen Epochen.

Synthese von Satire und Idylle durch Humor

Sein humoristischer Roman *Flegeljahre* (1804/05) stellt den Dualismus von weltfremder Phantasterei und kühlem Rationalismus in den Zwillingsbrüdern Walt und Vult dar, die sich ergänzen und nur gemeinsam harmonieren und erfolgreich sein können. Der Kontrast von Idylle und Satire in diesem unvollendet gebliebenen Roman wird aufgehoben durch den Humor, der die Zerrissenheit nicht überwinden, sie jedoch akzeptieren kann. Die große Bedeutung des Humors bei Jean Paul wird deutlich in der *Vorschule der Ästhetik* (1804). Hier beschreibt er seine ästhetischen Anschauungen und seine dichterische Entwicklung und gibt wichtige Aufschlüsse für sein Spätwerk. Im Mittelpunkt steht der Humor als „das umgekehrt Erhabene". Gerade dieses Werk wirkte besonders auf die Spätromantik.

Heinrich von Kleist (1777–1811)

Zwischen den literarischen Epochen steht auch Heinrich von Kleist. Der äußerst wortgewandte Dichter, der zu den wichtigsten deutschen Dramatikern zählt, gab sich nicht mit Einzelergebnissen zufrieden, sondern suchte die absolute Wahrheit, suchte den Sinn des menschlichen Daseins in der Welt. Von Lessing – besonders *Nathan der Weise* (s. S. 83) soll ihn beeindruckt haben – und anderen Aufklärern beeinflußt, beschäftigte sich Kleist intensiv mit Philosophie und Wissenschaft. Das Studium der Werke Rousseaus entdeckte ihm die Gefühle als Grundwerte der Seele. Kants Philosophie jedoch brachte Kleist zu der Überzeugung, daß die Wahrheit auf der Welt nicht zu finden sei. Kleist fand in dieser Erschütterung seines optimistischen Weltbildes nicht wie Schiller Trost und Kraft in den großen Ideen, die allem Geschehen zugrundeliegen. Er war auch kein Romantiker, der an den Geheimnissen der Natur über die Wirklichkeit hinaus teilhatte. Daraus entwickelte sich das Grundthema seiner Werke: Wie kann sich ein Mensch, der aus seinen Gefühlen lebt, in einer (rationalen) Welt voller Zufälle und Schicksalsschläge zurechtfinden?

Einflüsse und Vorbilder: Aufklärung

Kants Philosophie

Trauerspiele

Mit 25 Jahren begann Kleist seine schriftstellerische Tätigkeit, 1803 erschien sein erstes Trauerspiel *Die Familie Schroffenstein*. In dem analytischen Drama (s. S. 83) bringen zwei verfeindete Familien gegenseitig ihre eigenen sich liebenden Kinder um. Die Sprache dieses Trauerspiels spiegelt Kleists Verzweiflung und sein gestörtes Verhältnis zur Umwelt deutlich wider. Viele seiner späteren Themen werden bereits angesprochen: Agnes liebt genauso absolut wie später das Käthchen von Heilbronn. Der Starrsinn Ruperts, des Grafen von Schroffenstein, findet in der fanatischen Gerechtigkeitsauffassung von Michael Kohlhaas eine Parallele. Die überschwengliche Liebe Ottokars – in seiner Figur steckt Kleists eigene Ratlosigkeit und Unsicherheit – wird in *Penthesilea* (1808) dramatisch gesteigert. Die Amazonenkönigin darf in dieser freien Gestaltung der griechischen Sage Achilles nach dem Gesetz ihres Volkes erst lieben, wenn sie ihn mit dem Schwert besiegt hat. Die Handlung wird z. T. nicht auf der Bühne dargestellt, sondern wird von dem gleichbleibenden Handlungsort aus berichtet („Teichoskopie" oder „Mauerschau"). Der innere Widerspruch, der ambivalente Charakter auch der liebenden Person, den Kleist immer wieder erkennen läßt, wird in der Figur der Penthesilea verkörpert: „halb Furie, halb Grazie" bringt sie den Geliebten um und tötet sich ebenfalls.

Teichoskopie

Sie sank, weil sie zu stolz und kräftig blühte!
Die abgestorbne Eiche steht im Sturm,
doch die gesunde stürzt er schmetternd nieder,
weil er in ihre Krone greifen kann.

Kleist formulierte diesen Dramenschluß nach Briefen, die er bei einem Parisaufenthalt 1801 voller Ablehnung der dortigen Zustände geschrieben hatte. Penthesilea trug Züge seiner Lieblingsschwester und Vertrauten Ulrike, deren intellektuellen und wenig femininen Charakter er bei aller Liebe zu ihr sehr beklagte.

Lustspiele

In *Amphitryon* (1807) kann das unfehlbare innere Gefühl über den verlockenden äußeren Schein siegen. Kleist gestaltete den antiken Mythos nach der Vorlage von Molières gleichnamiger Komödie.

Glücklich endet in *Das Käthchen von Heilbronn* (1810) die Liebe zwischen Käthchen und dem Grafen von Strahl. Käthchens instinktive und ideale Liebe demonstriert, was Kleist in seinem Aufsatz *Über das Marionettentheater* (1810) theoretisch fundiert hat: Der Mensch kann glücklich werden, wenn er nur aus einem Gesetz heraus, nämlich nach dem Gefühl (unreflektiert) handelt. Dieses Ideal ist bei einer Marionette auf besondere Weise wirksam: Die Bewegungen der Gliederpuppe seien denen der Menschen überlegen, weil sie

Gefühl als höchste Instanz

dem bloßen Gesetz der Schwere [folgen]; eine vortreffliche Eigenschaft, die man vergebens bei dem größesten Teil unsrer Tänzer sucht. (. . .) Von der Trägheit der Materie (. . .) wissen sie nichts: weil die Kraft, die sie in die Lüfte erhebt, größer ist, als jene, die sie an der Erde fesselt.

Weiter zeigt Kleist an zwei Beispielen, wie das Bewußtsein die „natürliche Grazie des Menschen" zerstört, sie aus dem Gleichgewicht wirft, wie aber der Mensch nicht mehr in seinen vorherigen paradiesischen Zustand zurückfinden kann.

Der zerbrochne Krug (1811), Kleists bekanntestes Lustspiel, ist noch heute bühnenwirksam. Der Dorfrichter Adam ist Angeklagter und Richter zugleich – das macht die Suche nach der Wahrheit besonders schwierig. Der Doppelcharakter des Kleistschen Menschen schlägt sich in der Sprache nieder. Die Gerichtskomödie wird mit einer Liebesgeschichte verbunden, die manchmal zur Tragik neigt. Bis zur Versöhnung entwickelt sich die Dialoghandlung mit Wortwitz, zweideutigen Reden, Anspielungen und Verdrehungen:

Szene: Die Gerichtsstube.

Adam sitzt und verbindet sich ein Bein. Licht tritt auf.

LICHT: Ei, was zum Henker, sagt, Gevatter Adam!
Was ist mit Euch geschehn? Wie seht Ihr aus?
ADAM: Ja, seht. Zum Straucheln brauchts doch nichts, als Füße.
Auf diesem glatten Boden, ist ein Strauch hier?
Gestrauchelt bin ich hier; denn jeder trägt
Den leidgen Stein zum Anstoß in sich selbst.
LICHT: Nein, sagt mir, Freund! Den Stein trüg jeglicher – ?
ADAM: Ja, in sich selbst!
LICHT: Verflucht das!

Zum eigenen Richter, wenn auch ganz anderer Art, wird die Titelgestalt im Schauspiel *Prinz Friedrich von Homburg* (entstanden 1809–1811, herausgegeben 1821). Der verliebte Prinz hat sich strafbar gemacht und verliert angesichts der drohenden Todesstrafe sein inneres Gleichgewicht. Der Welt seines Gefühls und des Traums steht die Welt der Gerechtigkeit, des Rechts, gegenüber. Er kann erst durch die Anerkennung beider Welten wieder die Stabilität erlangen, die im *Marionettentheater* beschrieben wird, und dann begnadigt werden.

Novellen

Kleists Erzählungen und Novellen, die er teilweise unter dem Druck seiner Krankheit vollendete, sind häufig Bearbeitungen der auch in den Dramen genannten Motive und Themen.

Im *Erdbeben in Chili* (1807) entwickelt sich der Konflikt aus der Katastrophe des Einzelnen und der Gesellschaft. Die beiden Liebenden bleiben Fremdlinge in der Welt, und nur für einen Augenblick ist ihnen die ,,Seligkeit, als ob es das Tal von Eden gewesen wäre", vergönnt. In religiösem Fanatismus maßt sich das Volk die göttliche Richterrolle an und treibt Jeronimo und Josephe in den Tod; sie werden beide erschlagen.

Das Problem der Gerechtigkeit

Mit einem paradoxen Gegensatz wird in *Michael Kohlhaas* (1810) die Hauptgestalt, nach der die Novelle benannt ist, vorgestellt: Michael Kohlhaas, ,,einer der rechtschaffensten zugleich und entsetzlichsten Menschen seiner Zeit", fordert Gerechtigkeit. Als die Gesellschaft ihm diese verweigert, verfällt er in seinem absoluten Rechtsgefühl auf außergesetzliche Methoden, die Unrecht und Unmenschlichkeit brin-

Weimar,

Mittwoch, den 2. März 1808,

Der Gefangene.

Oper in einem Aufzuge, Musik von Della Maria.

Frau von Bellnau, eine junge Wittwe, ...	Engels.
Rosine, ihre Stieftochter, ...	~~Spengler~~ [illegible]
Der Commendant, ...	Dirzka.
Lieutenant Linwall, ...	Strobe.
Hauptmann Marvell, ...	Deny.
Herrmann, sein Bedienter, ...	Genast.
Ein Unteroffizier, ...	Eilenstein.

Hierauf:

Zum Erstenmahle:

Der zerbrochene Krug.

Ein Lustspiel in drei Aufzügen.

Walter, Gerichtsrath, ...	Oels.
Adam, Dorfrichter, ...	Becker.
Licht, Schreiber, ...	Unzelmann.
Frau Marthe Rull, ...	Wolff.
Eve, ihre Tochter, ...	Elsermann.
Veit Tümpel, ein Bauer, ...	Graff.
Ruprecht, sein Sohn, ...	Wolff.
Frau Brigitte, ...	Silie.
Ein Bedienter, ...	Eilenstein.
Mägde, ...	Engels. / Genast.
Büttel.	

Die Handlung spielt in einem niederländischen Dorfe bei Utrecht.

Eilfte Vorstellung im sechsten Abonnement.

Numerirte Plätze im Parterre und numerirte Stühle auf dem Balkon sind belegt und können nur von Abonnenten eingenommen werden.

Balkon	:	16 Gr.
Parket	:	12 Gr.
Parterre	:	8 Gr.
Gallerie	:	4 Gr.

Anfang um halb 6 Uhr.

Theaterzettel der Uraufführung

gen. Am Ende akzeptiert er jedoch seine Schuld, auch wenn ihm dies nicht mehr das Leben retten kann. Kurz nachdem ihm Gerechtigkeit widerfahren ist, büßt er seinen Landfriedensbruch mit dem Tod – die Ordnung ist wiederhergestellt. Diese Novelle stellt die für Kleist kennzeichnende Frage, wie das Recht des Einzelnen auf der in sich ungerechten Welt verwirklicht werden kann. Daß diese Frage zeitunabhängig gestellt werden kann, wird durch den Stoff für die Erzählung deutlich, den Kleist einer Chronik des 16. Jhs. entnommen hatte.

Johann Peter Hebel (1760–1826)

J. P. Hebel ist ein weiterer Dichter, der keiner literarischen Epoche zugeordnet werden kann. Er schrieb während der zu Ende gehenden Klassik und leitete über in die bürgerliche Biedermeierzeit (s. S. 139).

Mundartdichtung

In den *Alemannnischen Gedichten. Für Freunde ländlicher Natur und Sitten* (1803) zeigte er die Schönheit seiner Heimat. Diese Mundartdichtungen faßte er in strenge, klassische Versform, die allgemeinverständlich beschriebene Natur ist von Symbolen und Mythen durchzogen. Jean Paul und Goethe schätzten diese volkstümlichen Werke sehr.

Kalendergeschichten

Seit 1807 war Hebel Herausgeber des Jahreskalenders *Der Rheinländische Hausfreund,* für den er auch selbst Geschichten schrieb, die erzieherische Absichten verfolgten und protestantisches Gedankengut vermittelten. Viele seiner Kalendergeschichten von 1803–1811 sind im *Schatzkästlein des rheinischen Hausfreundes* (1811) gesammelt. Alltägliche Erfahrungen wurden hier literarisch gestaltet. In den Geschichten kann man auch heute noch manche aktuellen Bezüge finden.

Kurzbiographien Zwischen Klassik und Romantik

FRIEDRICH HÖLDERLIN (1770 in Lauffen/Neckar – 1843 in Tübingen)
Sowohl Hölderlins Vater als auch sein Stiefvater starben früh; Hölderlin hatte ein sehr enges Verhältnis zu seiner Mutter, die seinen Lebensweg besorgt begleitete. Er besuchte das theologische Seminar in Tübingen, wollte aber nie Theologe werden. Er änderte seinen Wohnsitz häufig und lernte viele bedeutende Männer seiner Zeit kennen. Aus finanziellen Gründen nahm er mehrere Stellen als Hofmeister (Hauslehrer) an, z. B. 1796 in Frankfurt beim Bankier Gontard. Mit dessen Frau Susette (in der Dichtung ,,Diotima") verband ihn bis zu ihrem Tod 1802 ein Liebesverhältnis. Nach seiner Rückkehr von einer Hauslehrerstelle in Bordeaux (zu Fuß) machten sich 1802 zum ersten Mal Zeichen geistiger Umnachtung bemerkbar. Sein Freund Isaak von Sinclair sorgte für ihn. Zahlreiche Gedichte, sowie die Übersetzung von Sophokles-Tragödien (*Ödipus*, *Antigone*) entstanden zu dieser Zeit. 1806 wurde Hölderlin als ,,geistig umnachtet" in eine Tübinger Klinik eingeliefert. Seit 1807 bis zu seinem Tod wurde der Kranke von der Familie des Schreinermeisters Ernst Zimmer betreut.

Hyperion oder Der Eremit in Griechenland (Roman in 2 Bänden, 1797/99)
Der Tod des Empedokles (Tragödienfragment in drei Fassungen, entstanden 1797/98–1800; 1826 in Fragmenten; 1846)

Gedichte (Oden, Hymnen, Elegien; herausgegeben von L. Uhland und G. Schwab, 1826)

JEAN PAUL, eigentlich JOHANN PAUL FRIEDRICH RICHTER (1763 in Wunsiedel/Fichtelgebirge – 1825 in Bayreuth)
Jean Paul wurde als Sohn eines Lehrers in sehr ärmlichen Verhältnissen geboren. Sein Vater starb früh. In Leipzig sollte er Theologie studieren, doch er widmete sich mehr der Schriftstellerei und verfaßte bereits seine ersten Satiren. Nach langer Vorbereitungszeit und Ablehnung seiner Arbeit von den Verlagen schrieb Jean Paul Werke, die ihn für einige Jahre berühmt machten. Erst in späteren Jahren, als seine ihm liebsten Werke (*Titan*, *Flegeljahre*) kaum Erfolg hatten, wurde er zum Einzelgänger und Sonderling. Politisch und privat resigniert, kurz vor seinem Tod völlig erblindet, starb er mit 62 Jahren in Bayreuth.

Grönländische Prozesse, oder Satirische Skizzen (1783/84)
Leben des vergnügten Schulmeisterlein Maria Wutz in Auenthal („eine Art Idylle“, 1793)
Leben des Quintus Fixlein, aus funfzehn Zettelkästen gezogen (humoristische Idylle, 1796)
Titan („Kardinalroman“ in 4 Bänden, 1800–03)
Flegeljahre (biographischer Roman in 4 „Bändchen“, 1804/05)
Vorschule der Ästhetik (1804)

HEINRICH VON KLEIST (1777 in Frankfurt/Oder – 1811 am Wannsee in Berlin)
Kleist sollte aus Familientradition eine militärische Laufbahn einschlagen, schied aber 1799 aus dem Dienst aus. Er begann, in Frankfurt/Oder zu studieren. Durch Kants Theorien tief erschüttert, gab er das Studium ein Jahr später wieder auf. Er unternahm verschiedene Reisen, z. T. zusammen mit seiner Schwester Ulrike, zu der er eine enge, ihn prägende Beziehung hatte. Nach einem seelischen Zusammenbruch trat er 1804 wieder in den preußischen Staatsdienst ein, den er Anfang 1807 endgültig quittierte. In Berlin wurde er von den Franzosen als Spion verhaftet und 6 Monate gefangengehalten. Unter dem Eindruck der nationalen Niederlage und seines persönlichen Scheiterns als Dichter und Journalist beging Kleist zusammen mit seiner unheilbar kranken Lebensgefährtin Henriette Vogel Selbstmord.

Die Familie Schroffenstein (Trauerspiel, 1803)
Amphitryon (Lustspiel, 1807)
Das Erdbeben in Chili (Novelle, 1807 unter dem Titel *Jeronimo und Josephe*)
Penthesilea (Verstragödie, 1808)
Das Käthchen von Heilbronn oder Die Feuerprobe, ein großes historisches Ritterschauspiel (1810)
Über das Marionettentheater (Aufsatz, 1810 in *Berliner Abendblätter*)
Der zerbrochne Krug (Lustspiel, 1811)
Prinz Friedrich von Homburg (Schauspiel, 1809–11 entstanden, 1821 herausgegeben von L. Tieck)
Erzählungen (1810/11; darin u. a. *Die Marquise von O.; Michael Kohlhaas)*

10 Romantik (1798–1830)

Der Begriff ,,romantisch“

,,Alle klassischen Dichtarten in ihrer strengen Reinheit sind jetzt lächerlich“ (60. Lyceumsfragment). – Friedrich Schlegel distanzierte sich mit diesem Satz von der Literatur der Klassik. Man versuchte, der ,,klassischen“ Poesie eine ,,moderne“ entgegenzusetzen.
Um 1797 entwickelte sich der Begriff ,,romantische Poesie“, aus dem später der Name für diese Epoche abgeleitet wurde. Das Wort ,,romantisch“ hatte in der Sprache dieser Zeit mehrere Bedeutungen: ,,Romantische“ Sprachen nannte man die Sprachen, die von der lateinischen Sprache abstammen (heute: ,,romanisch“). Das Wort wurde dann auf die ältere Literatur der romanischen Sprachen bezogen (Romane, Romanzen), die nicht im klassischen Versmaß geschrieben war. Auch der Inhalt dieser Dichtungen, das Phantastische, Fremde, Wunderbare und Unglaubliche war ,,romantisch“. Die Epoche der Romantik setzt sich aus zwei Strömungen zusammen: Frühromantik und Spätromantik.

Frühromantik

Zu den Vertretern der Frühromantik mit ihrem Zentrum in Jena gehören Wilhelm Wackenroder und Ludwig Tieck. Die beiden in Berlin geborenen Freunde wurden während einer Wanderung durch Franken (Nürnberg, Bayreuth, Bamberg) zu Betrachtungen über die mittelalterliche Kunst – besonders Albrecht Dürers – und über katholische Frömmigkeit angeregt. In Dresden lernte Wackenroder die Werke der Meister der italienischen Renaissance kennen. Er verfaßte die wesentlichen Teile der *Herzensergießungen eines kunstliebenden Klosterbruders* (1797). Wackenroder stellte in achtzehn Aufsätzen einige Künstlerbiographien vor (z. B. Dürer, Raffael, Leonardo da Vinci, Michelangelo). Der Künstler hat die besondere Fähigkeit, die Natur als die Sprache Gottes zu verstehen. Das, was er verstanden hat, versucht er durch Kunst auszudrücken. Der Künstler ist bei Wackenroder ein

Wilhelm Heinrich Wackenroder (1773–1798)

Caspar David Friedrich: Kreidefelsen auf Rügen (1820)

Vermittler zwischen Gott und dem Menschen, im weiteren Sinn zwischen dem Ideal und der Wirklichkeit:

Ich kenne aber *zwei wunderbare Sprachen* (. . .) Die eine dieser wundervollen Sprachen redet nur Gott; die andere reden nur wenige Auserwählte unter den Menschen (. . .) Ich meine: *die Natur* und *die Kunst.*

Das merkwürdige musikalische Leben des Tonkünstlers Joseph Berglinger, die letzte Erzählung der *Herzensergießungen*, ist autobiographisch gefärbt. Es folgten zahlreiche Märchen und Erzählungen der Romantik, die das Schicksal von Künstlern darstellen, die am unüberbrückbaren Gegensatz von Kunst und Leben zerbrechen. Ludwig Tieck schrieb

Ludwig Tieck (1773–1853)

unter Wackenroders Einfluß *Franz Sternbald's Wanderungen* (1798). Das zentrale Thema des Romanfragments ist die Kunst. Franz, ein Schüler Dürers, wandert in die Niederlande und nach Italien zu bekannten Künstlern. Doch im Unterschied zum klassischen Muster des Bildungsromans (*Wilhelm Meister*, s. S. 109) durchläuft der Held keine Entwicklung, er bleibt ein Träumer. Das romantische Motiv des Wanderns wird angesprochen, das Ziel bleibt unbestimmt und bei Franz Sternbald unerreicht. In diesen Roman sind Gedichte und Lieder eingestreut.

In beiden genannten Werken deuten sich die Kennzeichen der Romantik an: die Freundschaft der beiden Autoren, die Bevorzugung des deutschen Mittelalters vor der Antike, die Nähe der Kunst zur Religion, das unruhige Wandern und sehnsüchtige Träumen. Charakteristisch ist auch die Auflösung der Romanform durch ein Verschmelzen der Gattungen.

Jenaer Kreis
Johann Gottlieb Fichte (1762–1814)

Etwa zur gleichen Zeit (1796/97) formierte sich in Jena ein Kreis um den Philosophen J. G. Fichte, dessen als *Wissenschaftslehre* (1794) bezeichnete Philosophie eine Weiterentwicklung der Philosophie Kants ist und für das Dichtungsverständnis der Frühromantik wichtig wurde. „Wissenschaftslehre" ist bei Fichte ein Synonym für „Philosophie". In dieser Philosophie ist das Ich Ausgangspunkt allen Denkens. Dieses Ich verlangt nach einem Gegenüber; Fichte nennt es das „Nicht-Ich". Zwischen diesen Polen muß es eine Vermittlung geben. Das Vermittlungsvermögen zwischen dem Ich (Subjekt) und dem Nicht-Ich (Objekt) nennt man in der Romantik die Einbildungskraft. Das Ich wird in Fichtes Thesen zu einem schöpferischen Ich, das Grenzen denkend überwinden kann.

Friedrich Schlegel (1772–1829)
August Wilhelm Schlegel (1767–1845)

Zu dem Jenaer Kreis um Fichte gehörten auch die Brüder A. W. Schlegel und F. Schlegel. Sie begründeten in Berlin nach einem Streit mit Schiller ihre eigene Zeitschrift, das *Athenäum* (1798–1800). Ihr Inhalt sollte sein:

Zeitschrift Athenäum

> überhaupt Alles, was sich durch erhabne Frechheit auszeichnete und für alle andren Journale zu gut wäre.

Mitarbeiter waren Tieck, Wackenroder, Novalis und andere. In dieser Zeitschrift zeigte sich das Experimentieren mit Gedanken und Ideen in sogenannten Fragmenten. Fichte hatte hierzu das philosophische Fundament geliefert. Die Fragmente drücken oft – wie ein Aphorismus (s. S. 86) – nur einen in sich abgeschlossenen Gedanken aus, manchmal wachsen sie aber auch zu einem kleinen Essay. Sie sind die charakteristische Form dieser Zeit. Die Fragmente über die romantische Ironie und über die romantische Poesie wurden für die romantischen Dichter besonders wichtig:

Fragment

> Die eigentliche Heimat der Ironie ist die Philosophie.

Romantische Ironie

Die romantische Ironie folgte aus dem Wissen um unaufhebbare Zwiespalte, z. B. zwischen der Wirklichkeit und dem Ideal, zwischen dem

Endlichen und dem Unendlichen. Für die Dichter bedeutete dieses Wissen, daß sie sich durch Ironie souverän über ihre Dichtung erheben konnten; sie distanzierten sich zuweilen in ihren Werken selbst von den gerade erzeugten Illusionen. Das kann man gut in Tiecks „szenischem Kunstmärchen“ *Der gestiefelte Kater* (1797) erkennen. Hier wird ein Kindermärchen aufgeführt; die Überlegungen und Unterhaltungen der Zuschauer sind in das Spiel einbezogen:

GOTTLIEB (*erstaunt*): Wie, Kater, du sprichst?
DIE KUNSTRICHTER (*im Parterre*): Der Kater spricht? Was ist denn das?
FISCHER: Unmöglich kann ich da in eine vernünftige Illusion hineinkommen.

Progressive Universalpoesie

Das berühmte 116. Athenäumsfragment von F. Schlegel über die romantische Poesie weist hin auf ein neues Verständnis der literarischen Gattungen. Eine klare Trennung wird in der Romantik vermieden:

Die romantische Poesie ist eine progressive Universalpoesie. Ihre Bestimmung ist nicht bloß, alle getrennten Gattungen der Poesie wieder zu vereinigen, und die Poesie mit der Philosophie und der Rhetorik in Berührung zu setzen.

Die Poesie sollte alles umfassen, alle Formen mischen und sich im Sinne der romantischen Ironie immer wieder über sich selbst erheben, nicht im Stillstand verharren, sondern progressiv (dynamisch, produktiv) sein.
Das erste literarische Produkt dieser Überlegungen war F. Schlegels Roman *Lucinde* (1799). Hier hatte er einen „sentimentalen Stoff in fantastischer Form“ gefunden. Anstelle einer durchgehenden und sich entwickelnden Handlung steht die „reizende Verwirrung“ im Mittelpunkt. Um den Mittelteil *Lehrjahre der Männlichkeit* gruppieren sich jeweils sechs Kapitel. Sie bestehen aus Briefen, Erzählungen und Betrachtungen und haben die Liebe des Autors zu Lucinde zum Inhalt, hinter der sich Dorothea Veit, die spätere Frau F. Schlegels und die Frau seines Bruders, Caroline Schlegel-Schelling, verbergen sollen. Nach einem Leben voll Abenteuern findet der Dichter bei Lucinde die wahre Liebe. Das Buch erregte wegen seines freizügigen Inhalts und der neuen Form großes Aufsehen.

Novalis (1772–1801)

Auch Friedrich von Hardenberg (sein Dichtername ist Novalis) beteiligte sich an der Zeitschrift *Athenäum*. Seine *Blüthenstaub-Fragmente* überließ er F. Schlegel zum ungeordneten Einstreuen zwischen dessen eigene Fragmente. Novalis nannte seine Fragmente „Bruchstücke des fortlaufenden Selbstgesprächs in mir“. Der Leser wird durch die unabgeschlossene Form des Fragments aufgefordert, den Inhalt schöpferisch nachzuvollziehen und weiterzugestalten.
In seinem Roman *Heinrich von Ofterdingen* (1802) gelang Novalis die Synthese von Poesie und Philosophie, die die Frühromantiker anstrebten. Der erste Teil *Die Erwartung* spielt im Hochmittelalter, der Minnesänger Heinrich von Ofterdingen ist die Hauptfigur. Auf einer Reise

von Eisenach nach Augsburg erlangt Heinrich Welterfahrung durch Märchen und Erzählungen mitreisender Kaufleute, durch Begegnungen mit Kreuzrittern, mit der gefangenen Morgenländerin Zulima, mit einem Bergmann und einem Einsiedler. Hier hat Novalis das Modell des Bildungsromans (s. S. 85) übernommen. Heinrichs Reise hat in einem Traum ihren Ausgangspunkt. In diesem Traum erblickt Heinrich die „blaue Blume", ein zentrales Motiv der Romantik. Sie ist ein Symbol für die unerfüllbare Sehnsucht nach dem Unendlichen, ein Symbol der Liebe und der „Weltkraft":

Motiv der blauen Blume

> fern ab liegt mir alle Habsucht: aber die blaue Blume sehn' ich mich zu erblicken. Sie liegt mir unaufhörlich im Sinn, und ich kann nichts andres dichten und denken.

Der zweite Teil *Die Erfüllung* sollte sich auf einer mythologischen Ebene fortsetzen. Novalis hinterließ bei seinem frühen Tod nur das erste Kapitel dieses Teils.

Motiv der Nacht

Das in der Spätromantik beliebte Motiv der Nacht wurde von Novalis erstmals gestaltet. Die Entstehung seines Zyklus' *Hymnen an die Nacht* (1800) wird auf sein Erlebnis am Grab seiner Braut Sophie von Kühn zurückgeführt (März 1797). Die Hymnen sind teils in rhythmischer Prosa und teils in Versen geschrieben. Die Nacht, das Dunkle im Gegensatz zum Licht, wird für Novalis zum eigentlichen Element des Menschen, das die Möglichkeit des Erkennens birgt.

Literarische Salons
Frauen in der Romantik

Rahel Varnhagen

Wichtig für die Literatur dieser Zeit sind nicht nur die Werke der Romantiker, sondern auch die sogenannten literarischen Salons, die sich um die Jahrhundertwende besonders in Berlin bildeten. Rahel Varnhagen (1771–1833) war eine Initiatorin solcher Salons. Auch die schon erwähnten Frauen der Brüder Schlegel, Caroline und Dorothea, hatten wichtigen Anteil an den Gesprächen in diesen Salons und damit auch an manchen Werken der Frühromantik. Einige Jahre später trat Karoline von Günderrode (1780–1806) unter dem Pseudonym Tion mit eigenen Werken an die Öffentlichkeit. Ihre Freundin Bettine von Arnim (1785–1859), die Schwester Clemens Brentanos, veröffentlichte 1835 *Goethes Briefwechsel mit einem Kinde*. Sie engagierte sich politisch und ergriff Partei für die sozial Benachteiligten, zum Beispiel in *Dies Buch gehört dem König* (1843), wo sie vom preußischen König die politische Freiheit und die Abschaffung der königlichen Privilegien fordert.

Spätromantik

Während die Frühromantik stark philosophisch und kritisch orientiert war, gaben sich die Vertreter der Spätromantik weniger theoretisch und nicht so betont philosophisch. Die Hauptvertreter der Spätromantik sammelten sich seit 1805 in Heidelberg („Heidelberger Romantik"). Sie verbreiteten mit großer schöpferischer Produktivität ihr

romantisches Denken und Fühlen auf allen Gebieten der Kunst: in Dichtung, Malerei und Musik. Dabei waren sie viel konservativer, volkstümlicher und heimatverbundener als ihre Vorgänger. Das Revolutionäre, die betonte Opposition zur Klassik fehlte ihnen. Sie verlangten nicht mehr Erneuerung und Universalität, sondern wandten sich lieber der Vergangenheit zu. Dabei stellten sie die überlieferten Werte wie Staat, Volk und Religion in den Mittelpunkt ihrer Überlegungen. Die mittelalterliche Einheit und Geborgenheit der Menschen in ihren sittlichen Werten und Traditionen galt als erstrebenswertes Vorbild. Die Hoffnung auf ein Anknüpfen an die bedeutende Vergangenheit sollte dem durch die politisch unsichere Zeit (Freiheitskriege 1813–1815) erschütterten Volk Mut und Halt geben. Achim von Arnim war einer der eifrigsten Mahner zu geschichtlicher Besinnung.
Große Aufmerksamkeit wurde der Wiederentdeckung, Sammlung und Überarbeitung von Volksbüchern (s. S. 45), Volksliedern und besonders Volksmärchen geschenkt. Das Interesse an den Zeugnissen der Vergangenheit erstreckte sich auch auf Übersetzungen der Weltliteratur. Besondere Verdienste erwarben sich hier Tieck und A. W. Schlegel (mit Übersetzungen von Calderón, Petrarca, Dante, Ariost, Tasso, Shakespeare u. a.)

Übersetzungen

Zusammen mit C. Brentano gab A. von Arnim in den Jahren 1806 und 1808 *Des Knaben Wunderhorn* heraus, eine Sammlung von alten deutschen Liedern und Gedichten, die die beiden Freunde teilweise umgedichtet oder ergänzt hatten. Ein weiteres Bekenntnis der Romantik zur mittelalterlichen Kultur und Volksdichtung gab Joseph Görres im Jahr 1807 mit den *Teutschen Volksbüchern*. Am bekanntesten wurden in diesem Zusammenhang die Brüder Grimm. Ihre *Kinder- und Haus-Märchen* erschienen 1812 und 1815. Mündliche Überlieferungen, Schwanksammlungen und andere Quellen aus der Zeit seit dem Mittelalter waren die Fundgrube für die Brüder Grimm; sie beteuerten:

Volksmärchen und Volksbücher

Jacob Grimm (1785–1863)
Wilhelm Grimm (1786–1859)

Wir haben uns bemüht, diese Märchen so rein als möglich war aufzufassen (. . .) Kein Umstand ist hinzugedichtet oder verschönert und abgeändert worden.

Die *Kinder- und Haus-Märchen*, 1822 erstmals in einem Band herausgegeben, wurden nach Luthers Bibel (s. S. 43) zum meistgedruckten deutschen Buch.
Die Brüder Grimm waren auch wegweisend für die deutsche Philologie: 1819–1837 erschien die von ihnen erarbeitete *Deutsche Grammatik*. Ihr 1852 begonnenes *Deutsches Wörterbuch* wurde erst 1961 vollendet. (An der 2. Auflage wird gegenwärtig noch gearbeitet).
Das Märchen als reinste Form der Poesie bot auch Ausdrucksmöglichkeiten für romantische Schriftsteller. Mit ihren Kunstmärchen verhalfen sie dieser Gattung zu einer Weiterentwicklung und zu Popularität.

Kunstmärchen

Als Autor von Kunstmärchen wurde W. Hauff bekannt. Im *Märchenalmanach für Söhne und Töchter gebildeter Stände* erschienen 1826–1828 seine drei Märchenzyklen *Die Karawane*, *Der Scheik von*

Wilhelm Hauff (1802–1827)

Alessandria und seine Sklaven und *Das Wirtshaus im Spessart*. Die unterhaltsame Gestaltung orientalischer und deutscher Sagenstoffe machte Hauff zu einem Erfolgsschriftsteller des 19. Jhs. Einige dieser Märchen sind zusammen mit den Volksmärchen der Brüder Grimm noch heute Bestandteil der deutschen Jugendliteratur.

Ludwig Tieck (1773–1853)

Ludwig Tieck, der 1797 in seinen *Volksmärchen* altdeutsche Volksbücher nacherzählte, veröffentlichte in dieser Sammlung das von ihm erfundene Kunstmärchen *Der blonde Eckbert*. Das romantische Märchenmotiv der (Wald-) Einsamkeit durchzieht die ganze Erzählung. Ihre Helden – ein verheiratetes Geschwisterpaar – erkennen die Ausweglosigkeit ihrer Situation erst in dem Moment, als sie ihnen in der Märchenerzählung eines Freundes vor Augen geführt wird. Im Gegensatz zum Volksmärchen endet die Geschichte mit dem Tod, in dem alle Spannungen zum Stillstand kommen. Deswegen kann das Märchen als typisch „modernes" Märchen gelten.

Achim von Arnim (1781–1831)

Auch die *Geschichte vom braven Kasperl und dem schönen Annerl* (1817) von C. Brentano trägt märchenhafte Züge, und A. von Arnims Erzählungen von der *Einquartierung im Pfarrhaus* (1817) und *Der tolle Invalide auf dem Fort Ratonneau* (1818) verbinden die „unerhörte Begebenheit" einer Novelle mit dem Wunderbaren eines romantischen Märchens. Noch deutlicher wird dies in Adelbert von Chamissos (1781–1838) märchenhafter Erzählung *Peter Schlemihl's wundersame Geschichte* (1814) vom verkauften Schatten. Sie wurde in viele Sprachen übersetzt und erlangte Weltruhm.

Phantasie und Wirklichkeit

In der romantischen Kunst existieren wie im Märchen Phantasie und Wirklichkeit nebeneinander; die Phantasie nimmt den Vorrang ein. Die Wirklichkeit darf und kann von der Phantasie nicht getrennt werden. Die Grenzen zwischen dem Wunderbaren und dem Wirklichen sind wie die Grenzen der Gattungen in der Romantik aufgehoben. Das führt dazu, daß der Alltag bedrohliche und phantastische Züge annehmen kann, während die Phantasiewelt zur Realität wird:

> Befindet er sich dann (. . .) in einem fantastischen Zauberreich, so wird er glauben, dies Reich gehöre auch noch in sein Leben hinein, und sei eigentlich der wunderbar herrlichste Teil desselben.
> (E.T.A. Hoffmann, *Die Serapions-Brüder*)

Der romantische Künstler

Nur der sensible Künstler – meist ein Außenseiter der Gesellschaft – kennt beide Welten, und seine Aufgabe ist es zu vermitteln. Er muß den Blick der Nichtsehenden von der rationalen auf die irrationale Welt lenken. Hier wird der Bezug zu der Vermittlerfunktion des Künstlers hergestellt, die Wackenroder in der Frühromantik formuliert hatte.

Ernst Theodor Amadeus Hoffmann (1776–1822)

Die Verflechtung der beiden Welten hat E.T.A. Hoffmann in *Der goldne Topf. Ein Märchen aus der neuen Zeit* (1814) dargestellt: Der Student Anselmus schwankt zwischen Traumwelt und Spießbürgertum hin und her. Er wird erst erlöst, als er – zum Dichter herangereift – selbst das imaginäre Reich Atlantis anerkennt. Er wird selig in der Poesie, der sich der heilige Einklang aller Wesen als tiefstes Geheimnis der Natur offenbaret.

E. T. A. Hoffmann

In Hoffmanns Roman *Lebens-Ansichten des Katers Murr nebst fragmentarischer Biographie des Kapellmeisters Johannes Kreisler in zufälligen Makulaturblättern* (I 1820, II 1822) findet der Kapellmeister Kreisler Ruhe und Frieden nur im übersinnlichen Reich des Schönen (speziell im Reich der Musik). Der Dichter läßt einen philisterhaften und eingebildeten Kater seine Lebenserinnerungen aufschreiben. Der zu menschlichem Handeln fähige Kater (vgl. Tiecks *Der gestiefelte Kater*) schreibt seine Geschichte auf „Makulaturblätter", auf deren Vorderseite das Leben des Künstlers Kreisler beschrieben ist. Ein Versehen des imaginären Verlegers bringt die Geschichten durcheinander, so daß sich beide Handlungen immer wieder gegenseitig unterbrechen.

Motiv der Nacht

Mit ihrer Begeisterung für die Nacht öffneten die Romantiker neue Dimensionen (s. S. 130). Hoffmann teilte seinen *Goldnen Topf* in „Vigilien", in Nachtwachen, ein. Die nüchterne Wirklichkeit des Tages, die Konturen des grellen Lichts werden in der Nacht verwischt. Daher wird der Blick für das Wunderbare nicht durch äußere Reize

Dieser Türknauf in Bamberg regte E. T. A. Hoffmann zur Figur des Apfelweibs im Goldnen Topf an

abgelenkt. Der romantische Träumer kann sich ungestört den poetischen Phantasien hingeben, die ihm Erlösung bringen. Neben der zum schöpferischen Phantasieren anregenden Nacht steht aber auch die dämonische Traumwelt des Abenteuerlichen, Chaotischen und Wahnsinnigen. Vor allem in den acht Erzählungen der *Nachtstücke* (1817) und im Roman *Die Elixiere des Teufels* (1815/16) zeigt Hoffmann die verderblichen, dunklen Mächte und Erscheinungen der Nacht.

Joseph von Eichendorff (1788–1857)

Eichendorff ist der bekannteste Lyriker der bereits ausklingenden Romantik. Viele seiner Gedichte wurden vertont, z. B.:

Mondnacht

Es war, als hätt der Himmel
Die Erde still geküßt,
Daß sie im Blütenschimmer
Von ihm nun träumen müßt.

Die Luft ging durch die Felder,
Die Ähren wogten sacht,
Es rauschten leis die Wälder,
So sternklar war die Nacht.

Und meine Seele spannte
Weit ihre Flügel aus,
Flog durch die stillen Lande,
Als flöge sie nach Haus.

Eichendorff stellte den Menschen voll unstillbarer Sehnsucht und Erinnerung, voll Heimweh, Fernweh und Wanderlust dar. Rauschende Wälder, von Bächen durchzogene Täler, friedliche Landschaften, ruhende Burgen und stille Gärten sind die Schauplätze von Eichendorffs Stimmungsbildern, so auch in seiner Novelle *Aus dem Leben eines Taugenichts* (1826).

Der Mensch ist bei Eichendorff nicht unabhängig von Schicksalsmächten. Eichendorff kannte die Gefahren der Romantik und ihrer Ideen und warnte: „Hüte dich, bleib wach und munter!“ Doch er weiß sich geborgen in seiner Heimat, und den gesuchten Halt kann er im Glauben an die Natur, die Sprache Gottes, finden.

Verwurzelung im christlichen Glauben

Diese Verwurzelung im Glauben, dieser Halt in der Religion ist ebenfalls ein die Romantik kennzeichnendes Thema. Schon Novalis hatte mit seinem Aufsatz *Die Christenheit oder Europa* in der Frühromantik die Religion als Staatsfundament gesehen, wenngleich seine Forderungen nach einer neuen, aktualisierten Religion ihm und seinen Freunden zu umstürzlerisch und gewagt erschienen, so daß sein Aufsatz erst 25 Jahre nach seinem Tod 1826 veröffentlicht wurde.

Clemens Brentano (1778–1842)

Aus Clemens Brentanos eindrucksvollen Gedichten klingt eine große Musikalität. Sie erinnern an Volkslieder, viele tragen bereits den Charakter von Kunstliedern. Sie sprechen immer Gefühle an und erzeugen rational nicht erklärbare Stimmungen:

Wiegenlied

Singet leise, leise, leise,
Singt ein flüsternd Wiegenlied,
Von dem Monde lernt die Weise,
Der so still am Himmel zieht.

Singt ein Lied so süß gelinde,
Wie die Quellen auf den Kieseln,
Wie die Bienen um die Linde
Summen, murmeln, flüstern, rieseln.
(Auszug)

Von der Romantik zum Biedermeier

Der Heidelberger Romantik standen die Dichter der „Schwäbischen Romantik" nahe. Die Vertreter dieses Kreises – Ludwig Uhland, Justinus Kerner und Gustav Schwab – leiteten von der Romantik zur bürgerlichen Dichtung des 19. Jhs. über. Ihre Werke sind gekennzeichnet von Landschaftsbeschreibungen, die in bürgerlich-idyllischer Weise die schwäbische Heimat schildern.

Ludwig Uhland (1787–1862)

Der liberal gesinnte Dichter und Germanist Uhland war auch politisch tätig. Seine *Gedichte und Balladen* (erste Sammlung 1815) enthalten Liebes- und Naturlyrik. Persönliche Eindrücke treten hinter allgemeinen Erfahrungen zurück, was manche von Uhlands Gedichten zu Volksliedern werden ließ, so z. B. *Der gute Kamerad.*

Während Uhland als Dramatiker kaum Erfolg hatte, machten ihn seine Balladen und Romanzen (*Des Sängers Fluch, Das Glück von Edenhall*) zum weitbekannten Dichter. Er gestaltete heimische Stoffe des Mittelalters sowie romanische und nordische Sagen und Mythen. Uhland zog sich in den 30er Jahren von der Politik zurück und widmete sich verstärkt seinen Forschungsarbeiten. 1844/45 gab er die erste wissenschaftlich kommentierte Sammlung *Alte hoch- und niederdeutsche Volkslieder* heraus.

Zum Freundeskreis Uhlands zählte Justinus Kerner (1786–1862), dessen Haus literarischer Treffpunkt vieler Dichter war. Die Romane *Reiseschatten* (1811) und *Die Seherin von Prevorst. Eröffnungen über das innere Leben des Menschen und über das Hereinragen einer Geisterwelt in die unsere* (1829) sowie volkstümliche Lieder sind die bekanntesten Werke des zum Spiritismus neigenden Schriftstellers.

Uhlands Schüler Gustav Schwab (1792–1850) schrieb Romanzen, Balladen und Volkslieder. Noch heute ist er bekannt durch die Herausgabe der Sammlungen *Deutsche Volksbücher* (1836/37) und *Die schönsten Sagen des klassischen Altertums* (1838–1840).

Kurzbiographien Romantik

LUDWIG ACHIM VON ARNIM (1781 in Berlin – 1831 in Wiepersdorf/Mark Brandenburg)
Arnim studierte zunächst Naturwissenschaften in Halle und unternahm anschließend ausgedehnte Reisen. Zusammen mit seinem Freund Clemens von Brentano gab er die Sammlung *Des Knaben Wunderhorn* heraus. 1808 ging er nach Berlin, wo er 1811 Brentanos Schwester Bettine heiratete. Er nahm an den Feldzügen 1813/14 teil.

Des Knaben Wunderhorn (Liedersammlung, 1806/08 zusammen mit C. von Brentano)
Die Kronenwächter (Roman, 1817)
Der tolle Invalide auf dem Fort Ratonneau (Novelle, 1818)

CLEMENS VON BRENTANO (1778 in Ehrenbreitstein/Rhein – 1842 in Aschaffenburg)
Brentanos Mutter, Maximiliane La Roche, war eine Freundin Goethes. Nach dem Studium der Rechtswissenschaften und der Philosophie lernte Brentano 1801 Achim von Arnim in Göttingen kennen. Mit ihm zusammen gab er in Heidelberg *Des Knaben Wunderhorn* heraus. Brentano führte ein unstetes Leben; er gilt als der musikalischste Lyriker der Spätromantik.

Godwi oder Das steinerne Bild der Mutter. Ein verwilderter Roman von Maria (1801/02)
Des Knaben Wunderhorn (Liedersammlung, 1806/08 zusammen mit A. von Arnim)
Geschichte vom braven Kasperl und dem schönen Annerl (Novelle, 1817)
Gedichte (1854 in *Gesammelte Schriften,* 1852–55)

JOSEPH FREIHERR VON EICHENDORFF (1788 in Lubowitz/Oberschlesien – 1857 in Neiße)
Eichendorff lernte 1807 in Heidelberg Arnim und Brentano kennen. Er studierte Jura in Berlin und Wien, wo er Kontakt zu F. Schlegel bekam. Er nahm an den Freiheitskriegen teil und begann 1816 seine Beamtenlaufbahn im Dienst Preußens.

Ahnung und Gegenwart (Roman, 1815)
Aus dem Leben eines Taugenichts und *Das Marmorbild* (Novellen, 1826)
Gedichte (1837)

JOHANN GOTTLIEB FICHTE (1762 in Rammenau/Lausitz – 1814 in Berlin)
Fichte studierte zunächst Theologie, beschäftigte sich dann aber zunehmend mit Kants Philosophie. Kernstück seines Denksystems war die „Wissenschaftslehre". Fichte wurde 1794 Professor in Jena, wo seine Philosophie im Kreise der Frühromantiker lebhaft aufgenommen wurde. 1805 berief man ihn an die Universität Erlangen; 1811 wurde er der erste gewählte Rektor der Berliner Universität.

Grundlage der gesamten Wissenschaftslehre (1794/95)

Ernst Theodor Amadeus Hoffmann (1776 in Königsberg – 1822 in Berlin)
Aus Verehrung für Mozart änderte Hoffmann seinen dritten Vornamen. Er hatte viele Talente und verdiente seinen Lebensunterhalt als Schriftsteller, Maler, Musiker und Komponist, so 1808 als Theatermusikdirektor in Bamberg, wo er sich bis 1813 aufhielt. Seine juristische Karriere verlief nicht immer glanzvoll, doch war er abgesehen von einer Unterbrechung 1806-1814 (aufgrund der Besetzung Warschaus durch Napoleon) auch als Richter tätig. Er starb völlig verarmt als preußischer Kammergerichtsrat in Berlin.

Fantasiestücke in Callot's Manier. Blätter aus dem Tagebuche eines reisenden Enthusiasten (4 Bände, 1814/15; darin u. a. *Der goldne Topf*)
Die Elixiere des Teufels. Nachgelassene Papiere des Bruders Medardus eines Capuziners (Roman, 1815/16)
Nachtstücke (1817)
Die Serapions-Brüder (Erzählungen und Märchen, 1819–21; darin u. a. *Nußknacker und Mausekönig* und *Das Fräulein von Scuderi*)
Lebens-Ansichten des Katers Murr nebst fragmentarischer Biographie des Kapellmeisters Johannes Kreisler in zufälligen Makulaturblättern (Roman, 1820/22)

Novalis, eigentlich Friedrich von Hardenberg (1772 in Oberwiederstedt – 1801 in Weißenfels)
Novalis studierte 1790–94 Philosophie, Jura und Bergbauwissenschaft. Der Tod seiner fünfzehnjährigen Braut Sophie Kühn (1797) beeinflußte ihn nachhaltig. Novalis gehörte zum Jenaer Kreis der Frühromantik um Fichte und die Brüder Schlegel; er war bekannt mit Tieck und mit Schiller.

Hymnen an die Nacht (1800 in *Athenäum*)
Heinrich von Ofterdingen (nachgelassener Roman, 1802 herausgegeben von F. Schlegel und L. Tieck)
Fragmente (1798 in *Athenäum* als *Blüthenstaub;* 1846)
Die Christenheit oder Europa (kulturphilosophischer Essay, entstanden 1799, gedruckt 1826)

August Wilhelm Schlegel (1767 in Hannover – 1845 in Bonn)
Seit 1818 war Schlegel Professor für Kunst- und Literaturgeschichte in Bonn. Seine Leistung für die Literatur liegt in beispielhaften Übersetzungen aus der Weltliteratur und in der Beschäftigung mit der altindischen Philologie. Zusammen mit seinem Bruder Friedrich lieferte er das theoretische Fundament für die Frühromantik.

Athenäum (Zeitschrift, 1798–1800 herausgegeben mit F. Schlegel)
Vorlesungen über Schöne Litteratur und Kunst 1801–1804

Friedrich Schlegel (1772 in Hannover – 1829 in Dresden)
Schlegel studierte ab 1793 Rechtswissenschaften und klassische Philologie. Er gilt als der eigentliche Theoretiker der Frühromantik. Schlegel entfaltete eine Fülle von Ideen, begründete mit seinem Bruder die Zeitschrift *Athenäum* und führte zwischen verschiedenenen Professuren ein unstetes Leben. Seine würdigende Kritik von Goethes *Wilhelm Meister* gilt als wegweisend für die deutsche Literaturkritik.

Athenäum (Zeitschrift, 1798–1800 herausgegeben mit A. W. Schlegel)
Fragmente
Lucinde (Roman, 1799)
Geschichte der alten und neuen Litteratur. (Vorlesungen, gehalten in Wien im Jahre 1812; 1815)

LUDWIG TIECK (1773 - 1853 in Berlin)
Tieck war befreundet mit Wackenroder. Er studierte Philologie und lernte in Jena Goethe, Schiller und die wichtigsten Vertreter der Romantik kennen. 1825 wurde er Dramaturg am Dresdner Hoftheater. Tieck gab den Nachlaß von H. von Kleist, J. M. R. Lenz und W. H. Wackenroder heraus.

Geschichte des Herrn William Lovell (Briefroman, 1795/96)
Volksmährchen (1797, herausgegeben unter dem Pseudonym Peter Leberecht; darin u. a. *Der gestiefelte Kater. Ein Kindermährchen in drey Akten* und *Der blonde Eckbert*)
Franz Sternbald's Wanderungen. Eine altdeutsche Geschichte (Romanfragment, 1798)
Herzensergießungen eines kunstliebenden Klosterbruders (Betrachtungen, zusammen mit W. H. Wackenroder, 1797 anonym erschienen)
Phantasus. Eine Sammlung von Mährchen, Erzählungen, Schauspielen und Novellen (3 Bände, 1812–16)

WILHELM HEINRICH WACKENRODER (1773 - 1798 in Berlin)
Wackenroder übte großen Einfluß auf das Kunstverständnis der Frühromantik aus. Er entdeckte die Kunst des Mittelalters neu und vertiefte das künstlerische Erlebnis zu einem religiösen Erlebnis. Seine Schriften wurden nach seinem frühen Tod von seinem Freund Tieck herausgegeben.

Herzensergießungen eines kunstliebenden Klosterbruders (Betrachtungen, zusammen mit L. Tieck, 1797 anonym erschienen)
Phantasien über die Kunst, für Freunde der Kunst (1799)

Biedermeier (1815-1850)

11

In den *Fliegenden Blättern* (die humoristische Zeitschrift erschien 1844–1944 in München) wurde 1850 der Spießer „Gottlieb Biedermeier" parodiert, der die Schwächen seiner Zeit personifizierte. Sein Name wurde auf den Kunststil der Zeit und schließlich auf die gesamte Epoche von den Napoleonischen Kriegen (1803–1815) bis zur Märzrevolution 1848 übertragen.

Epigonen

In Karl Leberecht Immermanns (1796–1840) Roman *Die Epigonen* (1836) werden die Kennzeichen der Biedermeierzeit besonders deutlich: Klassik und Romantik hatten sich überlebt. Die Autoren des Biedermeier wollten sich nicht davon lösen. Sie litten andererseits unter dem Bewußtsein, nur Epigonen, Nachfahren der vorangegangenen Epoche zu sein:

> Wir sind, um mit *einem* Worte das ganze Elend auszusprechen, Epigonen, und tragen an der Last, die jeder Erb- und Nachgeborenschaft anzukleben pflegt.

Politische Situation

Die Restaurationspolitik nach der Neuordnung Europas auf dem Wiener Kongreß (1814/15) schloß das Bürgertum von der Mitbestimmung im Staat aus. Die Rückkehr zur absolutistischen Regierungsform stellte die äußere Ruhe und Ordnung wieder her. Der Staat wurde als höchste Autorität anerkannt. Der in der Romantik so wichtige Begriff des „Volkes" war durch Friedrich Hegels (1770–1831) Philosophie vom Begriff des „Staates" abgelöst worden. Der Staat ist bei Hegel die vollkommene Organisation, die durch Vernunft von einem Volk hergestellt werden kann.

Der gleichzeitige große Bildungsdrang des Bürgertums kam z. B. in der Gründung der heute noch führenden Enzyklopädien von Brockhaus und Meyer zum Ausdruck, die ab 1808 bzw. 1840 erschienen.

Betonung des Privaten

Das gesellschaftliche Interesse galt vor allem der Wiederherstellung und Pflege des „stillen Glücks" daheim; Familie und Privatleben wurden großgeschrieben. Kleinbürgerliche Behaglichkeit, Liebe zum Detail, gemütvolle Naturverbundenheit, tiefe Religiosität und Heimatbewußtsein prägten die bürgerliche Kultur und Literatur.

Hinter der Zurückgezogenheit im „holden Bescheiden“ (Eduard Mörike) lauerte die Gefahr dieser Geisteshaltung: der Hang zur Passivität, das Ausweichen vor den Problemen, Weltschmerz und Flucht in die Erinnerung. Der innere Frieden und die Ordnung der idealistischen Weltanschauung entwickelten sich vor dem Hintergrund großen materiellen und wirtschaftlichen Fortschritts, mit dem der „Biedermann“ nicht Schritt halten konnte und vor dem er resignierte. Ab 1835 wurden die ersten deutschen Eisenbahnlinien gebaut. Die Gründung großer Industrieunternehmen fällt in diese Zeit.

Es ist kennzeichnend, daß viele Biedermeierdichter von Krankheit und Verbitterung gequält wurden oder Selbstmord begingen. Die Dichter dieser Zeit, die ohne gemeinsame Programme oder Verbindung untereinander lebten – die Kreise, die sich bildeten, waren mehr geselliger Art –, waren bei allem Humor häufig melancholisch, verzweifelt, krank. Sie erkannten die starken Gegensätze zwischen Ideal und Wirklichkeit, konnten sie aber nur vorübergehend in Einklang bringen und litten darunter.

Erzählen im Biedermeier

Jeremias Gotthelf (1797–1854)

Sehr unterhaltsam erzählte der Schweizer Pfarrer J. Gotthelf, dessen Bedeutung – wie die Stifters – erst spät erkannt wurde. Mit knapp 40 Jahren begann er zu dichten. In ursprünglicher Sprache (Hochsprache und Mundart wurden gemischt) ließ er die Welt des Volkes, seine Sitten und seinen Alltag lebendig werden. Er schrieb für Bauern über die Bauern seines Heimatkantons Bern.

Carl Spitzweg: Der arme Poet (1839)

Die Erziehungsromane *Uli der Knecht* (1841/1846) und *Uli der Pächter* (1849) machten Gotthelfs pädagogische Absichten deutlich. Sie predigen ein naturverbundenes, von Arbeit und Glauben getragenes Familienleben. Die Novelle *Die schwarze Spinne* (1842) aus der Sammlung *Bilder und Sagen aus der Schweiz* weitet die bäuerliche Welt mythisch aus. Die zerstörende Leidenschaft und die dämonische Gewalt des Teufels werden durch Gläubigkeit, Opferbereitschaft und Ehrbarkeit besiegt:

Da ward meine Überzeugung noch fester, daß weder ich noch meine Kinder und Kindeskinder etwas von der Spinne zu fürchten hätten, solange wir uns fürchten vor Gott.

Adalbert Stifter (1805–1868)

A. Stifter stammte aus Österreich. Er war auch als Kunstmaler tätig und gilt neben Gotthelf als der wichtigste epische Dichter des Biedermeier. Ihm waren Christentum und die Klassik Vorbild. Nur die Macht der Bildung könne zur wirklichen Freiheit führen, schrieb er. Stifters Werk hat lehrhafte Tendenzen; seine Heldinnen und Helden gehören der gehobenen Mittelschicht an. Leidenschaften wurden bei ihm gezügelt, Ordnung und Recht dem „sanften Gesetz" der Humanität unterworfen:

Wir wollen das sanfte Gesetz zu erblicken suchen, wodurch das menschliche Geschlecht geleitet wird. (. . .) Es ist das Gesetz der Gerechtigkeit, das Gesetz der Sitte, das Gesetz, das will, daß jeder (. . .) seine höhere, menschliche Laufbahn gehen könne.
(Vorrede zu *Bunte Steine*, 1853)

In *Brigitta* (eine der 1844–1850 entstandenen *Studien*) beobachtet und schildert er schlicht und detailgetreu die ungarische Pußta-Landschaft und das Gefühlsleben ihrer Menschen. Aus der Sicht des erzählenden Ichs der Rahmenhandlung erschließt sich dem Leser in stilisierter Sprache die Geschichte der auch in der Liebe maßlos absoluten Brigitta und des leidenschaftlich freien Stephan Murai. Erst nach langen Jahren der Reifung und der Besinnung finden die beiden Außenseiter am Krankenbett ihres gemeinsamen Sohnes endgültig zueinander.
Außergewöhnliches und Leidenschaften sind in dem umfangreichen Bildungsroman *Der Nachsommer* (1857), den F. Nietzsche zu den besten deutschen Büchern rechnete, völlig ausgeklammert. Merkmale des handlungsarmen Werks sind der stille Gang der Erzählung, die Detailgenauigkeit, die klare Sprache, die überall bemerkbaren Humanitätsideale: „Alles, was im Staat und in der Menschlichkeit gut ist, kommt von der Familie." Auch in diesem Werk sparte Stifter Gesellschaft, Staat und Politik aus und beschrieb eine soziale Utopie. Er verwies auf eine Welt, die besser ist als die Alltagswelt:

Zuweilen kamen Menschen zu uns, aber nicht oft. Manches Mal wurden Kinder zu uns eingeladen, mit denen wir spielen durften (. . .) Den Unterricht erhielten wir in dem Hause von Lehrern, und dieser Unterricht und die sogenannten Arbeitsstunden, in denen von uns Kindern das verrichtet werden mußte, was uns als Geschäft aufgetragen war, bildeten den regelmäßigen Verlauf der Zeit, von welchem nicht abgewichen werden durfte.

Annette von Droste-Hülshoff (1797–1848)

Eindrucksvoll in Sprache und Landschaftszeichnung ist *Die Judenbuche. Ein Sittengemälde aus dem gebirgichten Westfalen* (1842), eine kriminalistische Novelle von A. von Droste-Hülshoff. Sie wird manchmal auch dem poetischen Realismus (s. S. 155) zugeordnet. Die Dichterin gestaltete in symbolhafter Sprache einen realen Fall aus dem Jahr 1789 mit großem psychologischem Einfühlungsvermögen. Weitaus bekannter wurde sie jedoch durch ihre Lyrik, in der sie Farben, Klänge, Gegenstände und Leben in der Natur in ihre typisch herbstrenge und zugleich innige Sprache mit eigenwilligem Rhythmus faßte. Ihre oft schwermütigen Gedichte und Balladen sind sehr persönlich geprägt. Eigene Erfahrungen und Probleme verschmelzen mit Bildern, die fast immer dem organischen Leben entnommen sind und alle Sinne mit einbeziehen:

Der Knabe im Moor

O schaurig ist's übers Moor zu gehn,
Wenn es wimmelt vom Heiderauche,
Sich wie Phantome die Dünste drehn
Und die Ranke häkelt am Strauche,
Unter jedem Tritte ein Quellchen springt,
Wenn aus der Spalte es zischt und singt,
O schaurig ist's übers Moor zu gehn,
Wenn das Röhricht knistert im Hauche!
(Auszug)

Droste-Hülshoffs Gedicht *Am Turme* läßt erkennen, daß ihr durch ihre Herkunft zwar vieles mitgegeben, aber auch vieles durch die Standesvorschriften versagt wurde. Sie durchbricht ihre Zurückhaltung und äußert sich über ihre Schwierigkeiten als Frau des 19. Jhs., die bei aller Großzügigkeit doch in ihrer Bewegungsfreiheit sehr eingeschränkt war:

Wär' ich ein Jäger auf freier Flur,
Ein Stück nur von einem Soldaten,
Wär' ich ein Mann doch mindestens nur,
So würde der Himmel mir raten;
Nun muß ich sitzen so fein und klar,
Gleich einem artigen Kinde,
Und darf nur heimlich lösen mein Haar
Und lassen es flattern im Winde!
(Auszug)

Eduard Mörike (1804–1875)

War Droste-Hülshoff stark in ihrer westfälischen Heimat verwurzelt, so war Mörike fest mit Schwaben verbunden. Auch er zählt zu den großen Lyrikern der Zeit; das romantische Erbe wirkte noch stark auf den Dichter (vgl. S. 135). Seine Balladen verbinden Natur und menschliches Schicksal. Seine musikalischen Gedichte lassen erkennen, wie feinfühlig er die Veränderungen seiner Zeit wahrnahm – und wie ängstlich in sich selbst zurückgezogen er im Schein einer Idylle lebte:

Verborgenheit

Laß, o Welt, o laß mich sein!
Locket nicht mit Liebesgaben,
Laßt dies Herz alleine haben
Seine Wonne, seine Pein!

Was ich traure, weiß ich nicht,
Es ist unbekanntes Wehe;
Immerdar durch Tränen sehe
Ich der Sonne liebes Licht.

Oft bin ich mir kaum bewußt,
Und die helle Freude zücket
Durch die Schwere, so mich drücket
Wonniglich in meiner Brust.

Laß, o Welt, o laß mich sein!
Locket nicht mit Liebesgaben,
Laßt dies Herz alleine haben
Seine Wonne, seine Pein!

Sein tragisch endender Jugendroman *Maler Nolten* (1832) ist von Goethe (Erziehungsroman) und Tieck (romantischer Künstlerroman) beeinflußt und zeigt deutlich autobiographische Spuren. So schlägt sich seine ihn prägende Begegnung mit der Vagantin Maria Meyer im leidenschaftlich-bewegten Peregrina-Zyklus nieder. Der Roman ist mit Gedichten durchzogen, die Natur und menschliches Leben vereinen:

Um Mitternacht

Gelassen stieg die Nacht ans Land,
Lehnt träumend an der Berge Wand,
Ihr Auge sieht die goldne Waage nun
Der Zeit in gleichen Schalen stille ruhn;
  Und kecker rauschen die Quellen hervor,
  Sie singen der Mutter, der Nacht, ins Ohr
    Vom Tage,
  Vom heute gewesenen Tage.
(Auszug)

Seine Neigung zum Märchenhaften zeigte Mörike in der Erzählung *Das Stuttgarter Hutzelmännlein* (1853), deren Stil zwischen Romantik und Realismus schwankt. Als Höhepunkt von Mörikes Prosa gilt seine Novelle *Mozart auf der Reise nach Prag* (1856). Einer Chronik vergleichbar wird ein Tag aus Mozarts Leben intensiv nachempfunden und sprachlich gestaltet. Die enge Verwandtschaft der verschiedenen künstlerischen Ausdrucksformen wird beispielhaft klar: ,,Dichtung hat der Musik allezeit ergebene Tochter zu sein.“ (Mozart)

Die Autoren, die man dem Biedermeier zuordnet, schrieben keine Dramen. Im Theater waren meist französische Übersetzungen und Bearbeitungen sowie Gastspiele französischer Truppen zu sehen. Doch auch in dieser Zeit entstanden Schauspiele, die allerdings heute kaum mehr bekannt sind. Eine Ausnahme waren die Wiener Autoren J. Nestroy, F. Raimund und F. Grillparzer, die jedoch nicht dem eigentlichen Biedermeier zugeordnet werden können. Sie verhalfen der Literatur aus Österreich, wo unter Fürst Metternich streng konservative Auffassungen herrschten, zu großen Erfolgen. Die bis in die Barockzeit zurückreichende Tradition der Volks- und Stegreifstücke wurde im Wiener Volkstheater wieder lebendig. Realistische Elemente wurden mit Sprachwitz, Satire und phantastischen Einlagen kombiniert. An Zauberspiele erinnert Raimunds Stück *Der Alpenkönig und der Menschenfeind* (1828). Gesellschaftskritischer und ironischer ist der Ton von Nestroys Zauberposse *Der böse Geist Lumpazivagabundus oder Das liederliche Kleeblatt*, mit der 1833 das Wiener Volkstheater einen Triumph feierte. Beide Autoren waren als Schauspieler und Theaterdirektoren unmittelbar an der Aufführung ihrer Stücke beteiligt.

Wiener Volkstheater

Franz Grillparzer (1791–1872)

Der wichtigste Dramatiker der Zeit war F. Grillparzer, der an die Werke und Traditionen Deutschlands anknüpfte. Form und Sprache seines Trauerspiels *Ein treuer Diener seines Herrn*, das 1828 uraufgeführt wurde, sind klassischen Vorbildern verpflichtet (er wollte es Goethe widmen). Durch viele Eigenheiten und Widersprüche schuf Grillparzer ein Spannungsverhältnis: Der Statthalter Bancbarnus hält dem ungarischen König Andreas II. die absolute Treue. Obwohl der Schwager des Königs Bancbarnus' junge Frau Erny in den Tod getrieben hat, verhilft Bancbarnus diesem zur Flucht. Den kleinen Thronfolger rettet er vor dem Anschlag der eigenen Leute. Den in das Chaos zurückkehrenden König bewegt Bancbarnus noch zur Vergebung gegenüber den Rebellen, bevor er sich aus der Politik zurückzieht.
Um Pflichttreue und um die Beziehung zwischen Individuum und Gesellschaft geht es auch im etwa 1855 vollendeten und 1872 uraufgeführten historischen Trauerspiel *Die Jüdin von Toledo*. Grillparzer hatte sich bereits seit 1816 mit dem historischen Stoff beschäftigt und war durch das Werk des Spaniers Lope de Vega (1562–1635) zu diesem Drama seines Alterswerks angeregt worden. Der spanisch-christliche König Alfonso VIII. vergißt über seiner Leidenschaft für die schöne Jüdin Rahel seine Staatspflicht. Als der bisher untadelige Herrscher zu sehr in den Bann der sinnlichen, ganz ihren Gefühlen gehorchenden Rahel gerät, kann die äußerliche Ordnung nur durch Rahels gewaltsamen Tod wiederhergestellt werden:

So ist die Ehre und der Ruf der Welt
Kein ebner Weg, auf dem der schlichte Gang
Die Richtung und das Ziel den Wert bestimmt;
Ist's nur des Gauklers ausgespanntes Seil
Auf dem ein Fehltritt von der Höhe stürzt
Und jedes Straucheln preisgibt dem Gelächter?
Muß ich, noch gestern Vorbild aller Zucht,
Mich heute scheun vor jedes Dieners Blicken?

Das menschliche Gefühl unterliegt dem Prinzip der Ordnung; doch moralisch steht am Ende die Jüdin über dem unehrlichen Ethos des Christen – zu einer Zeit, als in Österreich der Antisemitismus allmählich wuchs. Grillparzer mußte seine Dramenhandlungen in andere

Länder und Zeiten verlegen (*Die Jüdin von Toledo* spielt um 1195), um die strenge Zensur zu umgehen. Als sein Lustspiel *Weh dem, der lügt* bei der Uraufführung 1838 einen Skandal heraufbeschwor, zog sich der Dichter erbittert vom Theater zurück. Grillparzers Mißtrauen gegen den Fortschritt und seine persönliche Unsicherheit, seine Selbstkritik und nervöse Reizbarkeit durchziehen sein umfangreiches Schaffen: „Einer meiner Hauptfehler ist es, daß ich nicht den Mut habe, meine Individualität durchzusetzen."
Die Epoche des Biedermeier fand in der Jahrhundertmitte kein plötzliches Ende. Noch nach der gescheiterten deutschen Revolution von 1848, als die Realisten ihre Werke veröffentlichten, entstanden weitere Werke des Biedermeier. Während die unpolitischen Biedermeier-Autoren ab 1830 besonders produktiv wurden, schrieben auch bereits die politisch aktiven Dichter des Jungen Deutschland.

Kurzbiographien Biedermeier

ANNETTE FREIIN VON DROSTE-HÜLSHOFF (1797 auf Schloß Hülshoff bei Münster – 1848 in Meersburg)
Annette von Droste-Hülshoff stammte aus einem katholischen Adelsgeschlecht, verbrachte den Großteil ihres Lebens in Westfalen und lebte später auf Schloß Meersburg am Bodensee. Schon früh begann sie zu dichten; doch der größte Teil ihres Werkes entstand erst seit ihrer Freundschaft mit Levin Schücking (1837), der später eine andere Frau heiratete und sie schwermütig zurückließ.

Die Judenbuche. Ein Sittengemälde aus dem gebirgichten Westfalen (Novelle, 1842 im *Morgenblatt für gebildete Leser*)
Gedichte (1838; 1844)

JEREMIAS GOTTHELF, eigentlich ALBERT BITZIUS (1797 in Murten – 1854 in Lützelflüh im Kanton Bern)
Der Schweizer Pfarrerssohn wurde 1832 Pfarrer von Lützelflüh, wo er bis zu seinem Tode seine Aufgaben sehr volksfreundlich wahrnahm. Aus der genauen Kenntnis der Bauernwelt kommt sein literarisches Werk, das er als vertiefte Seelsorge verstanden wissen wollte.

Der Bauernspiegel oder Lebensgeschichte des Jeremias Gotthelf. Von ihm selbst beschrieben (Roman, 1837)
Uli der Knecht (Volksbuch, 1846)
Uli der Pächter (Volksbuch, 1849)
Bilder und Sagen aus der Schweiz (Novellensammlung, 1842–46; darin u. a. *Die schwarze Spinne*)

FRANZ GRILLPARZER (1791 – 1872 in Wien)
Grillparzer stammte aus einer schwermütigen Rechtsanwaltsfamilie. Er war als Hofrat, Bibliothekar und Finanzbeamter in Wien tätig. Grillparzer gilt als der bedeutendste österreichische Dramatiker in der Nachfolge der Weimarer Klassik, war aber auch stark von der spanischen Klassik beeinflußt. 1826 begegnete

er Goethe auf einer seiner zahlreichen Reisen. 1818–23 war er Direktor des Burgtheaters in Wien. Nach anfänglich großen Theatererfolgen hatte er zunehmend mit der Zensur und den Intrigen der Hofgesellschaft zu kämpfen. Verbittert zog er sich seit den 40er Jahren von der Öffentlichkeit zurück und beschloß, keine seiner weiteren Werke mehr drucken zu lassen. Er lebte isoliert bei seiner lebenslangen Braut Kathi Fröhlich.

König Ottokar's Glück und Ende (Trauerspiel, 1825)
Ein treuer Diener seines Herrn (Trauerspiel, 1830)
Weh dem, der lügt (Lustspiel, 1840)
Der arme Spielmann (Prosaerzählung, 1847 in *Iris. Deutscher Almanach für 1848*)
Die Jüdin von Toledo (Trauerspiel, 1872)
Ein Bruderzwist in Habsburg (Trauerspiel, 1872)

EDUARD MÖRIKE (1804 in Ludwigsburg – 1875 in Stuttgart)
Das Leben des Arztsohnes verlief in scheinbarer Idylle. Doch bereits zur Zeit seines Theologiestudiums im Tübinger Stift (1822–26) litt er unter seinen inneren Spannungen. Seine unglücklichen Beziehungen zu Frauen – 1823 seine Liebe zu Maria Meyer („Peregrina") – konnten durch zahlreiche Freundschaften nicht aufgefangen werden. Nach vielen Umwegen und Ausweichversuchen wurde er 1834–43 Pfarrer in Cleversulzbach. Er wurde frühzeitig pensioniert, verließ aber auch weiterhin nie seine Heimat.

Gedichte (1838; 1848 – vielfach vertont)
Maler Nolten (Roman, 1832)
Das Stuttgarter Hutzelmännlein (Märchen, 1853)
Mozart auf der Reise nach Prag (Novelle, 1856)

ADALBERT STIFTER (1805 in Oberplan/Böhmen – 1868 in Linz)
Der streng katholisch erzogene Sohn eines Leinewebers war vielseitig begabt und betrachtete sich weniger als Schriftsteller denn als Künstler. Nach seinem Studium verdiente er seinen Lebensunterhalt als Erzieher und Maler; mit klassisch geprägten literarischen Werken trat er an die Öffentlichkeit. Seit 1850 Schulrat in Linz, wurde er aus Gesundheitsgründen frühzeitig pensioniert. Von schlimmen Krankheiten gequält, setzte er 1868 seinem Leben ein Ende.

Studien (Novellensammlung 1844–50; darin u. a. *Der Condor, Das Haidedorf, Abdias, Brigitta)*
Bunte Steine. Ein Festgeschenk (Novellensammlung, 1853; darin u. a. *Bergkristall*)
Der Nachsommer (Roman, 1857)

Junges Deutschland (1830–1850)

12

Kämpferische Kritik an den sozialen und politischen Zuständen in Deutschland und der Wunsch nach Reformen verband die Autoren, die man dem Jungen Deutschland zurechnet.
Die Bezeichnung „Junges Deutschland" stammt von Ludolf Wienbarg, der seiner Schrift *Ästhetische Feldzüge* (1834) den Satz voranstellte: „Dir, junges Deutschland widme ich diese Reden, nicht dem alten."
Diese Epoche wird mit Bezug auf die gescheiterte deutsche Märzrevolution von 1848 auch „literarischer Vormärz" genannt.

Gesellschaftliche Situation

Nach den politischen Ereignissen in Deutschland, von denen sich viele Menschen mehr Demokratie und mehr Liberalität erhofft hatten, war das Zeitalter der Restauration und der Wiederherstellung alter Machtverhältnisse besonders für die jungen Menschen eine Enttäuschung. Die französische Julirevolution von 1830 ermöglichte in Westeuropa dem bürgerlichen Stand mehr Einfluß und politisches Mitspracherecht. Das politische Interesse des Volkes wuchs auch in Deutschland, und immer wieder kam es zu Unruhen; so auch 1832 bei dem „Hambacher Fest", einem Treffen der demokratisch-national eingestellten Gruppen in Süddeutschland. Nach diesem Fest hob der Bundestag die Presse- und Versammlungsfreiheit auf. Der Kampf gegen die Zensur, der Kampf mit Hilfe des geschriebenen Wortes und der teils bewundernde, teils kritische Blick auf das Nachbarland Frankreich unterschied die Autoren des Jungen Deutschland sehr deutlich von ihren Zeitgenossen, die dem Biedermeier (s. S. 139) oder dem Realismus (s. S. 155) angehörten.

Veränderte Rolle der Literatur

Die Literatur wurde von diesen Autoren, die meist Publizisten waren, in den Dienst der Zeitereignisse gestellt. Die politischen Zeitungen gewannen an Bedeutung. Das gilt zum Beispiel für die *Allgemeine Zeitung*, eine politische Tageszeitung, die 1798 von dem Verleger Cotta in Tübingen gegründet worden war.
Zur Literatur des Jungen Deutschland gehören journalistische Feuilletons, Aufrufe und Flugschriften, Reiseberichte und Briefe.

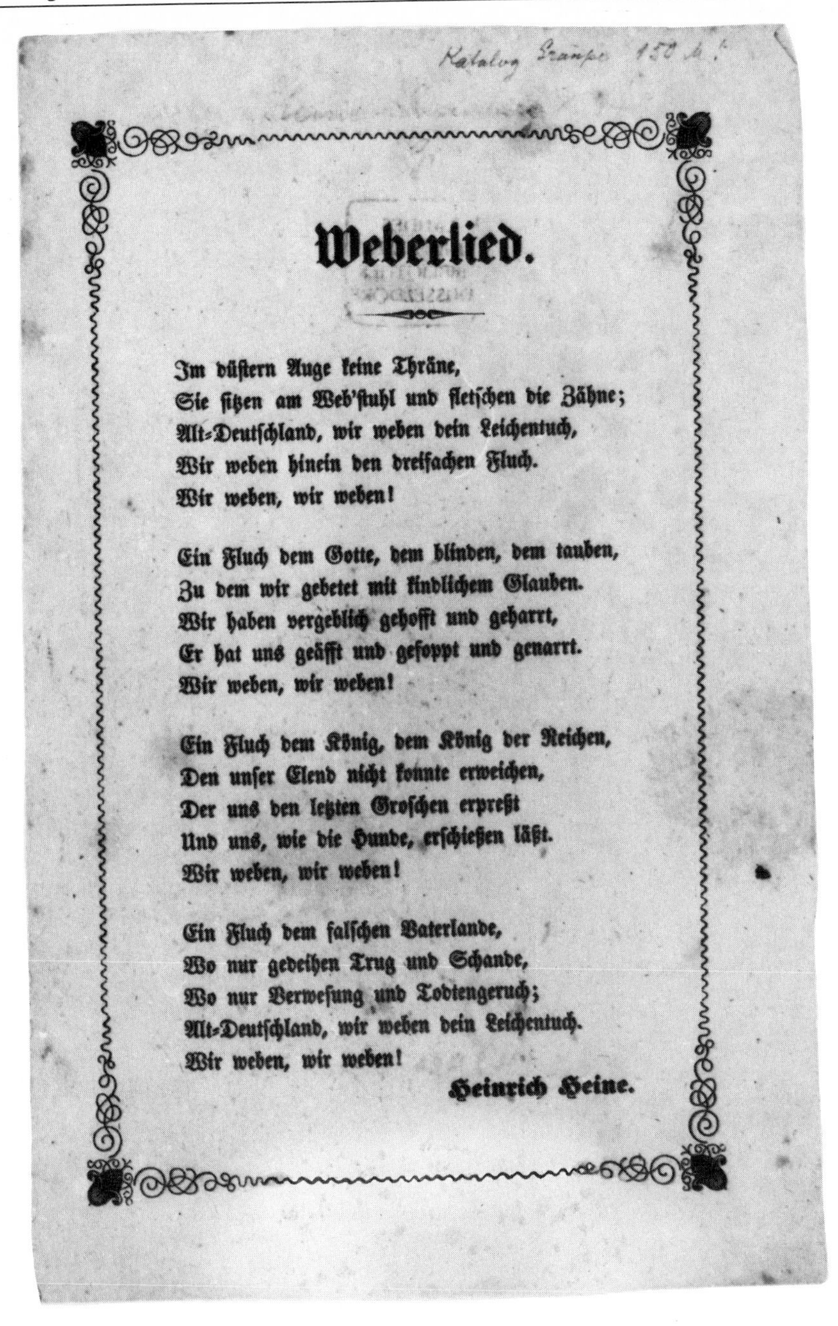

Weberlied.

Im düstern Auge keine Thräne,
Sie sitzen am Web'stuhl und fletschen die Zähne;
Alt-Deutschland, wir weben dein Leichentuch,
Wir weben hinein den dreifachen Fluch.
Wir weben, wir weben!

Ein Fluch dem Gotte, dem blinden, dem tauben,
Zu dem wir gebetet mit kindlichem Glauben.
Wir haben vergeblich gehofft und geharrt,
Er hat uns geäfft und gefoppt und genarrt.
Wir weben, wir weben!

Ein Fluch dem König, dem König der Reichen,
Den unser Elend nicht konnte erweichen,
Der uns den letzten Groschen erpreßt
Und uns, wie die Hunde, erschießen läßt.
Wir weben, wir weben!

Ein Fluch dem falschen Vaterlande,
Wo nur gedeihen Trug und Schande,
Wo nur Verwesung und Todtengeruch;
Alt-Deutschland, wir weben dein Leichentuch.
Wir weben, wir weben!

Heinrich Heine.

Heines Weberlied als Flugblatt (1844)

Das Merkmal aller dieser literarischen Formen ist ihre Kürze. Sie wandten sich direkt an das Publikum, hatten also in dieser Zeit einen stark funktionalen Charakter. Im Gegensatz zum Biedermeier glaubte man, daß der Mensch zum Guten erzogen werden könnte.

Zu den bekanntesten Autoren dieser Zeit gehört Heinrich Heine,

Heinrich Heine (1797–1856)

dessen oft satirisch und spöttisch gefärbte Lyrik noch im 20. Jh. große Wirkung hat. Schon 1826 erschien die *Harzreise*, in der auch zahlreiche Gedichte enthalten sind. Sie setzt formal die besonders in England und Frankreich gepflegte Tradition des Reiseromans fort, unterbricht jedoch die Landschafts- und Naturbeschreibungen oft mit bissigen und höhnischen Kommentaren über die Zeit, die Zeitgenossen und ihre Gesinnungen; verschont bleiben nur die einfachen Leute. Heine unternahm seine Harzreise, nachdem er von der Universität Göttingen exmatrikuliert worden war. Man merkt ihm die Erleichterung über die Befreiung von den Zwängen deutlich an.

Besonderen Erfolg hatte Heine mit dem *Buch der Lieder* (1827), das noch zu seinen Lebzeiten mehrere Auflagen erreichte. Dieses Buch enthält romantische Lieder, die von unglücklicher oder enttäuschter Liebe handeln, Gefühl und Sentimentalität kann man hier nicht immer eindeutig trennen. Die meisterhaft leichte und sehr rhythmische Sprache trug dazu bei, daß sehr viele dieser Lieder vertont wurden. In ihnen ist die endgültige Abkehr von der Romantik noch nicht vollzogen. Deutlich vernehmbar sind aber schon Heines Klagen über Deutschland, das zu starr und unbeweglich für Neuerungen sei. Heine verband das Klagen häufig mit (Selbst-)Mitleid und mit Ironie, die den Leser verunsichern soll:

Und als ich euch meine Schmerzen geklagt,
Da habt ihr gegähnt und nichts gesagt;
Doch als ich sie zierlich in Verse gebracht,
Da habt ihr mir große Elogen gemacht.

1831 ging Heine nach Paris. Besonders für jüdische Emigranten, die der antisemitischen Stimmung in ihren Heimatländern entgehen wollten, wurde Paris zu einem Treffpunkt:

Paris ist das neue Jerusalem, und der Rhein ist der Jordan, der das geweihte Land der Freiheit trennt von dem Lande der Philister.

Das „Land der Philister" beschrieb Heine mit Haßliebe in seiner Verssatire *Deutschland. Ein Wintermärchen* (1844). Die 27 Kapitel berichten über eine Reise von Aachen nach Hamburg und decken schonungslos alle Mißstände in Deutschland auf. In Paris traf Heine Karl Marx (1818-1883), mit dem ihn eine lange Freundschaft verband.

Ludwig Börne (1786–1837)

Zu den jüdischen Emigranten gehörte auch Ludwig Börne. Er kämpfte besonders zornig gegen die Zensur. 1830–1834 entstanden seine *Briefe aus Paris* (1832–1834). Er schrieb:

Wenn ich an die Zensur denke, möchte ich mit dem Kopfe an die Wand rennen. Es ist zum Verzweifeln. Die Preßfreiheit ist noch nicht der Sieg, noch nicht einmal der Kampf, sie ist erst die Bewaffnung; wie kann man aber siegen ohne Kampf, wie kämpfen ohne Waffen?

Georg Büchner (1813–1837)

Zur gleichen Zeit wie Börnes Briefe entstand *Der Hessische Landbote*, eine sozialrevolutionäre Flugschrift G. Büchners, die als Erscheinungsort und -datum „Darmstadt, Juli 1834" angibt. Diese Schrift wurde von Büchners Freund F. L. Weidig mitverfaßt.
Mit dem Motto „Friede den Hütten! Krieg den Palästen!" wird die Schrift eingeleitet und genauso kämpferisch fährt sie fort. Der *Hessische Landbote* verarbeitet Ideen des französischen Reformers C. H. Saint-Simon und formuliert Thesen über die Klasse der Arbeiter, wie sie später auch bei Marx und Engels zu finden sind. Büchner ging davon aus, daß politische und dem Volk nützliche Veränderungen nur vom Volk selbst bewirkt werden können. Seine Schrift ist daher ganz eindeutig auf das Volk, speziell auf die Unterdrückten in Hessen, zugeschnitten und spricht sie direkt an:

> Geht einmal nach Darmstadt und seht, wie die Herren sich für euer Geld dort lustig machen, und erzählt dann euern hungernden Weibern und Kindern, daß ihr Brot an fremden Bäuchen herrlich angeschlagen sei, (. . .) Deutschland, unser liebes Vaterland, haben diese Fürsten zerrissen.

Die Schrift löste einen Hochverratsprozeß gegen Büchner und den Theologen Weidig aus. Büchner konnte sich nach Straßburg retten, Weidig nahm sich in der Haft das Leben.

Zeitroman

Karl Gutzkow (1811–1878)

Typisch für die Zeit vor der Revolution 1848 waren die sogenannten Zeitromane, die aber auch noch in der Epoche des Realismus entstanden (Fontane, s. S. 159). Ein solcher Roman ist K. Gutzkows *Wally, die Zweiflerin* (1835). Der Roman enthält viele zeitgenössische Bezüge und gibt die Erwartungen, Hoffnungen und Enttäuschungen einer zerrissenen Zeit wieder. Wally zweifelt und verzweifelt an der Religion. Es gelingt ihr nicht, sich als „moderne Frau" zu emanzipieren. Der Roman besteht aus Briefen, erzählenden Berichten und Tagebuchaufzeichnungen. Der sprachliche Stil wurde völlig dem Wunsch nach Aktualität untergeordnet, Objektivität lag dem Roman fern. Die Zeitromane kann man aus diesem Grunde oft auch „Tendenzromane" nennen.
Dieser Roman Gutzkows hatte ungewöhnliche Folgen: Ein Bundestagsbeschluß vom 10. 12. 1835 löste eine einmonatige Gefängnisstrafe für Gutzkow aus (vgl. Abb. S. 151).

Drama
Georg Büchner

Zur Literatur des Jungen Deutschland gehören auch Dramen. Georg Büchner schrieb 1835 innerhalb von nur fünf Wochen *Dantons Tod. Dramatische Bilder aus Frankreichs Schreckensherrschaft.* Den Hintergrund dafür bildete die Französische Revolution, als sich Danton und Robespierre gegenüberstanden. Der große Revolutionär Danton, der dem Blutvergießen und der Unmenschlichkeit ein Ende machen will, rafft seine Kräfte noch einmal zusammen und hält eine glanzvolle, zynische Rede, als er selbst zum Tode verurteilt wird. Büchner schrieb dieses Drama nach sorgfältigem Quellenstudium und übernahm ganze Passagen aus den Reden der Revolutionäre. Die Einheit der Handlung, eine klassische Forderung für das Drama, ist hier nicht mehr

Bundestagsbeschluß
vom 10. 12. 1835

Regierungs- und Intelligenz-Blatt.

№ 1. Sondershausen, den 3. Januar. 1836.

B e s c h l u ß.

Nachdem sich in Deutschland in neuerer Zeit, und zuletzt unter der Benennung „das junge Deutschland" oder „die junge Literatur", eine literarische Schule gebildet hat, deren Bemühungen unverholen dahin gehen, in belletristischen, für alle Classen von Lesern zugänglichen Schriften die christliche Religion auf die frechste Weise anzugreifen, die bestehenden socialen Verhältnisse herabzuwürdigen und alle Zucht und Sittlichkeit zu zerstören: so hat die deutsche Bundesversammlung — in Erwägung, daß es dringend nothwendig sei, diesen verderblichen, die Grundpfeiler aller gesetzlichen Ordnung untergrabenden Bestrebungen durch Zusammenwirken aller Bundesregierungen sofort Einhalt zu thun, und unbeschadet weiterer vom Bunde oder von den einzelnen Regierungen zur Erreichung des Zweckes nach Umständen zu ergreifenden Maßregeln — sich zu nachstehenden Bestimmungen vereinigt:

1) Sämmtliche deutsche Regierungen übernehmen die Verpflichtung, gegen die Verfasser, Verleger, Drucker und Verbreiter der Schriften aus der unter der Bezeichnung „das junge Deutschland" oder „die junge Literatur" bekannten literarischen Schule, zu welcher namentlich Heinr. Heine, Carl Gutzkow, Heinr. Laube, Ludolph Wienbarg und Theodor Mundt gehören, die Straf- und Polizei-Gesetze ihres Landes, so wie die gegen den Mißbrauch der Presse bestehenden Vorschriften, nach ihrer vollen Strenge in Anwendung zu bringen, auch die Verbreitung dieser Schriften, sei es durch den Buchhandel, durch Leihbibliotheken oder auf sonstige Weise, mit allen ihnen gesetzlich zu Gebote stehenden Mitteln zu verhindern.
2) Die Buchhändler werden hinsichtlich des Verlags und Vertriebs der oben erwähnten Schriften durch die Regierungen in angemessener Weise verwarnt und es wird ihnen gegenwärtig gehalten werden, wie sehr es in ihrem wohlverstandenen [illegible] die Maßregeln der Regierungen [illegible] die [illegible]

vorhanden. Die Sprache wechselt zwischen derber Umgangssprache und Hochsprache. Nicht immer ergeben die einzelnen Sätze einen Sinn: So reiht z. B. Danton, am Sinn des Lebens zweifelnd, einfach konjugierte Verben aneinander.
Einige von Büchners Werken wurden erst nach seinem frühen Tod veröffentlicht. So war es auch mit der novellenartigen Erzählung *Lenz* (1839), einer psychologisch einfühlsamen Studie über den Sturm und Drang-Dichter J. M. R. Lenz (s. S. 93). Sie stützt sich auf Briefe von Lenz und auf ein Tagebuch des Pfarrers Oberlin, bei dem der gemüts-

kranke Dichter eine Weile lebte. Der Medizinstudent Büchner stellte anhand dieses Bruchstücks aus einem Lebenslauf dar, wie der völlig vereinsamte und zerrissene Mensch in einer Welt, in der alles im Umbruch ist und in der man kaum noch einen Halt finden kann, in die Schizophrenie getrieben wird.

Noch deutlicher – bis hin zu nihilistischen Zügen – wurde Büchners Botschaft in seinem Drama *Woyzeck* (erschienen 1879), das er als Fragment hinterlassen hat. Erst 1913 wurde es uraufgeführt. Es erinnert durch die vielen rasch wechselnden Szenen an die Epoche des Sturm und Drang (s. S. 89), ist aber nicht mehr in Akte eingeteilt. Mit der Hauptfigur Woyzeck, der zu den ,,Geringsten unter den Menschen" gehört, und mit der Bearbeitung eines antiidealistischen Themas eröffnete Büchner einen neuen Dramentyp, der in der Epoche des Naturalismus wieder aufgegriffen wurde und mit dem sich im 20. Jh. einige Dichter auseinandersetzten. Auch für dieses Drama hat Büchner Dokumente benutzt, nämlich gerichtsmedizinische Gutachten zu einem ,,Mordfall Woyzeck".

Woyzeck ist ein armer Soldat und liebt Marie, die ihn mit einem Tambourmajor betrügt. Er ermordet Marie mit einem Messer und wirft es in einen Teich. Ein Doktor und ein Hauptmann finden medizinisches Interesse an dem ,,Objekt" Woyzeck. In der Unterhaltung mit dem Hauptmann wird Woyzecks vollkommene Hilflosigkeit gegenüber einer falschen Moral und gegenüber sehr fragwürdigen Ehrbegriffen überdeutlich:

> HAUPTMANN: O Er ist dumm, ganz abscheulich dumm. *(gerührt)* Woyzeck, Er ist ein guter Mensch, ein guter Mensch – aber *(mit Würde)* Woyzeck, Er hat keine Moral! Moral das ist wenn man moralisch ist, versteht Er.

Dietrich Grabbe (1801–1836)

Grabbes Dramen zeigen ebenfalls das Leiden des Dichters an der Zeit und den trotzigen Versuch, sich von den großen Vorbildern, z. B. Shakespeare, zu lösen. Grabbes dreiaktiges Lustspiel *Scherz, Satire, Ironie und tiefere Bedeutung* (1827) berichtet von dem Besuch des Teufels auf der Welt. Er stiftet dabei allerlei Verwirrung und stellt schließlich zynisch fest:

> [Die Welt ist nichts] als ein mittelmäßiges Lustspiel, welches ein (. . .) Engel, der (. . .) wenn ich nicht irre, noch in Prima sitzt, während seiner Schulferien zusammengeschmiert hat.

Das Stück lebt von phantasievollem Witz und permanenten Angriffen auf die klassische Literatur, deren Nachahmer Grabbe verachtete (z. B. K. L. Immermann, s. S. 139).

Die Ereignisse in Frankreich um die Jahrhundertwende und vor allem die Person Napoleons beschäftigten Grabbe so sehr, daß er, neben Dramen mit historischen Stoffen, auch eines über Napoleon schrieb: *Napoleon oder Die hundert Tage* (1831). Darin zeigt er Napoleon zwar als einen Helden der Revolution, stellt ihn jedoch auch im Widerspruch zur Revolution dar und mindert dadurch Napoleons Heldentum.

Die Deutschen blickten nicht nur voller Interesse nach Frankreich. Sie waren in dieser Zeit auch besonders empfindlich, wenn sie das Nationalgefühl ihres oder eines anderen Volkes bedroht sahen. So kam es nach 1830 bei einigen Autoren zu einer Begeisterung für Polen, das sich gerade gegen eine weitere Teilung wehren mußte. Es entstanden eine Reihe von sogenannten Polenliedern, in denen deutsche Autoren den Widerstand der Polen patriotisch feierten. August Graf von Platen (1796–1835) gab eine große Anthologie *Polenlieder* (1839) heraus.

Deutsches Nationalgefühl

Lyrik

Die französischen Expansionswünsche bis zum Rhein (1840) lösten in Deutschland heftige Proteste aus, die in zahlreichen Liedern ihren Ausdruck fanden. Hoffmann von Fallersleben (1798–1874) schrieb 1841 auf der Insel Helgoland *Das Lied der Deutschen*, dessen dritte Strophe heute der Text der Nationalhymne der Bundesrepublik Deutschland ist. Fallersleben schrieb außerdem bekannte Kinderlieder wie z. B. *Alle Vögel sind schon da* und *Ein Männlein steht im Walde*.

Die Lyrik dieser Zeit hatte öffentlichen Charakter, sie entwickelte sich von der stillen Anschauung hin zum Kämpferischen. Diese Entwicklung brach 1848 nach der fehlgeschlagenen Revolution in Deutschland ab und wurde erst in der Epoche des Naturalismus wieder aufgenommen.

Kurzbiographien Junges Deutschland

LUDWIG BÖRNE (1786 in Frankfurt/Main – 1837 in Paris)

Börne stammte aus einer jüdischen Bankiersfamilie, er studierte Medizin und Jura. 1813 wurde er aus seinem Dienst entlassen, weil er Jude war. 1818 trat Börne zum protestantischen Glauben über. 1822–30 war er als Journalist in Paris tätig; nach ständigen Auseinandersetzungen mit der Zensur blieb er 1830 endgültig dort. Börne galt als Mittelpunkt des radikal-demokratischen Kreises deutscher Emigranten in Paris.

Briefe aus Paris (1832–34, darin 115 Briefe an Jeanette Wohl)
Studien über Geschichte und Menschen der französischen Revolution (1833/34)

GEORG BÜCHNER (1813 in Goddelau bei Darmstadt – 1837 in Zürich)

Büchner studierte Medizin und Naturwissenschaften in Straßburg und Gießen. Mit seinem Freund Weidig gründete er 1834 in Gießen eine – illegale – Gesellschaft der Menschenrechte. Wegen seiner Schrift *Der Hessische Landbote* mußte er 1835 nach Straßburg fliehen. In Zürich wurde er Dozent für Anatomie. Seine Werke sind zum großen Teil erst nach seinem Tod erschienen.

Der Hessische Landbote (sozialrevolutionäre Flugschrift, 1834)
Dantons Tod. (1835, Uraufführung 1902)
Leonce und Lena (Lustspiel, geschrieben 1836, erschienen 1838, Uraufführung 1885)

Lenz (Erzählung, geschrieben 1836, erschienen 1839)
Woyzeck (Drama, geschrieben 1836, erschienen 1879)

CHRISTIAN DIETRICH GRABBE (1801 – 1836 in Detmold)
Grabbe wuchs in ärmlichen Verhältnissen auf, sein Vater war Zuchthausverwalter. Grabbe studierte Jura und wurde Kriegsgerichtsrat in Detmold. Unzufrieden mit sich, seinem Beruf und der Enge seiner Heimatstadt gab er 1834 seinen Beruf auf. Seine Ehe scheiterte. Immermann gab ihm eine Chance als Dramaturg in Düsseldorf, doch Grabbe kehrte 1836 krank und verbittert nach Detmold zurück.

Scherz, Satire, Ironie und tiefere Bedeutung (Lustspiel, 1827)
Don Juan und Faust (Drama, 1829)
Napoleon oder Die hundert Tage (Drama, 1831, Uraufführung 1868)
Die Hermannsschlacht (Geschichtsdrama in Prosa, 1838)

KARL GUTZKOW (1811 in Berlin – 1878 in Frankfurt/Main)
Gutzkow studierte Theologie und Philosophie. Sein erster Roman *Wally, die Zweiflerin* brachte ihm eine Gefängnisstrafe ein. Gutzkow gab 1837–43 die Zeitschrift *Telegraph für Deutschland* heraus und war 1846–49 Dramaturg am Hoftheater in Dresden. Seine zahlreichen Dramen und Zeitromane sind heute kaum noch bekannt. Gutzkows Werk ist geprägt vom Kampf gegen die Restauration. 1855 war er Mitbegründer der Schiller-Stiftung in Weimar.

Wally, die Zweiflerin (Roman, 1835)
Börne's Leben (1840)
Die Ritter vom Geiste (Roman in 9 Bänden, 1850/51)

HEINRICH HEINE (1797 in Düsseldorf – 1856 in Paris)
Heine stammte aus einer jüdischen Kaufmannsfamilie. Nach einer kaufmännischen Lehre in Frankfurt studierte er Jura in Bonn, Göttingen und Berlin, wo er zum Kreis um Rahel Varnhagen (1771–1833) gehörte. 1825 trat Heine zum protestantischen Glauben über. 1831 verließ er Deutschland auf Grund der politischen Verhältnisse und ging nach Paris, wo er zunächst als Korrespondent der *Augsburger Allgemeinen Zeitung* arbeitete. Er verkehrte mit Viktor Hugo, Honoré de Balzac und war mit Karl Marx befreundet. 1835 wurden seine Schriften in Deutschland verboten. Er arbeitete mit an den *Deutsch-Französischen Jahrbüchern.* Viele seiner Lieder wurden von Franz Schubert, Robert Schumann und Johannes Brahms vertont.

Reisebilder (1826–31, darin *Harzreise*)
Buch der Lieder (1827)
Die romantische Schule (literaturgeschichtliche Schrift, 1836)
Der Rabbi von Bacharach (Romanfragment, 1840)
Deutschland. Ein Wintermärchen (Versepos, 1844)
Romanzero (Gedichtzyklus, 1851)

HEINRICH AUGUST HOFFMANN VON FALLERSLEBEN (1798 in Fallersleben/Lüneburg – 1874 in Corvey)
Fallersleben wurde 1830 Professor in Breslau, wurde aber 1842 auf Grund seiner *Unpolitischen Lieder* (1840/41) aus dem Dienst entlassen. Seit 1860 war er Bibliothekar auf Schloß Corvey. Er veröffentlichte patriotische Lieder und Kinderlieder.

Poetischer Realismus (1850–1890)

13

Die Epoche des Realismus umfaßt die Jahre zwischen der gescheiterten Revolution von 1848 und dem ersten Teil der Bismarck-Ära, also ungefähr die Zeit von 1850-1890. Dabei liefen sowohl am Anfang als auch am Ende die verschiedenen literarischen Epochen parallel. Auch Mörike, Stifter und Gutzkow veröffentlichten noch nach 1850, und ab 1880 traten bereits Dichter des Naturalismus an die Öffentlichkeit – bevor Fontane seine realistischen Romane schrieb.

Veränderung gesellschaftlicher Strukturen

Das 19. Jahrhundert stand im Zeichen der beginnenden Industrialisierung und der großen Fortschritte von Naturwissenschaft und Technik. Die Betonung des Materiellen, des wachsenden Kapitalismus (1867 erschien Marx' *Kapital*) und die zunehmende Anziehungskraft der Städte (auf dem Land gab es nicht genug Arbeitsplätze) verhalfen dem Bürgertum zu seiner Vormachtstellung im geistigen und wirtschaftlichen Bereich. Politisch und auch gesellschaftlich stand das Großbürgertum im Vordergrund. Auf die daraus entstehenden Schwierigkeiten reagierte die Bewegung des Biedermeier mit dem Rückzug aus dem öffentlichen Leben und der Wiederherstellung der privaten, inneren Ordnung. Die Vertreter des Jungen Deutschland strebten radikale Veränderungen an, während in der 2. Hälfte des 19. Jhs. die Realisten eher mit Anpassung versuchten, die Unterdrückung der politischen Emanzipation zu bewältigen. Das galt auch für die Literatur, die sehr stark vom bürgerlichen Selbstbewußtsein getragen wurde (daher auch „bürgerlicher Realismus“). Die von Gustav Freytag (1816–1895) und Julian Schmidt (1818–1886) herausgegebene Zeitschrift *Die Grenzboten* (erschienen 1848–1870) verbreitete die Theorien und Programme des neuen literarischen Realismus. Er zeigte trotz vieler individueller Unterschiede einheitliche Tendenzen in dem Willen, die Wirklichkeit „realistisch“ widerzuspiegeln:

Widerspiegelung der Wirklichkeit

Wohl ist das Motto des Realismus der Goethesche Zuruf:
  Greif nur hinein ins volle Menschenleben,
  wo du es packst, da ist's interessant
aber freilich, die Hand, die diesen Griff tut, muß eine künstlerische sein (...)

[Realismus] ist die Widerspiegelung alles wirklichen Lebens, aller wahren Kräfte und Interessen im Elemente der Kunst. (Fontane)

Otto Ludwig prägte in den 50er Jahren den Begriff des „poetischen Realismus", der mit „schaffender Phantasie" eine Welt vermitteln wollte, „in der der Zusammenhang sichtbarer ist als in der wirklichen. (...) Das Dargestellte soll nicht gemeine Wirklichkeit sein", sondern den „inneren Kern des Stoffes" erfassen.
In den Wissenschaften setzte sich der Positivismus durch, der nach Tatsachen und strenger Kausalität fragt und vor allem ein genaues Quellenstudium fordert. Der Einfluß der Schriften Arthur Schopenhauers (1788–1860) und Ludwig Feuerbachs (1804–1872) ist im Realismus deutlich zu erkennen. Schopenhauers Philosophie der Weltverneinung störte den Optimismus des materialistischen Fortschrittsglaubens (Raabe, Busch). Die Religionskritik Feuerbachs lenkte den Blick auf den Menschen und entzog ihm das Gefühl göttlicher Geborgenheit (Keller, Hebbel). Die Fragen nach dem Sinn der Welt, nach dem Sinn des menschlichen Lebens und den Möglichkeiten des Individuums in dieser Welt wurden drängender.

Friedrich Nietzsche (1844–1900)

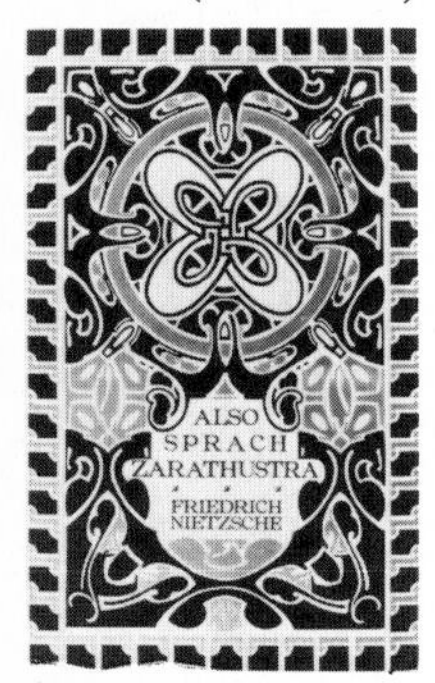

Friedrich Nietzsche deckte in den *Unzeitgemäßen Betrachtungen* (1873–1876) die geistige Krise und den Kulturzerfall auf. Seine pessimistische Kulturkritik kommt auch in *Also sprach Zarathustra. Ein Buch für Alle und Keinen* (1883–1885) in der Forderung der Umwertung aller Werte zum Ausdruck. Nur der „Übermensch" – ein „noch zu schaffendes höheres Wesen als wir selber sind" – könne die Welt verändern und die Fortentwicklung der Menschheit ermöglichen. In *Die Geburt der Tragödie aus dem Geiste der Musik* (1872) stellt er dar, „daß die Fortentwicklung der Kunst an die Duplizität des Apollinischen und des Dionysischen gebunden ist." Die rauschhafte Wirklichkeit der dämonischen, dionysischen Regungen, „in deren Steigerung das Subjektive zu völliger Selbstvergessenheit hinschwindet", weist Nietzsche als elementare Existenzvoraussetzung nach, in der „der Mensch zur höchsten Steigerung aller seiner symbolischen Fähigkeiten gereizt" wird. In der Spannung mit dem Apollinischen – „diese[r] auf den Schein und die Mäßigung gebaute[n] und künstlich gedämmte[n] Welt" – wird die vernichtende Kraft des Dionysischen in schöpferische Bahnen gelenkt.
Im Mittelpunkt der Literatur stand die bürgerliche Welt; das Exemplarische der Alltagswelt der „kleinen Leute" (Bauern, Arbeiter, Handwerker) sollte auf das Allgemeine hinweisen. Nur in der Beschreibung eines kleinen Ausschnitts konnte man die Wirklichkeit detailgetreu schildern. Viele Dichter des Realismus nahmen die Landschaft ihrer Heimat als Hintergrund ihrer Werke oder rückten die Landschaften selbst in den Vordergrund, z. B. Th. Storm: Norddeutschland und die Nordsee, Th. Fontane: Berlin und die Mark Brandenburg, über die er in seinen *Wanderungen durch die Mark Brandenburg* (1862–1882) ausführlich schrieb. G. Kellers Novellenzyklus *Die Leute von Seldwyla*

Landschaft in der Literatur

(I 1856, II 1873/74) zeigt in solch einem Ausschnitt das fiktive Dorf Seldwyla in der Schweiz und seine Bewohner stellvertretend für die kleinbürgerliche Gesellschaft. Humor und übertreibende Ironie in der Erzählweise verhindern, daß die Detailschilderung zur reinen Tatsachenschilderung wird.

Bevorzugung des Historischen

Eine andere Erzählmöglichkeit war es, die Handlung in eine historische Zeit zu verlegen, deren Zeitgefühl dem eigenen weitgehend entsprach. Diese Verlegung der Handlung in die Vergangenheit kann man in der deutschen Literatur immer wieder beobachten, wenn die freie Meinungsäußerung schwierig ist (z. B. Lessing, *Nathan der Weise,* s. S. 83; Grillparzers Dramen, s. S. 144; oder Literatur in der Zeit des beginnenden Nationalsozialismus, s. S. 221) oder wenn das dichterische Selbstverständnis in der Öffentlichkeit nicht geschätzt wird und die Autoren sich zurückziehen (z. B. C. F. Meyer). Im Schutz der zeitlichen Distanz konnte man leichter Kritik an der Gegenwart üben. Die Verbindung von Vergangenheit und Gegenwart wurde in den Novellen oft wiederhergestellt durch eine in der Gegenwart spielende Rahmenhandlung, die die (Binnen-)Erzählung umschließt (*Die Hochzeit des Mönchs, Der Schimmelreiter*). Die bereits im Biedermeier beliebte Haltung des Erzählers als Chronist (*Die Judenbuche,* s. S. 142; *Mozart auf der Reise nach Prag,* s. S. 143) wurde im Realismus fortgeführt. Verlegen des Geschehens in historische Zeit und Betonung historischer Fakten und Quellen ist vor allem zu finden bei C. F. Meyer (z. B. *Huttens letzte Tage*), Storm (*Aquis submersus, Der Schimmelreiter*), Keller (*Romeo und Julia auf dem Dorfe*) und Raabe (*Die Chronik der Sperlingsgasse*).

Die realistische Schilderung verzichtete auf die Mitteilung von Gefühlen oder direkte Kritik des Autors. Die Welt sollte ohne Deutungsversuche und möglichst unparteiisch dargestellt werden. Kritik und Widerstände gegenüber den herrschenden Verhältnissen blieben hinter der äußeren Anpassung verborgen. Aufrufe zu Aktivität fehlten genauso wie in die Zukunft gerichtete Perspektiven. Bezeichnenderweise war der Realismus eine Epoche der älteren Dichter; Jugendwerke sind kaum entstanden. Die „schöne Literatur" (der Klassiker) fand wieder größere Beachtung. Sie wurde in preiswerten Ausgaben veröffentlicht und fand dadurch weite Verbreitung; 1867 wurde z. B. Reclams Universalbibliothek gegründet.

Die Epoche des Realismus war eine Epoche der Romane und Novellen. Auf dem Gebiet der Lyrik erlangten die Balladen wieder größere Beachtung.

Drama
Friedrich Hebbel
(1813–1863)

Im Bereich des Dramas gelangen nur Friedrich Hebbel einige Stücke, die man dem Realismus zurechnet und die noch heute bekannt sind, obwohl Hebbel zu Lebzeiten nicht sehr erfolgreich war. Mit seiner *Maria Magdalene* (1844) endete die Tradition des bürgerlichen Trauerspiels; die nachfolgenden Dramen werden auf Grund ihrer Verlagerung in die Schicht der Arbeiter „soziale Dramen" genannt. Hebbel schickte seiner Tragödie ein Vorwort voraus, das auf den Bruch der

Tradition hinweist. Er kritisierte, daß Tragik nur noch durch äußere Liebesaffären gezeigt werde und die inneren Konflikte der Menschen nicht mehr dargestellt würden. In *Maria Magdalene* gestaltete er einen Familienkonflikt, der tragisch endet. Zum ersten Mal spielte sich der Konflikt nicht zwischen verschiedenen Gesellschaftsschichten ab, sondern innerhalb der Generationen der bürgerlichen Gesellschaft. Klara, die ein uneheliches Kind erwartet, tötet sich zum Schluß selbst. Das Drama endet mit den Worten ihres Vaters: „Ich verstehe die Welt nicht mehr."

Roman

Die Romane des Realismus sind von der Tradition des Erziehungsromans und einer zunehmenden Desillusionierung der Künstler bestimmt.

Gustav Freytag (1816–1895)

G. Freytag repräsentierte den materiellen Optimismus der neuen Zeit. Th. Fontane nannte Freytags Zeit- und Gesellschaftsroman *Soll und Haben* (1855) „die erste Blüte des modernen Realismus". Freytag verband seine maßvoll kritische Einstellung zur Gesellschaft mit der Anpassung an ihre Bedingungen. Er zeigte das Volk da, „wo es in seiner Tüchtigkeit zu finden ist, nämlich bei seiner Arbeit" (so Julian Schmidt, Freytags Schriftsteller-Kollege).

Gottfried Keller (1819–1890)

Der Schweizer G. Keller stellte in *Der grüne Heinrich* (1854/55) die Spannung zwischen dem Einzelnen, dem stets grün gekleideten Heinrich Lee, und der Umwelt dar. Die erste Fassung dieses autobiographisch gefärbten Romans endete mit der tragischen Erkenntnis Heinrichs von der „Unverantwortlichkeit der Einbildungskraft". Es ist ihm unter den gegebenen Voraussetzungen nicht gelungen, das erstrebte Bildungsziel der Humanität zu erreichen. Die heute gelesene zweite Fassung dieses Romans erschien 1879/80; Keller entschied sich für einen gemilderten Schluß (Heinrich findet Ruhe in der Liebe zu Judith) und für die durchgehende Verwendung der Ich-Form.

Die Chronik der Sperlingsgasse – Titelblatt der Erstausgabe

Wilhelm Raabe (1831–1910)

Auch Raabe wandte sich in seinen Romanen dem Individuum zu, das seine Würde nur wahren kann, wenn es sich von der Welt zurückzieht. Diese versteckte Gesellschaftskritik zeigen *Der Hungerpastor* (1864), *Abu Telfan oder die Heimkehr vom Mondgebirge* (1867) und *Der Schüdderump* (1870). Für Raabe bedeutete realistisches Erzählen, die Wirklichkeit von immer wieder neuen Blickwinkeln aus zu gestalten, wie er das schon in dem 1857 erschienenen Roman *Die Chronik der Sperlingsgasse* getan hatte. Bei allem Pessimismus spielte trotzdem auch der Humor eine Rolle in Raabes Werk, der es dem Erzähler und auch den handelnden Personen ermöglichte, die unzulängliche Wirklichkeit darzustellen und zu ertragen. Kritik an den Mißständen in der Gesellschaft verbarg Raabe hinter vordergründigem Humor.

Wilhelm Busch (1832–1908)

Ein ähnliches Anliegen wie Raabe hatte auch W. Busch. Er wurde durch seine zahlreichen Bildgeschichten berühmt, in denen parodierende Zeichnungen mit treffendem Wortwitz kommentiert werden. Hinter den humoristischen Geschichten von *Max und Moritz. Eine Bubengeschichte in sieben Streichen* (1865), *Die fromme Helene* (1872) und *Fipps der Affe* (1879) steckt ein schonungsloser Angriff auf die scheinheilige und lächerliche bürgerliche Selbstgerechtigkeit.

Gesellschaftsroman

In Frankreich und England setzte man sich wesentlich früher und viel direkter als in Deutschland mit dem Zeitgeschehen auseinander. Statt historischer Novellen entstanden dort schon um die Jahrhundertmitte die Gesellschaftsromane von Honoré de Balzac (*La comédie humaine,* 1829–1854), Gustave Flaubert (*Madame Bovary,* 1857) und von Charles Dickens (*Pickwick Papers,* 1836–1837).

Theodor Fontane (1819–1898)

Th. Fontane begann erst sehr spät mit seinem literarischen Werk, zu dem vor allem Gesellschaftsromane gehören. Bevor er seine Romane veröffentlichte, hatte er als Korrespondent für den Krimkrieg in London und als Theaterrezensent an der *Vossischen Zeitung* in Berlin gearbeitet. (Seine Theaterrezensionen waren später für die von ihm positiv beurteilte naturalistische Bewegung von großer Bedeutung.) Ab 1878 erschienen in schneller Folge Fontanes 14 Romane, von denen einige bereits der nachrealistischen Zeit angehören. *Irrungen Wirrungen* (1888) griff das alte Thema der unstandesgemäßen Liebe auf. Der Roman spielt zur Zeit seiner Entstehung und löste durch diese Aufhebung aller Distanz heftige Kritik aus. Fontanes Gesellschaftskritik ist hier nur am unglücklichen Ausgang der Handlung zu erkennen, in dem Roman selbst vermeidet der Autor jeden Kommentar. Das gleiche Verfahren – die nüchterne Beschreibung und Verwendung von prägnanten Motiven – wandte Fontane in *Effi Briest* (1894/1895) an. Frau von Briest stellt ihrer Tochter Effi die Ehe mit Baron Innstetten in Aussicht:

Er ist (. . .) ein Mann von Charakter, von Stellung und guten Sitten, und wenn du nicht nein sagst, was ich mir von meiner klugen Effi kaum denken kann, so stehst du mit zwanzig Jahren da, wo andere mit vierzig stehen. Du wirst deine Mutter weit überholen.

Genau diese Kriterien sind es, die Effis Unglück heraufbeschwören. Sie wird wegen einer erst Jahre später entdeckten „Affäre“ von ihrem Mann aus Ehrgefühl verstoßen und ihrem eigenen Kind entfremdet. Effi kehrt zu ihren Eltern zurück und stirbt bei ihnen. Der Frage, ob die Eltern vielleicht auch eine Schuld an diesem Schicksal haben, weicht der Vater, der alte Briest, aus: „Ach, Luise, laß ... das ist ein *zu* weites Feld.“

Sein letztes Werk, *Der Stechlin* (1899), charakterisierte Fontane selbst:

> Zum Schluß stirbt ein Alter und zwei Junge heiraten sich; – das ist so ziemlich alles, was auf 500 Seiten geschieht.

Der Stechlinsee wird leitmotivisch immer wieder beschrieben, er reagiert auf entfernte Naturkatastrophen mit einem aufsteigenden Wasserstrahl. Die großen Weltbewegungen, vor allem auch die Ablösung des Alten durch das Neue, spiegeln sich in den Gesprächen eines sehr kleinen Personenkreises um den alten Herrn von Stechlin. Mit diesem Alterswerk beschloß Fontane die Romantradition des 19. Jhs. *Unwiederbringlich* (1891), ein Roman mit völlig offenem Ende, zeigte bereits stilistische Tendenzen, die sich im 20. Jh. weiterentwickelten (Fragmentierung, Bruch der chronologischen Reihung).

Novelle

Noch typischer als die Romane sind für den Realismus die zahlreichen Novellen. Goethe definierte die Novelle: „Denn was ist eine Novelle anders als eine sich ereignete unerhörte Begebenheit.“ („Unerhört“ heißt hier soviel wie „noch nie gehört“). Die Novellen sind nach strengen Gesetzen aufgebaut, viele behandeln historische Stoffe (C. F. Meyer, Th. Storm, Paul Heyse). Die Handlung bewegt sich auf einen Höhepunkt zu, der gleichzeitig Wendepunkt des Geschehens ist. Oft wird ein „Dingsymbol“ in die Novelle eingeführt, das an wichtigen Stellen wiederholt genannt und in den Erzählzusammenhang integriert wird. Die Novelle des Schweizers C. F. Meyer *Das Amulett* (1873) nennt schon im Titel ein solches Dingsymbol. Die Handlungen der Novellen können nicht immer mit den Maßstäben der Wirklichkeit gemessen werden. Sie behandeln interessante, merkwürdige Ereignisse. Häufig wird in der Rahmenhandlung der Erzählanlaß für die eigentliche Handlung der Binnenerzählung begründet, auf die eine Gruppe von Zuhörern reagiert. Ein Beispiel hierfür ist Meyers Novelle *Die Hochzeit des Mönchs* (1884). Meyer ließ den italienischen Renaissance-Dichter Dante Alighieri (1265–1321) die Geschichte eines Mönchs erzählen, der gegen seinen Willen aus dem Klosterleben entlassen wurde und so seine innere Festigkeit verloren hatte. Meyers Novellen wandten sich oft einzelnen bedeutenden Gestalten aus historischer Zeit zu. *Der Heilige* (1880) griff die Geschichte des englischen Heiligen Thomas Becket (1118–1170) auf. Das Monumentale, aber auch die schon in den Romanen dieser Epoche entdeckten pessimistischen Züge findet man in den Novellen wieder. Seiner sehr persönlich geprägten Novelle *Das Leiden eines Knaben* (1883) liegen Meyers schwere Kindheitserlebnisse zugrunde.

Conrad Ferdinand Meyer (1825–1898)

Gottfried Keller

Novellen ganz anderer Art schrieb der Schweizer G. Keller. Der Dichter aus dem Bürgertum klammerte das Jenseits völlig aus; Keller war Atheist. In *Kleider machen Leute* (1874, aus dem Zyklus *Die Leute von Seldwyla,* s. o.) wird der Kontrast zwischen dem Ungewöhnlichen und dem Normalen, zwischen Schein und Wirklichkeit gestaltet. Teilweise mit Humor, teilweise mit Übertreibungen werden die schlechten Seiten der Zeit aufgedeckt. Die Novelle *Romeo und Julia auf dem Dorfe* (1856) transponiert das aus Shakespeares Vorbild *Romeo und Julia* bekannte Tragische in die bürgerliche Welt. Diese Novelle ist auch ein Beispiel für die wachsende Beliebtheit der Dorfgeschichten und Chroniken am Ende des 19. Jhs:

> Es ist immer betrüblich anzusehen, wenn ein ehemaliger Landmann, der auf dem Felde alt geworden ist, mit den Trümmern seiner Habe in eine Stadt zieht und da eine Schenke oder Kneipe auftut, um als letzten Rettungsanker den freundlichen und gewandten Wirt zu machen, während es ihm nichts weniger als freundlich zumut ist.

Einige Novellen Kellers tragen auch märchenhafte Züge (z. B. *Spiegel, das Kätzchen,* 1856). Im Konzept des poetischen Realismus diente das Märchenhafte, Wunderbare nicht mehr als Zuflucht vor der prosaischen Welt, sondern als künstlerisches Gestaltungsmittel, das die Realität noch deutlicher hervortreten ließ und sich als ein Teil der Wirklichkeit, nicht als ihr Gegenteil verstand.
Kellers *Züricher Novellen* (1878/79) verfolgten eine pädagogische Absicht: Mit den Erzählungen versucht ein alter Mann, sein Patenkind von romantischer Schwärmerei zu befreien, indem er ihm lehrreiche Geschichten aus der Vergangenheit, aber auch aus der Gegenwart erzählt.

Theodor Storm (1817–1888)

In Deutschland ist für die Novellendichtung besonders Th. Storm zu nennen, der eng mit seiner norddeutschen Heimat verbunden war. Sein Thema war die Erinnerung an (unbestimmte) Vergangenheit; mit dem Rückzug aus der freudlosen Gegenwart kam der Traum von der „guten alten Zeit", die Sehnsucht nach überschaubaren Zuständen. *Pole Poppenspäler* (1874), die Geschichte vom Puppenspieler Paul und seiner Frau Lisei, führt von einer idyllisch geschilderten Kindheit über verschiedene unglückliche Stationen hin zu einem beschaulichen Dasein. Storm machte jedoch deutlich, daß dieser Lebensverlauf auch seinen Preis hat, nämlich den der „Beschränkung und Isolierung des Weltblicks". Diese Bemerkung Storms verdeutlicht noch einmal das Prinzip des poetischen Realismus: Der Blick auf das Individuum, auf seine Beziehung zur Umwelt und zur Natur ist vorherrschend. Oft ist in Storms Novellen auch Irrationales, Unrealistisches, enthalten. In *Der Schimmelreiter* (1888), seiner letzten Novelle, kommt das Unheimliche der norddeutschen Meereslandschaft zum Ausdruck und wird bis zum Mythischen gesteigert. Traditionen und Aberglauben spielen eine wichtige Rolle. Der Kleinknecht Hauke Haien arbeitet sich nach oben und wird durch die Hochzeit mit der Deichgrafentochter Elke zum

Nachfolger des alten Deichgrafen. Der Einzelgänger steht isoliert gegen die Gesellschaft, die mißtrauisch geworden ist durch seine neuen Baumethoden und den rätselhaften Kauf eines altersschwachen Schimmels, mit dem Hauke im Mondlicht über den Deich reitet. Auch sein geistig verwirrtes Kind beunruhigt die Dorfbewohner. Bei einer Sturmflut bricht sein Lebenswerk, der neue Deich, und Hauke stürzt sich auf seinem Schimmel in die Wasserfluten, als er erkennen muß, daß seine Frau und das Kind nicht mehr zu retten sind:

„Mein Kind! O Elke, o getreue Elke!" schrie Hauke in den Sturm hinaus. Da sank aufs neue ein großes Stück des Deiches vor ihm in die Tiefe, und donnernd stürzte das Meer sich hinterdrein; (...) „Das Ende!" sprach er leise vor sich hin; (...) „Vorwärts!" rief er noch einmal, wie er es so oft zum festen Ritt gerufen hatte: „Herr Gott, nimm mich; verschon die anderen!"

Den Anlaß für diese Novelle lieferte das Meer mit seinen unbändigen Gewalten, das für den Menschen eine permanente Bedrohung darstellt. Storm schaltete zwei Rahmenerzählungen zwischen den Leser und das Geschehen.

Lyrik

Das Jahr 1848 markierte einen Bruch in der lyrischen Tradition. Nach der Revolution entstand kaum noch politische Lyrik. Wie in den Romanen und vielfach in den Novellen stand auch in der neuen Lyrik das Individuum im Vordergrund, das sich gegen die Zeit behaupten muß und oft scheitert. Die meisten der schon genannten Autoren schrieben auch Gedichte, jedoch nur Hebbel, Storm und C. F. Meyer erwarben sich größere Bedeutung als Lyriker.

Später wurde durch Fontane und C. F. Meyer besonders die Balladenform wieder bekannt gemacht. In der Ballade vereinigen sich lyrische, epische und dramatische Elemente; oft wird ein tragisches Geschehen geschildert (z. B. Fontane: *John Maynard,* C. F. Meyer: *Die Füße im Feuer).* Die Lyrik des Realismus bevorzugte einfache Formen und allgemein verständliche, allgemein erfahrbare Inhalte. Entscheidend war die Veränderung des Erlebnisgedichts vom weltabgeschiedenen Ich (Romantik) hin zu einem Ich, das in lebhafter Auseinandersetzung mit der Umwelt steht.

C. F. Meyer nahm in der Lyrik eine Sonderstellung ein. Seine Gedichte drängten das allzu Gefühlvolle zugunsten einer realistischen oder symbolhaften Gestaltung zurück, wie sie später auch in den Gedichten von Stefan George und Rainer Maria Rilke (s. S. 174, 179) zu finden ist. Seinen *Römischen Brunnen* arbeitete C. F. Meyer 16mal um:

Aufsteigt der Strahl und fallend gießt
Er voll der Marmorschale Rund,
Die, sich verschleiernd, überfließt
In einer zweiten Schale Grund;
Die zweite gibt, sie wird zu reich,
Der dritten wallend ihre Flut,
Und jede nimmt und gibt zugleich
  Und strömt und ruht.

Kurzbiographien Poetischer Realismus

THEODOR FONTANE (1819 in Neuruppin – 1898 in Berlin)
Fontane stammte aus einer Hugenottenfamilie. Zunächst war er Apotheker in Leipzig und Berlin. Hier fand er Anschluß an literarische Kreise. 1855–59 war er Korrespondent in London, anschließend wiederholt Kriegsberichterstatter. 1870–90 betätigte Fontane sich als Theaterkritiker an der *Vossischen Zeitung* in Berlin. Erst um 1870 begann er mit seinem dichterischen Werk.

Vor dem Sturm (historischer Roman, 1878)
Irrungen Wirrungen (Roman, 1888)
Wanderungen durch die Mark Brandenburg (1862–82)
Effi Briest (Roman, 1894/95)
Der Stechlin (Roman, 1899)
Von Zwanzig bis Dreißig (Autobiographie, 1898)

FRIEDRICH HEBBEL (1813 in Wesselburen – 1863 in Wien)
Hebbel stammte aus sehr armen Verhältnissen. Durch Stipendien holte er die Schulbildung nach und studierte anschließend Jura in Heidelberg und München. Während dieser Zeit erschienen schon einige Dramen und Gedichte. Hebbel unternahm Reisen nach Dänemark, Frankreich und Italien. Erst spät wurde man auf seine Stücke aufmerksam, die dann häufig aufgeführt wurden.

Maria Magdalene (bürgerliches Trauerspiel, 1844; Uraufführung 1846)
Agnes Bernauer (Trauerspiel, 1852)
Die Nibelungen (Dramentrilogie, 1862)

GOTTFRIED KELLER (1819 – 1890 in Zürich)
Keller gilt als Autodidakt, da er die höhere Schule nicht beenden durfte. Er wollte Maler werden, doch seine Talente lagen mehr auf schriftstellerischem Gebiet. 1848–50 studierte er in Heidelberg, wo er den Philosophen Ludwig Feuerbach (1804–1872) kennenlernte, der großen Einfluß auf ihn ausübte. 1861–76 war er Stadtschreiber des Kantons Zürich.

Der grüne Heinrich (autobiographischer Bildungsroman in 4 Bänden; 1. Fassung 1854/55, 2. Fassung 1879/80)
Die Leute von Seldwyla (Novellensammlung, I 1856, II 1873/74; darin u. a. *Romeo und Julia auf dem Dorfe* und *Kleider machen Leute*)
Züricher Novellen (1878/79)
Das Sinngedicht (Novellenzyklus, 1882)

CONRAD FERDINAND MEYER (1825 in Zürich – 1898 in Kilchberg/Zürich)
C. F. Meyer besuchte in Lausanne die Schule und kam auf diese Weise früh mit der französischen Literatur in Berührung. Meyer brach sein Jurastudium ab und lebte seitdem zurückgezogen, depressiv und nur seiner Dichtung verpflichtet in Kilchberg bei Zürich. Er wurde zum Ehrendoktor der Universität Zürich ernannt. Ein seelischer Zusammenbruch machte seinem dichterischen Schaffen ein Ende.

Georg Jenatsch (Roman, 1876)
Der Schuß von der Kanzel (Novelle, 1878)

Der Heilige (Novelle, 1880)
Die Hochzeit des Mönchs (Novelle, 1884)
Gedichte (1882, 1892)

WILHELM RAABE (1831 in Eschershausen/Braunschweig – 1910 in Braunschweig)
Raabe absolvierte eine Buchhändlerlehre und studierte anschließend in Berlin. Der Erfolg seines ersten Romans *Die Chronik der Sperlingsgasse* veranlaßte ihn zum Abbruch seines Studiums. Unter dem Einfluß Arthur Schopenhauers (1788–1860) schrieb er Romane mit pessimistischer Grundstimmung. Er lebte in Wolfenbüttel und Stuttgart, bevor er 1870 nach Braunschweig zurückkehrte.

Die Chronik der Sperlingsgasse (Roman, 1857)
Der Hungerpastor (Roman, 1864)
Der Schüdderump (Roman, 1870)
Stopfkuchen. Eine See- und Mordgeschichte (Erzählung, 1891)

THEODOR STORM (1817 in Husum – 1888 in Hademarschen)
Storm studierte Jura in Kiel und wurde 1847 Rechtsanwalt in Husum. 1852 ging er nach Potsdam, nachdem er sich im deutsch-dänischen Streit gegen die dänische Herrschaft im heutigen Norddeutschland gewandt hatte. 1864 kehrte er nach Husum zurück und begann eine erfolgreiche juristische Karriere. Er schrieb Erzählungen und Gedichte, insgesamt entstanden 58 Chroniknovellen.

Immensee (Novelle, 1849 im *Volksbuch auf das Jahr 1850*)
Gedichte (1852)
Pole Poppenspäler (Novelle, 1874 in *Deutsche Jugend*)
Aquis submersus (Novelle, 1877)
Der Schimmelreiter (Novelle, 1888)
Sämtliche Schriften (1868–1889)

Naturalismus (1880-1900)

14

Die Epoche der naturalistischen Literatur in Deutschland ist zeitlich nicht exakt zu begrenzen. Man versteht darunter den Zeitraum zwischen 1880 und 1900. Während dieser Zeit schrieben nicht nur die „naturalistischen Dichter", vielmehr entstanden gleichzeitig noch die Alterswerke Th. Fontanes und W. Raabes (s. S. 159), aber auch die ersten Werke von A. Schnitzler, H. von Hofmannsthal, F. Wedekind und St. George (s. S. 174 ff.). Der Naturalismus verstand sich als die Epoche der „Moderne", die sich in Deutschland erst spät durchsetzte.

Naturalismus im europäischen Ausland

Im europäischen Ausland fanden mit Emile Zola, Henrik Ibsen, Fjodor Dostojewskij und Leo Tolstoj schon früher Autoren Beachtung, die für den deutschen Naturalismus einflußreich wurden. E. Zolas zwanzigbändiger Familienroman-Zyklus *Les Rougon-Macquart* (1871–1893) und die theoretische Schrift *Le roman expérimental* (1880) erlangten großen Erfolg. Ibsen gab vor allem Impulse durch seine zahlreichen, auch in Deutschland aufgeführten Dramen (z. B. *Nora, Gespenster, Die Wildente*). Ebensolche Aufmerksamkeit fand die russische Literatur, in der soziale Schicksale ganzer Menschengruppen und seelische Zerrüttungen detailliert geschildert wurden.

Die Abhängigkeit des Menschen von seiner Umgebung, seiner sozialen Herkunft und seiner biologischen Abstammung wurde Thema des deutschen Naturalismus. Der Naturalismus ist einerseits eine direkte Reaktion auf die Literatur des europäischen Auslands, andererseits aber nicht denkbar ohne die im 19. Jh. entwickelten Theorien, die das naturalistische Menschenbild nachhaltig beeinflußten. Hier ist vor allem Charles Darwin (1809–1882) zu nennen, dessen Selektionstheorie zu dem Schlagwort „Kampf ums Dasein" führte.

Ebenso wichtig war die positivistisch geprägte „Milieutheorie" Hippolyte Taines (1828–1893), der den Künstler durch drei Faktoren bestimmt sah: durch Rasse, Milieu und Moment. Die ersten psychoanalytischen Schriften Sigmund Freuds (1856–1939) fielen in diese Zeit; Karl Marx' (1818–1883) Kritik an der bürgerlichen Gesellschaft fand nun wieder Beachtung.

Politische Situation in Deutschland

In der von Otto von Bismarck (1815–1898) geprägten deutschen Politik der Zeit gewann die Auseinandersetzung mit den Sozialisten große Bedeutung. 1878 wurden die „Sozialistengesetze" erlassen, die den Sozialisten die Versammlungsfreiheit nahmen und die Vervielfältigung sozialistischer Schriften verboten. Die geforderte, aber nur schleppend in Gang gekommene Sozialgesetzgebung (Kranken-, Unfall-, Altersversicherungen, Gesetze über Kinder- und Sonntagsarbeit) widmete den Arbeitern erstmals größere Aufmerksamkeit. Vorangegangen waren zahlreiche Erfindungen auf technischem Gebiet (Nachrichten- und Drucktechnik, Motoren, naturwissenschaftliche Erfindungen). Die dadurch rasch um sich greifende Industrialisierung und Technisierung, die sich auf die Großstädte, besonders auf Berlin, konzentrierte, bewirkte meist eine Verschlechterung der Lebensbedingungen der Arbeiter und brachte alle auch heute noch aktuellen Probleme des Großstadtlebens mit sich. Um dem zunehmenden Elend zu entgehen und aus Furcht vor den Sozialistengesetzen kam es in Deutschland zu einer Welle von Auswanderungen, vor allem in die USA.

„Die Moderne"

Alles Neue im geistigen Leben, im technischen Bereich und in der Politik machte vor der Kunst nicht halt. Die Naturwissenschaften gewannen großen Einfluß, und das „Moderne" fand auch in der Literatur seinen Niederschlag. Die Technik sollte die Phantasie ersetzen, wie Wilhelm Bölsche 1887 in *Die Naturwissenschaftlichen Grundlagen der Poesie* verlangte. Die Schattenseiten des Lebens, das Häßliche und Niedrige, das Bohèmeleben, wurden Themen der Literatur.
Die Forderungen einzelner Künstler wirkten sich zunächst in zahlreichen Manifesten aus. Man wollte „modern" sein und sich von dem im 19. Jh. häufig gepflegten Epigonentum lossagen:

> Hinweg also mit der schmarotzenden Mittelmäßigkeit, hinweg alle Greisenhaftigkeit und Blasiertheit, hinweg das verlogene Rezensententum, hinweg mit der Gleichgültigkeit des Publikums und hinweg mit allem sonstigen Geröll und Gerümpel. Reißen wir die jungen Geister los aus dem Banne, der sie umfängt.

Zeitschriften und Anthologien

So äußerten sich die Brüder Julius und Heinrich Hart unter dem Titel *Wozu, Wogegen, Wofür* in der von ihnen 1882 herausgegebenen Zeitschrift *Kritische Waffengänge*. 1884 folgten dann die *Modernen Dichtercharaktere*, eine Anthologie, die ganz bewußt die Verbindung zu der Epoche des Jungen Deutschland (s. S. 147) und des Sturm und Drang (s. S. 89) suchte. Hermann Conradi sagte in seiner Vorrede:

> Wir brechen mit den alten, überlieferten Motiven. Wir werfen die abgenutzten Schablonen von uns. Wir singen nicht für die Salons, das Badezimmer, die Spinnstube – wir singen frei und offen, wie es uns um's Herz ist.

Vieles klingt in diesen Jahren wie eine Kampfschrift gegen alles Veraltete, für alles Neue; konkret waren die Aussagen jedoch noch nicht.

Arno Holz (1863–1929)

Die erste Anthologie eines einzelnen Dichters, den man als Naturalisten bezeichnen kann, gab A. Holz heraus: 1885/86 erschien *Das Buch der Zeit. Lieder eines Modernen.* A. Holz läßt einen Dachstubenpoeten seine Lage in Gedichten schildern. Themen der Großstadt, des Fabriklebens, des Elends herrschen vor:

Ihr Dach stieß fast bis an die Sterne,
vom Hof her stampfte die Fabrik,
es war die richtge Mietskaserne
mit Flur- und Leiermannsmusik!
Im Keller nistete die Ratte,
parterre gab's Branntwein, Grog und Bier,
und bis ins fünfte Stockwerk hatte
das Vorstadtelend sein Quartier. (Auszug)

Holz gilt aber auch als Theoretiker des Naturalismus. Er suchte nach der Form, die den neuen Forderungen nach Modernität, Wirklichkeitsnähe und der Loslösung von tradierten Normen entsprechen konnte. Seine Schrift *Die Kunst. Ihr Wesen und ihre Gesetze* von 1891/92 deutete schon im Titel den Einfluß naturwissenschaftlicher Methoden auf die Bereiche der Kunst an. Er stellt die einzelnen Schritte seiner Suche sehr anschaulich dar und berichtet zunächst von einem kleinen Kind, dessen Zeichnung einen Gegenstand darstellen soll, den aber niemand ohne die Erklärung des Kindes erkennen kann. Holz kommt von diesem Ausgangspunkt zur „vollkommenen Darstellung" der Sixtinischen Madonna (Michelangelo) und stellt fest:

Holz' Kunstgesetz

Kunst = Natur – x.

Ihm kommt es auf die Definition des x an, das in dieser mathematischen Formel das verändernde Element ist. x steht für das technische Vermögen des Künstlers. Ein guter Künstler, der gutes Material benutzen kann, erreicht die fast vollkommene Darstellung der Natur (Natur – x, x ist ein kleiner Wert). Ein kleines Kind, das noch kein ausgebildetes Talent hat und nur einfaches Material benutzt, kann die Natur nicht wiedergeben (Natur – x; x ist ein großer Wert). So kommt Holz zu seinem Kunstgesetz:

Die Kunst hat die Tendenz, wieder die Natur zu sein. Sie wird sie nach Maßgabe ihrer jedweiligen Reproduktionsbedingungen und deren Handhabung.

Michael Georg Conrad (1846–1927)

In München war es M. G. Conrad, der einen Naturalismus nach Zolas Vorbild verfocht. *Was die Isar rauscht* ist der Titel seines 1887 erschienenen „Münchener Romans", mit dem er sich eng an sein Vorbild anlehnte. Conrad gründete 1885 die Zeitschrift *Die Gesellschaft,* die unter wechselnden Herausgebern bis 1902 erschien. In dieser Zeitschrift engagierte sich auch der Lyriker D. von Liliencron für eine Revolutionierung der Literatur. Liliencrons Lyrik ist von großer Naturtreue und von den Impressionen einzelner Augenblicke gekennzeichnet. Seine oft streng geformten Gedichte wurden mit der impres-

Detlev von Liliencron (1844–1909)

sionistischen Malerei verglichen, in der sich viele Farbtupfen zu einem Gesamtbild formen; z. B. in *Adjutantenritte und andere Gedichte* (1883):

Sizilianen

Einer schönen Freundin ins Stammbuch

Den ganzen Tag nur auf der Ottomane,
Ylang-Ylang und lange Fingernägel.
Die Anzugfrage, Wochenblattromane,
Schlaf, Nichtstun, Flachgespräch ist Tagesregel.
Ich glaube gar, für eine Seidenfahne
Verkaufst du deinen Mann und Kind und Kegel.
So schaukelst du, verfault, im Lebenskahne,
Herzlosigkeit und Hochmut sind die Segel.

Verein ,,Durch"

1887 hatte sich in Berlin der Verein ,,Durch" gebildet; seine Protokolle über die Diskussionen theoretischer Probleme sind erhalten. Die zehn Thesen dieses Vereins gehören zu den wichtigsten Grundlagen des Naturalismus. Sie beinhalten eine scharfe Abrechnung mit der Antike, ein Bekenntnis zu den Naturwissenschaften und fordern eine ,,moderne" Dichtung. Gleich die erste These lautet:

Die deutsche Literatur ist gegenwärtig allen Anzeichen nach an einem Wendepunkt ihrer Entwickelung angelangt, von welchem sich der Blick auf eine eigenartige bedeutsame Epoche eröffnet.

Theatervereine

Wichtig für die Zeit des Naturalismus sind auch die Theater und Theatervereine. Diese nach dem Pariser ,,Théâtre Libre" (1887) gegründeten Volksbühnenvereine umgingen die seit 1848 immer noch

Karikatur aus der Zeitschrift Kladderadatsch (1890)

bestehende Zensurpflicht durch Aufführungen für Mitglieder innerhalb geschlossener Veranstaltungen.
1889 wurde in Berlin der Theater-Verein „Freie Bühne“ nach dem Pariser Vorbild ins Leben gerufen. Das erste aufgeführte Stück war Ibsens *Gespenster*. Das kurze Zeit später uraufgeführte Drama *Vor Sonnenaufgang* von Gerhart Hauptmann provozierte einen großen Theaterskandal. Außer diesem Verein existierten noch die „Freie Volksbühne“, die ebenfalls mit einem Ibsen-Drama debütierte, und ab 1893 die „Neue Freie Volksbühne“. Ab 1890 erschien die Zeitschrift *Freie Bühne für modernes Leben* im S. Fischer-Verlag, ab 1894 unter dem neuen Namen *Neue deutsche Rundschau*, herausgegeben von Otto Brahm. Noch heute gibt es diese Zeitschrift mit dem Titel *Die neue Rundschau*.

Zusammenarbeit: Arno Holz und Johannes Schlaf (1862–1941)

1889 erschienen drei Prosaskizzen unter dem Titel *Papa Hamlet*; der Autor nannte sich Bjarne P. Holmsen (ihm widmete G. Hauptmann sein Drama *Vor Sonnenaufgang*.) Hinter diesem Namen verbargen sich Arno Holz und Johannes Schlaf. „Holmsen“ wies auf skandinavischen Ursprung hin und zeigte wiederum die Wertschätzung der skandinavischen Literatur, insbesondere Ibsens. Diese Skizzen waren konsequente Versuche der Autoren, die theoretischen Äußerungen des Holz'schen Kunstgesetzes in die Literatur umzusetzen. Papa Hamlet ist ein mittelmäßiger Schauspieler, der von den einmal auswendig gelernten Rollen zehrt. Er haust mit Frau und Kind in einer armseligen Dachstube, wo er eines Tages im Zorn sein Kind tötet. Seine eigene Erschütterung kann er nur mit rezitierten Monologen ausdrücken.
In dieser Prosaskizze wird die Determiniertheit des Menschen deutlich, er kann nicht „aus seiner Rolle heraus“ und bleibt in seiner Welt gefangen. In herber Alltagssprache wird das Elend der drei Menschen in seinem vollen Ausmaß dargestellt. Nichts wird kommentiert, die Szenen sprechen für sich. Bei *Papa Hamlet* sind die Forderungen des Naturalismus bezüglich Form und Inhalt kompromißlos erfüllt. Holz sprach von der „phonographischen Methode“, die alles Geschehen detailgetreu wiedergibt. Hier wurde der Sekundenstil zum erstenmal angewendet, ein für den Naturalismus typisches Stilmittel: Die erzählte Zeit ist identisch mit der Erzählzeit, d. h. die Schilderung eines Vorgangs dauert so lange wie der Vorgang selbst. Dieser Eindruck wird durch die vielen Dialoge verstärkt, die das Geschehen noch eindringlicher machen.

Sekundenstil

Er rückte sich jetzt geräuschvoll den Stuhl zurecht.
„So'ne Kälte!! Nicht mal'n paar lump'je Kohlen hat das! So'ne Wirtschaft!“
Seine Socken hatte er jetzt runtergestreift, der eine war mitten auf den Tisch unter das Geschirr geflogen.
„Na?! Willste so gut sein?!“
Sie drückte sich noch weiter gegen die Wand.
„Na! Endlich!“
Er war jetzt zu ihr unter die Decke gekrochen, die Unterhosen hatte er anbehalten.

„Nicht mal Platz genug zum Schlafen hat man!"
Er reckte und dehnte sich.
„So'n Hundeleben! Nicht mal schlafen kann man!"
Er hatte sich wieder auf die andre Seite gewälzt.
Die Decke von ihrer Schulter hatte er mit sich gedreht, sie lag jetzt fast bloß da.

Die eigentliche Leistung des Naturalismus lag im Drama. Es gab nur wenige Romane, die nach Inhalt und Form als naturalistisch bezeichnet werden können. Den größten Erfolg hatte wohl Max Kretzers sozialer Roman *Meister Timpe* (1888).

Der bekannteste Vertreter des Naturalismus war G. Hauptmann. Ein großer Teil seines umfangreichen Werks fällt in diese Epoche; viele seiner Dramen werden als die naturalistischen Dramen schlechthin bezeichnet. Arno Holz hatte gesagt, das Drama habe vor allem Charaktere zu zeichnen, die Handlung sei nur ein Mittel. Die naturalistischen Dramen sind gekennzeichnet durch wenige auftretende Personen und durch sehr ausführliche Regieanweisungen. Sie behalten die fünf Akte bei, lösen aber die strenge Dramenform zugunsten einer fast epischen Form auf. Die Dramen spielen meistens im allerärmsten Milieu, dem Vierten Stand. Dieser zeigt ein allmählich wachsendes Selbstbewußtsein in der Konfrontation mit den Besitzenden, von denen er abhängig ist (z. B. die Fabrikbesitzer in *Die Weber*). Die oft vom jeweiligen Dialekt gefärbte Sprache wurde im Naturalismus als besonderes Stilmittel eingesetzt. Die analytischen Dramen (s. S. 83) haben vielfach einen „offenen Schluß": Das Ende zeigt, daß Fragen im Drama gestellt werden, auf die es keine Antwort gibt. Ein Ausbrechen aus dem ererbten Milieu war nach dem naturalistischen Menschenbild nicht möglich. Charakteristisch für die naturalistische Literatur ist weiter die Tatsache, daß die Charaktere keine Willensfreiheit und keine innere Entwicklung haben. Sie verhalten sich passiv. Handlungsanstoß und Veränderung kommen daher in vielen Dramen von außen, von einem „Boten aus der Fremde".

Dramentheorien

Gerhart Hauptmann (1862–1946)

1888 schrieb G. Hauptmann seine „novellistische Studie" *Bahnwärter Thiel*. Geschildert wird der Weg des gewissenhaften Bahnwärters zum rächenden Mörder seiner Familie. Diese Tat wird ausgelöst durch den von seiner Frau verschuldeten Tod seines Kindes aus erster Ehe; es wird beim Spielen vom Zug erfaßt und getötet. Die moderne Technik (Eisenbahn) wird zur Bedrohung und zerstört Thiels Leben.

1889 folgte das soziale Drama *Vor Sonnenaufgang*. Hier werden viele Themen des Naturalismus angesprochen: das Milieu einer durch Kohleabbau auf dem eigenen Landbesitz reichgewordenen Familie, der Dialekt, Vererbungstheorien, die Determiniertheit der Menschen. Helene, religiös erzogene Tochter dieser Familie, leidet unter der Trunksucht ihres Vaters. Loth, ein Jugendfreund ihres Schwagers, ist hier der „Bote aus der Fremde", der mit den Kenntnissen über alle wichtigen soziologischen und wirtschaftlichen Theorien der Zeit ausgestattet ist. Er will am Ort eine volkswirtschaftliche Arbeit über das schlesische Kohlengebiet schreiben. Für Helene verkörpert er die Hoffnung, sich aus ihrer Familie lösen zu können. Vom Arzt der Familie erfährt Loth, daß diese durch Alkoholmißbrauch tief gesunken ist, woraufhin sich Loth sofort entschließt, Helene zu verlassen. Das Risiko, daß der Alkoholismus vererbt wird, will er nicht eingehen. Als Helene dies erfährt, ersticht sie sich. Th. Fontane urteilte über *Vor Sonnenaufgang* in der *Vossischen Zeitung*:

> Hauptmann hat ein sehr großes, ein seltenes Talent (...) vor allem spricht sich in seinem Stück ein stupendes Maß von Kunst aus.

Käthe Kollwitz: Weberzug (1897)

Seinen größten und überzeugendsten Erfolg hatte Hauptmann mit dem Drama *Die Weber* (1892), das zunächst wegen des provozierenden aktuellen Bezugs bis 1894 nicht aufgeführt werden durfte. Hauptmann baute in das Stück das historische *Weberlied*, dessen wirklicher Verfasser unbekannt blieb, wie ein Leitmotiv ein. Das Drama spielt in Schlesien zur Zeit der Weberaufstände um 1844: Durch die Einführung von Webmaschinen werden viele Weber arbeitslos. Sie hungern und proben den Aufstand, wozu sie vom „Boten aus der Fremde", dem wieder heimkehrenden Moritz Jäger, ermuntert werden. Es kommt zur Revolution, bei der der alte Weber Hilse getötet wird, der wegen seiner religiösen Überzeugung gerade nicht am Kampf teilnehmen wollte. Dieses vom Thema des Hungers zusammengehaltene Stück hatte nachhaltige Wirkung; die Presse teilte sich in Zustimmung und Ablehnung, Kaiser Wilhelm II. kündigte nach der Aufführung seine Theaterloge. Hauptmann verlor rasch das Interesse am reinen und krassen Naturalismus. In seiner 1893 veröffentlichten Komödie *Der Biberpelz* werden denn auch naturalistische Techniken auf neuem Bereich angewendet.

In dem heute noch erfolgreichen Lustspiel versucht die Mutter Wolff, sich und ihre Familie nach oben zu bringen, indem sie listig und verschlagen die Schwächen der Gesellschaft zu ihrem Vorteil ausnutzt.

Die Überwindung des Naturalismus

Die naturalistische Bewegung war heftig und kurz. Der völlig konsequente Naturalismus beschränkte sich auf die Jahre 1889/90, auch wenn vor- und nachher naturalistische Stücke geschrieben wurden. Es zeichnete sich bereits früh ab, daß die Bewegung, die so spät nach Deutschland gefunden hatte, nicht lange dauern konnte.

Ricarda Huch (1864–1947)

R. Huch trug zur Überwindung des Naturalismus bei: Ihr literatur- und kulturgeschichtliches Werk *Die Romantik* (1899/1902) lenkte die Aufmerksamkeit auf die Literatur der Romantik zurück und sorgte für eine intensivere Beschäftigung und für eine Neubewertung dieser Epoche der Literatur. Bereits 1891 sprach Hermann Bahr von der *Überwindung des Naturalismus*. Während die Aufführungen naturalistischer Dramen in Deutschland noch für Aufruhr und Sensationen sorgten, sah Bahr bereits, was sich einige Jahre später bewahrheiten sollte:

Die Herrschaft des Naturalismus ist vorüber, seine Rolle ist ausgespielt, sein Zauber ist gebrochen.

Kurzbiographien Naturalismus

HEINRICH HART (1855 in Wesel – 1906 in Tecklenburg)
JULIUS HART (1859 in Münster – 1930 in Berlin)
Die Brüder Hart veröffentlichten 1882–84 in Berlin die Zeitschrift *Kritische Waffengänge*. Hiermit gaben sie wichtige Anstöße für den Naturalismus. Sie bewiesen auch später die Fähigkeit, frühzeitig Diskussionen über Themen des Naturalismus anzuregen.

Kritische Waffengänge (Zeitschrift, 1882–84)

GERHART HAUPTMANN (1862 in Ober-Salzbrunn/Schlesien – 1946 in Agnetendorf/Riesengebirge)
Hauptmann wurde zunächst zum Landwirt ausgebildet, bevor er 1880–82 die Breslauer Kunstschule besuchte. Ab 1884 lebte er in Berlin, wo er Kontakt zu den Brüdern Hart hatte und in verschiedenen Dichterkreisen verkehrte. (Verein „Durch“, „Friedrichshagener Dichterkreis“). 1891 ging er zurück nach Schlesien, von dort aus unternahm er viele Auslandsreisen. 1912 wurde ihm der Nobelpreis für Literatur verliehen. Hauptmanns literarisches Schaffen reichte weit über die naturalistische Phase hinaus.

Bahnwärter Thiel („novellistische Studie“, 1888)
Vor Sonnenaufgang (soziales Drama, 1889)
Die Weber (Drama, 1892)
Der Biberpelz („Diebskomödie“, 1893)
Und Pippa tanzt (Märchenspiel, 1906)

ARNO HOLZ (1863 in Rastenburg/Ostpreußen – 1929 in Berlin)
Holz kam 1875 nach Berlin. Gemeinsam mit seinem Freund Johannes Schlaf

schrieb er Musterbeispiele naturalistischer Dichtung. Sie benutzten dazu das Pseudonym Bjarne P. Holmsen. Holz' Gedichtsammlung *Das Buch der Zeit. Lieder eines Modernen* (1885/86) bezog Themen aus dem sozialen Bereich und aus der Großstadt in die Lyrik mit ein.

Papa Hamlet (mit J. Schlaf; Skizzen, 1889)
Die Familie Selicke (mit J. Schlaf; Drama, 1890)
Die Kunst. Ihr Wesen und ihre Gesetze (1891/92)
Phantasus (Gedichte, 1898/99)

JOHANNES SCHLAF (1862 – 1941 in Querfurt/Harz)
Schlaf war bis 1892 mit Arno Holz befreundet. Zusammen verfaßten sie Skizzen und Dramen im konsequenten naturalistischen Stil. Er war auch Übersetzer einiger Schriften von Walt Whitman (1819–1892) und Emile Zola (1840–1902).

Papa Hamlet (mit A. Holz; Skizzen, 1889)
Die Familie Selicke (mit A. Holz; Drama, 1890)

15 Literatur der Jahrhundertwende (1890–1920)

Am Ende des 19. Jhs. wurde die europäische Kultur von einem Gefühl des Pessimismus, des Niedergangs und von tiefem Weltschmerz ergriffen (Einfluß der Philosophie von Arthur Schopenhauer und von Friedrich Nietzsche).

Wilhelminische Zeit

In Deutschland war 1890 der Reichskanzler Bismarck zurückgetreten, es begann die Regierungszeit Kaiser Wilhelms II., die bis 1918 dauerte („Wilhelminische Zeit"). Die äußerlich glanzvolle Epoche mit weitgesteckten weltpolitischen Zielen konnte aber die geistige Krise nicht verdecken.

Die naturalistischen Schilderungen des ärmlichen proletarischen Milieus wollte man nicht mehr hören, der Naturalismus hatte sich selbst überlebt. Einige jüngere Autoren knüpften an die Erzähler der realistischen Epoche (s. S. 155) an, doch die große Zeit der realistischen Literatur war vorbei.

Für die Literatur um die Jahrhundertwende gibt es viele Bezeichnungen, große einheitliche Linien sind in dieser Zeit schwer bestimmbar.

Symbolismus

Zunächst übte die französische Lyrik einen Einfluß auf die deutsche Lyrik aus (Charles Baudelaire, Paul Verlaine, Stéphane Mallarmé). Statt des häßlichen Alltags trat nun die Idealisierung eines schönen, alltagsfernen Lebens durch die Kunst in den Vordergrund. Stefan George und sein Freundeskreis, Rainer Maria Rilke und Hugo von Hofmannsthal formten eine Lyrik, die dem Verlangen nach Schönheit und Ästhetik entsprach. Sie legten auch großen Wert auf die graphische Ausstattung ihrer Gedichtzyklen: z. B. besondere Schrifttypen, Jugendstilillustrationen, Kleinschreibung, gutes Papier, außergewöhnliches Format. Georges frühe Gedichte – es handelt sich meistens um Gedichtzyklen: *Hymnen* (1890) und *Algabal* (1892) – erschienen zum Teil als Privatdrucke. George war davon überzeugt, daß nur wenige Menschen Zugang zur Kunst haben konnten und sollten; daher tragen seine Gedichte einen feierlichen Ton, der nur Eingeweihten verständlich ist. Die 1892 von George in München gegründete Zeitschrift *Blät-*

Stefan George (1868–1933)

Stefan George: Das Jahr der Seele; erste Seite des handgeschriebenen Buches

NACH DER LESE

Komm in den totgesagten park und schau:
Der schimmer ferner lächelnder gestade
Der reinen wolken unverhofftes blau
Erhellt die weiher und die bunten pfade

Dort nimm das tiefe gelb das weiche grau
Von birken und von buchs · der wind ist lau
Die späten rosen welkten noch nicht ganz
Erlese Küsse sie und flicht den Kranz

Vergiss auch diese lezten astern nicht
Den purpur um die ranken wilder reben
Und auch was übrig blieb von grünem leben
Verwinde leicht im herbstlichen gesicht.

Jhr rufe junger jahre die befahlen
Nach IHR zu suchen unter diesen zweigen
Ich muss vor euch die stirn verneinend neigen
Denn meine liebe schläft im land der strahlen

ter für die Kunst (erschienen bis 1919) war für einen „geschlossenen von Mitgliedern geladenen Leserkreis" bestimmt und wollte Kunst und Schönheit um ihrer selbst willen gestalten:

> Der name dieser veröffentlichung sagt schon zum teil was sie soll: der kunst besonders der dichtung und dem schrifttum dienen, alles staatliche und gesellschaftliche ausscheidend.
> Sie will die GEISTIGE KUNST (. . .) – und steht deshalb im gegensatz zu jener verbrauchten und minderwertigen schule die einer falschen auffassung der wirklichkeit entsprang.

1907 erschien *Der siebente Ring,* Georges umfangreichster Gedichtzyklus. Die sieben Bücher sind um das Buch *Maximin* gruppiert. In Maximin, einem früh verstorbenen Freund, verherrlicht George eine neue Jugend; Maximin wird wie ein Gott gefeiert. In diesem Zyklus wird auch Georges Anspruch deutlich, ein Ankläger der Gegenwart und ein Verkünder einer Vision der Zukunft zu sein. Zeitgedichte und weissagende Sprüche stehen nebeneinander.

Um George scharte sich ein kleiner Kreis von Freunden, die sein dichterisches Sendungsbewußtsein akzeptierten und den „Meister" verehrten. Diese Form des Elitedenkens und Georges hymnischer, oft weihevoller Stil entsprach später einem Bedürfnis der Nationalsozialisten. Sie forderten ihn auf, aus der Schweiz, wo er seit 1933 lebte, zurückzukehren. Doch George widersetzte sich dieser falschen Interpretation seiner Werke und blieb in der Schweiz, wo er im selben Jahr starb.

Hugo von Hofmannsthal (1874–1929)

Hofmannsthal und George verband eine kurze Freundschaft, 1906 kam es zum endgültigen Bruch. Hofmannsthal schrieb zunächst Gedichte im schwermütigen und skeptischen Stil des „fin de siècle" (Ende des Jahrhunderts). Er bemühte sich in seiner Poesie und Prosa um das vollendet schöne Wort. 1903 erschienen in Georges *Blättern für die Kunst* Hofmannsthals *Terzinen I*

Über Vergänglichkeit:

Noch spür ich ihren Atem auf den Wangen:
Wie kann das sein, daß diese nahen Tage
Fort sind, für immer fort, und ganz vergangen?

Dies ist ein Ding, das keiner voll aussinnt,
Und viel zu grauenvoll, als daß man klage:
Daß alles gleitet und vorüberrinnt.
(Auszug)

Die literarischen Werke dieser Zeit zeigen zum großen Teil einen Rückzug aus dem öffentlichen Leben. Die Darstellung von subjektiven Stimmungen und Eindrücken entsprach dem Zeitgefühl viel mehr als Manifeste oder Dramen, in denen Allgemein-Menschliches thematisiert wird. Aus diesem Grund kann man die in dieser Zeit entstandenen Theaterstücke „lyrische Dramen" nennen.

Lyrisches Drama

Ein solches lyrisches Drama ist Hofmannsthals *Der Thor und der Tod* (1894). Es ist in gereimten Jamben geschrieben und zeigt die Isolation des ästhetischen, des künstlerischen Menschen. Claudio, der Tor, erkennt erst in der Gegenwart des personifizierten Todes, daß er immer nur auf das Leben gewartet hat, nie aber wirklich lebte. Der Glanz des Lebens wird ihm erst im Tod deutlich:

Was weiß denn ich vom Menschenleben?
Bin freilich scheinbar drin gestanden,
Aber ich hab' es höchstens verstanden,
Konnte mich nie darein verweben.
(...)
Da tot mein Leben war, sei du mein Leben, Tod!

Hofmannsthal erlebte um die Jahrhundertwende eine Sprachkrise. Einige Jahre lang veröffentlichte er nichts mehr. 1902 schrieb er den *Brief des Lord Chandos*, in dem er sein eigenes Verstummen erklärte. Er hatte keine Sprache gefunden, die die immer komplizierter werdende Wirklichkeit ausdrücken konnte:

Mein Fall ist, in Kürze, dieser: Es ist mir völlig die Fähigkeit abhanden gekommen, über irgend etwas zusammenhängend zu denken oder zu sprechen. (...)
Es zerfiel mir alles in Teile, die Teile wieder in Teile, und nichts mehr ließ sich mit einem Begriff umspannen.

Hofmannsthals Ästhetizismus führte ihn nicht zu einem elitären Bewußtsein, wie dies bei George geschah. Er griff später auf antike, mittelalterliche und barocke Traditionen zurück. Nach dem lyrisch bestimmten Jugendwerk wandte sich Hofmannsthal der Tragödie zu. *Elektra. Tragödie in einem Aufzug. Frei nach Sophokles* (1904) zeigt eine von Rache besessene Elektra, die jedoch lange unfähig zur rächenden Tat ist. Mit diesem Theaterstück errang er einen großen Erfolg. Der Komponist Richard Strauss (1864–1949) schlug ihm vor, *Elektra* zu einem Opernlibretto umzuschreiben. So entstand als erstes Ergebnis einer noch länger anhaltenden guten Zusammenarbeit zwischen Hofmannsthal und R. Strauss die Oper *Elektra,* 1909 (u. a. auch *Der Rosenkavalier*, 1911).
Gemeinsam mit dem Regisseur Max Reinhardt (1873–1943) gründete Hofmannsthal 1917 die Salzburger Festspiele, die auch heute noch jährlich stattfinden. Hofmannsthal schrieb zwei Stücke, die untrennbar mit der aus dem Mittelalter stammenden Festspielidee verbunden sind (s. S. 35): 1911 wurde *Jedermann. Das Spiel vom Sterben des reichen Mannes, erneuert* uraufgeführt. Er veränderte den mittelalterlichen Charakter des Stücks nicht, stellte jedoch den personifizierten Reichtum in den Mittelpunkt und ließ ihn als Gott auftreten. Der Mensch – Jedermann – wird im Augenblick des Todes von allen Freunden, von „Schönheit“, „Macht“ und „Reichtum“, verlassen. Seine „Guten Werke“ begleiten ihn zu Gottes Richterstuhl. Doch sie sind zu schwach, um ihn zu retten. Nur der „Glaube“ ermöglicht Jedermann die Einsicht in die göttliche Gnade. So ist dieses Stück als Mysterienspiel zu verstehen, als zeitloses „Märchen“ von der Vergänglichkeit des Materiellen.

Mysterienspiel

Ein weiteres Mysterienspiel ist *Das Salzburger Große Welttheater* (1922), das nach Calderóns spanischer Vorlage *Das große Welttheater* (1675) entstand. In diesem Spiel im Spiel kommt es darauf an, daß die Menschen ihre Freiheit richtig nutzen und die ihnen von Gott zugewiesene Rolle annehmen, auch wenn sie sich zunächst gegen eine schlechte Rolle wehren:

Ich ward hineingestellt,
Als Gegenspieler diesen zugesellt:
Denn dies ist Gottes Spiel,
Wir heißen es die Welt.

Wien

Wie Hofmannsthal stammte auch der Arzt und Schriftsteller A. Schnitzler aus Wien. Trotz des Niedergangs der Monarchie, trotz des wachsenden Antisemitismus war Wien um die Jahrhundertwende eine kulturell sehr anregende Stadt. Sie war Zentrum der Kultur und übte

Arthur Schnitzler (1862–1931)

Anziehungskraft und Einfluß auf viele Autoren aus. Schnitzler fing in seinen Stücken die Atmosphäre des „Ewigen Wien" ein, die scheinbare Leichtigkeit des Lebens, die brüchig gewordenen Ehrbegriffe und die Kaffeehausidylle, die die fin-de-siècle-Stimmung verdecken sollte.

Impressionismus

Schnitzlers Stücke gehören zur „impressionistischen" Literatur: Sie zeichnen ein Bild, das aus vielen subjektiven Eindrücken besteht. Die Menschen kreisen um sich selbst und versuchen, sich über ihre wechselnden Stimmungen und Gefühle klarzuwerden, was jedoch oft nicht gelingt oder oberflächlich bleibt. In den sieben Szenen des *Anatol* (1893) erzählt Anatol seinem Freund Max von seinen Liebschaften mit verschiedenen Frauen. In dem Dialog, der durch Max' Zuhörerrolle eigentlich fast ein Monolog ist, legt Anatol sein egoistisches und völlig auf den eigenen Sexualtrieb reduziertes Leben offen. Die Frauen sind für ihn nur Reize, die er braucht, um sich selbst empfinden zu können. Der fehlende Halt führt hier zur Dekadenz. Schnitzler stellte seinem Stück *Anatol* ein Gedicht von Hofmannsthal voran:

Also spielen wir Theater,
Spielen unsre eignen Stücke,
Frühgereift und zart und traurig,
Die Komödie unsrer Seele.

Schnitzlers Schauspiel in drei Akten *Liebelei* (1896) kann man noch einmal als bürgerliches Trauerspiel bezeichnen (s. S. 80). Während Mizi und Theodor ihre Liebe als spielerisches Abenteuer betrachten, macht Christine ihrem Liebhaber Fritz deutlich, daß sie mehr ist als das „süße Mädl"; sie sucht nicht die Unverbindlichkeit einer Liebelei, sondern Liebe. Doch sie alle reden aneinander vorbei, so daß das tragische Ende unaufhaltsam ist: Fritz wird in einem Duell wegen einer vergangenen Affäre erschossen, die unglückliche Christine bringt sich um. Der leichte Ton der Konversation und die wachsende Verzweiflung von Christine stehen in diesem Stück in einem deutlichen Kontrast. Schnitzler hatte wegen seiner zu dieser Zeit als unmoralisch empfundenen Stücke Probleme mit der Zensur. (Sein Stück *Reigen* entstand 1896/97, wurde aber erst 1920 aufgeführt.) Die Erotik stand bei ihm jedoch nicht im Vordergrund, sondern wurde als Motiv eingesetzt, das den Niedergang – die Dekadenz – deutlich machen sollte.

Innerer Monolog

Schnitzler führte in *Lieutenant Gustl* (1900) als erster das Erzählprinzip des „inneren Monologs" in die deutsche Literatur ein. Der Erzähler verschwindet völlig hinter dem Ich des Monologs, in dem Gedanken, Assoziationen und Gefühle wiedergegeben werden. Um diese Zeit begann die Erforschung des Unbewußten (Sigmund Freud, 1856–1939), die Psychologie hatte einen großen Einfluß auf die Literatur. Leutnant Gustls Ehre ist zerstört, als er von einem Bäckermeister wegen seines schlechten Benehmens beschimpft wird. Gustl sieht im Selbstmord den einzigen Ausweg, seine Ehre wieder herzustellen. Bevor er sich erschießen will, geht er aber noch einmal ins Kaffeehaus, wo er erfährt, daß der Bäckermeister in der Nacht gestorben ist:

– Also, tot ist er – tot ist er – ich kann's noch gar nicht glauben! Am liebsten möcht' ich hingeh'n, um's zu seh'n. – – Am End' hat ihn der Schlag getroffen aus Wut, aus verhaltenem Zorn... Ah, warum, ist mir ganz egal! Die Hauptsach' ist: er ist tot, und ich darf leben, und alles g'hört wieder mein!

Schnitzler kritisierte die falsch verstandenen Ehrbegriffe, die sich an Äußerlichkeiten orientierten.

Karl Kraus (1874–1936)

Wesentlich schärfer formulierte Karl Kraus seine Anklage. In seiner satirisch-kritischen Zeitschrift *Die Fackel*, die 1899–1936 in 922 Nummern erschien, griff er den Sprachverfall und die moralische Haltlosigkeit mit brillantem Wortwitz an. In seinem 800 Seiten umfassenden Drama *Die letzten Tage der Menschheit* (Buchausgabe 1922) faßte er seine radikale Zeit- und Kulturkritik zu einem trostlos-düsteren Gesamtbild zusammen, das bereits expressionistische Züge trägt.

Rainer Maria Rilke (1875–1926)

Wie bei Hofmannsthal und Schnitzler war auch die Dichtung R. M. Rilkes zunächst von der Stimmung des fin de siècle geprägt. Wie George legte er Wert auf eine kunstvolle Form. Rilke führte ein rast- und ruheloses Leben und empfing seine Anregungen auf vielen Reisen (Italien, Rußland und Frankreich). Das zwischen 1899 und 1903 entstandene dreiteilige *Stunden-Buch* (1905) enthält Gedichte, die man als lyrische Gebete bezeichnen kann. Sie kreisen um einen sehr persönlichen Gott:

Du, Nachbar Gott, wenn ich dich manchesmal
in langer Nacht mit hartem Klopfen störe, –
so ists, weil ich dich selten atmen höre
und weiß: Du bist allein im Saal.
Und wenn du etwas brauchst, ist keiner da,
um deinem Tasten einen Trank zu reichen:
Ich horche immer. Gib ein kleines Zeichen.
Ich bin ganz nah.

Nur eine schmale Wand ist zwischen uns,
durch Zufall; denn es könnte sein:
ein Rufen deines oder meines Munds –
und sie bricht ein
ganz ohne Lärm und Laut.
(Auszug)

Dinggedicht

Nach dieser Seelen- und Stimmungslyrik entstanden einige „Dinggedichte", die von Rilkes Aufenthalt bei dem französischen Bildhauer Auguste Rodin (1840–1917) in Paris beeinflußt sind. Wie Rodin an seinen Plastiken, so arbeitete auch Rilke sehr lange an seinen Entwürfen, bevor er die Endfassung niederschrieb. Ein Dinggedicht teilt das betrachtende Erkennen eines Gegenstands mit. Dieser „Gegenstand" kann auch ein Kunstwerk sein, eine Pflanze oder ein Lebewesen, das als Beweis einer göttlichen Existenz verstanden wird. Rilkes *Neue Gedichte* (1907/08) enthalten einige Dinggedichte, z. B.:

Titelblatt der
Erstausgabe

Das Stunden=Buch
enthaltend die drei Bücher:/

Vom mœnchiſchen Leben/
Von der Pilgerſchaft/
Von der Armuth
und vom Tode
Rainer Maria Rilke
Im Inſel-Verlag

Der Panther
Im Jardin des Plantes, Paris

Sein Blick ist vom Vorübergehn der Stäbe
so müd geworden, daß er nichts mehr hält.
Ihm ist, als ob es tausend Stäbe gäbe
und hinter tausend Stäben keine Welt.

Der weiche Gang geschmeidig starker Schritte,
der sich im allerkleinsten Kreise dreht,
ist wie ein Tanz von Kraft um eine Mitte,
in der betäubt ein großer Wille steht.

Nur manchmal schiebt der Vorhang der Pupille
sich lautlos auf –. Dann geht ein Bild hinein,
geht durch der Glieder angespannte Stille –
und hört im Herzen auf zu sein.

Erst 1923 veröffentlichte Rilke wieder Gedichte. Er hatte lange Zeit – ähnlich wie Hofmannsthal – kaum eine Möglichkeit gefunden, das, was er als Wirklichkeit empfand, wiederzugeben. Die *Duineser Elegien* (1923) und *Die Sonette an Orpheus* (1923) sind aus sehr persönlichen Anlässen heraus entstanden. Eine Erinnerung an die Krise der sprachlichen Darstellungsmöglichkeiten kann man aus Versen der *Ersten Duineser Elegie* herauslesen:

und die findigen Tiere merken es schon,
daß wir nicht sehr verläßlich zu Haus sind
in der gedeuteten Welt.

Diese späten Gedichte sind nur schwer zugänglich und haben aus diesem Grund auch immer wieder neue Deutungsversuche erfahren; man hat die *Duineser Elegien* schließlich als „umfassende Auslegung des menschlichen Daseins überhaupt" verstanden.

Lyrische Prosadichtung

Rilkes Gesamtwerk beinhaltet aber nicht nur Gedichte. 1906 erschien *Die Weise von Liebe und Tod des Cornets Christoph Rilke* (erste Fassung bereits 1899). In dieser lyrischen Prosadichtung spielt das Motiv des Todes eine große Rolle. Beim Feldzug gegen die Türken (1663) gerät der junge Cornet, ein Soldat, mit seinen Kameraden in ein Schloß, wo er seine erste Liebesnacht erlebt. Am nächsten Tag wird ihm der eigene Tod zum Fest:

Und da kommt auch die Fahne wieder zu sich und niemals war sie so königlich; und jetzt sehn sie sie alle, fern voran, und erkennen den hellen, helmlosen Mann (...)
Aber, als es jetzt hinter ihm zusammenschlägt, sind es doch wieder Gärten, und die sechzehn runden Säbel, die auf ihn zuspringen, Strahl um Strahl, sind ein Fest.
Eine lachende Wasserkunst.

Mit dem *Cornet* eröffnete der 1912 gegründete Insel-Verlag seine Reihe von teilweise mit Jugendstil-Malerei ausgestatteten, preiswerten Büchern, die berühmte „Insel-Bücherei".

Tagebuchroman

Als impressionistisches Meisterwerk ist Rilkes Roman *Die Aufzeichnungen des Malte Laurids Brigge* (1910) bezeichnet worden. Hinter der Maske eines armen, in Paris lebenden Dichters, der seine Lebensängste und Gefühle in Tagebuchform niederschreibt, verbarg sich Rilke selbst. Dieses Verfahren erinnert an Goethes *Werther* (1774, s. S. 95). Mit Rilkes Roman ist in der deutschen Literatur die Trennung vom realistischen Roman endgültig vollzogen. Der Tagebuchroman hat keinen Erzähler und auch keine Handlung; er gibt Auskunft über einen „Daseinsentwurf", der zwar äußerlich zu einem Scheitern in der Gesellschaft führt, aber dem Dichter durch diese Außenseiterrolle auch neue schöpferische Kraft gibt:

In diesen Jahren gingen in ihm die großen Veränderungen vor. Er vergaß Gott beinah über der harten Arbeit, sich ihm zu nähern, und alles, was er mit der Zeit vielleicht bei ihm zu erreichen hoffte, war „sa patience de supporter une âme". Die Zufälle des Schicksals, auf die die Menschen halten, waren schon längst von ihm abgefallen, aber nun verlor, selbst was an Lust und Schmerz notwendig war, den gewürzhaften Beigeschmack und wurde rein und nahrhaft für ihn.

Christian Morgenstern (1871–1914)

Neben den genannten Lyrikern der Zeit stehen auch andere, nicht im gleichen Maß bekannt gewordene Autoren. Zu ihnen gehört Chr. Morgenstern. Er hatte sich Nietzsches Klagen über den „tierischen Ernst" zu Herzen genommen und trieb sein heiteres Spiel mit beobachteten Episoden und Situationen. Bekannt wurde er mit seiner Sammlung *Galgenlieder* (1905), über deren Entstehung er schrieb: „Die Galgenpoesie ist ein Stück Weltanschauung".

Unter Zeiten

Das Perfekt und das Imperfekt
tranken Sekt.
Sie stießen aufs Futurum an
(was man wohl gelten lassen kann).

Plusquamper und Exaktfutur
blinzten nur.

Das Aesthetische Wiesel

Ein Wiesel
saß auf einem Kiesel
inmitten Bachgeriesel.

Wißt ihr,
weshalb?

Das Mondkalb
verriet es mir
im stillen:

Das raffinier-
te Tier
tats um des Reimes willen.

Frank Wedekind (1864–1918)
Motiv: Problematische Beziehungen

Wedekinds Stücke entstanden im bewußten Gegensatz zum Naturalismus. *Frühlings Erwachen. Eine Kindertragödie* (1891) handelt vom Unverständnis der Erwachsenen gegenüber der erwachenden Sexualität der Kinder, von Tod und Selbstmord und von einem „Vermummten Herrn", der den Schüler Melchior an Wendlas Grab an die Hand nimmt und ins Leben führt. Wedekind klagte die Moral der Eltern an, die die Kinder in den Tod treibt:

Unter Moral verstehe ich das reelle Produkt zweier imaginärer Größen. Die imaginären Größen sind *Sollen* und *Wollen*. Das Produkt heißt Moral und läßt sich in seiner Realität nicht leugnen.

Wedekinds Werke zogen häufig Theaterskandale und Zensurprobleme nach sich, so z. B. *Der Erdgeist* (1895) und die Fortsetzung *Die Büchse der Pandora* (1904). Die beiden Teile dieser sogenannten *Lulu*-Tragödie zeigen den Sexualtrieb als zerstörende Kraft. Lulu ist eine völlig ungehemmte und leidenschaftliche Frau, eine Inkarnation des ,,Ewig-Weiblichen". Die Männer ihrer Umgebung verstehen sie nicht und gehen an ihr zugrunde. Als Lulu ihre Triebhaftigkeit aufgibt, wird sie selbst ermordet. Auch in diesem Stück griff Wedekind schonungslos und offen eine gesellschaftliche Unmoral an, die ihm verachtenswert erschien. Die grotesken Übersteigerungen sind Stilmittel, die besonders im literarischen Expressionismus aufgegriffen wurden.

Prosa

Ricarda Huch (1864–1947)

Die zerstörende Kraft der Leidenschaft, die in den Selbstmord führt, thematisierte R. Huch in ihrem autobiographisch gefärbten Roman *Erinnerungen von Ludolf Ursleu dem Jüngeren* (1893). Der Untergang einer großbürgerlichen Familie wird hier aus der Sicht eines Betroffenen in bilderreicher Sprache geschildert. R. Huch setzte ihr Werk mit zahlreichen historischen Romanen fort; dazu gehören die romanhafte Biographie *Das Leben des Grafen Federigo Confalonieri* (1910) und das dreibändige Werk *Der große Krieg in Deutschland* (1912–1914), das den Dreißigjährigen Krieg behandelt.

Thomas Mann (1875–1955)

Die Brüder Heinrich und Thomas Mann gestalteten – wie Wedekind – ihre Kritik an der Gesellschaft des ausgehenden 19. Jhs. Th. Manns großer Familienroman *Buddenbrooks. Verfall einer Familie* (1901) zeigt den allmählichen Niedergang einer Lübecker großbürgerlichen Familie. Das Motiv der Dekadenz wird am deutlichsten gestaltet in Christian Buddenbrook, dem leichtlebigen Vertreter der letzten Generation dieser Familie, und in Hanno Buddenbrook, der als sensibler, musisch begabter Mensch keine Kraft hat, das Leben zu meistern. Die Problematik des Künstlers, vor allem des Dichters und des Musikers in der Auseinandersetzung mit dem ,,wirklichen" Leben, prägt nicht nur das Frühwerk Thomas Manns. *Tonio Kröger* aus der Novellensammlung *Tristan* (1903) und die Novelle *Der Tod in Venedig* (1913) stehen im gleichen Zusammenhang. Aschenbach, ein von Pessimismus und Resignation bedrohter, dekadenter Künstler verfällt der Schönheit des Knaben Tadzio und findet in Venedig den Tod. Th. Mann deutete Aschenbachs Untergang mit dem Gedicht *Tristan* (1825) von A. von Platen:

Wer die Schönheit angeschaut mit Augen,
Ist dem Tode schon anheimgegeben,
Wird für keinen Dienst auf Erden taugen,
(...)
Wen der Pfeil des Schönen je getroffen,
Ewig währt für ihn der Schmerz der Liebe!

Heinrich Mann (1871–1950)

Die Romane Heinrich Manns sind von Anfang an gesellschaftskritischer als die Werke seines Bruders. *Im Schlaraffenland. Ein Roman unter feinen Leuten* (1900) und *Die kleine Stadt* (1909) geben dafür ein Beispiel. 1905 erschien der Roman *Professor Unrat oder Das Ende eines Tyrannen*, eine Schulgeschichte aus der Wilhelminischen Zeit. Professor Rat, von seinen Schülern „Unrat" genannt, verläßt seinen gesellschaftlichen Kreis, als er in einem Lokal bei Nachforschungen wegen eines Schülers der Sängerin Lola begegnet. Fasziniert von der „Halbwelt" heiratet er Lola und wird deshalb von der Gesellschaft verachtet.

Der Untertan (1918) schließt die Reihe von H. Manns Romanen aus der Wilhelminischen Zeit ab. Diederich Heßling ist Tyrann und Untertan zugleich. Aus einem kränklichen Kind entwickelt er sich zu einem mit Kaiserorden geschmückten Mann:

> Diederich Heßling war ein weiches Kind, das am liebsten träumte, sich vor allem fürchtete und viel an den Ohren litt. (. . .)
> (. . .) Diederich zeigte dem Himmel seinen Wilhelms-Orden und sagte „Ätsch!" – worauf er ihn ansteckte, neben den Kronenorden vierter Klasse.

Sechs Skizzen von Franz Kafka (1883–1924)

Eine Sonderstellung nehmen Franz Kafkas Erzählungen und Romane ein, die zum Teil erst nach seinem Tod erschienen. Seine Werke sind fast immer autobiographisch gefärbt (er litt unter der Autorität des Vaters) und von eigenwilligem Stil geprägt. Seine „Traumlogik" läßt die Frage nach dem Sinn meist unbeantwortet. Allegorien, Parabeln und Symbole kann man als solche erkennen, doch die Deutung bleibt schwer. Die Erzählung *Das Urteil* (1916) handelt von der als mächtig und lebenszerstörend empfundenen Person des Vaters. *Die Verwandlung* (1916) zeigt, wie Kafka etwas sehr Merkwürdiges ganz nüchtern, fast dokumentarisch, darstellt:

> Als Gregor Samsa eines Morgens aus unruhigen Träumen erwachte, fand er sich in seinem Bett zu einem ungeheueren Ungeziefer verwandelt.

Diese Sachlichkeit bekommt quälende Züge. Ohnmacht und Vergeblichkeit des Handelns sind Motive, die sich durch Kafkas gesamtes Werk ziehen.

Hermann Hesse (1877–1962)

Auch Hesses frühe Werke fallen in die Zeit der Jahrhundertwende. Seine ersten Erzählungen handeln von der Sehnsucht nach der Natur, nach Liebe, Freundschaft und Schönheit. *Unterm Rad* (1906) berichtet von dem Schicksal eines Jungen, der unter der Schule und unter seinem Vater leidet und sich von allem hinwegsehnt. Der Roman *Gertrud* (1910) greift das Thema der Musik auf, in der ein zum Krüppel gewordener Künstler wieder Lebensmut findet.
Georges, Hofmannsthals und Rilkes Lyrik, die Schauspiele von Schnitzler und Wedekind, die ersten großen Romane des 20. Jhs. von Heinrich und Thomas Mann und die Erzählungen von Kafka und Hesse prägten die Zeit der Jahrhundertwende. Kunst und Literatur der Zwanziger Jahre knüpften an diese Zeit und an die parallel verlaufende Bewegung des Expressionismus an.

Kurzbiographien zur Literatur der Jahrhundertwende

STEFAN GEORGE (1868 in Büdesheim/Rhein – 1933 in Minusio/Schweiz)
Der Sohn eines Weinhändlers und Gastwirts studierte Philologie, Philosophie und Kunstgeschichte. Er unternahm viele Reisen durch Europa und lernte dabei zahlreiche Künstler kennen (Mallarmé, Verlaine, Rodin, Hofmannsthal, Swinburne). Um George sammelte sich eine Gruppe von Gelehrten, Künstlern und Dichtern (George-Kreis). Er gab diesem Kreis mit den *Blättern für die Kunst* (1892–1919) ein Publikationsorgan. 1933 ging er aus Protest gegen die nationalsozialistische Umdeutung seines Werkes in die Schweiz. – George vertrat eine elitäre Kunstauffassung, die auch im äußeren Erscheinungsbild seiner Werke sichtbar wird. Er übersetzte u. a. Gedichte von Dante, Shakespeare, Mallarmé und Baudelaire.

Hymnen – Pilgerfahrten - Algabal (Gedichtsammlungen, in einem Band 1899)
Das Jahr der Seele (Gedichte, 1897)
Der Teppich des Lebens und die Lieder von Traum und Tod (Gedichtzyklus, 1900)
Der siebente Ring (Gedichtzyklus, 1907)

HERMANN HESSE (1877–1962) → s. S. 214

HUGO VON HOFMANNSTHAL (1874 in Wien – 1929 in Rodaun/Wien)
Hofmannsthal, ein „frühreifes Wunderkind", schrieb schon mit 16 Jahren erste Gedichte. Er studierte Jura und Romanistik, promovierte 1898 und unternahm zahlreiche Reisen. Seine Freundschaft mit S. George löste sich bald wieder auf. Hofmannsthal schuf Neuinterpretationen von antiken, mittelalterlichen und barocken Werken. 1917 gründete er zusammen mit Max Reinhardt und Richard Strauss die „Salzburger Festspielhausgemeinde".

Der Thor und der Tod (lyrisches Drama, 1894)
Reitergeschichte (Erzählung, 1899 in *Neue Freie Presse*)
Brief des Lord Chandos (1902)
Ausgewählte Gedichte (1903)
Elektra. Tragödie in einem Aufzug. Frei nach Sophokles (1904)

Jedermann. Das Spiel vom Sterben des reichen Mannes, erneuert (1911)
Die Frau ohne Schatten (Opernlibretto, 1919)
Das Salzburger Große Welttheater (Moralitätenspiel, 1922)

FRANZ KAFKA (1883 – 1924) → s. S. 215

HEINRICH MANN (1871 in Lübeck – 1950 in Santa Monica/Kalifornien)
Der Bruder Thomas Manns war Sohn eines Senators und arbeitete nach einer Buchhändlerlehre im S. Fischer Verlag in Berlin. Seit 1893 lebte er als freier Schriftsteller in München, Paris, Italien und seit 1925 wieder in Berlin. 1930 wurde er Präsident der Preußischen Akademie der Künste, 1933 mußte er zurücktreten. Er emigrierte in die Tschechoslowakei, nach Frankreich und 1940 über Spanien schließlich nach Kalifornien. Kurz vor seiner geplanten Rückkehr nach Deutschland starb Heinrich Mann. 1961 wurde seine Urne in Ost-Berlin beigesetzt.

Im Schlaraffenland. Ein Roman unter feinen Leuten (1900)
Professor Unrat oder Das Ende eines Tyrannen (Roman, 1905 – Filmtitel *Der blaue Engel,* 1930)
Der Untertan (Roman, 1918)
Geist und Tat. Franzosen 1890–1930 (Essaysammlung, 1931)
Die Jugend des Königs Henri Quatre (Roman, 1935)
Die Vollendung des Königs Henri Quatre (Roman, 1938)
Lidice (Roman, 1985; 1943 in Mexiko)
Ein Zeitalter wird besichtigt (politisch-autobiographischer Bericht, 1945)

THOMAS MANN (1875 – 1955) → s. S. 215

RAINER MARIA RILKE (1875 in Prag – 1926 in Val Mont/Montreux, Schweiz)
1886 wurde der sensible Rilke von seinen Eltern, die sich trennen wollten, auf eine Militärschule geschickt. In Prag, München und Berlin studierte er Philosophie, Kunstgeschichte und Literaturgeschichte. Mit Lou Andreas-Salomé (1861–1937) reiste er nach Rußland, wo er Tolstoj kennenlernte. 1900 zog er in die Künstlerkolonie Worpswede, 1901 heiratete er die Bildhauerin Clara Westhoff. 1902 ging Rilke nach Paris, wo er 1905/06 als Privatsekretär des Bildhauers Rodin arbeitete. Auf Schloß Duino bei Triest erlebte er noch einmal eine produktive Phase. Nach dem Ersten Weltkrieg lebte er nur noch in der Schweiz, wo er 1926 an Leukämie starb.

Das Stunden-Buch (lyrisches Werk, 1905)
Die Weise von Liebe und Tod des Cornets Christoph Rilke (zyklische Prosadichtung, 1906)
Neue Gedichte (1907/08)
Die Aufzeichnungen des Malte Laurids Brigge (Tagebuchroman, 1910)
Duineser Elegien (Gedichtzyklus, 1923)
Die Sonette an Orpheus (Gedichtzyklus, 1923)

ARTHUR SCHNITZLER (1862 – 1931 in Wien)
Schnitzler war ursprünglich Arzt, wandte sich aber immer mehr der Literatur zu. Er erkannte die Bedeutung Sigmund Freuds (1856–1939) schon früh und übertrug dessen Erkenntnisse der Psychoanalyse auf die Literatur. Als Vertreter des Wiener Impressionismus kritisierte er die dekadente bürgerliche Gesellschaft des fin de siècle, ihren Ehrbegriff und ihre Sexualmoral. Schnitzler war vor dem Ersten Weltkrieg einer der meistgespielten deutschsprachigen Dramatiker.

Anatol (dramatische Skizze, 1893)
Liebelei (Schauspiel, 1896)
Reigen. Zehn Dialoge (1900)
Lieutenant Gustl (Novelle, 1900)
Traumnovelle (1926)

FRANK WEDEKIND (1864 in Hannover – 1918 in München)
Wedekind wuchs in der Schweiz auf, wurde Journalist und zeitweise Werbechef der Firma Maggi. Seit 1890 lebte er als freier Schriftsteller in München. Wedekind war Mitarbeiter der Zeitschrift *Simplizissimus,* Dramaturg und Schauspieler in eigenen Stücken in München. Die Aufführungen seiner Dramen wurden durch die Zensur erschwert.

Frühlings Erwachen. Eine Kindertragödie (1891)
Lulu (Tragödie, 1913; bestehend aus *Der Erdgeist,* 1895, und *Die Büchse der Pandora,* 1904)

16 Expressionismus (1910–1925)

Die zeitlich auf die Jahre zwischen 1910 und 1925 festlegbare Epoche, die man als Expressionismus bezeichnet, verbreitete sich von Deutschland aus auf das europäische Ausland. Als Vorläufer kann man Georg Büchner und Frank Wedekind (s. S. 150, 182) betrachten. Stilistische Einflüsse kamen von dem Schweden August Strindberg (1849–1912) und dem Amerikaner Walt Whitman (1819–1892); thematisch lehnte man sich an die russischen Autoren Leo Tolstoj (1828–1910) und besonders Fjodor Dostojewskij (1821–1881) an. Vor allem der frühexpressionistischen Lyrik gaben die *Illuminations* (1886) des Franzosen Arthur Rimbaud (1854–1891) sowie die Gedichtsammlung *Les Fleurs du Mal* (1857) von Charles Baudelaire (1821–1867) entscheidende Impulse.

Genese eines Begriffs

Der Begriff Expressionismus – Ausdruckskunst – stammt aus der bildenden Kunst, wo die Gruppen „Der Blaue Reiter“ (Macke, Marc, Klee, Kandinsky, Kubin) in München und „Die Brücke“ (Heckel, Kirchner, Nolde, Schmidt-Rottluff) in Dresden für die deutsche bildende Kunst von besonderer Bedeutung waren. 1911 wurde die Bezeichnung von Kurt Hiller erstmals auf die deutschen Dichter und ihre Werke übertragen, denen es auf „den Gehalt, das Wollen, das Ethos“ ankam.

Weil das innere Erleben des Künstlers und Dichters in oft provozierender Weise nach außen übertragen werden sollte (Ausdruck), kann man den expressionistischen Stil dem an der Oberfläche haftenden impressionistischen Stil (Eindruck) entgegenstellen. Vom Naturalismus mit seiner detailgetreuen Nachahmung der äußeren Wirklichkeit unterschied sich die expressionistische Kunstrichtung durch ihre Beschränkung auf „das Wesentliche“.

Der Expressionismus war die dominierende Bewegung der jungen Autoren, die in den letzten 20 Jahren des 19. Jhs. geboren wurden; sie stammten meistens aus dem bürgerlich-intellektuellen Milieu.

In den politisch stabilen Jahren nach der Jahrhundertwende blickten diese jungen Intellektuellen hinter die Fassade einer Gesellschaft, deren Moral fragwürdig geworden war und deren Wohlstand sich oft auf industrielle Ausbeutung zurückführen ließ. Sie standen dem technischen Fortschritt, aber auch dem Positivismus der Wissenschaften kritisch gegenüber und beobachteten mißtrauisch den wachsenden Einfluß von Militarismus und Patriotismus und deren gesellschaftliche Auswirkungen. Gleichzeitig mit dem erwachenden sozialen Bewußtsein entstand angesichts der aufziehenden politischen Gefahr ein Gefühl der Bedrohung, die dann im Ersten Weltkrieg (1914–1918) furchtbare Wirklichkeit wurde.

Wandlung und Erneuerung des Menschen

Die letzte Chance, die Menschheit und die Welt vor dem Untergang zu retten, sahen die Expressionisten in einer Veränderung des Individuums und – daraus folgend – in einer Veränderung der Gesellschaft:

Die Welt kann nur gut werden, wenn der Mensch gut wird.
(K. Pinthus)

Die gemeinsame Einsicht in eine notwendige Erneuerung bewirkte ein starkes Zusammengehörigkeitsgefühl der expressionistischen Autoren; doch man darf deshalb nicht von einer thematischen oder formalen Einheit in der expressionistischen Literatur ausgehen:

Scharf sei betont: es gibt kein expressionistisches ,,Wir". Es wäre Wahn. (...) Nur ein Gleichklang der Gebärden, eine dunkle Ähnlichkeit der Bilder lockt: Uniformierung der Willensmeinungen und Ziele zu vermuten.
(Max Krell)

Pathos der Leidenschaften

Visionen von Krieg und Weltuntergang prägten Kunst und Literatur und spiegelten die Stimmung der Zeit. Immer wiederkehrende Themen sind Apokalypse, Sintflut und Gerichtstag; die Darstellung wurde bis zur Ekstase gesteigert. Die Suche nach einer neuen Humanität bestimmte den Stil, man wollte die Depression überwinden. In Manifesten und programmatischen Aufrufen forderten die Autoren Wandlung und Besinnung auf das Wesentliche. Sie lehnten den Krieg und alle Gewalt ab und wandten sich der Verbesserung der Welt durch pazifistisches Denken und intensiviertes Gefühl zu:

Man versuchte, das Menschliche im Menschen zu erkennen, zu retten und zu erwecken. Die einfachsten Gefühle des Herzens, die Freuden, die das Gute dem Menschen schafft, wurden gepriesen. Und man ließ das Gefühl sich verströmen in alle irdische Kreatur (...) Immer deutlicher wußte man: der Mensch kann nur gerettet werden durch den Menschen, nicht durch die Umwelt. Nicht Einrichtungen, Erfindungen, abgeleitete Gesetze sind das Wesentliche und Bestimmende, sondern der Mensch!
(K. Pinthus, Vorwort zur *Menschheitsdämmerung*)

Expressionistische Zeitschriften

Der Ton der expressionistischen Publikationsorgane war pathetisch, radikal, aufwühlend und ganz auf Ausdrucksstärke – Expressivität – gerichtet. Sie sorgten für die Verbreitung der expressionistischen Programme und warnten schon früh vor dem nahenden Krieg. Diese Zeitschriften trugen außerordentlich sprechende Namen: *Der Sturm*

Edvard Munch:
Der Schrei (1893)

und *Die Aktion* erschienen seit 1910 bzw. 1911 in Berlin, einem Sammelpunkt der Expressionisten. Neu und „modern“ waren auch *Die Revolution* (1913, München), *Das neue Pathos* (1913, Berlin), *Die Schaubühne* (1905, ab 1918 *Die Weltbühne,* Berlin) oder *Die weißen Blätter* (1913, Leipzig), die seit 1915 von dem Elsässer René Schickele in Zürich herausgegeben wurden, der sich über die Grenzen hinweg für die Einheit der europäischen Kultur engagierte. Der Verleger Kurt Wolff, der 1913 den 1908 von Ernst Rowohlt in Leipzig gegründeten

Verlag übernahm, veröffentlichte in der Heftreihe *Der jüngste Tag* (1913–1921) als erster expressionistische Literatur.

Zusammenspiel der Künste

In den Zeitschriften ergänzten Druckbild und Illustrationen die Wirkung des geschriebenen Wortes. Die Künste waren eng miteinander verbunden. *Der Schrei,* das Bild des norwegischen Künstlers Edvard Munch, wurde zu einem berühmten Ausdruck der expressionistischen Empfindungen. Die bildenden Künstler lieferten nicht nur Gemälde, Holzschnitte und Lithographien für die literarischen Publikationsorgane, sondern äußerten sich auch in kunsttheoretischen Abhandlungen oder schrieben selbst Dramen, wie der Exilrusse Wassily Kandinsky, wie Oskar Kokoschka und der durch seine Plastiken und Holzschnitte berühmte Ernst Barlach.

Lyrik

Die entscheidende künstlerische Leistung des Expressionismus lag vor dem Ersten Weltkrieg in der Lyrik. Sie konnte den Gefühlsüberschwang am besten zum Ausdruck bringen. Aus dieser äußerst produktiven Phase stammen die meisten bekannten Gedichte von Georg Trakl, Georg Heym, Franz Werfel, Else Lasker-Schüler, Ernst Stadler und Gottfried Benn. Autorenabende und literarische Veranstaltungen machten die neue Literatur bekannt. Im „Neopathetischen Cabaret“ des 1909 in Berlin gegründeten „Neuen Clubs“, dem Treffpunkt der literarischen Avantgarde, lasen Heym, van Hoddis und Lasker-Schüler ihre Gedichte und Provokationen. Sie wollten damit die trennende Mauer zwischen Schriftsteller und Publikum einreißen.

Neopathetisches Cabaret

Literatur sollte für die Menge sein und ein Medium der Auseinandersetzung mit der bürgerlichen Welt werden; so wollte man ihr den elitären Charakter nehmen.

Verbindliche theoretische Prinzipien für die Lyrik gab es nicht. An ihrer Stelle stand die progressive Idee vom „neuen Menschen“ und sein Wandlungs- und Erlösungsschrei. Gottfried Benn charakterisiert die Grundhaltung

> als Wirklichkeitszertrümmerung, als rücksichtsloses An-die-Wurzel-der-Dinge-Gehen bis dorthin, wo sie (...) im akausalen Dauerschweigen des absoluten Ich der seltenen Berufung durch den schöpferischen Geist entgegensehen.

Sprachzertrümmerung

Das Bemühen um das Absolute, um „das Eigentliche“ stand im Vordergrund. Der Gebrauchscharakter der Sprache wurde durch bewußtes Spiel mit dem Wort als Sinnelement überwunden. Die Sprengung der konventionellen Formen geschah durch die sogenannte Chiffrensprache (die schon Hugo von Hofmannsthal zu Hilfe genommen hatte, um seine Sprachlosigkeit überwinden zu können).

Neue Wege mit der Sprache ging z. B. August Stramm:

Patrouille: Die Steine feinden
Fenster grinst Verrat
Äste würgen
Berge Sträucher blättern raschlig
Gellen
Tod.

Der traditionell zur Verfügung stehende Vorrat an Wörtern und Satzmustern genügte den Expressionisten nicht mehr. Sie suchten mit gesteigertem Tempo, starker Rhythmisierung und Dynamisierung und vor allem mit ausdrucksstarken neuen Wortschöpfungen ihre chaotischen inneren Stimmungen auszudrücken. Neue Wörter und Wortkombinationen sind aus dem Expressionismus zahlreicher als aus irgendeiner anderen Epoche überliefert. Das bestehende Zeicheninventar wurde neuartig eingesetzt, z. B. wenn Wortmaterial, das bisher nur auf Belebtes angewandt wurde, nun die unbelebte Welt wiedergab wie in Georg Trakls Gedicht *Trübsinn:*

Weltunglück geistert durch den Nachmittag.
Baracken fliehn durch Gärtchen braun und wüst.
(Auszug)

Die Expressionisten wollten ihre inneren Gefühle direkter als George, Rilke und Hofmannsthal ausdrücken und verkündeten:

Ein Aufstand mit Eruptionen, Ekstasen, Haß, neuer Menschheitssehnsucht, mit Zerschleuderung der Sprache zur Zerschleuderung der Welt. Andere Gestalten, andere Gestalter traten jetzt auf als die Landschaftsbeträumer und Blümchenverdufter, die dem deutschen Publikum als innige Poeten aufgeredet wurden (und heute wieder aufgeredet werden).
(G. Benn, Einleitung zur *Lyrik des expressionistischen Jahrzehnts,* 1955)

Statt Detailtreue und Sensibilität bestimmten nun das Monumentale, das Grobe und mitunter auch das Häßliche die Lyrik. Mit dieser Lyrik wollte man die Gesellschaft wachrütteln und zur Veränderung aufrufen. Die Darstellung des Schrecklichen und Grausamen schockierte und faszinierte zugleich; sie eröffnete der Phantasie neue Spiel- und Freiräume.

Gedichtsammlungen und Anthologien

Bezeichnend für den Inhalt sind die Titel und Gedichtsammlungen: In *Der Weltfreund* (1911) verkündete Franz Werfel in pathetischen Versen weltweite Bruderschaft und gestaltete das Motiv der allesverbindenden Liebe:

Mein einziger Wunsch ist, Dir, o Mensch verwandt zu sein!
Bist Du Neger, Akrobat, oder ruhst Du noch in tiefer Mutterhut.

Franz Werfel (1890–1945)

Hymnischer noch ist Werfels zwei Jahre später erschienene Gedichtsammlung *Wir sind.* Auch die Gedichte aus Werfels *Der Gerichtstag* (1919) und J. R. Bechers *An Europa* (1916) sind dringliche Appelle an den Menschen, die „Trägheit des Herzens“ zu überwinden.
Die Dämmerung (Alfred Lichtenstein, 1913), *Der Aufbruch* (Ernst Stadler, 1914), *Du. Liebesgedichte* (August Stramm, 1915), *Flamme* (Karl Bröger, 1920), *Rhythmus des neuen Europa* (1921) und *Der Irrgarten Gottes* (1922) sind weitere sprechende Namen expressionistischer Gedichtsammlungen. Zum Teil wurden die Anthologien, in denen Gedichte verschiedener Autoren zusammengefaßt und veröf-

fentlicht wurden, erst nach dem Krieg als eine Art Bilanz herausgegeben; einige der bekannten Dichter waren vor dem oder im Krieg gestorben (G. Heym, R. J. Sorge, E. Stadler, G. Trakl, A. Stramm, A. Lichtenstein). Die von Kurt Pinthus 1920 herausgegebene, außerordentlich erfolgreiche Anthologie *Menschheitsdämmerung, Symphonie jüngster Dichtung* kann den vielleicht besten Überblick über die Lyrik von 23 Autoren geben. Sie ist nach typischen Themenbereichen komponiert: ,,Sturz und Schrei", ,,Erweckung des Herzens", ,,Aufruf und Empörung" und ,,Liebe den Menschen". Pinthus hat bei seiner Auswahl die späten aktivistischen Gedichte gegenüber der frühen Lyrik bevorzugt.

,,Menschheitsdämmerung"

Programmatisch für das Wesen der Kunst ist Ernst Stadlers *Form ist Wollust.* Hingabe an das Leben und Überwindung der beengenden Schranken ermöglichten die innere Erneuerung:

Form ist Wollust

Form und Riegel mußten erst zerspringen,
Welt durch aufgeschlossne Röhren dringen:
Form ist Wollust, Friede, himmlisches Genügen,
Doch mich reißt es, Ackerschollen umzupflügen.
Form will mich verschnüren und verengen,
Doch ich will mein Sein in alle Weiten drängen –
Form ist klare Härte ohn' Erbarmen,
Doch mich treibt es zu den Dumpfen, zu den Armen,
Und in grenzenlosem Michverschenken
Will mich Leben mit Erfüllung tränken.

Heym, Trakl, Werfel und vor allem auch van Hoddis (mit richtigem Namen Hans Davidsohn) malten Ausweglosigkeit, Melancholie und apokalyptische Visionen des Weltuntergangs. *Weltende* (das Gedicht steht als erstes in der *Menschheitsdämmerung*) traf 1911 genau den Nerv der Zeit, als die Expressionisten das Ende der bürgerlichen Welt kommen sahen. Mit seinem grotesken Humor führte van Hoddis einen neuen Ton in der Lyrik ein:

Drohende Katastrophe

Jakob van Hoddis (1887–1942)

Weltende

Dem Bürger fliegt vom spitzen Kopf der Hut,
In allen Lüften hallt es wie Geschrei.
Dachdecker stürzen ab und gehn entzwei
Und an den Küsten – liest man – steigt die Flut.

Der Sturm ist da, die wilden Meere hupfen
An Land, um dicke Dämme zu zerdrücken.
Die meisten Menschen haben einen Schnupfen.
Die Eisenbahnen fallen von den Brücken.

Prophetischen Charakter hatte Heyms bekanntes Gedicht *Der Krieg* (1911), das die Weltkatastrophe dramatisch voraussagte. Seine Sammlungen *Der ewige Tag* (1911) und *Umbra Vitae* (1912) erreichten große Bekanntheit. Die dämonischen Bilder von Berlins Häusermeer mach-

Georg Heym (1887–1912)

Thema: Großstadt

ten Fluch und Grausamkeit der Großstadt lebendig. Eines der bekanntesten Gedichte ist

Der Gott der Stadt

Auf einem Häuserblocke sitzt er breit.
Die Winde lagern schwarz um seine Stirn.
Er schaut voll Wut, wo fern in Einsamkeit
Die letzten Häuser in das Land verirrn.

Vom Abend glänzt der rote Bauch dem Baal,
Die großen Städte knieen um ihn her.
Der Kirchenglocken ungeheure Zahl
Wogt auf zu ihm aus schwarzer Türme Meer.

Wie Korybanten-Tanz dröhnt die Musik
Der Millionen durch die Straßen laut.
Der Schlote Rauch, die Wolken der Fabrik
Ziehn auf zu ihm, wie Duft von Weihrauch blaut.

Das Wetter schwält in seinen Augenbrauen.
Der dunkle Abend wird in Nacht betäubt.
Die Stürme flattern, wie die Geier schauen
Von seinem Haupthaar, das im Zorne sträubt.

Er streckt ins Dunkel seine Fleischerfaust.
Er schüttelt sie. Ein Meer von Feuer jagt
Durch eine Straße. Und der Glutqualm braust
Und frißt sie auf, bis spät der Morgen tagt.

Betonung des Grausamen – Zerfall und Tod

Gottfried Benn (1886–1956)

Am radikalsten nihilistisch und destruktiv im expressionistischen Sinn war der junge Gottfried Benn. Seine schockierenden Themen Krankheit, Zerfall und Tod wurden im provozierenden Stil aus einer Verbindung von pathetischem Vokabular mit kalter Wissenschaftssprache (Benn war Arzt) und banalem Alltagswortschatz gestaltet. Er ließ Illusionen gar nicht erst aufkommen und zertrümmerte Stimmungen, bevor sie entstanden. Seine erste Sammlung *Morgue* („Leichenschauhaus", 1912) enthält Gedichte aus der Welt des Arztes, die tiefen Ekel an der Welt ausdrücken; z. B. *Mann und Frau gehn durch die Krebsbaracke, Negerbraut* und *Kleine Aster.*

Dadaismus

Am deutlichsten kam die Tendenz zum Nihilismus und zur Deformation überlieferter Muster in der bis zur Groteske übersteigerten Bewegung des Dadaismus zum Ausdruck, die sich auch in der Malerei entwickelte. Für die Lyrik gab Hugo Ball ein Beispiel:

Seepferdchen und Flugfische

tressli bessli nebogen leila
flusch kata
ballubasch
zack hitti zopp

zack hitti zopp
hitti betzli betzli
prusch kata
ballubasch
fasch kitti bimm

zitti kitillabi billabi billabi
zikko di zakkobam
fisch kitti bisch

bumbalo bumbalo bumbalo bambo
zitti kitillabi
zack hitti zopp.
(Auszug)

Der Italiener Filippo Tommaso Marinetti (1876–1944) übertrug den Futurismus von der bildenden Kunst auf die Literatur und suchte nach neuen Ausdrucksmöglichkeiten im modernen technischen Zeitalter. 1912 feierte man auch in Berlin den „Begründer des Futurismus" enthusiastisch. Seine Konzepte waren jedoch so radikal, daß sie nur kurze Zeit von Bedeutung waren. „Die Idee der kreativen Irrealität und die Idee des schöpferischen Spiels" (R. Huelsenbeck) verabsolutierten den reinen Laut über die Grenzen des Wortes hinaus; die Kunst wurde ad absurdum geführt. Die bisher gültigen Gesetze von Morphologie, Semantik und Syntax wurden vollständig aufgehoben („Sprachzertrümmerung"); nur der Rhythmus hielt die Worte zusammen. Man wollte provozieren und schockieren:

Da Dada der direkteste und lebendigste Ausdruck seiner Zeit ist, wendet es sich gegen alles, was ihm obsolet, mumienhaft, festsitzend erscheint. Es prätendiert eine Radikalität, es paukt, jammert, höhnt und drischt (...) Wer für diesen Tag lebt, lebt immer.
(*Dada-Almanach,* 1920)

In Zürich, einem Zentrum des Dadaismus, trafen sich viele Emigranten aus den kriegführenden Ländern. Dort gaben Hans Arp, Hugo Ball, Emmy Hennings, Tristan Tzara u. a. der Bewegung 1916 in spielerischer Wahl den Namen „Dada" (aus der französischen Kindersprache „Holzpferdchen"). Die Dada-Bewegung formulierte ihre eigenen Manifeste und gab die Zeitschrift *Dada* (Berlin 1919/20) heraus. Im *Cabaret Voltaire* (1916) protestierten die Mitglieder gegen den „Wahnsinn der Zeit" (H. Arp) und betrieben ihr „Narrenspiel aus dem Nichts" (Hugo Ball):

Wir wollen nichts als frech bei jeder Gelegenheit sein.
(H. Arp, *Manifest des Impertinentismus*)

Nach 1918 verbreitete sich der rasch in Mode gekommene Dadaismus auch in Berlin, Köln und Hannover. Die Collagen und Aktionen der Dadaisten hatten Einfluß auf die Surrealisten und später bis in die jüngste Gegenwart auf die Pop-Art und das „Happening".

Spielerische Formen

Nicht so extrem und mehr in spielerischer Nachfolge Christian Morgensterns (s. S. 182) provozierten die Mitglieder des 1902 von Max Reinhardt gegründeten Berliner Kabaretts „Schall und Rauch". Zu ihm gehörten Walter Mehring, Klabund und J. Ringelnatz (eigentlich Hans Bötticher), den Hermann Hesse einen „Seiltänzer auf hohem Turmseil, todernst im bunten Kostüm über der bezauberten Menge" nannte. Voll hintergründigem Humor sind Ringelnatz' Verse:

Joachim Ringelnatz (1883–1934)

Die Ameisen

In Hamburg lebten zwei Ameisen,
Die wollten nach Australien reisen.
Bei Altona auf der Chaussee,
Da taten ihnen die Beine weh,

Und da verzichteten sie weise
Dann auf den letzten Teil der Reise.

So will man oft und kann doch nicht
Und leistet dann recht gern Verzicht.

Drama

„Der deutsche Expressionismus lebte am lautesten auf dem Theater" (Ludwig Marcuse, 1960). – Durch den Einfluß des Ersten Weltkriegs wurde die Dichtung der expressionistischen Schriftsteller zunehmend politisch-revolutionär. Diese Tendenz konnte am besten im Drama Ausdruck finden, das gegen Ende des Krieges (1918) die Lyrik in ihrer Vorrangstellung ablöste. Die Schriftsteller wollten das Publikum durch bewegendes, an das Gefühl appellierendes Theater zum Handeln bringen.

Neue Formen der Inszenierung – Drama als Bühnenkunstwerk

Die Expressionisten entwickelten eine neue Form von Drama und Theater. Auf der Bühne konnte die Forderung: Wandlung der Welt durch Wandlung der Menschen! am deutlichsten vorgeführt werden. Ausdrucksstarke Sprache und affektgeladene Gebärden waren nur ein Teil des Theaters. Detaillierte Regieanweisungen, der Einsatz von symbolträchtigen Farben und Lichteffekten, Pantomime und Darstellung von Visionen, sowie eine teilweise schrille Tonregie unterstützten als wirkungsvolle szenische Mittel die neue Bühne. In Kokoschkas nur wenige Seiten umfassendem Schauspiel *Mörder, Hoffnung der Frauen* (1910 in *Der Sturm*) wurden alle diese dramaturgischen Mittel eingesetzt. Das Drama wurde zu einem „Bühnenkunstwerk", das viele Kunstbereiche einschloß und durch ungewöhnliche Kombinationen besondere Wirkungskraft bekam. In Kandinskys Einakter *Der gelbe Klang. Eine Bühnenkomposition* (1912) weist bereits der Titel darauf hin. (Der Exilrusse hatte es in deutscher Sprache geschrieben.)
In expressionistischen Dramen werden vielfach Namen und Stand der Personen nicht genannt. Statt dessen verkünden stereotype Charaktere und auf ihre Funktion reduzierte Vertreter bestimmter Typen und Ideen den neuen Menschen. Allgemeingültigkeit von Gestalt und Handlung soll durch den oft Namenlosen betont werden. Der Einzelmensch hält seine Monologe als Stellvertreter, dessen Moral zur Nachahmung aufruft. Die Einzelperson war nicht mehr wichtig, der Weg führte vom Ich zum Du und zum Bruder – zum Zusammenschluß der ganzen Menschheit und zu einem wiedererstandenen Gott:

> [Es ist] natürlich, daß dies die Worte sind, die sich am meisten [in der expressionistischen Dichtung] finden: Mensch, Welt, Bruder, Gott. Weil der Mensch so ganz und gar Ausgangspunkt, Mittelpunkt, Zielpunkt dieser Dichtung ist, deshalb hat die Landschaft wenig Platz in ihr.
> (K. Pinthus, Vorwort zur *Menschheitsdämmerung*)

Vater-Sohn-Konflikt

Der expressionistische Held ist bezeichnenderweise meist ein junger Mensch; Reife wurde oft negativ gesehen:

> Die Jungen machen sich frei von den Theorien der Vergangenheit, von dem ganzen Gerede über Stil und Form, an dem der Naturalismus sich noch so sehr beteiligte (...) Ihr Gefühl dringt empor bis zur Erkenntnis der Idee.
> (R. Kayser, *Das neue Drama,* 1918)

Der junge Mensch revoltierte gegen das Schicksal und die ihn einschränkende Umwelt, die häufig durch den eigenen Vater repräsentiert wurde. Der Vater-Sohn-Konflikt, der oft zum Vatermord führte, war im Expressionismus ein beliebtes Thema; z. B. Walter Hasenclever, *Der Sohn* (1914); Franz Werfel, *Nicht der Mörder, der Ermordete ist schuldig* (1920) und Arnolt Bronnen, *Vatermord* (1920).

Die neue Bühne

Reinhard Johannes Sorge (1892–1916)

Eines der frühesten expressionistischen Dramen – es wurde mit dem angesehenen Kleistpreis ausgezeichnet – ist R. J. Sorges lyrisch-dramatisches Werk *Der Bettler* (1912, 1917 uraufgeführt). Die namenlosen Handelnden werden eingeteilt in ,,Menschen", ,,Gruppenpersonen", ,,Nebenpersonen", ,,stumme Personen" und ,,Gestalten des Dichters". Der Werdegang des dramatischen Dichters wird in Symbolen dargestellt (,,Durch Symbole der Ewigkeit reden"). Als junger Held betrachtet er die Welt und die Menschen und fordert eine neue, ausdrucksstarke Bühne. Diese möchte er gestalten, mit ihr experimentieren; sie muß Mittel und Medium zu neuer Gemeinschaft sein, Dichtung und Leben miteinander vereinen. Die zahlreichen angesprochenen Motive und Themen sind dabei wichtiger als das Bühnengeschehen selbst. Neue Techniken und Lichteffekte (,,Scheinwerferkulisse") wurden in diesem Drama erstmals eingesetzt. Das barocke Stationendrama wurde wieder neu entdeckt: Vorhänge teilten die Bühne in verschiedene Welten (s. S. 49). Der Vater-Sohn-Konflikt steigerte sich zum Vatermord, der als Mitleidshandlung variiert und nicht durch Haß motiviert wird.

Suche nach dem ,,neuen Menschen"

Georg Kaiser (1878–1945)

Die Expressionisten griffen nur selten auf historische Stoffe zurück – außer in mythisierter Form, die die Distanz zur Vergangenheit aufhob. In seinem bekanntesten Drama *Die Bürger von Calais* (1914, Uraufführung 1917) bearbeitete G. Kaiser die Eroberung der französischen Stadt Calais durch Edward III. (1347). In dem Stück, zu dem Kaiser durch die Plastik des Pariser Bildhauers Rodin angeregt wurde, tragen ebenfalls nur einige der Personen einen Namen.

Die Engländer belagern Calais, und der englische König stellt die Bedingung für den Frieden: 6 Bürger sollen sich freiwillig ausliefern. Als sich aber 7 Bürger opfern wollen, begeht einer von ihnen, Eustache de Saint-Pierre, Selbstmord, um jedem die sinnvolle Selbstaufgabe zu ermöglichen. Die moralische Bedeutung der Selbstauslieferung wird unterstrichen, als das Opfer unnötig wird durch die Geburt eines Thronfolgers. Dieses Ereignis bewegt den König zum Verzicht auf seine Forderung.

Der von Nietzsches Einfluß geprägte ,,neue Mensch" wird hier in seinem Entwicklungsprozeß in der symbolischen Figur des alten Eustache de Saint-Pierre gezeigt (ausnahmsweise handelt es sich nicht um einen jungen Menschen); die Bühne wird zur Kultstätte: ,,Ich habe den neuen Menschen gesehen – in dieser Nacht ist er geboren!" – In diesem Ideendrama (Drama soll ,,Denken darstellen" – G. Kaiser) wird die Selbstaufopferung zugunsten der Allgemeinheit und nicht aus persönlicher Eitelkeit demonstriert. Neu ist dabei nicht die Handlung oder Struktur, sondern die eindringliche, knappe Sprache, die sich auf das Wesentliche beschränkt, Sätze nicht beendet, Verben alleine stehen

Auguste Rodin: Die Bürger von Calais (1884–86)

läßt. Gebärden, Farben, Bewegung, d. h. also eine mitspielende Bühne, sollen die zurückgenommene sprachliche Mitteilungsfunktion ersetzen. Beinahe hymnisch wird der entscheidende Tag angekündigt:

Schreitet hinaus – in das Licht – aus dieser Nacht. Die hohe Helle ist angebrochen – das Dunkel ist verstreut. Von allen Tiefen schließt das siebenmal silberne Leuchten – der ungeheure Tag der Tage ist draußen! –

Die christliche Symbolik wird noch unterstrichen durch die Szene des „letzten Abendmahls" der opferbereiten Bürger und durch die religiöse Wendung am Ende: Die Geburt des Herrschersohnes macht Tod und Opfer der Bürger von Calais unnötig.

Neue Religiosität

Der Glaube an die gesellschaftsverändernde Kraft der Kunst erlitt mit der gescheiterten Revolution von 1918 starke Erschütterung. Die Folge war, neben gesteigertem Aktivismus, eine noch stärkere Betonung der Religiosität. Die etablierten Formen der Kirche wurden jedoch genauso abgelehnt wie die bürgerliche Gesellschaft.

Ernst Barlach (1870–1938)

In E. Barlachs Drama *Die Sündflut* (auch: *Sintflut*), das 1924 uraufgeführt und ebenfalls mit dem Kleistpreis ausgezeichnet wurde, geht es um ein religiöses Thema: Gott in menschlicher Gestalt. „Sonderbar ist nur, daß der Mensch nicht lernen will, daß sein Vater Gott ist" – so schließt Barlachs erstes Drama *Der tote Tag* (1912) mit dem Leitspruch für sein gesamtes Werk. Die Hauptfigur in Barlachs Drama *Der arme Vetter* (1918, uraufgeführt 1919) ist auf der Flucht aus der niedrigen und langweiligen Welt. Die Sehnsucht nach dem besseren Menschen, dem Bruder, gestaltete Barlach mit eindringlichen Worten und Lithographien. Barlachs in lose Bilder zerfallende Dramen, deren Kernstücke Streitgespräche sind, ergänzen sein nicht-literarisches Schaffen:

Ein berühmter Bildhauer und Graphiker wird von Zeit zu Zeit gezwungen, seine Geschöpfe aus ihrer Stummheit zu erlösen, ihren Mund aufzutun, ihre Liniensprache zu bekräftigen durch die noch unmittelbarere Seelenäußerung des Wortes.

Politisch-revolutionäre Aktion

Ernst Toller (1893–1939)

Ein typisch expressionistisches „Stationendrama" ist Ernst Tollers *Masse Mensch. Ein Stück aus der sozialen Revolution des 20. Jahrhunderts* (1921) in 7 Bildern, das „den Proletariern" gewidmet ist. Das Erlebnis des Krieges und die Kritik am menschenfeindlichen und massenmordenden Geschehen kommen hier zum Ausdruck. Die allegorisch stilisierten Hauptfiguren – der Namenlose, der Mann und eine Frau – sind Repräsentanten verschiedener Prinzipien. Sie müssen entscheiden, ob soziale Veränderung durch unblutigen Streik (Frau) oder durch Revolution (Namenloser) erreicht werden kann. Dabei läßt Toller keinen Zweifel, daß er jede Gewaltanwendung ablehnt. Jede Person des Dramas wird in ihrer teilweise telegrammartigen Sprachverwendung typisiert. Die Masse ist ein unheimliches Wesen, in der jedes Individuum untergeht, von der keine Impulse ausgehen: Die qualitative Veränderung kann nur durch Wandlung des Einzelnen erfolgen.

DIE FRAU:

Masse ist nicht heilig.
Gewalt schuf Masse.
Besitzunrecht schuf Masse.
Masse ist Trieb aus Not,
Ist gläubige Demut...
Ist grausame Rache...
Ist blinder Sklave...
Ist frommer Wille...

Noch abstrakter und konsequenter „expressionistisch" behandelt Kaiser die sozialen, politischen und technischen Probleme des Industriezeitalters in seinen Schauspielen *Gas I* (1918) und *Gas II* (1920). Seine Revolutionsstücke wurden durch höchste Verdichtung der Sprache, völlige Anonymität und den Einsatz übersteigerter Bühneneffekte zum reinen „Denkspiel".

Carl Sternheim (1878–1942) Komödien

C. Sternheim schrieb sozialkritische Dramen („bürgerliche Lustspiele"), die alle einen satirischen Grundzug haben und vor dem Hintergrund der Wilhelminischen Zeit (s. S. 174) spielen. In diesen Stükken gibt es kein positives Gegenbild zu der Welt der „Spießer", die sich immer wieder selbst als fragwürdig entlarvt. Die Figuren werden bei Sternheim typenhaft charakterisiert, sie sprechen eine oft bruchstückhafte Sprache. Die Tetralogie *Aus dem bürgerlichen Heldenleben* enthält *Die Hose* (1911 uraufgeführt), *Die Kassette* (1911 uraufgeführt), *Bürger Schippel* (1913 uraufgeführt) und *Der Snob* (1914 uraufgeführt).

Prosa

Der Roman spielte im Expressionismus eine untergeordnete Rolle. Das Prinzip der Prägnanz und Intensität vertrug sich schlecht mit der epischen Fülle eines Romans. Das Echo auf expressionistische Prosa war relativ gering, und auch in der Forschung steht sie im Schatten von Lyrik und Drama.

Alfred Döblins *Die Ermordung einer Butterblume* (1910 in *Der Sturm*) und Franz Kafkas Erzählungen (s. S. 184) *Das Urteil* (1916), *Die Verwandlung* (1916) und *In der Strafkolonie* (1919) sind die bekanntesten Kurzprosa-Werke aus dieser Zeit. Romane, die heute kaum noch bekannt sind, schrieben Carl Einstein und Alfred Kubin.

Auflösung der expressionistischen Bewegung

Die Nationalsozialisten versuchten, den Expressionismus als „entartete Kunst" gewaltsam aus der Erinnerung zu verdrängen, so daß seine Bedeutung erst nach 1945 klarer erkannt wurde. Ab 1950 erschienen zahlreiche Editionen expressionistischer Werke.

Das expressionistische Drama ist (mit Ausnahme der Komödien von Carl Sternheim) heute kaum noch auf der Bühne zu sehen, die Lyrik jedoch hat ihren festen Platz in der Literatur gefunden.

Die expressionistischen Schriftsteller gaben der Kunst neue Impulse: Ihren inhaltlichen Ansprüchen (Menschen und Welt zu verändern) konnten sie allerdings nicht gerecht werden; man hatte die Möglichkeit der Kunst überschätzt, die Gewalt des Wortes mit gesellschaftsverändernder Kraft verwechselt. Die Formeln waren bald abgegriffen. 1920 las man bereits: „Der Expressionismus ist tot". Auch die meisten der neuen Zeitschriften existierten nicht lange: ihre Zahl sank von 36 (1920) auf 8 (1922).

Die Schriftsteller des Expressionismus, der eine Bewegung junger Autoren war, schlugen bald getrennte Wege ein. Einige starben schon im Ersten Weltkrieg (s. S. 193), die anderen entwickelten sich unter dem Einfluß der politischen Umstände völlig unterschiedlich: Zahlreiche Expressionisten flüchteten nach 1933 ins Exil: G. Kaiser, E. Lasker-Schüler, C. Sternheim, E. Toller und F. Werfel. E. Toller war zum politischen Aktivisten während der Münchner Räterepublik geworden, A. Döblin wandte sich im Exil dem Christentum zu, Gottfried Benn sympathisierte vorübergehend mit dem Faschismus, J. R. Becher verschrieb sich dem Sozialismus (1954 wurde er Kulturminister der DDR), und F. Werfel zog sich ganz in seine Dichtung zurück, war aber sehr produktiv. Die Auflösung der gemeinsamen Ziele brachte das Ende der expressionistischen Bewegung.

Kurzbiographien Expressionismus

ERNST BARLACH (1870 in Wedel/Holstein – 1938 in Rostock)

Barlach besuchte seit 1888 die Kunstgewerbeschule in Hamburg, seit 1891 die Dresdener Akademie; 1895/96 studierte er in Paris. Er lebte in Berlin und unternahm Reisen nach Rußland (1906) und Italien (Florenz 1909). Seit 1910 lebte er in Güstrow (Mecklenburg). Ab 1927 entstanden die Werke des Bildhauers und Graphikers. 1934 begann die Diffamierung seiner literarischen Werke sowie die Ablehnung seiner Plastiken und Graphiken als „entartete Kunst".

Der tote Tag (Drama, 1912)
Der arme Vetter (Drama, 1918)
Die Sündflut (Drama, 1924)

GOTTFRIED BENN (1886 in Mansfeld/Westpreußen – 1956 in Berlin)
Benn stammte aus einer protestantischen Pfarrerfamilie. Im Ersten Weltkrieg war er Militärarzt in Brüssel, von 1917–35 Facharzt für Haut- und Geschlechtskrankheiten in Berlin. Zunächst sympathisierte er mit dem Nationalsozialismus, doch bald zog er sich zurück und wurde von den Nationalsozialisten angegriffen. Er ging als Arzt erneut zum Militär. 1938 erhielt er Schreibverbot.

Morgue und andere Gedichte (1912)
Fleisch (Gedichte, 1917 in *Die Aktion*)
Statische Gedichte (1949)
Probleme der Lyrik (Vortrag, 1951)
Apèslude (Gedichte, 1955)

GEORG HEYM (1887 in Hirschberg/Schlesien – 1912 in Berlin)
Heym studierte 1907–10 Jura in Würzburg, Berlin und Jena. In Berlin gehörte er 1910 als einer der ersten deutschen Expressionisten dem „Neopathetischen Cabaret" von Kurt Hillers „Neuem Club" an. Heym ertrank beim Schlittschuhlaufen auf der Havel.

Der ewige Tag (Gedichte, 1911)
Umbra Vitae (nachgelassene Gedichte, 1912; 1924 mit Holzschnitten von Ernst Ludwig Kirchner)
Gesammelte Gedichte. Mit einer Darstellung seines Lebens und Sterbens (1947 herausgegeben von C. Seelig)

GEORG KAISER (1878 in Magdeburg – 1945 in Ascona/Schweiz)
Kaiser war Kaufmann in Buenos Aires, Spanien und Italien, bevor er 1901 nach Deutschland zurückkehrte und als freier Schriftsteller in Magdeburg lebte. Die Jahre 1911–20 waren seine produktivste Zeit. 1933 erhielt er Aufführungsverbot, 1938 emigrierte er in die Schweiz. Er schrieb über 60 expressionistische Dramen. Seine Werke gehörten zu den meistgespielten Dramen des Expressionismus.

Die Bürger von Calais (Drama, 1914)
Von Morgens bis Mitternachts (Drama, 1916)
Gas I / Gas II (Dramen, 1918/1920)

ELSE LASKER-SCHÜLER (1869 in Elberfeld – 1945 in Jerusalem)
Die Tochter eines jüdischen Bankiers brach aus dem bürgerlichen Leben aus und führte ein unruhiges Wanderleben. Sie war mit vielen bildenden Künstlern und Schriftstellern des Expressionismus befreundet und nahm entscheidenden Anteil an der Zeitschrift *Der Sturm*. 1933 emigrierte sie in die Schweiz, 1937 weiter nach Jerusalem, wo sie 1945 einsam und verarmt starb.

Der siebente Tag (Gedichte, 1905)
Die gesammelten Gedichte (1917)
Mein blaues Klavier (Gedichte, 1943)

CARL STERNHEIM (1878 in Leipzig – 1942 in La Hulpe/Brüssel)
Der Bankierssohn studierte 1897–1902 Philosophie, Psychologie und Jura in München, Göttingen, Leipzig und Berlin. 1908 gründete er zusammen mit Franz Blei (1871–1942) die Zeitschrift *Hyperion*. Sternheim führte ein unstetes Leben und emigrierte schließlich nach Brüssel. Nervenkrank und einsam starb er 1942 im Exil. Seine Tetralogie *Aus dem bürgerlichen Heldenleben* enthält:

Die Hose (Lustspiel, 1911)
Die Kassette (Komödie, 1912)
Bürger Schippel (Komödie, 1913)
Der Snob (Komödie, 1914)

ERNST TOLLER (1893 in Samotschin/Posen, heute Polen – 1939 in New York)
Der Sohn einer jüdischen Kaufmannsfamilie studierte in Grenoble Jura. Als Freiwilliger ging er in den Ersten Weltkrieg, wurde aber 1916 schwer verletzt entlassen. Nach der Revolution 1918 wurde er leitendes Mitglied der bayerischen Räterepublik. Wegen seiner politischen Aktivitäten wurde er 1919 zu 5 Jahren Festungshaft verurteilt; anschließend lebte er in Berlin. Toller emigrierte 1933 nach Amerika und nahm sich 1939 in New York das Leben.

Masse Mensch. Ein Stück aus der sozialen Revolution des 20. Jahrhunderts (Versdrama, 1921; Uraufführung 1920)
Hoppla, wir leben! (Drama, 1927)
Eine Jugend in Deutschland (Autobiographie, 1933)
Briefe aus dem Gefängnis (1935)

GEORG TRAKL (1887 in Salzburg – 1914 in Krakau)
Trakl wurde nach erfolglosem Besuch eines Gymnasiums zum Apotheker ausgebildet. Er nahm frühzeitig Drogen. Im Ersten Weltkrieg erlebte er die Schlacht bei Grodek (Galizien) mit und war als Sanitäter für fast 100 Schwerverwundete verantwortlich. Trakl unternahm mehrere Selbstmordversuche, bevor er 1914 an einer Überdosis Kokain starb.

Gedichte (1913)
Sebastian im Traum (Gedichte, 1915)

FRANZ WERFEL (1890 in Prag – 1945 in Beverly Hills/Kalifornien)
Werfel stammte aus einer jüdischen Kaufmannsfamilie. Er absolvierte eine Kaufmannslehre in Hamburg und wurde anschließend Lektor des Kurt Wolff-Verlags in Leipzig. Er nahm 1915–17 am Ersten Weltkrieg teil, lebte anschließend als freier Schriftsteller in Wien. 1938 emigrierte er nach Frankreich, 1940 floh er von Paris über die Pyrenäen nach Portugal und von dort nach Amerika.

Der Weltfreund (Gedichte, 1911)
Wir sind (Gedichte, 1913)
Nicht der Mörder, der Ermordete ist schuldig (Novelle, 1920)
Spiegelmensch. Magische Trilogie (Drama, 1919)
Der Abituriententag. Die Geschichte einer Jugendschuld (Roman, 1928)
Stern der Ungeborenen. Ein Reiseroman (1946)

Literatur der Zwanziger Jahre (1918-1933)

17

Das Ende des Ersten Weltkriegs 1918 bis zur Machtergreifung durch Hitler 1933 ist die Zeit der „Weimarer Republik". Trotz der Kriegsniederlage und den harten Friedensbedingungen, die im Friedensvertrag von Versailles 1919 für Deutschland festgelegt wurden, nennt man diese Zeit im Rückblick auch „die Goldenen Zwanziger Jahre".

Weimarer Republik

Es war eine Zeit wissenschaftlicher Innovationen. Besonders auf dem Gebiet der Medien gab es viele Fortschritte. Die Anfangsphase von Film und Hörfunk fiel in diese Jahre; 1923 wurde das erste öffentliche Rundfunkprogramm ausgestrahlt, bereits 1917 war die UFA (Universum Film-AG) gegründet worden.

Gleichzeitig wuchs aber auch der Nationalsozialismus als eine Gegenbewegung zur Revolution und zum parlamentarisch-demokratischen System.

Berlin war das politische und kulturelle Zentrum dieses Jahrzehnts. Nach dem Ersten Weltkrieg ging die Zeit des literarischen Expressionismus allmählich zu Ende. Die Autoren wurden nüchterner, aber auch entschiedener in der Ablehnung oder Befürwortung politischer Programme und Richtungen. In Thomas Manns Rede *Von deutscher Republik*, die er zum 60. Geburtstag Gerhart Hauptmanns 1922 (s. S. 170) hielt, heißt es:

Thomas Mann

Der Staat ist unser aller Angelegenheit geworden, wir sind der Staat, und dieser Zustand ist wichtigen Teilen der Jugend und des Bürgertums in tiefster Seele verhaßt, sie wollen nichts von ihm wissen, sie leugnen ihn nach Möglichkeit, und zwar hauptsächlich, weil er sich nicht auf dem Wege des Sieges, des freien Willens, der nationalen Erhebung, sondern auf dem der Niederlage und des Kollapses hergestellt hat und mit Ohnmacht, Fremdherrschaft, Schande unlöslich verbunden scheint.

In die 20er Jahre fällt ein Teil des Werkes von H. Hesse, das man oft mit dem Begriff „Neuromantik" charakterisiert hat. Hesse übernahm die Erkenntnisse des Psychoanalytikers C. G. Jung (1875–1961) und zeigte in seinen Romanen häufig an Einzelgängern eine Krise der

Hermann Hesse (1877–1962)

bürgerlichen Werte. *Demian. Die Geschichte von Emil Sinclairs Jugend* erschien 1919 anonym. Dieser Roman zeigt deutlich den Einfluß der Kriegserlebnisse. Das Freundespaar Sinclair und Demian steht für das Verhältnis von Kunst und Leben. Der mit übernatürlichen Fähigkeiten ausgestattete Demian taucht in entscheidenden Augenblicken im Leben Sinclairs auf; dieser versucht,

> das eigene Schicksal zu finden, nicht ein beliebiges, und es in sich auszuleben, ganz und ungebrochen.

Tractat

vom

Steppenwolf

Es war einmal einer namens Harry, genannt der Steppenwolf. Er ging auf zwei Beinen, trug Kleider und war ein Mensch, aber eigentlich war er doch eben ein Steppenwolf. Er hatte vieles von dem gelernt, was Menschen mit gutem Verstande lernen können, und war ein ziemlich kluger Mann. Was er aber nicht gelernt hatte, war dies: mit sich und seinem Leben zufrieden zu sein. Dies konnte er nicht, er war ein unzufriedener Mensch. Das kam wahrscheinlich daher, daß er im Grunde seines Herzens jederzeit wußte (oder zu wissen glaubte), daß er eigentlich gar kein Mensch, sondern ein Wolf aus der Steppe sei. Es mögen sich kluge Menschen darüber streiten, ob er nun wirklich ein Wolf war, ob er einmal, vielleicht schon vor seiner Geburt, aus einem Wolf in einen Menschen verzaubert worden war oder ob er als Mensch geboren, aber mit der Seele eines Steppenwolfes begabt und von ihr besessen war oder aber ob dieser Glaube, daß er eigentlich ein Wolf sei, bloß eine Einbildung oder Krankheit von ihm war. Zum Beispiel wäre es ja möglich, daß dieser Mensch etwa in seiner Kindheit wild und unbändig und unordentlich war, daß seine Erzieher versucht hatten, die Bestie in ihm totzukriegen, und ihm gerade dadurch die Einbildung und den Glauben schufen, daß er in der Tat eigentlich eine Bestie sei, nur mit einem dünnen Überzug von Erziehung und Menschentum darüber. Man könnte hierüber lang und unterhaltend sprechen und sogar Bücher darüber schreiben; dem Steppenwolf aber wäre damit nicht gedient, denn für ihn war es ganz einerlei, ob der Wolf in ihn hinein-

Hesses Roman *Der Steppenwolf* (1927) stellt einen Menschen dar, der im Konflikt zwischen Künstlertum und bürgerlicher Welt eine gespaltene Existenz führt und sich selbst als „schizophren“ bezeichnet. Auch dieser Roman zeigt, wie Hesse psychoanalytische Studien in ein literarisches Werk einbrachte:

> Diese Aufzeichnungen (...) sind ein Versuch, die große Zeitkrankheit nicht durch Umgehen und Beschönigen zu überwinden, sondern durch den Versuch, die Krankheit selber zum Gegenstand der Darstellung zu machen. Sie bedeuten, ganz wörtlich, einen Gang durch die Hölle, einen bald angstvollen, bald mutigen Gang durch das Chaos einer verfinsterten Seelenwelt, gegangen mit dem Willen, die Hölle zu durchqueren, dem Chaos die Stirn zu bieten, das Böse bis zu Ende zu erleiden.

Neue Sachlichkeit

Etwa ab 1925 kann man in Romanen, Theaterstücken und Gedichten eine neue Art der Darstellung erkennen, die man mit dem Stichwort „Neue Sachlichkeit" bezeichnet. Sachlich, nüchtern und genau beobachtend sprachen viele Autoren ihre Kritik an der Zeit aus. Sie bekämpften eine Neuorientierung an falschen Vorbildern und beklagten den Verfall moralischer Werte. In den Romanen der Neuen Sachlichkeit (vor allem bei Döblin und Kästner) findet man Tatsachenberichte, Reportagen und Montagen. Dieser Stil wurde aber auch in Theaterstücken von Brecht und Zuckmayer benutzt, ebenso wie in der Lyrik von Brecht, Kästner und Tucholsky.

Roman

Der Inhalt der Dichtung gewann wieder mehr Bedeutung als die Form. In den 20er Jahren begann über die Gattung des Romans eine Diskussion, für die Georg Lukács (1885–1971) eine Grundlage gegeben hatte. In seinem Werk *Die Theorie des Romans. Ein geschichtsphilosophischer Versuch über die Formen der großen Epik* (1920) definierte er den Roman als „Ausdruck der transzendentalen Obdachlosigkeit". In vielen Romanen zeigte sich die vergebliche Suche der Schriftsteller nach einer verlorengegangenen Totalität. In den 20er Jahren experimentierten viele Autoren mit der Form des Romans, sie gingen aber verschiedene Wege in der dichterischen Gestaltung ihrer Aussagen.

Verschiedene Wege dichterischer Gestaltung

Franz Kafka (1883–1924)

Das Werk Franz Kafkas wurde erst nach seinem Tod bekannt. Die Verlorenheit und Einsamkeit der Menschen kommt in seinen Romanen und Erzählungen deutlich zum Ausdruck. Der Mensch kann nicht mehr verstehen, was um ihn herum geschieht. Ferne zu Gott und zu den Menschen und ein aussichtsloser Kampf gegen undefinierbare Mächte sind die Themen seiner Romane *Der Prozeß* (entstanden 1914/15, erschienen 1925), *Das Schloß* (entstanden 1922, erschienen 1926) und *Amerika* (begonnen 1912, erschienen 1927). Alle drei Romane sind unvollendet, sie wurden gegen Kafkas Willen nach seinem Tod veröffentlicht. Kafka gab in seinen Romanen die Position des allwissenden Erzählers auf. Nicht der Held bestimmt das Geschehen, sondern das Geschehen beeinflußt den Helden. Kafkas Romane werden immer wieder neu interpretiert, doch trotz der nüchternen Sprache entzieht sich die Handlung einer klaren Deutung. In *Das Schloß* versucht „K.", einer merkwürdigen Beamtenbehörde näherzukommen, die niemand durchschaut. *Der Prozeß* stellt den Bankbeamten Josef K. dar, der im Auftrag eines imaginären Gerichts verhaftet und schließlich ohne erkennbaren Grund zum Tod verurteilt wird. Josef K. ist aus seiner gewohnten Umgebung gerissen und beginnt verzweifelt eine Selbstrechtfertigung, die ihm mißlingt. Die häufig eingenommene Erzählhaltung der „erlebten Rede" soll dem Leser eine Möglichkeit zur Identifikation bieten. Die Vorgänge werden bei der erlebten Rede aus der Perspektive der erlebenden Person, jedoch nicht in der Ich-Form dargestellt:

Erlebte Rede

Jemand mußte Josef K. verleumdet haben, denn ohne daß er etwas Böses getan hätte, wurde er eines Morgens verhaftet. (...)

Was waren denn das für Menschen? Wovon sprachen sie? Welcher Behörde gehörten sie an? K. lebte doch in einem Rechtsstaat, überall herrschte Friede, alle Gesetze bestanden aufrecht, wer wagte, ihn in seiner Wohnung zu überfallen?

Thomas Mann (1875–1955)

Thomas Manns Roman *Der Zauberberg* (1924) sollte ursprünglich ein „humoristisches Gegenstück" zu der Novelle *Der Tod in Venedig* (1913 s. S. 183) werden, wuchs aber dann zu einem zweibändigen Werk. Hans Castorp besucht seinen Vetter Joachim in einem Lungensanatorium in Davos. Ursprünglich wollte Castorp eine Woche bleiben, doch fasziniert von der Atmosphäre der Krankheit und der Todessehnsucht bleibt er sieben Jahre auf dem „Zauberberg" in Davos, bis der Ausbruch des Ersten Weltkriegs ihn in die „Niederungen" des Lebens zurückruft. Nach dem Muster des Bildungsromans (s. S. 85) macht Hans Castorp hier in der Abgeschiedenheit seine Erfahrungen. Er begegnet dem demokratisch-aufklärerischen Humanisten Settembrini, dem despotischen Jesuitenschüler Naphta und der verlockenden Weiblichkeit und todessehnsüchtigen Liebe der rätselhaften Madame Clawdia Chauchat. Settembrini und Naphta treten als konkurrierende Erzieher Castorps auf. Ein Geflecht von Motiven und Bildern durchzieht den Roman. In den sieben Jahren, die Castorp auf dem Zauberberg verbringt, verliert er das Gefühl für die Zeit. Die erzählte Zeit läuft im Vergleich zur Erzählzeit immer schneller ab. Im zentralen „Schnee-Kapitel" heißt es über Castorp, der sich auf einer Schneewanderung verirrt:

Erzählzeit und erzählte Zeit

„Schweig still und sieh, daß du fortkommst", sagte er (...)
Allein, daß es schlimm war, unter dem Gesichtspunkt seines Davonkommens, war eine reine Feststellung der kontrollierenden Vernunft, gewissermaßen einer fremden, unbeteiligten, wenn auch besorgten Person. Für sein natürliches Teil war er sehr geneigt, sich der Unklarheit zu überlassen, die mit zunehmender Müdigkeit Besitz von ihm ergreifen wollte, nahm jedoch von dieser Geneigtheit Notiz und hielt sich gedanklich darüber auf. „Das ist die modifizierte Erlebnisart von einem, der im Gebirge in einen Schneesturm gerät und nicht mehr heimfindet", dachte er.

In diesem Schneekapitel ist die Problematik des Romans und der Figur Hans Castorps konzentriert dargestellt.

Alfred Döblin (1878–1957)

Der Berliner Arzt und Schriftsteller Döblin veröffentlichte 1924 den umfangreichen Roman *Berge Meere und Giganten,* einen im 24. bis 27. Jh. spielenden Roman, der die grausamen Folgen technischer Erfindungen beschreibt und eine Rettung des Menschen nur in der Rückbesinnung auf ein naturverbundenes Leben sieht. In Berlin schrieb Döblin seinen bekanntesten Roman *Berlin Alexanderplatz. Die Geschichte vom Franz Biberkopf* (1929). Er ist einer der wenigen Romane Döblins, die die zeitlich aktuelle Wirklichkeit gestalten. In diesem Roman wird die Großstadt Berlin als „Gegenspielerin" des Franz Biberkopf dargestellt. Franz versucht nach einer Gefängnisstrafe verzweifelt, ein „anständiger Mensch" zu werden. „Dreimal fährt das

Alfred Döblin

BERLIN ALEXANDERPLATZ

DIE GESCHICHTE VOM FRANZ BIBERKOPF

Walter Verlag

Von einem einfachen MANN wird hier erzählt, der in BERLIN am ALEXANDERPLATZ als Strassenhändler steht. Der MANN hat vor anständig zu sein, da stellt ihm das Leben hinterlistig ein Bein. Er wird betrogen, er wird in Verbrechen reingezogen, zuletzt wird ihm seine BRAUT genommen und auf rohe Weise umgebracht. Ganz aus ist es mit dem MANN FRANZ BIBERKOPF. Am Schluss aber erhält er eine sehr klare Belehrung:

MAN FÄNGT NICHT SEIN LEBEN MIT GUTEN WORTEN UND VORSÄTZEN AN, MIT ERKENNEN UND VERSTEHEN FÄNGT MAN ES AN UND MIT DEM RICHTIGEN NEBENMANN.

Ramponiert steht er zuletzt wieder am ALEXANDERPLATZ, das Leben hat ihn mächtig angefasst.

Umschlag der Erstausgabe, entworfen von Georg Salter

Schicksal gegen ihn und stört ihn in seinem Lebensplan", so heißt es im Prolog:

> Dies zu betrachten und zu hören wird sich für viele lohnen, die wie Franz Biberkopf in einer Menschenhaut wohnen und denen es passiert wie diesem Franz Biberkopf, nämlich vom Leben mehr zu verlangen als das Butterbrot.

Montage, Collage

Döblin benutzte in diesem Roman bis dahin (in der deutschen Literatur) ungewohnte Möglichkeiten des Erzählens. Durch eine Montagetechnik, die Werbesprüche, Bibelzitate, Wetterberichte, Statistiken, Tagebucheintragungen, Zeitungsausschnitte, Straßenbahnfahrpläne und Liedertexte kombiniert, wird der übermächtige, bedrohliche und chaotische Charakter der Großstadt deutlich gemacht. Um die Fülle der simultan erregten Vorstellungen des Franz Biberkopf darzustellen, setzte Döblin die von der englischsprachigen Literatur beeinflußte

Assoziationen

Assoziationstechnik („stream of consciousness") ein. Das ergibt ein verwirrendes Bild der Großstadt, wodurch das Scheitern des Franz Biberkopf noch überzeugender wirkt.

Robert Musil (1880–1942)

Der Österreicher Musil veröffentlichte 1930/31 den ersten, 1933 den zweiten Band seines fragmentarischen Romans *Der Mann ohne Eigenschaften,* in dem er eine Bilanz der Epoche der Auflösung und des Untergangs zieht. (Erst 1952 erschien die erste vollständige Ausgabe des Romans.) Die Handlung umfaßt ein Jahr der sterbenden österreichisch-ungarischen Donaumonarchie (1913/14). Doch in der Schilderung Österreichs – „Kakaniens" – spiegelt sich der Niedergang der bürgerlichen Welt. Musil ging es nicht um die Darstellung von zufälligen Ereignissen der Wirklichkeit. Er wollte Möglichkeiten darstellen, von denen das wirkliche Ereignis nur eine Variante ist. Das Geschehen ist auch in Musils Roman nicht mehr das wichtigste. Viel bedeutungsvoller ist die Analyse des Geschehens. Musil nannte dieses Verfahren

„Essayismus"

„Essayismus". Der Nicht-Held Ulrich versucht mehrmals, sein Leben sinnvoll zu gestalten. Er scheitert im Beruf und ist erfolglos bei dem Versuch, die Vorbereitungen für das österreichische Kaiserjubiläum 1918 unter eine leitende Idee zu stellen. Schließlich strebt er in der Liebe zu seiner Schwester Agathe eine neue Lebensform an.

Musils Roman wurde immer wieder mit dem Roman *Ulysses* (1922) des Iren James Joyce (1882–1941) verglichen, aber auch mit *Auf der Suche nach der verlorenen Zeit* (1913–1927) des Franzosen Marcel Proust (1871–1922).

Joseph Roth (1894–1939)

Neben Musil gestaltete auch der Österreicher Roth den Zusammenbruch der Monarchie in seinen Romanen. *Radetzkymarsch* (1932) schildert diesen Zerfall am Schicksal der Familie von Trotta. Roth stellte den Zusammenbruch nicht als Gleichnis eines allgemeinen Wertzerfalls dar, sondern zeigte, wie die eigene Vergangenheit und Tradition versank. In der Sehnsucht nach dieser Vergangenheit lag keine Hoffnung auf eine Wiederkehr.

Hermann Broch (1886–1951)

Auch in Brochs Romantrilogie *Die Schlafwandler* (1931/32) zeigen sich Einflüsse von James Joyce. Die Trilogie umfaßt die Romane *Pasenow oder die Romantik – 1888, Esch oder die Anarchie – 1903* und *Huguenau oder die Sachlichkeit – 1918*. Die Trilogie ist die Darstellung eines geistesgeschichtlichen Prozesses, der die Auflösung des christlichen Weltbildes des mittelalterlichen Europa zeigt. Kennzeichen dieses Prozesses ist der „Zerfall der Werte". Broch verwendete viele verschiedene Darstellungsformen und Stilebenen, eine Fülle von Motiven, und er forderte vom Leser eine aktive erkenntnistheoretische Mitarbeit.

Theater in Berlin

Denkarbeit wurde auch im Theater der Zwanziger Jahre vom Publikum verlangt. In Berlin eröffnete der Regisseur Erwin Piscator (1893–1966) sein „proletarisches Theater", das das „bürgerliche Theater" ablösen sollte. Die Dramatiker Brecht und Zuckmayer dominierten im Berliner Theaterleben, auch Ödön von Horváth und Marieluise Fleißer traten mit ihren Stücken an die Öffentlichkeit.

Bertolt Brecht (1898–1956)

Brechts erstes, noch an den Expressionismus erinnerndes Stück *Baal* (1920) besteht aus vielen einzelnen Szenen, die von Bänkelliedern unterbrochen werden. Schon hier deutete sich die spätere Verwendung von Songs in seinen Stücken an (s. S. 227).
Aus der „Komödie" *Trommeln in der Nacht* (1923) stammt die berühmtgewordene Aufforderung „Glotzt nicht so romantisch", was ein früher Hinweis auf die Suche nach Wahrhaftigkeit ist: die Technik der Illusionszerstörung. Das Stück spielt in Berlin vor dem Hintergrund des Spartakus-Aufstands 1919. (Der „Spartakus" war eine linksradikale, revolutionäre Vereinigung unter Führung von Karl Liebknecht und Rosa Luxemburg, die beide während dieses Aufstands ermordet wurden.) Der Soldat Kragler kehrt aus dem Krieg heim. Seine Braut Anna hat inzwischen geheiratet, weil ihr Vater sich dadurch wirtschaftliche Vorteile versprach. Anna verläßt jedoch ihren Mann und kehrt zu Kragler zurück, der sich jetzt von der Revolution zurückzieht. Der Theaterkritiker Herbert Ihering urteilte über Brecht:

Brecht empfindet das Chaos und die Verwesung körperlich. Daher die beispiellose Bildkraft der Sprache. Diese Sprache fühlt man auf der Zunge, am Gaumen, im Ohr, im Rückgrat.

Brechts Stück *Mann ist Mann* (1927) ist ein „Lustspiel" und heißt im Untertitel *Die Verwandlung des Packers Galy Gay in den Militärbaracken von Kilkoa im Jahre 1925*. Brecht benutzte hier erstmals die Parabelform. Er ließ die Handlung auf verschiedenen Ebenen spielen und kommentierte sie mit Songs und Selbstvorstellungen der auftretenden Personen. (Die Musik zu diesem Stück komponierte Paul Dessau.) Vor der 9. Szene heißt es:

Zwischenspruch

Gesprochen von der Witwe Leokadja Begbick.

Herr Bertolt Brecht behauptet: Mann ist Mann.
Und das ist etwas, was jeder behaupten kann.
Aber Herr Bertolt Brecht beweist auch dann

Daß man mit einem Menschen beliebig viel machen kann.
Hier wird heute abend ein Mensch wie ein Auto ummontiert
Ohne daß er irgend etwas dabei verliert.
Dem Mann wird menschlich nähergetreten
Er wird mit Nachdruck, ohne Verdruß gebeten
Sich dem Laufe der Welt schon anzupassen
Und seinen Privatfisch schwimmen zu lassen.
Und wozu auch immer er umgebaut wird
In ihm hat man sich nicht geirrt.
Man kann, wenn wir nicht über ihn wachen
Ihn uns über Nacht auch zum Schlächter machen.
Herr Bertolt Brecht hofft, Sie werden Boden, auf dem Sie stehen
Wie Schnee unter Ihren Füßen vergehen sehen
Und werden schon merken bei dem Packer Galy Gay
Daß das Leben auf Erden gefährlich sei.

Internationalen Erfolg für Brecht brachte *Die Dreigroschenoper, ein Stück mit Musik in einem Vorspiel und acht Bildern nach dem Englischen des John Gay* (1928). Dieses Stück ist eine moderne Version der *Bettleroper* (1728) des Engländers John Gay. Die Musik für *Die Dreigroschenoper* schrieb Kurt Weill. Hauptfigur ist der Gauner Macheath, genannt Mackie Messer, und sein Gegenspieler, der Bettlerkönig Peachum. Als Macheath Peachums Tochter Polly heiratet, läßt das Ehepaar Peachum ihn bald bei einem seiner regelmäßigen Bordellbesuche verhaften. Macheath kann mehrere Male aus dem Gefängnis fliehen, bis er zuletzt gehängt werden soll. Als er den Kopf schon in der Schlinge hat, erscheint ein reitender Bote der englischen Königin und verkündet die Begnadigung. In der *Dreigroschenoper* verband Brecht sentimentale und groteske Züge. Die Songs trugen zum angestrebten Verfremdungseffekt (s. S. 227) bei. Der Zuschauer sollte nicht Partei ergreifen für oder gegen eine Figur des Stücks, sondern seine eigene gesellschaftliche Position erkennen und reflektieren. Die Maxime „Erst kommt das Fressen, dann kommt die Moral" brachte die Zeitkritik auf eine saloppe und verständliche Formel.

Volksstücke
Carl Zuckmayer (1896–1977)

Zuckmayers Volksstück *Der fröhliche Weinberg* (1925) spielt im Rheingau und stellt derbe, unbeschwerte Lebenslust dar. *Der Hauptmann von Köpenick* (1931) ist „ein deutsches Märchen in drei Akten", das satirisch die sture Bürokratie und den preußischen Militarismus anklagt. Hier wird das Thema „Kleider machen Leute" wieder aktuell: Der Berliner Schuster Voigt versucht mit Hilfe einer ausgeliehenen Uniform, die ihm Autorität verleiht, zu seinem Recht zu kommen, nachdem er von einer Behörde zur anderen geschickt worden ist, um eine Arbeitserlaubnis zu bekommen. Die Kritik wird durch den humoristischen Ton gemildert.

Marieluise Fleißer (1901–1974)

Volksstücke schrieb auch Marieluise Fleißer, doch anders als bei Zuckmayer fehlt ihren Stücken die humoristische Komponente. Ihre Milieustücke aus dem bayerischen Volksleben sind von Brecht beeinflußt, der ihrem zweiten Stück den Titel *Fegefeuer in Ingolstadt* (1926) gab. Fleißer führte Menschen vor, die dem Leben völlig hilflos gegenüber-

Die Weltbühne

Der Schaubühne XXIII. Jahr

Wochenschrift für Politik-Kunst-Wirtschaft

Begründet von Siegfried Jacobsohn

Herausgeber: Kurt Tucholsky

Inhalt:

Erscheint jeden Dienstag

XXIII. Jahrgang 5. April 1927 Nummer 14

Versandort: Potsdam

Verlag der Weltbühne

Charlottenburg - Kantstrasse 152

stehen und aus dieser Hilflosigkeit eine gegenseitige Aggressivität entwickeln.

Ödön von Horváth (1901–1938)

Die Volksstücke des Österreichers Horváth hatten in Berlin schnell Erfolg und wurden auch in den 70er Jahren wieder häufig aufgeführt.

Sie handeln von den Außenseitern der Weimarer Republik, von Arbeitslosen und Kleinbürgern. Horváth versuchte, die Gefahren des Nationalsozialismus darzustellen, z. B. in *Italienische Nacht* (1931). *Geschichten aus dem Wiener Wald* (1931) verfolgt die Geschichte eines Mädchens, das in einer Welt der oberflächlichen Gemütlichkeit untergeht, weil es die verharmlosende Tarnung der schrecklichen Wirklichkeit nicht durchschaut. Horváth sagte über seine Stücke:

Alle meine Stücke sind Tragödien – sie werden nur komisch, weil sie unheimlich sind.

Literarisch-politisches Engagement

Viele Autoren erkannten während der Weimarer Republik die Bedrohung durch den wachsenden Nationalsozialismus. Neben den Romanen und Theaterstücken entwickelten sich kleine Formen literarischer Zeitkritik.

Kurt Tucholsky (1890–1935)

In Satiren, Reportagen und Gedichten drückte Kurt Tucholsky seine Kritik und seine Warnungen mit Berliner Humor und aggressiver Verzweiflung aus. Tucholsky war Mitarbeiter und zeitweise Mitherausgeber der bedeutenden Zeitschrift *Die Weltbühne. Wochenschrift für Politik, Kunst und Wissenschaft,* die 1918–1933 erschien. Tucholsky vertrat einen liberal orientierten Humanismus. In seinem „Bilderbuch" *Deutschland, Deutschland über alles* (1929), das eine leidenschaftliche Kritik am Nationalsozialismus enthält, schrieb Tucholsky:

Wir pfeifen auf die Fahnen – aber wir lieben dieses Land. Und so wie die nationalen Verbände über die Wege trommeln – mit gleichem Recht, mit genau demselben Rechte nehmen wir, wir, die wir hier geboren sind, wir, die wir besser deutsch schreiben und sprechen als die Mehrzahl der nationalen Esel – mit genau demselben Recht nehmen wir Fluß und Wald in Beschlag, Strand und Haus, Lichtung und Wiese: Es ist unser Land. Wir haben das Recht, Deutschland zu hassen – weil wir es lieben.

Erich Kästner (1899–1974)

In seinen satirischen Romanen und Gedichten wandte sich Erich Kästner gegen das Spießertum, gegen Militarismus und Faschismus. Mit Humor und Ironie verband er das Anliegen eines „Moralisten", auf die Mißstände hinzuweisen. In der „Gebrauchslyrik", die für den Alltag, für einen bestimmten Zweck geschrieben wurde, verwendeten Kästner und Tucholsky eine saloppe, nüchterne und ironische Sprache mit einfachen Versen und Reimen. In Kästners Gedicht *Kurt Schmidt, statt einer Ballade* heißt es:

Der Mann, von dem im weiteren Verlauf
die Rede ist, hieß Schmidt (Kurt Schm., komplett).
Er stand, nur sonntags nicht, früh 6 Uhr auf
und ging allabendlich Punkt 8 zu Bett.

10 Stunden lag er stumm und ohne Blick.
4 Stunden brauchte er für Fahrt und Essen.
9 Stunden stand er in der Gasfabrik.
1 Stündchen blieb für höhere Interessen.
(...)

9 Stunden stand Schmidt schwitzend im Betrieb.
4 Stunden fuhr und aß er, müd und dumm.
10 Stunden lag er, ohne Blick und stumm.
Und in dem Stündchen, das ihm übrigblieb,
brachte er sich um.

Kästners erster Roman *Fabian. Die Geschichte eines Moralisten* (1931) ist eine in leicht verständlicher Sprache erzählte Satire auf das Ende der Zwanziger Jahre, als die Wirtschaftskrise ihren Höhepunkt erreichte. Kästner sagte über sein Buch:

Satire

kein Poesie- und Fotografiealbum, sondern eine Satire. Es beschreibt nicht, was war, sondern es übertreibt. Der Moralist pflegt seiner Epoche keinen Spiegel, sondern einen Zerrspiegel vorzuhalten. Die Karikatur, ein legitimes Kunstmittel, ist das Äußerste, was er vermag. (...) Sein angestammter Platz ist und bleibt der verlorene Posten.

Bertolt Brechts Hauspostille (1927) ist in fünf „Lektionen" eingeteilt und enthält in Gedichtform Angriffe auf die Gesellschaft der Weimarer Republik. Walter Benjamin (1892–1940) urteilte über die *Hauspostille*:

Der Choral, mit dem die Gemeinde erbaut werden wird, das Volkslied, mit dem das Volk abgespeist werden soll, die vaterländische Ballade, die den Soldaten zur Schlachtbank begleitet, das Liebeslied, das den billigsten Trost anpreist – sie alle bekommen hier einen neuen Inhalt.

Ohne neue Programme und Gruppenbildungen wurde die expressionistische Lyrik von einer andersgearteten Lyrik abgelöst, die sich rasch den Vorwurf einer unpolitischen Haltung gefallen lassen mußte. Jedoch machte sich das Bemühen um eine nüchterne Betrachtung auch in der Lyrik der Zeit bemerkbar. Durch die Darstellung der Landschaft und der Natur wollte man die Ordnung hinter den Dingen wieder sichtbar machen.

Lyrik

Solch eine Ordnung kommt in den Gedichten O. Loerkes zum Ausdruck. Neben vielen Landschaftsgedichten schrieb er auch Gedichte über die Großstadt, z. B. *Blauer Abend in Berlin*

Oskar Loerke
(1884–1941)

Der Himmel fließt in steinernen Kanälen;
Denn zu Kanälen steilrecht ausgehauen
Sind alle Straßen, voll vom Himmelblauen;
Und Kuppeln gleichen Bojen, Schlote Pfählen

Im Wasser. Schwarze Essendämpfe schwelen
Und sind wie Wasserpflanzen anzuschauen.
Die Leben, die sich ganz am Grunde stauen,
Beginnen sacht vom Himmel zu erzählen,

Gemengt, entwirrt nach blauen Melodien.
Wie eines Wassers Bodensatz und Tand
Regt sie des Wassers Wille und Verstand

Im Dünen, Kommen, Gehen, Gleiten, Ziehen.
Die Menschen sind wie grober bunter Sand
Im linden Spiel der großen Wellenhand.

Wilhelm Lehmann (1882–1968)

Loerke übte großen Einfluß auf W. Lehmann aus, dessen Gedichte von einer tiefen Naturverbundenheit geprägt sind. Bei ihm schließt die Wirklichkeit das Traumhafte und Magische mit ein. In dem erst 1948 veröffentlichten *Bukolischen Tagebuch aus den Jahren 1927–1932* sagte er:

> Die Dinge überdauern den Menschen. Er lebt eine kürzere Spanne als sie, weil er immerfort dem Bewußtsein standhalten muß.

Lehmanns Naturlyrik geht von einem sinnlichen Erleben der Welt aus. Die Sprache ist reich an Symbolen. Seine Gedichtsammlungen konnte er sogar in der Zeit des Nationalsozialismus veröffentlichen (*Antwort des Schweigens,* 1935).
Nach dem Zweiten Weltkrieg erfuhren die Gedichte von Loerke und Lehmann eine neue Rezeptionsphase. Beide Dichter hatten großen Einfluß auf die nach dem Krieg entstandene Naturlyrik.

Kurzbiographien zur Literatur der Zwanziger Jahre

BERTOLT BRECHT (1898 – 1956) → s. S. 229

ALFRED DÖBLIN (1878 in Stettin – 1957 in Emmendingen/Schwarzwald)
Döblin studierte 1900–05 Medizin in Berlin und Freiburg und war von 1911 bis 1933 als Nervenarzt in Berlin tätig. Bereits als Gymnasiast hatte er mit Aufsätzen und einem Roman sein schriftstellerisches Werk begonnen. 1910–15 gehörte er zu den Begründern und Mitarbeitern der Expressionistenzeitschrift *Der Sturm*. 1933 emigrierte er über Zürich und Paris in die USA (1940). 1941 konvertierte Döblin vom jüdischen zum katholischen Glauben. 1945 kehrte er mit seiner Familie als französischer Kulturoffizier nach Deutschland zurück. Er setzte sich für den kulturellen ,,Wiederaufbau“ nach dem Krieg ein, zog jedoch 1953 enttäuscht nach Paris. Schwerkrank kehrte er 1956 nach Deutschland zurück.

Die Ermordung einer Butterblume und andere Erzählungen (1913)
Die drei Sprünge des Wang-lun (Roman, 1915)
Berge Meere und Giganten (Roman, 1924)
Berlin Alexanderplatz. Die Geschichte vom Franz Biberkopf (Roman, 1929)
Schicksalsreise. Bericht und Bekenntnis (1949)
November 1918. Eine deutsche Revolution (Romantrilogie, 1948–50)
Hamlet oder Die lange Nacht nimmt ein Ende (Roman, 1956)

HERMANN HESSE (1877 in Calw/Württemberg – 1962 in Montagnola/Schweiz)
Hesse verbrachte seine Jugend in Calw und Basel. Er wurde pietistisch erzogen und sollte Theologe werden. Nach einjährigem Aufenthalt floh er jedoch aus dem evangelischen Seminar Maulbronn und lebte 1899–1903 als Buchhändler und Antiquar in Basel. Ab 1904 war Hesse, der anfangs unter dem Pseudonym Emil Sinclair schrieb, als freier Schriftsteller am Bodensee und später im Tessin tätig. Er unternahm Reisen durch Europa und nach Indien und wurde 1923 Schweizer Staatsbürger. 1946 erhielt er den Nobelpreis für Literatur.

Unterm Rad (Roman, 1906)
Demian. Die Geschichte von Emil Sinclairs Jugend (Roman, 1919)
Siddharta. Eine indische Dichtung (Roman, 1922)
Der Steppenwolf (Roman, 1927)
Narziß und Goldmund (Erzählung, 1930)
Die Gedichte (1942)
Das Glasperlenspiel. Versuch einer Lebensbeschreibung des Magister Ludi Josef Knecht samt Knechts hinterlassenen Schriften (Roman, 1943)
Krieg und Frieden. Betrachtungen zu Krieg und Politik seit dem Jahre 1914 (Aufsätze, 1946)

ÖDÖN VON HORVÁTH (1901 – 1938) → s. S. 231

ERICH KÄSTNER (1899 in Dresden – 1974 in München)
Kästner kehrte mit einem schweren Herzleiden aus dem Ersten Weltkrieg zurück. Er studierte Germanistik, arbeitete als Journalist und war seit 1927 freier Schriftsteller in Berlin. 1933 wurden Kästners Bücher verbrannt, bis 1945 hatte er Berufsverbot. Er emigrierte nicht, konnte seine Bücher aber nur im Ausland veröffentlichen. Nach dem Krieg lebte Kästner in München, wo er auch am Kabarett „Die Schaubude" mitwirkte. International erreichte er Erfolg mit seinen Kinder- und Jugendbüchern.

Herz auf Taille (Gedichte, 1928)
Emil und die Detektive (Kinderbuch, 1928)
Fabian. Die Geschichte eines Moralisten (Roman, 1931)
Das fliegende Klassenzimmer (Kinderbuch, 1933)
Bei Durchsicht meiner Bücher (Gedichte, 1946)
Das doppelte Lottchen (Kinderbuch, 1949)

FRANZ KAFKA (1883 in Prag – 1924 im Sanatorium Kierling/Wien)
Kafka stammte aus einer jüdischen Kaufmannsfamilie. Sein Leben stand unter dem gefürchteten Einfluß des Vaters. 1901–06 studierte er Germanistik und Jura und arbeitete als Jurist in Prag. Diese Arbeit mußte er 1922 aufgeben, weil er an Tuberkulose erkrankt war. 1924 starb er an Kehlkopfkrebs. Seine unveröffentlichten Werke hatte er in seinem Testament zur Verbrennung bestimmt. Sein Freund Max Brod veröffentlichte sie jedoch nach Kafkas Tod.

Das Urteil (Erzählung, 1916)
Die Verwandlung (Erzählung, 1916)
In der Strafkolonie (Erzählung, 1919)
Der Prozeß (Roman, entstanden 1914/15, erschienen 1925)
Das Schloß (Roman, entstanden 1922, erschienen 1926)
Amerika (Romanfragment, begonnen 1912, erschienen 1927)
Brief an den Vater (autobiographische Schrift, entstanden 1919, erschienen 1952)

THOMAS MANN (1875 in Lübeck – 1955 in Kilchberg/Zürich)
Thomas Mann, der jüngere Bruder Heinrich Manns, kam nach dem Tod des Vaters nach München, wo er bei einer Versicherungsgesellschaft volontierte und literarische, historische und volkswirtschaftliche Vorlesungen hörte. Seit 1894 war er Mitarbeiter der Zeitschrift *Simplicissimus*. 1895–97 lebte er mit seinem Bruder in Italien, anschließend als freier Schriftsteller in München.

1929 bekam er den Nobelpreis für den Roman *Buddenbrooks*. 1933 emigrierte Thomas Mann mit seiner Familie in die Schweiz, 1938 in die USA (Princeton University/New Jersey; Pacific Palisades/Kalifornien), wo er 1944 die amerikanische Staatsbürgerschaft erwarb. 1952 kehrte er nach Europa zurück und lebte bis zu seinem Tod in der Schweiz.

Buddenbrooks. Verfall einer Familie (Roman, 1901)
Tristan (6 Novellen, 1903; darin u.a. *Tonio Kröger*)
Der Tod in Venedig (Novelle, 1913)
Betrachtungen eines Unpolitischen (kulturpolitische Schrift, 1918)
Von deutscher Republik (Rede, gehalten 1922, 1923)
Der Zauberberg (Roman, 1924)
Joseph und seine Brüder (Romantetralogie, 1933–43, 1948)
Lotte in Weimar (Roman, 1939)
Doktor Faustus. Das Leben des deutschen Tonsetzers Adrian Leverkühn, erzählt von einem Freunde (Roman, 1947)
Deutschland und die Deutschen (Rede, gehalten 1945, 1947)
Der Erwählte (Roman, 1951)

ROBERT MUSIL (1880 in Klagenfurt – 1942 in Genf)
Musil besuchte österreichische Militärerziehungsanstalten und studierte Maschinenbau, später Philosophie und Psychologie in Berlin. 1911–14 arbeitete er als Bibliothekar der Technischen Hochschule in Wien, danach als Redakteur der *Neuen Rundschau* in Berlin. Im Ersten Weltkrieg war Musil Offizier. Bis 1922 war er österreichischer Beamter, anschließend lebte er als freier Schriftsteller in Berlin und Wien. 1938 emigrierte er in die Schweiz, wo er bis zu seinem Tod in ärmlichen Verhältnissen lebte.

Die Verwirrungen des Zöglings Törleß (Roman, 1906)
Vereinigungen (2 Erzählungen, 1911)
Die Schwärmer (Drama, 1921)
Drei Frauen (Novellen, 1924)
Der Mann ohne Eigenschaften (Romanfragment, entstanden 1921–42, erschienen 1930/31–43)
Nachlaß zu Lebzeiten (Prosasammlung, 1936)

KURT TUCHOLSKY (1890 in Berlin – 1935 in Hindås/Schweden)
Tucholsky studierte Jura in Berlin, Jena und Genf. 1913–33 war er unter den Pseudonymen Peter Panter, Theobald Tiger, Ignaz Wrobel und Kaspar Hauser fünffacher Mitarbeiter der Zeitschrift *Die Weltbühne* (vorher *Die Schaubühne),* die er nach dem Tod S. Jacobsohns zeitweise mitherausgab. 1923 arbeitete er als Bankangestellter, 1924 war er Korrespondent in Paris. Ab 1927 lebte Tucholsky in Schweden. 1933 wurde er aus Deutschland ausgebürgert, seine Bücher wurden verbrannt. Aus Verzweiflung über die Erfolge der Nationalsozialisten beging er 1935 im schwedischen Exil Selbstmord.

Rheinsberg. Ein Bilderbuch für Verliebte (1912)
Ein Pyrenäenbuch (Reisebericht, 1927)
Deutschland, Deutschland über alles („Bilderbuch", zusammen mit John Heartfield, 1929)
Schloß Gripsholm. Eine Sommergeschichte (1931)

CARL ZUCKMAYER (1896 - 1977) → s. S. 231

Deutsche Literatur im Exil (1933–1945)

18

I. Einzelschriften

Bloch, Camille: Die Ursachen des Weltkrieges
—, Chajim: Das jüdische Volk in seiner Anekdote
—, Ernst: Sämtliche Schriften
—, Ivan:

Brecht, Bertold: Sämtliche Schriften

Feuchtwanger, Lion: Sämtliche Schriften
—, und Zweig, Arnold: Die Aufgabe des Judentums. (Paris)

Graf, Georg Engelbert: Sämtliche Schriften
—, Oskar Maria: Sämtliche Schriften

K

Kabaktschieff, Ch.: Sämtliche Schriften
Kaden, Hermann Walter: Insel der Leidenschaft
Kadiver, Edith: Unter der Peitsche der Leidenschaft
Kaestner, Erich: Sämtliche Schriften
Kaff, Sigmund:
Einigungsämter und Kollektivverträge
Die Sozialisierung der Wirtschaft durch die Genossenschaften
Kafka, Franz: Sämtliche Schriften

Stand vom 31. Dezember 1938

Streng vertraulich! Nur für den Dienstgebrauch

Mann, Heinrich: Sämtliche Schriften.
Mann, Klaus: Sämtliche Schriften.
Mann, Thomas: Sämtliche Schriften.

Remarque, Erich Maria: Sämtliche Schriften.

Seghers, Anna (Pseud.) s. Radvanyi, Netty.
Toller, Ernst: Sämtliche Schriften.
Topf, Erwin: Die grüne Front. Berlin: Rowohlt 1933.
Torberg, Friedrich: Sämtliche Schriften.

Zuckmayer, Karl: Sämtliche Schriften.

II. Serien und Zeitschriften 169

Zwalf, Max: Die internationale politische Verschuldung u. die Arbeiterklasse. Amsterdam: Internat. Transportarbeiter-Föderation 1932.
Zweig, Arnold: Sämtliche Schriften.
Zweig, Stephan: Sämtliche Schriften.

Auszüge aus den „Listen des schädlichen und unerwünschten Schrifttums“, 1935, 1939

Bücher-
verbrennung

Am 10. Mai 1933, ein Vierteljahr nach Hitlers Machtergreifung, wurden in der Reichshauptstadt Berlin und in vielen anderen deutschen Universitätsstädten Bücher deutscher Autoren verbrannt, weil sie als ,,schädlich" für das deutsche Volk galten. Der Literaturhistoriker Alfred Kantorowicz, der selbst im Exil war, schrieb 1947 über die Bücherverbrennung:

> 250 Schriftsteller einer Generation verstummen oder verlassen ihr Land. Man hat dergleichen in geschichtlichen Zeiten noch nicht erlebt, daß nahezu die gesamte qualifizierte Literatur eines Landes sich den Usurpatoren widersetzt. 250 Schriftsteller! Viele bedeutende und die bedeutendsten, viele berühmte und die weltberühmten Autoren deutscher Zunge unter ihnen.

Für zahlreiche deutsche, zunächst vor allem für die jüdischen Autoren bestand nach der nationalsozialistischen Machtergreifung in Deutschland eine unmittelbare Lebensgefahr. Viele von ihnen verließen das Land und hielten sich in der Nähe der deutschen Grenzen auf, um möglichst schnell wieder zurückkehren zu können, sobald ,,dieser Spuk" vorbei war.
1937 erschien in der Zeitschrift *Die neue Weltbühne* Bertolt Brechts Gedicht:

Über die Bezeichnung Emigranten

Immer fand ich den Namen falsch, den man uns gab: Emigranten.
Das heißt doch Auswanderer. Aber wir
Wanderten doch nicht aus, nach freiem Entschluß
Wählend ein anderes Land. Wanderten wir doch auch nicht
Ein in ein Land, dort zu bleiben, womöglich für immer.
Sondern wir flohen. Vertriebene sind wir, Verbannte.
Und kein Heim, ein Exil soll das Land sein, das uns da aufnahm.
Unruhig sitzen wir so, möglichst nahe den Grenzen
Wartend des Tags der Rückkehr, jede kleinste Veränderung
Jenseits der Grenze beobachtend, jeden Ankömmling
Eifrig befragend, nichts vergessend und nichts aufgebend
Und auch verzeihend nichts, was geschah, nichts verzeihend.
Ach, die Stille der Stunde täuscht uns nicht! Wir hören die Schreie
Aus ihren Lagern bis hierher. Sind wir doch selber
Fast wie Gerüchte von Untaten, die da entkamen
Über die Grenzen. Jeder von uns
Der mit zerrissenen Schuhn durch die Menge geht
Zeugt von der Schande, die jetzt unser Land befleckt.
Aber keiner von uns
Wird hier bleiben. Das letzte Wort
Ist noch nicht geprochen.

Exil

,,Exil" bedeutet den längeren – unfreiwilligen – Aufenthalt in einem fremden Land. Für deutsche Emigranten boten sich zunächst die europäischen Nachbarländer als Zufluchtsorte an: die deutschsprachige Schweiz, Frankreich – vor allem Paris –, die skandinavischen Länder, die Tschechoslowakei und die Sowjetunion. Als 1939 der Zweite Weltkrieg ausbrach, wurde die Lage deutscher Emigranten in den europäischen Gastländern zunehmend gefährlich; es spielten sich zum Teil dramatische Schicksale ab, bis es ihnen gelang, ein Visum und vor allem eine Schiffskarte für die Flucht nach Nord- oder Südamerika zu bekommen, wo ab 1940 die meisten deutschen Emigranten lebten. Trotz der großen Schwierigkeiten entstand auch in diesen Jahren deutschsprachige Literatur, die zum überwiegenden Teil erst in den 50er Jahren in Deutschland bekannt wurde. Es ist nicht leicht, einheitliche Themen und Tendenzen dieser Literatur nachzuzeichnen. Zu unterschiedlich waren die persönlichen Umstände der Autoren, die Gefährlichkeit ihrer Flucht und die neuen Lebensbedingungen. Die einzige Gemeinsamkeit war die kompromißlose Ablehnung Hitlers und des Nationalsozialismus.

UNSERE BÜCHER

1934

1935

QUERIDO VERLAG

AMSTERDAM

Verlagsverzeichnis des Exilverlages Querido, Amsterdam

Diese gemeinsame Ablehnung hatte verschiedene Auswirkungen: Einige Schriftsteller zogen sich zurück oder nahmen sich aus Verzweiflung das Leben. Andere engagierten sich in ihrem Gastland politisch, machten auf die schlimmen Zustände in Deutschland aufmerksam oder stellten ihre Schriften zunächst ganz in den Dienst der antifaschistischen Propaganda. In Prag und Amsterdam wurden deutsche Verlage gegründet (Malik-Verlag in Prag/London, Querido-Verlag in Amsterdam). Die meisten deutschsprachigen Exilromane wurden im Querido-Verlag veröffentlicht.

Exilverlage

In den ersten Jahren des Exils erschienen einige von Emigranten herausgegebene Zeitschriften, so ab September 1933–1935 in Prag die Zeitschrift *Neue Deutsche Blätter*, herausgegeben von Wieland Herz-

Exilzeitschriften

Bestellschein aus dem Verlagsverzeichnis des Querido Verlages

DIE WERKE UNSERES VERLAGES SIND IN JEDER BUCHHANDLUNG ERHÄLTLICH

BESTELLSCHEIN *vom* ____________ *1934*

AN

Ich erbitte Lieferung folgender Bücher:

Expl.		Brosch.	Geb.
	Ludwig Bauer, **Leopold der Ungeliebte**		
	Alfred Döblin, **Babylonische Wandrung**		
	Alfred Döblin, **Jüdische Erneuerung**		
	Prof. Albert Einstein, **Mein Weltbild**		
	Lion Feuchtwanger, **Erfolg**		
	Lion Feuchtwanger, **Die Geschwister Oppenheim**		
	Lion Feuchtwanger, **Der jüdische Krieg**		
	Bruno Frank, **Cervantes**		
	Oskar Maria Graf, **Der Harte Handel**		
	Emil Ludwig, **Führer Europas**		
	Heinrich Mann, **Der Hass**		
	Heinrich Mann, **Die Jugend des Königs Heinrich IV.**		
	Klaus Mann, **Flucht in den Norden**		
	Valeriu Marcu, **Die Vertreibung der Juden aus Spanien**		
	Ludwig Marcuse, **Ignatius von Loyola**		
	Gustav Regler, **Der verlorene Sohn**		
	Joseph Roth, **Tarabas**		
	Leopold Schwarzschild, **Das Ende der Illusionen**		
	Anna Seghers, **Der Kopflohn**		
	Carlo Graf Sforza, **Seele und Schicksal Italiens**		
	Ernst Toller, **Eine Jugend in Deutschland**		
	Jakob Wassermann, **Joseph Kerkhovens dritte Existenz**		
	Arnold Zweig, **Erziehung vor Verdun**		
	Arnold Zweig, **Spielzeug der Zeit**		
	Arnold Zweig, **Bilanz der deutschen Judenheit**		
	Einzelheft, **Die Sammlung**		
	Jahresabonnement, **Die Sammlung**		

Name und Adresse des Einsenders:

QUERIDO VERLAG · AMSTERDAM

felde, Anna Seghers und Oskar Maria Graf (1894–1967). In der ersten Ausgabe hieß es:

> Wer schreibt, handelt. Die *Neuen Deutschen Blätter* wollen ihre Mitarbeiter zu gemeinsamen Handlungen zusammenfassen und die Leser im gleichen Sinn aktivieren. Sie wollen mit den Mitteln des dichterischen und kritischen Wortes den Faschismus bekämpfen. (. . .)
> Es gibt keine Neutralität. Für niemand. Am wenigsten für den Schriftsteller. (. . .) Schrifttum von Rang kann heute nur antifaschistisch sein.

Bertolt Brecht, Lion Feuchtwanger und Willi Bredel veröffentlichten in Moskau die Zeitschrift *Das Wort* (1936–1939). Klaus Mann, ein Sohn Thomas Manns, versuchte in Amsterdam, die Exilautoren zu mobilisieren und ihnen eine Publikationsmöglichkeit im Ausland zu geben. Einige Autoren hatten bereits ihre Mitarbeit bei der von Klaus Mann geplanten Zeitschrift *Die Sammlung* (1933–1935) zugesagt. Unter dem Druck ihrer deutschen Verlage zogen Th. Mann, A. Döblin, St. Zweig, R. Musil, Ö. von Horváth und andere ihre Zusagen mit dem Hinweis auf den „politischen" Charakter der Zeitschrift wieder zurück. Th. Mann wandte sich später in 55 kurzen Rundfunkansprachen, die der britische Sender BBC 1940–1945 ausstrahlte, aufrüttelnd, warnend und auch anklagend an das deutsche Volk.

Heinrich Mann (1871–1950)

Heinrich Mann emigrierte schon 1933 nach Nizza/Frankreich. Auch im Exil setzte er seine publizistische Tätigkeit fort und wurde zum wichtigsten Befürworter der deutschen Volksfront (Koalition zwischen bürgerlichen Linken, Sozialisten und Kommunisten). H. Mann war geprägt von humanistischem, aufklärerischem Gedankengut und hatte eine besondere Affinität zur französischen Geistesgeschichte.

Historischer Roman: Geschichte als Gleichnis

Im Exil entstanden viele historische Romane, die Dichter suchten in der Geschichte ihre Zuflucht. Seinen historischen Roman in zwei Teilen *Die Jugend des Königs Henri Quatre* (1935) – *Die Vollendung des Königs Henri Quatre* (1938) hatte H. Mann noch während der Zeit der Weimarer Republik nach umfassenden Quellenstudien begonnen. Georg Lukács nannte *Henri Quatre* „das höchste Produkt des modernen historischen Romans". H. Mann berichtet aus vielen verschiedenen Perspektiven vom Leben König Heinrichs IV. (1553–1610), der als Schüler des französischen Philosophen Montaigne ein von humanistischen und sozialen Ideen geprägtes Königreich aufbauen will. Der Roman enthält zahlreiche Parallelen zum nationalsozialistischen Terror in Deutschland.

Thomas Mann (1875–1955)

Verbindung von Geschichte und Mythos

Thomas Manns vierteiliger Romanzyklus *Joseph und seine Brüder* (1948) handelt von historischen, von biblischen und von mythischen Stoffen (*Die Geschichten Jaakobs,* 1933; *Der junge Joseph,* 1934; *Joseph in Ägypten,* 1936 und *Joseph, der Ernährer,* 1943). Die lange Entstehungszeit war mitbedingt durch Thomas Manns Weg ins Exil. Er kehrte 1933 von einer Reise nicht nach Deutschland zurück und blieb zunächst in der Schweiz, bevor er 1938 nach Amerika emigrierte. Die einzelnen Teile des Romans entstanden auf verschiedenen Stationen des Exils. Th. Mann lehnte sich bei der umfangreichen Ausarbeitung dieses Werks an Goethe an, der über die biblische Josephslegende gesagt hatte:

Höchst anmutig ist diese natürliche Geschichte, nur erscheint sie zu kurz, und man fühlt sich berufen, sie ins einzelne auszumalen.

In der Tetralogie stellte Th. Mann Joseph als Vermittler zwischen dem Mythos und der geschichtlichen Wirklichkeit dar.

Exil als Thema

Klaus Mann (1906–1949)

Neben den historischen Romanen gehören zur Exilliteratur viele Werke, die das Exil selbst zum Thema haben. Ein Zeitroman mit aktuellem Bezug ist Klaus Manns *Der Vulkan. Roman unter Emigranten* (1939). K. Mann hatte nach seinen frühen Versuchen, die Emigranten zu gemeinsamem Handeln zu bewegen, resigniert. Schauplatz seines Romans ist Paris. K. Mann bemühte sich, „das wirre, reiche, trübe Exil-Erlebnis in epische Form zu bringen". Er wollte die Gefährlichkeit Deutschlands, des „Vulkans", deutlich machen.

Lion Feuchtwanger (1884–1958)

Lion Feuchtwangers Romanzyklus *Der Wartesaal* besteht aus den Teilen *Erfolg. Drei Jahre Geschichte einer Provinz* (1930), *Die Geschwister Oppenheim* (1933) und *Exil* (1940). Feuchtwanger war 1933 von einer Vortragsreise nicht nach Deutschland zurückgekehrt und lebte bis 1940 in Frankreich, von wo er nach der Flucht aus dem Internierungslager über Spanien und Portugal nach Amerika emigrierte. Die Figuren seiner drei thematisch abgeschlossenen Romane sind zum Teil verschlüsselte Personen des Zeitgeschehens. Ironisch und boshaft beschrieb er in dem autobiographisch gefärbten *Erfolg* die Anfänge des Nationalsozialismus. Die Folgen für die Juden in Deutschland stellte Feuchtwanger in *Die Geschwister Oppenheim* an einer jüdischen Berliner Großbürgerfamilie exemplarisch dar. Der letzte Teil *Exil* spielt in Paris im Frühjahr 1935 und berichtet nach dem Urteil vieler Betroffener authentisch von der Situation deutscher Emigranten in Paris. Das Phänomen des Exils wurde hier an individuellen Einzelschicksalen verdeutlicht. Über den gesamten Zyklus sagte Feuchtwanger, der Inhalt sei

der Wiedereinbruch der Barbarei in Deutschland und ihr zeitweiliger Sieg über die Vernunft. Zweck der Trilogie ist, diese schlimme Zeit des Wartens und des Übergangs, die dunkelste, welche Deutschland seit dem Dreißigjährigen Krieg erlebt hat, für die Späteren lebendig zu machen.

Anna Seghers (1900–1983)

Anna Seghers, die 1933 nach Frankreich floh und 1941 weiter nach Mexiko emigrierte, engagierte sich auch im Exil politisch. In Paris hielt sie 1935 eine Rede auf dem „1. Internationalen Schriftstellerkongreß zur Verteidigung der Kultur" und nahm an den Veranstaltungen des „Schutzbundes deutscher Schriftsteller" teil. Sie schrieb Romane, die das Exil oder den von kommunistischer Seite geförderten Widerstand gegen den Nationalsozialismus thematisierten. *Transit* (1944 in spanischer und englischer Sprache, 1948 in deutscher Sprache) verarbeitet die Erlebnisse in Marseille, bevor A. Seghers mit einem Frachtschiff nach Mexiko fahren durfte. Der Paß, ohne den der Mensch keine Identität mehr zu haben scheint, wird hier zum Motiv. Es verdeutlicht die Situation der Emigranten, die in Marseille für ein Schiffsticket kämpften, um dem sicheren Tod zu entgehen. Die wachsende Entfremdung von der Heimat, die undurchschaubare Bürokratie der Ausreisebehörden und die Ungewißheit ergeben ein düsteres Bild der Sinnlosigkeit, die an Kafkas Erzählungen (s. S. 184) erinnert.

Nationalsozialismus als Thema
Ernst Toller (1893–1939)

Ernst Toller veröffentlichte 1933 im Amsterdamer Emigrantenverlag Querido seine fragmentarische Autobiographie *Eine Jugend in Deutschland* (1933), in der er sich zur Mitverantwortung am Geschehen in Deutschland bekennt. Toller war 1918 Mitglied der Münchner Räteregierung.

Bertolt Brecht (1898–1956)

Zeitbezogen wie Tollers Werk ist Brechts *Furcht und Elend des Dritten Reiches* (1938). Brecht schrieb die 24 Szenen 1935–38 im dänischen Exil. Sie sind thematisch nicht miteinander verbunden, sondern stellen modellhaft und detailgetreu die Situation in Deutschland dar, die nur noch Ekel, kein Mitleid herausfordert. Brechts Szenen waren für die Bühne geschrieben und hießen ursprünglich *Deutschland – ein Greuelmärchen* (in Anlehnung an Heines im Pariser Exil 1844 geschriebenes *Deutschland. Ein Wintermärchen,* s. S. 149).

Ödön von Horváth (1901–1938)

Horváth führte in seinem Roman *Jugend ohne Gott* (1938) ebenfalls einzelne Szenen vor, doch sie ergeben die zusammenhängende Geschichte eines Lehrers, der das faschistische Verhalten einer Schulklasse gegenüber einem Mitschüler beobachtet und schließlich resigniert nach Afrika auswandert.

Anna Seghers

Das siebte Kreuz. Roman aus Hitlerdeutschland (1942) brachte Anna Seghers internationalen Erfolg. Das Werk schildert den Weg des Kommunisten Heisler, dem die Flucht aus einem Konzentrationslager gelang. Diese Flucht findet zunächst kein Ende. Die Welt verwandelt sich in ein „System lebender Fallen“, bis er es schließlich schafft, sich ins Ausland zu retten. Sehr genau wird die Solidarität der Arbeiter mit Georg geschildert. Die Kompositionstechnik des Romans, zahlreiche Rückblenden und eine Rahmengeschichte ergeben ein realistisches Bild Deutschlands, das Anna Seghers im mexikanischen Exil niederschrieb.

Expressionsmusdebatte

1937/38 wurde in der Moskauer Exilzeitschrift *Das Wort* die sogenannte Expressionismusdebatte ausgetragen, in der es um die marxistische Realismuskonzeption ging. Der in diesem Zusammenhang stehende Briefwechsel zwischen Anna Seghers und Georg Lukács (1885–1971) behandelt die Fragen der Gestaltung von Wirklichkeit in der Literatur. Lukács forderte, daß ein Schriftsteller die gesellschaftliche Totalität darstellen müsse. Anna Seghers wies auf die neue Erzähltechnik des Amerikaners John Dos Passos (1896–1970) hin und meinte, die gesellschaftliche Totalität sei oft nur noch in „Fetzen von Stoffen“ auszudrücken. Der Schriftsteller könne sich der Welt nur noch tastend nähern und Bruchstücke der Totalität wiedergeben. Der Roman *Das siebte Kreuz* zeigt solch ein Bruchstück in der Biographie des ausgebrochenen Häftlings Georg Heisler.

Thomas Mann

Thomas Mann beschäftigte sich im Exil weiterhin mit Goethe, als dessen Nachfolger er gerne gesehen werden wollte. *Lotte in Weimar* (1939) erzählt von einem Treffen Goethes mit der alten Dame Char-

Theaterzettel der amerikanischen Uraufführung (New York)

Donnerstag, den 28. Mai 1942, abends 8:30
im Fraternal Clubhouse, 110 West 48th Street, N. Y. C.

Amerikanische Uraufführung

BERTOLT BRECHT:

FURCHT UND ELEND DES DRITTEN REICHES

5 Szenen

RECHTSFINDUNG

Der Amtsrichter .... Peter Preses
Der Kriminal-Inspektor .... Theo Goetz
Der Staatsanwalt .... Ludwig Roth
Der Gerichtsdiener .... Julius Bing
Das Dienstmädchen .... Paula Janower
De. Landesgerichtsrat .... Paul Marx

DAS KREIDEKREUZ

Das Dienstmädchen .... Elisabeth Neumann
Der S A Mann .... Ludwig Roth
Die Köchin .... Lotte Stein
Der Chauffeur .... Peter Preses
Der Arbeiter .... Theo Goetz

Begrüssungsworte .... Dr. Jakob Ausländer
Ansprachen .... Frau Maria Deutsch
Rev. Ver Lynn Sprague

Pause

DIE JUEDISCHE FRAU

Eine Frau .... Eleonore v. Mendelsohn
Der Mann .... Paul Marx

DER SPITZEL

Das Dienstmädchen .... Anna Schmidt
Der Mann .... Ludwig Roth
Die Frau .... Lotte Stein
Der Knabe .... Henry Rosen

DIE KISTE

Die Frau .... Elisabeth Neumann
Ihre beiden Kinder ....
Ein S A Mann .... Julius Bing
Ein junger Arbeiter .... Harald Dyrenforth
Seine Frau .... Anna Schmidt

Regie: BERTHOLD VIERTEL

DIE TRIBUENE
für Freie Deutsche Literatur und Kunst in Amerika
(THE TRIBUNE—Free Culture in the Land of the Free)

Der Reinertrag wird für die Rettung bedrohter antifaschistischer Flüchtlinge verwendet durch Vermittlung der Austro-German Division des Joint Anti-Fascist Refugee Committee

lotte Buff (Werthers ,,Lotte" aus Goethes Briefroman *Die Leiden des jungen Werthers*, s. S. 95). Ironisch distanziert verknüpft Th. Mann in diesem Roman, den er eine ,,intellektuelle Komödie" nannte, Phantasie und Wirklichkeit, Kunst und Leben, Wissen und Erkennen. Im amerikanischen Exil entstand auch Th. Manns *Doktor Faustus. Das Leben des deutschen Tonsetzers Adrian Leverkühn, erzählt von einem Freunde* (1947). Über diesen ,,Roman der Endzeit" sagte er: ich schreibe

> nichts Geringeres als den Roman meiner Epoche, verkleidet in die Geschichte eines hochprekären und sündigen Künstlerlebens.

In *Doktor Faustus* fließen viele Zeitebenen zusammen, Th. Mann erarbeitete den gesamten Fauststoff. Der Roman ist zugleich eine literarische Darstellung des Phänomens des Faschismus und die Künstlerbiographie des Musikers Adrian Leverkühn, die von seinem Freund Serenus Zeitblom aufgezeichnet wurde.

Neben den historischen Romanen und den Romanen mit aktuellem Zeitbezug gab es noch weitere Versuche, die Situation im Exil schreibend zu bewältigen.

Utopische Romane

Hermann Hesse (1877–1962)

Von 1932 bis 1942 schrieb Hesse in der Schweiz, wo er schon seit 1912 wieder wohnte, ,,aller Vergiftung der Welt zum Trotz" *Das Glasperlenspiel. Versuch einer Lebensbeschreibung des Magister Ludi Josef Knecht samt Knechts hinterlassenen Schriften* (1943). Knechts hinterlassene Schriften führen in frühere Epochen der Menschheitsgeschichte zurück. Seine Biographie macht zusammen mit diesen Schriften an einem „individuellen, aber überzeitlichen Lebenslauf (. . .) die innere Wirklichkeit Kastaliens (. . .) sichtbar": humanistische Geistigkeit, die sich sämtlichen Inhalten und Werten der Menschheitskultur verpflichtet weiß und „der Welt ihr geistiges Fundament zu erhalten" sucht, den Sinn für die Wahrheit. Die Gelehrten sinnen im Glasperlenspiel über die Grundformen der zeitlosen Existenz nach. Da Knecht um 2400 die pädagogische Provinz durch Ordensdünkel und Standeshochmut bedroht sieht, kehrt er – seinem Gewissen folgend – als Lehrer eines einzigen Schülers ins alltägliche Leben zurück.

Franz Werfel (1890–1945)

F. Werfels utopischer Roman *Stern der Ungeborenen. Ein Reiseroman* (1946) entstand im amerikanischen Exil und hat den deutschen Barockroman (s. S. 55) zum Vorbild. Der Roman umfaßt drei Tage des Jahres 101945, in denen der Ich-Erzähler ,,F. W." erfährt, daß sich der Mensch trotz des zivilisatorischen Fortschritts nicht geändert hat.

Erinnerungsbücher

Stefan Zweig (1881–1942)

In *Die Welt von Gestern. Erinnerungen eines Europäers* (1942) stellte Stefan Zweig die von zwei Weltkriegen vernichtete Erwartung einer Epoche des Humanismus dar. Der Glaube an die ,,völkerverbindende Macht des Geistes" und die Hoffnung auf ein geeintes Europa waren durch den Faschismus in Deutschland endgültig zerstört. Noch während des Exils und anschließend aus der Rückschau schrieb A. Döblin *Schicksalsreise. Bericht und Bekenntnis* (1949). Er versuchte, die eige-

Alfred Döblin (1878–1957)

nen Erlebnisse und das Zeitgeschehen zu erfassen. Döblin kehrte als einer der ersten aus dem Exil zurück, um am kulturellen Wiederaufbau Deutschlands mitzuwirken:

> Es wird viel leichter sein, ihre Städte wiederaufzubauen als sie dazu zu bringen, zu erfahren, was sie erfahren haben und zu verstehen, wie es kam.

Heinrich Mann

Ein ausführliches und tiefgreifendes Fazit zog Heinrich Mann in *Ein Zeitalter wird besichtigt* (1945). In diesem politisch-autobiographischen Bericht heißt es:

> Was ich meine: eine wirkliche Hilfe, um am Leben zu bleiben trotz Gefühl und Gewissen, ist der Zweifel.

Innere Emigration

Der Ausdruck ,,innere Emigration" wurde bereits 1933 von Frank Thieß geprägt und bezeichnet die Geisteshaltung deutscher Schriftsteller, die nach 1933 in Deutschland blieben und die ,,geistige" Emigration wählten. Während die Emigranten häufig unter Sprachschwierigkeiten in fremden Ländern litten und die Isolation von ihrem deutschen Publikum deutlich spürten, gab es für die in Deutschland gebliebenen Schriftsteller, die den Nationalsozialismus ablehnten, häufig Schreib- und Publikationsverbote. Trotzdem konnten einige Werke in der inneren Emigration entstehen und in Deutschland publiziert werden. Auch hier wurden historische und religiöse Themen bevorzugt: am bekanntesten sind die Romane der beiden zum Katholizismus übergetretenen Dichter Werner Bergengruen (1892–1964) *Der Großtyrann und das Gericht* (1935) und Gertrud von Le Fort (1876–1971) *Die Magdeburgische Hochzeit* (1938) sowie die Werke der protestantischen Schriftsteller Jochen Klepper (1903–1942) *Der Vater* (1937) und Edzard Schaper (1908–1984) *Die sterbende Kirche* (1936). Reinhold Schneider (1903–1958) stellte das Schicksal eines verfolgten Volkes, der südamerikanischen Indios, in *Las Casas vor Karl V. Szenen aus der Konquistadorenzeit* (1938) dar, und auch Frank Thieß (1890–1977) zog verhüllte Parallelen zum Dritten Reich in seinem Roman *Das Reich der Dämonen* (1941). Gottfried Benn (s. S. 194) und Ernst Jünger (* 1895) schlossen sich später ebenfalls der inneren Emigration an. Jüngers Roman *Auf den Marmorklippen* (1939) ist ein versteckter Angriff auf den Nationalsozialismus.

Bertolt Brecht

1934 erschien in Amsterdam Brechts *Dreigroschenroman*, eine ,,ins Epische transponierte Variation" der *Dreigroschenoper* (s. S. 210). Er übertrug die Verfremdungstechnik seiner Dramen auf diesen Roman. Brecht war vor 1933 der führende Vertreter der jungen Dramatiker in Deutschland. 1933–1939 lebte Brecht in Dänemark, 1941 emigrierte er nach Amerika. Dort entstanden seine wichtigsten Stücke, vor allem

Das Epische Theater

auch seine Theorie des epischen Theaters, die er 1949 unter dem Titel *Kleines Organon für das Theater* in der Zeitschrift *Sinn und Form* (s. S. 262) veröffentlichte. Brecht betätigte sich selbst immer wieder als Regisseur und wünschte, daß seine Stücke eine wirksame Verbindung von Lehre und Unterhaltung sein sollten. Er wollte jede Illusionsbildung vermeiden und den Zuschauer zum kritischen Betrachten und vor allem zur kritischen Stellungnahme herausfordern. Er nannte das Instrument, mit dem er die Illusion brechen und eine Distanz aufbauen wollte, den „Verfremdungseffekt". Darunter verstand Brecht die Veränderung gewohnter Erscheinungen. Seine Stücke werden durch Zwischentitel und Lieder unterbrochen, oft bestehen sie aus lose verbundenen Szenen, die zeitlich weit voneinander entfernt liegen (*Mutter Courage und ihre Kinder, Leben des Galilei*). Die Schauspieler sollen eine bewußte Distanz zu ihrer Rolle behalten. Im Epilog von *Der gute Mensch von Sezuan* (s. u.) heißt es:

Verfremdungseffekt

Wir stehen selbst enttäuscht und sehn betroffen
Den Vorhang zu und alle Fragen offen.

Im Exil hat Brecht den Unterschied zwischen dem herkömmlichen „dramatischen" und seinem „epischen" Theater erklärt:

Der Zuschauer des dramatischen Theaters sagt: Ja, das habe ich auch schon gefühlt. – So bin ich. – Das ist nur natürlich. – Das wird immer so sein. – Das Leid dieses Menschen erschüttert mich, weil es keinen Ausweg für ihn gibt. – Das ist große Kunst: da ist alles selbstverständlich. – Ich weine mit den Weinenden, ich lache mit den Lachenden.

Der Zuschauer des epischen Theaters sagt: Das hätte ich nicht gedacht. – So darf man es nicht machen. – Das ist höchst auffällig, fast nicht zu glauben. – Das muß aufhören. – Das Leid dieses Menschen erschüttert mich, weil es doch einen Ausweg für ihn gäbe. – Das ist große Kunst: da ist nichts selbstverständlich. – Ich lache über den Weinenden, ich weine über den Lachenden.

Mutter Courage und ihre Kinder. Eine Chronik aus dem Dreißigjährigen Krieg (1941 in Zürich uraufgeführt) brachte in 12 Bildern das Schicksal der Marketenderin Courage auf die Bühne. Der Stoff geht zurück auf Grimmelshausens Barockroman *Simplicissimus* (s. S. 55). Mutter Courage versteht es, am Krieg zu verdienen. Sie fährt mit ihren Söhnen Eilif, Schweizerkas und der stummen Tochter Kattrin den Kriegstruppen hinterher und verkauft, was die Soldaten brauchen. Brecht zeigte hier nicht die große Geschichte selbst, sondern machte vor ihrem Hintergrund die Geschichte der kleinen Leute deutlich. Mutter Courage verliert in diesem Krieg ihre drei Kinder, doch sie lernt nichts dazu. Sie nimmt ihren Planwagen und zieht weiter:

Drama

Hoffentlich zieh ich den Wagen allein. Es wird schon gehn, es ist nicht viel drinnen. Ich muß wieder in Handel kommen.

Brecht ging es darum, daß vor allem der Zuschauer etwas lernt und nicht die auf der Bühne dargestellten Personen. Das Stück verbindet den Handlungsablauf mit Songs, die nicht nur die Handlung erhellen und kommentieren, sondern das Geschehen auf der Bühne deutlicher machen und neu interpretieren. Das melancholische „Lied von Salo-

Songs

mon, Julius Caesar und anderen großen Geistern, denens nicht genützt hat“ handelt von Tugenden, die nichts mehr nützen. Die Strophen enden mit dem zur jeweiligen Tugend passenden Refrain:

Und seht, da war es noch nicht Nacht
Da sah die Welt die Folgen schon:
Die Redlichkeit hatt ihn so weit gebracht!
Beneidenswert, wer frei davon!

Die erste Fassung von *Leben des Galilei* entstand im dänischen Exil. 1943 wurde das Stück in Zürich uraufgeführt. Wie die Romanautoren der frühen Exilliteratur machte auch Brecht einen Schritt zurück in die Geschichte. In freier Behandlung des historischen Stoffs um den italienischen Physiker Galileo Galilei (1564–1642) thematisierte er die Frage nach der Verantwortung der Wissenschaften gegenüber der Menschheit. Galilei entdeckt durch seine Versuche, daß die von Kopernikus formulierte These (s. S. 39) richtig ist. Er gerät mit dieser Entdeckung in Widerspruch zu der Auffassung der Kirche, daß die Erde der Mittelpunkt des Universums sei. Galilei widerruft schließlich seine These, um der Inquisition zu entgehen und in Ruhe forschen zu können. Offensichtlich parallelisierte Brecht die Situation Galileis mit der Situation vieler deutscher Wissenschaftler nach Hitlers Machtergreifung.
Teile des Parabelstücks *Der gute Mensch von Sezuan* (1943 in Zürich uraufgeführt) hatte Brecht schon um 1930 konzipiert. Der ursprüngliche, bewußt mit dem Wort spielende Titel lautete *Die Ware Liebe*. Drei Götter wollen auf der Welt den guten Menschen finden. Die Prostituierte Shen Te ist dieser einzige gute Mensch. Die Götter geben ihr zögernd etwas Geld, damit sie einen Tabakladen eröffnen kann. Shen Te kann nur gütig bleiben gegenüber ihrer Umwelt und anderen helfen, indem sie ein zweites Ich erfindet. Dieses erfundene zweite Ich ist der grausame Vetter Shui Ta, der sie vor anderen schützt. Am Schluß ruft Shen Te in einer von den Göttern geleiteten Gerichtsverhandlung:

Ja, ich bin es, Shui Ta und Shen Te, ich bin beides.
Euer einstiger Befehl
Gut zu sein und doch zu leben
Zerriß mich wie ein Blitz in zwei Hälften.
Ich weiß nicht, wie es kam: gut sein zu andern
Und zu mir konnte ich nicht zugleich.
Andern und mir zu helfen, war mir zu schwer,
Ach, eure Welt ist schwierig! Zu viel Not, zu
viel Verzweiflung! (...)
Für eure großen Pläne, ihr Götter
War ich armer Mensch zu klein.

Carl Zuckmayer (1896–1977)

Der Dramatiker Carl Zuckmayer emigrierte 1939 über Kuba nach Amerika, wo er sich auf eine Farm, fernab vom literarischen Betrieb, zurückzog. Sein *Aufruf zum Leben* (1942), in dem er sich und anderen Emigranten Mut zum Durchhalten machte, steht in großem Gegensatz zu Stefan Zweigs Abschiedsbrief, den dieser vor seinem Freitod im brasilianischen Exil verfaßte. In diesen beiden Zeugnissen kann man die unterschiedlichen Wirkungen der Exilsituation erkennen und begreifen, wie sehr auch der persönliche Lebensweg der Autoren von der erzwungenen Heimatlosigkeit gelenkt oder abgebrochen wurde.

Es ist aber nicht an der Zeit, mit dem Tod zu schlafen.
Die Dämmerung, die uns umgibt, deutet nicht auf Abend, auf Mond, auf Buhlschaft. Hinter diesem Zwielicht flammt ein blutiges Morgenrot, das harten Tag kündet und das uns ruft, zu leben, zu kämpfen, zu bestehen. – *Gebt nicht auf, Kameraden!*
(Carl Zuckmayer)

Mit jedem Tage habe ich dies Land mehr lieben gelernt und nirgends hätte ich mir lieber mein Leben vom Grunde aus neu aufgebaut, nachdem die Welt meiner eigenen Sprache für mich untergegangen ist und meine geistige Heimat Europa sich selbst vernichtet.
Aber nach dem sechzigsten Jahre bedürfte es besonderer Kräfte, um noch einmal völlig neu zu beginnen. Und die meinen sind durch die langen Jahre heimatlosen Wanderns erschöpft. So halte ich es für besser, rechtzeitig und in aufrechter Haltung ein Leben abzuschließen, dem geistige Arbeit die lauterste Freude und persönliche Freiheit das höchste Gut dieser Erde gewesen.
Ich grüße alle meine Freunde! Mögen sie die Morgenröte noch sehen nach der langen Nacht. Ich, allzu Ungeduldiger, gehe ihnen voraus!
Stefan Zweig
Petropolis, 22. II. 1942

Kurzbiographien Exil

BERTOLT BRECHT (1898 in Augsburg – 1956 in Berlin)
Brecht studierte in München Medizin. Er lernte dort L. Feuchtwanger kennen und arbeitete am Theater des Karl Valentin (1882–1948) mit. 1922 bekam er den Kleistpreis für sein dramatisches Frühwerk. 1924 ging Brecht nach Berlin, wo er ab 1928 Regisseur am „Theater am Schiffbauerdamm“ war. Hier inszenierte er viele seiner eigenen Stücke. 1929 heiratete er die Schauspielerin Helene Weigel. 1933 verließ er Deutschland und blieb schließlich in Dänemark. Seine Stücke wurden in den folgenden Jahren in Europa und Amerika aufgeführt. Brecht floh 1941 vor den deutschen Truppen über Rußland nach Santa Monica/Kalifornien, wo sich schon viele deutsche Emigranten getroffen hatten. 1947 wurde er wegen „unamerikanischen Verhaltens“ in Washington verhört. 1948 kehrte er nach Deutschland zurück, die Einreise nach Westdeutschland wurde ihm nicht gestattet. Er wurde in Ost-Berlin Intendant des Deutschen Theaters und gründete 1949 das „Berliner Ensemble“. 1953 wurde er Vorsitzender des Deutschen PEN-Zentrums. 1954 erhielt er den Stalin Friedenspreis. Sein „Berliner Ensemble“ übte großen Einfluß auf das deutsche Nachkriegstheater aus. Er arbeitete mit ihm bis zu seinem Tod.

Baal (Stück, 1920; entstanden 1918/19, Uraufführung 1923)
Trommeln in der Nacht (Stück, 1923; entstanden 1919, Uraufführung 1922)
Im Dickicht der Städte. Der Kampf zweier Männer in der Riesenstadt Chicago (Stück, 1927; entstanden 1921–24, Uraufführung 1923)
Mann ist Mann. Die Verwandlung des Packers Galy Gay in den Militärbaracken von Kilkoa im Jahre 1925 (Lustspiel, 1927; entstanden 1924–26, Uraufführung 1926)
Bertolt Brechts Hauspostille (Gedichtsammlung, 1927)
Die Dreigroschenoper (nach John Gay, Musik: Kurt Weill, 1928; entstanden und uraufgeführt 1928)
Geschichten vom Herrn Keuner (Erzählungen, 1930)
Furcht und Elend des Dritten Reiches (Szenen, London 1938; entstanden 1935–38, Uraufführung 1945 in New York)
Leben des Galilei (Stück, 1948; entstanden 1938/39, Uraufführung 1943 in Zürich)
Der gute Mensch von Sezuan (Parabelstück, 1953; entstanden 1938–40, Uraufführung 1943 in Zürich)
Mutter Courage und ihre Kinder. Eine Chronik aus dem Dreißigjährigen Krieg (Stück, 1947; entstanden 1939, Uraufführung 1941 in Zürich)
Kalendergeschichten (1948)
Der kaukasische Kreidekreis (Stück, 1949 in *Sinn und Form;* entstanden 1943–45, deutsche Uraufführung 1954)
Kleines Organon für das Theater (1949 in *Sinn und Form*)
Buckower Elegien (1953)

ALFRED DÖBLIN (1878 – 1957) → s. S. 214

LION FEUCHTWANGER (1884 in München – 1958 in Pacific Palisades, Kalifornien/USA)

Feuchtwanger studierte in München und Berlin Philologie, Philosophie und Sanskrit. Er promovierte mit einer Arbeit über Heinrich Heine. Als Theaterkritiker war er Mitarbeiter der Zeitschrift *Die Schaubühne*. Am Ersten Weltkrieg nahm er 5 Monate lang teil. Von einer Vortragsreise nach Amerika kehrte er 1933 nicht wieder nach Deutschland zurück. Er wurde ausgebürgert und lebte bis 1940 in Sanary-sur-Mer/Frankreich, wo sich viele deutsche Emigranten aufhielten. Mit B. Brecht und W. Bredel gab er die in Moskau erscheinende Zeitschrift *Das Wort* (1936–39) heraus. Zwei Jahre lang war er in Frankreich interniert, er konnte jedoch nach Amerika fliehen. Dort war er ein erfolgreicher Schriftsteller.

Jud Süß (Roman, 1925)
Der Wartesaal (Romantrilogie, 1930–40)
Waffen für Amerika, auch unter dem Titel *Die Füchse im Weinberg* (Roman, 1947/48)
Goya oder Der arge Weg der Erkenntnis (Roman, 1951)

HERMANN HESSE (1877 – 1962) → s. S. 214

ÖDÖN VON HORVÁTH (1901 in Fiume, heute Rijeka – 1938 in Paris)
Der Diplomatensohn wuchs in München, Preßburg und Wien auf. In Berlin setzte er sich als Autor durch. Nach Hitlers Machtergreifung mußte er letztlich fliehen und führte in den folgenden Jahren ein unruhiges Leben ohne festen Bezugspunkt. 1938 wurde er in Paris während eines Gewitters von einem Baum erschlagen.

Geschichten aus dem Wiener Wald (Volksstück, 1931)
Italienische Nacht (Volksstück, 1931)
Jugend ohne Gott (Roman, 1938)
Ein Kind unserer Zeit (Roman, 1938)

HEINRICH MANN (1871 - 1950) → s. S. 186

KLAUS MANN (1906 in München – 1949 in Cannes/Frankreich)
Der älteste Sohn Thomas Manns war Journalist und Theaterkritiker, bevor er 1933 nach Amsterdam emigrierte. Dort gab er die Zeitschrift *Die Sammlung* (1933–35) heraus. 1936 ging er nach Amerika; er nahm als amerikanischer Soldat am Zweiten Weltkrieg teil. In der Emigration bemühte er sich um Mitstreiter gegen das Hitlerregime. Zu seinem Werk gehören auch politische Publikationen. Er litt unter dem Erbe, Sohn eines berühmten Vaters zu sein, obwohl er auch davon profitierte. 1949 nahm er sich das Leben.

Die Sammlung (Zeitschrift, 1933–35)
Mephisto. Roman einer Karriere (1936)
Der Vulkan. Roman unter Emigranten (1939)
Escape to Life (mit der Schwester Erika Mann, 1939)
The Turning Point (Autobiographie, 1942; deutsch: *Der Wendepunkt. Ein Lebensbericht,* 1952)

THOMAS MANN (1875 - 1955) → s. S. 215

ANNA SEGHERS (1900 - 1983) → s. S. 269

ERNST TOLLER (1893 - 1939) → s. S. 202

FRANZ WERFEL (1890 - 1945) → s. S. 202

CARL ZUCKMAYER (1896 Nackenheim/Rhein – 1977 in Visp, Wallis/Schweiz)
Zuckmayer nahm als Kriegsfreiwilliger am Ersten Weltkrieg teil. Er studierte in Heidelberg Philologie und Biologie. Für sein Lustspiel *Der fröhliche Weinberg* bekam er 1925 den Kleist-Preis. Seitdem gehörte Zuckmayer zu den erfolgreichsten deutschen Dramatikern. Er lebte zunächst in Österreich, floh 1938 in die Schweiz und emigrierte 1939 nach Amerika. Bis 1946 lebte er dort auf einer Farm. Dann kehrte er als amerikanischer Staatsbürger nach Deutschland zurück; seit 1954 lebte er in der Schweiz. 1952 verlieh ihm die Stadt Frankfurt den Goethe-Preis.

Der fröhliche Weinberg (Lustspiel, 1925)
Der Hauptmann von Köpenick (Schauspiel, 1931)
Aufruf zum Leben (Flugblatt, 1942)
Des Teufels General (Drama, 1946)

Die Fastnachtsbeichte (Erzählung, 1959)
Als wär's ein Stück von mir (Autobiographie, 1966)

STEFAN ZWEIG (1881 in Wien – 1942 in Petropolis/Brasilien)
Er studierte in Berlin und Wien und lebte seit 1919 in Salzburg. 1938 emigrierte er nach London und 1940 nach Brasilien. Er war als Übersetzer besonders französischer Lyrik tätig. Weder in England noch in Brasilien konnte er wirklich heimisch werden. Seine historischen Miniaturen, zahlreiche historische Biographien und seine psychologischen Romane und Novellen hatten ihn schon vor dem Krieg berühmt gemacht.

Sternstunden der Menschheit. Fünf historische Miniaturen (1927; erweiterte Ausgabe 1945)
Ungeduld des Herzens (psychologischer Roman, 1938)
Brasilien. Ein Land der Zukunft (Essays, 1941)
Schachnovelle (1941)
Die Welt von Gestern. Erinnerungen eines Europäers (1942)

Literatur der Bundesrepublik Deutschland (1945–1990) 19

Situation nach der Kapitulation 1945

Kriegsende und Kapitulation des Deutschen Reiches am 8. Mai 1945 bedeuteten für alle Lebensbereiche einen tiefen Einschnitt.
Die deutsche Literatur erhielt wieder neue, lang unterdrückte Wirkungsmöglichkeiten. Während der nationalsozialistischen Herrschaft waren viele bekannte deutsche Autoren emigriert (s. S. 218), einige Autoren waren in Deutschland geblieben und zählten zur „inneren Emigration“ (s. S. 226), viele verstummten, wurden von den Nationalsozialisten ermordet oder nahmen sich aus Verzweiflung selbst das Leben.
Das deutsche Publikum war 1933–1945 völlig isoliert von der literarischen Entwicklung anderer Länder. Auch die Werke der Exilautoren waren im Ausland erschienen und in Deutschland nicht bekannt. Das Werk der Expressionisten und der Schriftsteller der Zwanziger Jahre war kaum rezipiert worden, da auch diese Literatur von den Nationalsozialisten zum großen Teil unterdrückt, verboten oder verbrannt (s. S. 218) worden war.

Kein Nullpunkt in der Literatur

Dennoch gab es keinen „Nullpunkt“ für die deutsche Literatur; vielmehr kann man von einem außerordentlich großen Nachholbedarf sprechen. Die Rezeption der im 20. Jh. bereits entstandenen Literatur mußte nun nachgeholt werden; daneben waren die Erfahrungen und Probleme des gerade zu Ende gegangenen Krieges literarisch zu bewältigen. Trotz zerstörter Städte und damit auch zerstörter Theater, trotz Papierknappheit und zahlreicher Beschränkungen im täglichen Leben begann sich schnell ein neues kulturelles Leben zu entwickeln.
Die Literatur, die unmittelbar nach Kriegsende erschien, war zutiefst beeinflußt vom Erlebnis des Krieges, von dem Versuch, das Grauen in Sprache zu fassen. Auch die Frage nach der Schuld und Verantwortung des deutschen Volkes wurde bald gestellt und ist bis heute nicht aus der deutschen Literatur wegzudenken.

Drei Linien der Nachkriegsliteratur

Die drei Linien der Nachkriegsliteratur – Literatur der zurückkehrenden Emigranten, die Literatur derer, die in der „inneren Emigration“ gelebt hatten und die Literatur der jungen Generation – bestimmten noch bis in die 50er Jahre das

Bild. Drei Theaterstücke stehen stellvertretend für die verschiedenen Tendenzen:

Heimkehrer aus dem Exil

Carl Zuckmayer (1896–1977)

C. Zuckmayer war 1945 aus amerikanischem Exil (s. S. 228) in die Schweiz zurückgekehrt. 1946 wurde in Zürich sein Drama *Des Teufels General* uraufgeführt, das auch in den folgenden Jahren großen Erfolg beim Publikum hatte. Zuckmayer schloß mit diesem Stück an seine frühen Stücke (s. S. 210) an. Das Thema des Mitläufers im Dritten Reich, der spät zur Einsicht kommt und einen heldenhaften Tod stirbt, wirkt heute oberflächlich und in bezug auf die Glorifizierung des ,,Kraftkerls" General Harras verharmlosend.

Widerstand im Dritten Reich

Günther Weisenborn (1902–1962)

Ein zweites erfolgreiches Stück wurde 1946 in Berlin uraufgeführt: G. Weisenborns *Die Illegalen. Drama aus der deutschen Widerstandsbewegung*. Weisenborn war am Untergrundkampf und illegalen Widerstand gegen die Nationalsozialisten beteiligt und hatte schon nach dem Ersten Weltkrieg publiziert. Wie Brecht führt Weisenborn einzelne Bilder von einer Handlung vor, die den Widerstand gegen die Tyrannei propagiert, auch wenn der Widerstand aussichtslos erscheint:

> Wir Illegalen sind eine leise Gemeinde im Land. Wir sind gekleidet wie alle, wir haben die Gebräuche aller, aber wir leben doppelt zwischen Verrat und Grab. (...)
> Die Welt liebt Opfer, aber die Welt vergißt sie. Die Zukunft ist vergeßlich.

Die junge Generation

Wolfgang Borchert (1921–1947)

W. Borchert repräsentierte die ganz junge Generation. Ihre Autoren hatten am Krieg teilnehmen müssen und hatten in jungen Jahren schon Erfahrungen gemacht, die anderen Generationen erspart blieben. *Draußen vor der Tür. Ein Stück, das kein Theater spielen und kein Publikum sehen will* (1947) ist ein bitterer und gequälter Bericht eines heimkehrenden Soldaten. Im Prolog heißt es:

> Ein Mann kommt nach Deutschland.
> Er war lange weg, der Mann. Sehr lange. Vielleicht zu lange. Und er kommt ganz anders wieder, als er wegging. (...)
> Einer von denen, die nach Hause kommen und die dann doch nicht nach Hause kommen, weil für sie kein Zuhause mehr da ist. Und ihr Zuhause ist draußen vor der Tür. Ihr Deutschland ist draußen, nachts im Regen, auf der Straße. Das ist ihr Deutschland.

Borcherts Drama knüpfte stilistisch und formal an die Dramen des Expressionismus (s. S. 196) an. Reale und irreale Ebenen mischen sich. Kennzeichnend hierfür sind der apokalyptische Traum vom General, der auf einem Riesenxylophon aus Knochen spielt und die Gespräche des Soldaten Beckmann mit ,,dem Anderen", seinem tatkräftigen und optimistischen zweiten Ich (alter ego). Borcherts Stück gehört zur später so genannten Trümmer- oder auch Kahlschlagliteratur (s. u.).

Hörspiele

Einige Dramen erschienen zuerst als Hörspiel. Hörspiele sind allein auf die akustischen Möglichkeiten des Rundfunks angewiesen und können dramatische Elemente (Dialoge) mit epischen Elementen (Erzähler) kombinieren. Durch Geräusche und verschiedene Stimmen

Szenenfoto aus der Uraufführung mit Hans Quest, dem Borchert das Stück widmete

erhält ein Hörspiel eine zusätzliche Wirkungsmöglichkeit. Günter Eich forderte in seinem Hörspiel *Träume* (1953):

Wacht auf, denn eure Träume sind schlecht! (. . .)
Nein, schlaft nicht, während die Ordner der Welt geschäftig sind!
Tut das Unnütze, singt die Lieder, die man aus eurem Mund nicht erwartet!
Seid unbequem, seid Sand, nicht das Öl im Getriebe der Welt!

Lyrik der Nachkriegszeit

Gleich 1945 veröffentlichte Werner Bergengruen (1892–1964) seine Gedichte unter dem Titel *Dies Irae*. Unter den ersten lyrischen Äußerungen nach dem Krieg gab es Gedichte in strengen Formen, z. B. die *Moabiter Sonette* (1946) von Albrecht Haushofer (1903–1945), der noch kurz vor Kriegsende wegen Teilnahme an der Verschwörung vom 20. Juli 1944 ermordet worden war, oder die Sonette aus Rudolf Hagelstanges (1912–1984) *Venezianischem Credo* (1946), wo es heißt:

Wer baut, wenn noch bei letzten Brandes Scheine
ein Gott dem Würger in die Zügel fällt,
aus diesem Chaos eine neue Welt?

Natur- und Landschaftslyrik

Die Lyrik der Nachkriegszeit ist zum größten Teil eine Natur- und Landschaftslyrik. Marie Luise Kaschnitz' (1901–1974) Sammlung *Totentanz und Gedichte zur Zeit* (1947) und E. Langgässers *Der Laubmann und die Rose* (1947) spiegeln den Rückzug in das Gedicht der

Elisabeth Langgässer (1899–1950)

schönen Form. M. L. Kaschnitz wandte sich in ihren Gedichten der südländischen Landschaft zu; E. Langgässers Gedichte trugen – in der Nachfolge O. Loerkes und W. Lehmanns (s. S. 213, 214) – einen naturmystischen Ton, der sich in den späteren Gedichten zu einer christlichen Aussage wandelte:

Frühling 1946

Holde Anemone,
bist du wieder da
und erscheinst mit heller Krone
mir Geschundenem zum Lohne
wie Nausikaa?
(Auszug)

1948 erschien die Gedichtsammlung *Abgelegene Gehöfte* von G. Eich, 1949 die *Statischen Gedichte* von G. Benn.

„Probleme der Lyrik" Gottfried Benn (1886–1956)

Benn hatte bereits vor dem Ersten Weltkrieg begonnen, Gedichte zu veröffentlichen (s. S. 194). Er war dem Publikum noch bekannt, auch wenn er seit 1938 Schreibverbot gehabt hatte. Seine *Statischen Gedichte* wie auch die späteren Sammlungen *Destillationen* (1953) und *Aprèslude* (1955) zeigen die „formfordernde Gewalt des Nichts". Benn sah in der Form, das heißt in der Kunst, einen möglichen Schutz gegenüber dem Chaos, dem Dämonischen, dem Nichts. Benns Einfluß auf die Lyrik der folgenden Jahre war groß, sein Marburger Vortrag *Probleme der Lyrik* (1951) eröffnete viele Diskussionen über die moderne Lyrik:

Das lyrische Ich ist ein durchbrochenes Ich, ein Gitter-Ich, fluchterfahren, trauergeweiht. Immer wartet es auf eine Stunde, in der es sich für Augenblicke erwärmt (. . .), in dem die Zusammenhangsdurchstoßung, das heißt die Wirklichkeitszertrümmerung, vollzogen werden kann, die Freiheit schafft für das Gedicht – durch Worte.

Nüchterne Bestandsaufnahme Günter Eich (1907–1972)

Zwei weitere wichtige Lyriker, die bereits zwischen den Kriegen publiziert hatten, sind Peter Huchel (s. S. 264) und Günter Eich. Eich schrieb nach dem Krieg auch Natur- und Landschaftsgedichte, doch er versuchte bald, die Gegenwart ganz direkt in seine Gedichte einzubeziehen und tat dies häufig mit nüchternen Bestandsaufnahmen. Dafür ist sein Gedicht *Inventur* aus den *Abgelegenen Gehöften* (1948) ein Beispiel:

Inventur

Dies ist meine Mütze,
dies ist mein Mantel,
hier mein Rasierzeug
im Beutel aus Leinen.

Konservenbüchse:
mein Teller, mein Becher,
ich hab in das Weißblech
den Namen geritzt.

Geritzt hier mit diesem
kostbaren Nagel,
den vor begehrlichen
Augen ich berge.

Im Brotbeutel sind
ein Paar wollene Socken
und einiges, was ich
niemand verrate,

so dient er als Kissen
nachts meinem Kopf.
Die Pappe hier liegt
zwischen mir und der Erde.

Die Bleistiftmine
lieb ich am meisten:
tags schreibt sie mir Verse,
die nachts ich erdacht.

Dies ist mein Notizbuch,
dies meine Zeltbahn,
dies ist mein Handtuch,
dies ist mein Zwirn.

„Intellektuelle Heiterkeit"

Karl Krolow (*1915)

Auch die Lyrik Krolows stand zunächst in der Nachfolge von Loerke und Lehmann. Er war dem französischen Surrealismus verbunden, doch seine Gedichte wurden allmählich spielerischer im Ausdruck, strenger in der Form. Krolow nennt den Dichter „einen Zauberer, dem eine ganze Welt der Imagination zur Verfügung steht". Für Krolow ist ein Gedicht an Tatsachen gebunden, es soll jedoch im Abstand zu diesen Dingen geschrieben werden. In der Sammlung *Wind und Zeit* (1954) befindet sich das Gedicht *Drei Orangen, zwei Zitronen*:

Drei Orangen, zwei Zitronen: –
Bald nicht mehr verborg'ne Gleichung,
Formeln, die die Luft bewohnen,
Algebra der reifen Früchte!

Licht umschwirrt im wespengelben
Mittag lautlos alle Wesen.
Trockne Blumen ruhn im selben
Augenblick auf trocknem Wind.

Drei Orangen, zwei Zitronen.
Und die Stille kommt mit Flügeln.
Grün schwebt sie durch Ulmenkronen,
Seliges Schiff, matrosenheiter.

Und der Himmel ist ein blaues
Auge, das sich nicht mehr schließt
Über Herzen: ein genaues
Wunder, schwankend unter Blättern.

Drei Orangen, zwei Zitronen: –
Mathematisches Entzücken,
Mittagsschrift aus leichten Zonen!
Zunge schweigt bei Zunge. Doch
Alter Sinn gurrt wie ein Tauber.

Prosa

Während die Lyrik zum Teil an die vor 1933 entstandenen Gedichte anschließen konnte und die Autoren in Hörspielen und Stücken versuchten, das Kriegserlebnis zu artikulieren, dauerte es eine ganze Weile, bis sie mit erzählender Prosa und Romanen nach dem Krieg wieder an die Öffentlichkeit traten. Neben den bereits vor der Zeit des Nationalsozialismus bekannten Autoren (hier vor allem Thomas Mann) hatten es junge Autoren schwer. Durch den 1946 an Hermann Hesse verliehenen Nobelpreis erfuhr die deutsche Literatur zwar wieder internationale Anerkennung, doch die Anerkennung bezog sich auf die deutsche literarische Tradition vor 1933. Bis in die 50er Jahre blieben die Werke der Emigranten Maßstab der Literatur.

Hans Werner Richter (1908–1993)

H. W. Richter schrieb bereits 1946 in der von ihm und Alfred Andersch redigierten Zeitschrift *Der Ruf – Unabhängige Blätter der jungen Generation:*

In Deutschland redet eine Generation, und in Deutschland schweigt eine Generation. Und während die eine sich immer mehr in das öffentliche Gespräch hineinflüchtet, während sie, gleichsam in eine Wolke von bußfertigem Weihrauch gehüllt, in die beruhigenden Schatten der Vergangenheit

flieht, versinkt die andere immer mehr für das öffentliche Leben in ein düsteres, nebelhaftes Schweigen. (. . .)
Vor dem rauchgeschwärzten Bild dieser abendländischen Ruinenlandschaft, in der der Mensch taumelnd und gelöst aus allen überkommenen Bindungen irrt, verblassen alle Wertmaßstäbe der Vergangenheit.

„Gruppe 47“

1947 rief H. W. Richter im Allgäu einige junge Dichter und Kritiker zusammen. Man las aus unveröffentlichten Manuskripten vor, diskutierte, kritisierte und versuchte, im Literaturbetrieb Fuß zu fassen. Daraus entstand die „Gruppe 47“, die bis in die späten 60er Jahre die wichtigste Rolle für die Literatur nach 1945 spielte. Nahezu alle heute bekannten Schriftsteller hatten Kontakt zur „Gruppe 47“, deren „spiritus rector“ Richter bis zur Auflösung der Gruppe im Jahre 1967 blieb. Es war eine lockere Gruppierung von Autoren ohne festes politisches oder ästhetisches Programm, was nach der Zeit des Nationalsozialismus für die junge Generation eine unschätzbare Möglichkeit zur Entfaltung einer eigenen Individualität wurde. Auf dem ersten Treffen las W. Schnurre seine Kurzgeschichte *Das Begräbnis* vor. Schon hier machte sich das Prinzip der Sprachverknappung bemerkbar: Nur noch das Notwendigste wird gesagt. Dies war das Ergebnis der Suche nach einer Sprache, die noch unverbraucht war und mit der man persönliches Erleben während der Kriegs- und Nachkriegszeit wiedergeben konnte. 1949 forderte Schnurre den „Auszug aus dem Elfenbeinturm“, womit er das Bemühen um eine vom nationalsozialistischen Vokabular gereinigte Sprache meinte, die das einzige ausdrükken sollte, was man noch besaß: die Wahrheit. Nicht nur die Sprache, auch das Thema der Kurzgeschichte von Schnurre ist typisch für die Zeit: Gott ist tot.

Wolfdietrich Schnurre (1920–1989)

Liegt der Brief da; weiß mit schwarzem Rand.
Muß einer gestorben sein, denk ich (. . .)
So.
Richtig, ne Traueranzeige. Ich buchstabiere: VON KEINEM GELIEBT, VON KEINEM GEHASST, STARB HEUTE NACH LANGEM, MIT HIMMLISCHER GEDULD ERTRAGENEM LEIDEN: GOTT.

Kurzgeschichten

In den Kurzgeschichten werden Ereignisse meist sehr pointiert dargestellt, Anfang und Ende der Geschichte können abrupt sein. Beispiele hierfür sind Borcherts Kurzgeschichten, aber auch die später erschienenen von Böll und Lenz, die von der Rezeption ausländischer Literatur (besonders von den Amerikanern Ernest Hemingway, 1899–1961, und William Faulkner, 1897–1962) beeinflußt sind. In diesen Umkreis gehören auch Wolfgang Hildesheimers (1916–1991) *Lieblose Legenden* (1952), die sich wie Schnurres Kurzgeschichten oft ins Groteske steigern.

„Kahlschlag“

Wolfgang Weyrauch (1907–1980) hatte 1949 die Kurzgeschichtensammlung *Tausend Gramm* herausgegeben, in deren Nachwort er vom „Kahlschlag“ in der deutschen Literatur sprach:

Sie [eine deutsche Literatur] gibt einen Kahlschlag in unserm Dickicht. In der gegenwärtigen deutschen Prosa sind mehrere Schriftsteller erschienen, die versuchen, unsre blinden Augen sehend, unsre tauben Ohren hörend und unsre schreienden Münder artikuliert zu machen.

Zu der Kahlschlagliteratur gehören auch Gedichte von G. Eich, dem die „Gruppe 47" 1950 erstmals ihren Preis verlieh. Die Romane der 50er und 60er Jahre beschäftigen sich weitgehend mit dem Kriegserlebnis oder der Bestandsaufnahme des Lebens in der Bundesrepublik nach dem Krieg.

Romane der 50er Jahre

Heinrich Böll, der auch zur „Gruppe 47" gehörte, bekannte sich zur „Trümmerliteratur" und sah es als seine moralische Pflicht an, über die Kriegs- und die Nachkriegszeit realistisch zu schreiben. Dieser Realismus zeigt sich in seinen zwischen 1947 und 1950 entstandenen Kurzgeschichten jedoch mit viel hintergründiger Bedeutung beladen. Die Sammlung *Wanderer, kommst du nach Spa . . .* (1950) zeigt das genauso wie die 1949 erschienene Erzählung *Der Zug war pünktlich*. Diese Erzählungen schließen sich nicht der These vom „Kahlschlag" an, sondern berichten äußerlich nüchtern von Kriegserlebnissen der „kleinen Leute", derer, die sich dem Schicksal und dem Tod fügen mußten und die in diesem Sich-Fügen doch noch Momente der menschlichen Größe erreichen konnten. Diese Erzählungen stehen am Anfang von Bölls literarischem Erfolg. Seine Erfahrungen der Nachkriegszeit spiegeln sich in seinen Romanen. 1953 veröffentlichte er *Und sagte kein einziges Wort*. Hier thematisiert er das von Kriegsfolgen, Wohnungsnot, Armut und Verzweiflung durchkreuzte Leben eines Elternpaares. In *Haus ohne Hüter* (1954) stellt Böll das Schicksal von Kindern dar, die im Krieg ihre Väter verloren und das Schicksal der Frauen, die ihre Männer verloren. Aus der Sicht von fünf verschiedenen Personen wird die Handlung beleuchtet. Im Mittelpunkt stehen zwei Jungen, die verzweifelt versuchen, ihre Mütter zu verstehen und das eigene Leben zu begreifen.

Heinrich Böll (1917–1985)

A. Anderschs Roman *Sansibar oder der letzte Grund* (1957) berichtet exemplarisch an fünf Personen über das Verhalten von Menschen während der Hitlerzeit. Es geht um eine Plastik, die als „entartete Kunst" verbannt wird, und die durch das Zusammenspiel von fünf Menschen in einer Kleinstadt an der Ostsee gerettet werden kann. Alle fünf Personen haben ganz unterschiedliche – schwärmerische und lebensbedrohliche – Beweggründe für ihr Handeln; gemeinsam ist allen die Sehnsucht nach einem freien Leben.

Alfred Andersch (1914–1980)

1958 las Günter Grass aus seinem Roman-Manuskript der *Blechtrommel* den Teilnehmern der „Gruppe 47" vor und stellte sich ihrer Kritik. Das war der Auftakt zu einem großen Erfolg. 1959 erschien *Die Blechtrommel*; der Roman wurde gleichzeitig im Ausland publiziert. Oskar Matzerath schreibt in einer westdeutschen Irrenanstalt seine Erlebnisse zwischen 1930 und 1950 auf. Er ist in Danzig aufgewachsen und hat mit drei Jahren beschlossen, nicht mehr zu wachsen. Seine Kennzeichen

Günter Grass (*1927)

sind die Blechtrommel, von der er sich auch später nicht trennen kann, und die Fähigkeit, mit seiner Stimme Glas zu „zersingen". Oskar beobachtet seine kleinbürgerliche Umwelt aus der Froschperspektive, ist weder am Tod seiner Mutter, noch am Tod seiner „mutmaßlichen Väter" unschuldig und geht nach dem Krieg verschiedenen Berufen nach, bis er in einer Irrenanstalt landet. Grass ermöglichte sich in der völlig unkonventionellen Rolle des „Helden" Oskar Matzerath Angriffe auf moralische, religiöse und sexuelle Tabus und stellte aus der verzerrten Perspektive des Trommlers Oskar die groteske und verzerrte Wirklichkeit während der Kriegs- und Nachkriegszeit dar. Er verwendete häufig den ostpreußischen Dialekt.

Auf *Die Blechtrommel* folgten 1961 die Novelle *Katz und Maus* und 1963 der Roman *Hundejahre*. Zusammen ergeben sie die „Danziger Trilogie". *Hundejahre* rückt in drei Teilen die Vorkriegszeit („Frühschichten") und die Kriegszeit („Liebesbriefe") ins Bild und stellt dann in den kraft- und sexualprotzigen „Materniaden" des Walter Matern die Nachkriegszeit dar. Der Werdegang von vier jugendlichen Freunden bildet den Rahmen dieses Romans, der in immer groteskere Schilderungen ausufert. Der barocke Sprachstil wechselt mit Dialektszenen, zeitkritischen Allegorien und Parodien.
Grass' Romane wirkten provozierend, aber auch befreiend, indem er die Zeit des Nationalsozialismus in ungehemmter Fabulierkunst bis ins Groteske steigerte. Dadurch entstand jedoch keine Verharmlosung, sondern ein aktueller Beitrag zur notwendigen Auseinandersetzung mit dieser Zeit.

Uwe Johnson (1934–1984)

1959 erschien Johnsons erster Roman *Mutmaßungen über Jakob*. Johnson wurde der „Dichter der beiden Deutschland" genannt. Die Thematik des geteilten Deutschland wird anhand von fünf Personen dargestellt, deren Schicksal von den politischen Verhältnissen bestimmt wird. Ein Bahnbeamter in der DDR, Jakob Abs, verunglückt tödlich. Der Roman beginnt mit dem zweifelnden Satz:

> Aber Jakob ist immer quer über die Gleise gegangen.

Die wirklichen Hintergründe dieses Todes erfährt der Leser nicht. Er muß beim Lesen des Romans eine sehr aktive Rolle einnehmen und aus den Gedanken, Monologen und Dialogen seine eigenen Mutmaßungen und Spekulationen zusammenstellen. Jakobs Freundin, Gesine Cresspahl, ist aus der DDR in die Bundesrepublik umgezogen und arbeitet für die NATO. Rohlfs, ein Spionageabwehr-Agent der DDR, beschattet nun Jakob und Gesines Vater. Zu diesem Personenkreis stößt noch Dr. Blach, ein westdeutscher Universitätsassistent, der Gesine liebt und während einer Diskussion mit Ost-Berliner Studenten von Rohlfs verhaftet wird. Ob Jakobs Tod Selbstmord, Unglücksfall oder absichtlich herbeigeführt ist, bleibt ungeklärt.

Die mittlere Generation

Eine Sonderstellung in den 50er Jahren nahmen Hans Erich Nossack, Wolfgang Koeppen und Arno Schmidt ein. Die drei Autoren gehörten in dieser Zeit zu der mittleren Generation, die jünger als die meisten Emigranten war, jedoch nicht mehr zu der jungen Generation zählte. Nossacks Romane thematisieren häufig Situationen an der Grenze zwischen Leben und Tod. 1943 waren beim Bombenangriff auf Hamburg alle seine Manuskripte verbrannt. Seine Werke der frühen Nachkriegszeit sind von dem Bewußtsein geprägt, etwas verloren zu haben und – wie nach einem Tod – neu anfangen zu müssen. Sein Roman *Der jüngere Bruder* (1958) dokumentiert die Heimatlosigkeit und die Spaltung einer Persönlichkeit. Nossack erzählt von der Gegenwart, die aber nicht ohne die Vergangenheit zu sehen ist:

Hans Erich Nossack (1901–1977)

> Die Leute können so viel aufbauen und so viele Bücher schreiben, wie sie wollen, es bleibt doch alles unsicher, weil diese Lücke hinter uns liegt, über die man nicht reden mag, weil sie heute viel schlimmer ist als zu der Zeit, als wir darin steckten. Keiner weiß, wie er es überstanden hat, man weiß nur, daß es etwas war, was nicht zu überstehen ist.

Auch Koeppen hatte – wie Nossack – den Krieg in Deutschland erlebt und war ein aufmerksamer Beobachter der Nachkriegszeit, der Zeit des Bundeskanzlers Adenauer. 1951 erschien sein Roman *Tauben im Gras*, der ein Tagesgeschehen in München 1948 mit Hilfe der schon von Döblin verwendeten Montagetechnik (s. S. 208) und des inneren Monologs (s. S. 178) zu diagnostizieren versucht. Den Versuch einer Diagnose stellt auch der Roman *Das Treibhaus* (1953) dar, der in Bonn spielt. Hier gibt es einen „Helden", den Bundestagsabgeordneten Keetenheuve, aus dessen Sicht der Alltag der politischen Maschinerie in Bonn so geschildert wird, daß man den Roman gelegentlich als Schlüsselroman bezeichnet hat. Keetenheuve begeht Selbstmord, als ihn die Regierung als Botschafter nach Guatemala schicken will, damit er sein Redetalent in der Debatte über die Wiederbewaffnung nicht gegen die bundesdeutsche Regierung richten kann. Trotz der Nähe zum aktuellen politischen Geschehen sagte Koeppen, das Tagesgeschehen sei „ein Katalysator für die Imagination des Verfassers" gewesen.

Wolfgang Koeppen (1906–1996)

Arno Schmidt (1914–1979)

A. Schmidt war schon zu Lebzeiten ein Außenseiter der Literatur, der jedoch eine kleine Gemeinde von Anhängern hatte. Auch er war auf der Suche nach einer neuen Ausdrucksmöglichkeit. Er verwendete Neologismen, eine oft irreführende Orthographie und war bemüht, eine „konkrete Abbildung von Gehirnvorgängen" zu geben. Das zeigte sich schon in seinen beiden Prosatexten *Leviathan* (1949) und weitete sich aus bis zu seinem monumentalen Werk *Zettels Traum* (1970).

Anfang der 60er Jahre entstanden in der Bundesrepublik viele dokumentarische Theaterstücke. Man war zu der Auffassung gekommen, daß nicht Fiktion auf der Bühne den Menschen verändern konnte, sondern daß dies nur möglich sei in der Konfrontation mit historisch-politischen Fakten. Zu dieser Zeit begannen die zahlreichen NS-Prozesse; auch die Angst vor einem neuen Krieg wuchs wieder.

Dokumentartheater

Rolf Hochhuth (*1931)

R. Hochhuths Stück *Der Stellvertreter. Ein christliches Trauerspiel* (1963) wirkte sehr provozierend und war schon vor der Uraufführung umstritten. Es behandelt die Haltung der katholischen Kirche und des Papstes gegenüber dem Dritten Reich und klagt Papst Pius XII. an, daß er trotz Kenntnis von den Verbrechen der Nationalsozialisten dazu geschwiegen habe. Hochhuth gab nicht nur im Anhang zu seinem fünfaktigen Drama ausführliches Quellenmaterial an, sondern untermauerte auch einige Dialoge mit dokumentarischen Anmerkungen. Dieses Vorgehen war wichtiges Kennzeichen des Dokumentartheaters. Der Angriff auf die Kirche kam Anfang der 60er Jahre einer Tabuverletzung gleich, die nicht ins Bild der Restaurationsphase Deutschlands paßte.

Heinar Kipphardt (1922–1983)

Ähnlich wie Hochhuth verfuhr H. Kipphardt in seinem dokumentarischen Stück *In der Sache J. Robert Oppenheimer. Ein szenischer Bericht* (1964), das in der Form einer Gerichtsszene den Wissenschaftler Oppenheimer vorführt, der von den Amerikanern 1954 verhört wurde, weil er den Bau der Wasserstoffbombe verzögert haben soll. In 9 Szenen komprimierte Kipphardt die Verhandlung gegen Oppenheimer, in der das Problem der Verantwortung des Wissenschaftlers gegenüber der Menschheit mit dem Problem der Loyalität gegenüber einem Staatswesen verbunden wird. Thematisch steht das Stück Brechts *Leben des Galilei* (s. S. 228) und Dürrenmatts *Die Physiker* (s. S. 311) nahe.

Peter Weiss (1916–1982)

Ein drittes Dokumentarstück erregte Aufsehen und entfachte Diskussionen: Peter Weiss' *Die Ermittlung. Oratorium in elf Gesängen* (1965). Diesem Stück liegen die Protokolle des Auschwitz-Prozesses zugrunde, der 1963–1965 in Frankfurt stattfand und der deutschen Bevölkerung den grauenhaftesten Einblick in die eigene Vergangenheit gab. Wie Kipphardt konzentrierte Weiss das Material auf wenige Szenen, in denen Kläger und Angeklagte zu Wort kommen:

ZEUGE 3: Ich selbst
war nur durch Zufall
der Vergasung entgangen
weil die Öfen an diesem Abend verstopft waren.
Beim Rückweg vom Krematorium erfuhr
der begleitende Arzt
daß ich Mediziner war
und er nahm mich in seine Abteilung auf
(...)
Sie töteten nicht aus Haß und nicht aus Überzeugung
sie töteten nur weil sie töten mußten
und dies war nicht der Rede wert.

Die drei genannten Stücke wurden von Erwin Piscator (s. S. 209) in Berlin uraufgeführt.

Bereits 1964 hatte P. Weiss das Stück *Die Verfolgung und Ermordung Jean Paul Marats, dargestellt durch die Schauspieltruppe des Hospizes*

zu Charenton unter Anleitung des Herrn de Sade veröffentlicht, das in zwei Akten den Spielleiter und seinen Gegenspieler Marat zeigt, den gescheiterten Aktivisten der Französischen Revolution. Die drei Zeitebenen des Stückes sorgen – wie auch das „Spiel im Spiel" – für eine Brechung des Geschehens: 1808 führt die Schauspielgruppe Ereignisse aus dem Jahr 1793 auf, die ständig Parallelen zu den 60er Jahren des 20. Jhs. aufweisen.
Zu den Dokumentarstücken gehören auch die in den folgenden Jahren entstandenen Stücke, z. B. Hochhuths *Soldaten* (1967), Weiss' *Diskurs über ... Viet Nam ...* (1968) und im weiteren Sinne Günter Grass' *Die Plebejer proben den Aufstand. Ein deutsches Trauerspiel* (1966), das er „ein Stück über Brecht" nannte. Den Hintergrund bilden die Ereignisse vom 17. Juni 1953 (s. S. 263), dem „Datum einer deutschen, also gescheiterten Revolution".

„Gruppe 61"

Parallel zum Interesse am dokumentarischen Theater entstand 1961 in Dortmund eine Arbeitsgemeinschaft von Schriftstellern, die sich vornahm, die industrielle Arbeitswelt auch in der Literatur darzustellen: Die „Gruppe 61". Bekanntester Vertreter dieser Gruppe wurde Max von der Grün. Sein Roman *Irrlicht und Feuer* (1963) spielt im Milieu der Bergarbeiter des Ruhrgebiets und ist eines der wichtigsten Werke, die aus diesem Kreis hervorgingen. Hierzu gehören auch Erika Runges (*1939) *Bottroper Protokolle* (1968) und G. Wallraffs *13 unerwünschte Reportagen* (1969), beides authentische Berichte aus dem Arbeitsleben, das bis dahin kaum Beachtung in der Literatur gefunden hatte. 1970 spaltete sich der „Werkkreis Literatur der Arbeitswelt" von der „Gruppe 61" ab, da für einige Autoren die politischen Diskussionen wichtiger geworden waren als die Literatur selbst.

Max von der Grün (*1926)

Günter Wallraff (*1942)

Politisch engagierte Lyrik

Hans Magnus Enzensberger (*1929)

Die Anfang der 60er Jahre zu bemerkende Politisierung der Literatur spiegelt sich auch in der Lyrik. H. M. Enzensberger trennte sich von der lange Zeit vorbildhaften Lyrik G. Benns und faßte seine Gedichte als „Gebrauchsgegenstände" auf. Enzensberger sagte über die Funktion von Gedichten:

> Gedichte können Vorschläge unterbreiten, sie können aufwiegeln, analysieren, schimpfen, drohen, locken, erörtern, jubeln, fragen, verhören, anordnen, forschen, übertreiben, toben, kichern.

Seine Gedichtsammlungen *verteidigung der wölfe* (1957), *landessprache* (1960) und *blindenschrift* (1964) enthalten politisch engagierte, oft kämpferische Gedichte, die sich zum Teil an Brecht orientieren.

Literatur und Politik

Enzensberger gab 1965–1975 die Zeitschrift *Kursbuch* heraus, die für die progressive Literatur der jüngeren Autoren eine große Bedeutung hatte und 1968, zur Zeit der Studentenunruhen, die Existenzberechtigung der Literatur prinzipiell in Frage stellte. Während die Literatur im Dienst der Revolte immer stärker politisiert wurde, empfanden einige Autoren schon die Beschäftigung mit Literatur als Verschwendung von Zeit und Energie (*Kursbuch 15*, 1968). Enzensberger schrieb zu dieser Debatte ein Gedicht:

Ein letzter Beitrag zu der Frage ob Literatur?

Liebe Kollegen, ich versteh euch nicht.
Warum zitiert ihr immerfort Hegels Ästhetik und Lukács?
Warum bringt ihr euch Tag für Tag
auf den historischen Stand?
Warum ärgert ihr euch über das
was im *Kursbuch* steht?
Woher diese Angst, Klassiker zu werden
oder im Gegenteil?
Und warum fürchtet ihr euch davor
Clowns zu sein?
dem Volk zu dienen? (Auszug)

Die Charakterisierung der deutschen Literatur der 70er Jahre ist deswegen schwierig, weil es – im Gegensatz zu den 60er Jahren – keine Gruppen gab (die „Gruppe 47“ hatte sich 1967 ein letztes Mal getroffen), keine gemeinsamen Richtungen. Die Ende der 60er Jahre angekündigte, rasche Politisierung der Literatur hinterließ die Frage, ob Literatur sich als ideologisches Werkzeug eigne. Peter Schneider (*1940), ein führender Vertreter der Studentenrevolte, sagte 1976 rückblickend in einem Vortrag *Über den Unterschied von Literatur und Politik*:

Die spannendsten literarischen Produkte brachten in diesen Jahren diejenigen Künstler zustande, die von Anfang an sagten, daß Politik für sie kein Thema wäre.

Der Fehlschlag der politischen Revolte äußerte sich auch in einigen literarischen Werken, z. B. in *Der kurze Sommer der Anarchie* (1972) von H. M. Enzensberger. Eine Selbstkritik der „Neuen Linken“ beinhaltet sein *Der Untergang der Titanic. Eine Komödie* (1978).

Lyrik Ende der 60er Jahre

Seit dem Ende der 60er Jahre bekam die Lyrik neue Funktionen. Die Vollkommenheit der ästhetischen Form trat immer mehr zurück. Metrum, Reim und Strophenform waren nicht mehr so wichtig. Die Themen stammten aus dem Alltag. Die Erfahrungen einzelner Menschen wurden mit immer größerer Wahrnehmungsschärfe im Gedicht ausgedrückt, so daß die Gedichte zunehmend „privater“ wurden. Ein Beispiel hierfür ist R. D. Brinkmanns *Westwärts 1 & 2* (1975). Die Gedichte („poetische Artikulationen“) behandeln die Welt der Großstadt, die negativen Auswirkungen von Zivilisation und Technik und gehen oft von ganz persönlichen Situationsschilderungen aus:

Rolf Dieter Brinkmann (1940–1975)

Ich hätte gern viele Gedichte so einfach geschrieben wie Songs. Leider kann ich nicht Gitarre spielen, ich kann nur Schreibmaschine schreiben, (. . .) vielleicht ist es mir aber manchmal gelungen, die Gedichte einfach genug zu machen, wie Songs, wie eine Tür aufzumachen, aus der Sprache und den Festlegungen raus.

Diese neue Art des Realismus ist ein Kennzeichen der Lyrik, aber auch der erzählenden Dichtung dieser Zeit. Statt Chiffren und Symbolen verwendeten die Lyriker die Umgangssprache für Themen aus dem

Alltag, denn ,,es sind die kleinen Dinge, die die Welt vergrößern", wie Jürgen Theobaldy (*1944) sagte.

Prosa der 70er Jahre

Die Literatur der 70er Jahre wandte sich dem Individuum zu. Dies geschah in unterschiedlichen Stoffzusammenhängen, in unterschiedlichen Formen und mit ganz verschiedenartigen Tendenzen.

Erinnerung und Bewältigung – Dokumentarische Prosa

Ein immer wiederkehrendes Thema ist die sogenannte Vergangenheitsbewältigung. Die Frage, wie der einzelne während der NS-Zeit zum Täter und wie er zum Opfer wurde und ob und wie es möglich ist, mit dem Trauma von Schuld und Leiden umzugehen, ist der Anlaß vieler Texte. Der nachhaltige Einfluß auch auf die Generation der Söhne und Töchter spiegelt sich in Uwe Johnsons in vier Bänden erschienenem „Gedächtnis-Roman" *Jahrestage. Aus dem Leben der Gesine Cresspahl* (1970, 1971, 1973 und 1983). Gesine Cresspahls Lebensgeschichte siedelt Johnson zwischen Jerichow/Mecklenburg und New York an. Tagebuchartig berichten die Kapitel vom 21.8.1967 bis zum 20.8.1968 (Einmarsch der Truppen des Warschauer Pakts in die Tschechoslowakei) vom Leben Gesines und dem ihrer Tochter Marie in New York, wo die Tagespolitik (1964–75 Verwicklung der USA im Vietnam-Krieg, 1968 Attentate auf Martin Luther King und Robert F. Kennedy) sich mit Erinnerungen an die Kindheit auf dem Land in Mecklenburg während des Dritten Reichs, an die Aufbauphase in der DDR und an einige Jahre in der Bundesrepublik mischen. Uwe Johnson kombiniert genaue Zitate aus der „Alten Tante" *New York Times* mit Maries Fragen und Gesines antwortenden Erinnerungen. Ob aus der Vergangenheit zu lernen ist, bleibt in diesem Roman eine offene Frage, die auch Peter Weiss (s. o.) in seinem umfangreichen, dreibändigen Prosatext *Die Ästhetik des Widerstands* (1975, 1978, 1981) nicht klärt. Ihm geht es um eine Diskussion der nationalsozialistischen Zeit aus proletarisch-kommunistischem Blickwinkel und um die Darstellung des Widerstands gegen menschenverachtende Ideologien und Systeme in der Kunst, in der Ästhetik. Zur Veranschaulichung dienen Weiss beispielsweise der Pergamonaltar in Berlin, die Architektur des spanischen Künstlers Gaudi und Picassos Anti-Kriegs-Gemälde *Guernica.* Die Diskussionen entfalten sich zwischen einem namenlos bleibenden Erzähler und dessen Freunden Coppi und Heilmann und umfassen die Jahre von 1937 bis in die frühe Nachkriegszeit, die Peter Weiss selbst im schwedischen Exil verbrachte.

Siegfried Lenz (*1926)

1968 erschien Siegfried Lenz' Roman *Deutschstunde,* der noch einmal die Zeit des Nationalsozialismus darstellte. Aus der Sicht Siggi Jepsens, Insasse einer Besserungsanstalt, wird der Kampf geschildert, den Siggis Vater als Polizist im Dritten Reich gegen einen Maler aus der Nachbarschaft führt. Dieser Maler hat von den Nationalsozialisten Malverbot, arbeitet aber dennoch weiter, was Siggis Vater verhindern soll. Dies alles wird in einem ausufernden Aufsatz deutlich, den Siggi Jepsen als Teil der Therapie in der Besserungsanstalt zu schreiben hat. Es ist nicht nur für ihn, sondern auch für die Leser Arbeit mit und Arbeit an der Vergangenheit.

Walter Kempowski (*1929)

Ein Stück Bewältigung und Deutung der Vergangenheit findet man in W. Kempowskis Romanen. Es sind zeitgeschichtliche Darstellungen aus der Mittelschicht unter der Herrschaft des Nationalsozialismus, die aus Kempowskis eigenem Erleben in Rostock entstanden sind: *Tadellöser & Wolff* (1971) und *Uns geht's ja noch gold* (1972).

Romane, die in den ehemaligen deutschen Gebieten spielen und autobiographische Züge tragen, hatten in den 70er Jahren viel Erfolg.

Horst Bienek (1930–1990)

Hierzu gehört die Tetralogie des Schlesiers Horst Bienek *Die erste Polka* (1975), *Septemberlicht* (1977) und *Zeit ohne Glocken* (1979) und *Erde und Feuer* (1982), Romane, die eine schlimme Zeit vor dem Vergessen retten wollen.

Thema: Väter

Einen Bewältigungsversuch stellen auch die Romane dar, in denen die jungen Autoren ihr persönliches Verhältnis zu den Vätern hinterfragen. Immer dringlicher wurde die Frage an die Generation der Väter,

Peter Härtling (*1933)

wie sie zum Nationalsozialismus standen. Peter Härtling geht dieser Frage in *Nachgetragene Liebe* (1980) nach. In dem Roman kommen Enttäuschung und Unverständnis über das Verhalten des Vaters im Nationalsozialismus und über die Beziehung zu seinem Sohn zum Ausdruck. Die gleiche Thematik behandelt Christoph Meckel (*1935) in *Suchbild. Über meinen Vater* (1980).

Psychologisierung

Mit der Hinwendung zum Individuum, zum Privaten in der Literatur, geht eine Psychologisierung des Erzählens parallel, wie man sie beson-

Martin Walser (*1927)

ders gut in den Romanen M. Walsers beobachten kann, der sein Werk mit kafkaesken Erzählungen begann.

Der umfangreiche Ich-Roman *Halbzeit* erschien schon 1960. Der Protagonist Anselm Kristlein taucht auch in den Romanen *Das Einhorn* (1966) und *Der Sturz* (1973) auf. Der Handelsvertreter Kristlein, der sich vom Werbefachmann zum Schriftsteller emporarbeitet, ist eine Symbolgestalt für die Aufsteigergeneration der Nachkriegszeit. Walsers Novelle *Ein fliehendes Pferd* (1978) wurde von der Literaturkritik sehr positiv aufgenommen. Es ist die Geschichte zweier Ehepaare, die sich am Bodensee treffen. Das Problem des Alterns, die ängstliche Selbstbeobachtung wird an den vier Personen aus der bundesrepublikanischen, intellektuellen Mittelschicht symptomatisch dargestellt.

Gabriele Wohmann (*1932)

Wie Walser schreibt auch G. Wohmann eine exakt-realistische Prosa. Sie erzählt aus dem Alltag von „Durchschnittsmenschen" und von Versuchen einer Emanzipation, die oft in fast gleichmütiger Verzweiflung enden, z. B. in den Erzählungsbänden *Ländliches Fest* (1968) und *Sonntag bei den Kreisands* (1970). Der Roman *Frühherbst in Badenweiler* (1978) berichtet von dem Komponisten Hubert Frey, der in den Kurort Badenweiler fährt, um hier seinen längst fälligen seelischen Zusammenbruch zu ertragen. Frey sagte einmal:

> Ich fürchte, meine Unlust am beruflichen Weiterarbeiten, an meiner Produktion als Komponist, ist nur die Tarnung. Die Unlust ist in Wahrheit die Unfähigkeit. Ich bin in Wahrheit befallen von der Krankheit Langeweile.

Tagebücher

Der Schweizer Max Frisch publizierte 1972 sein *Tagebuch 1966–1971* (s. S. 315), in Deutschland folgte Grass' *Aus dem Tagebuch einer Schnecke* (1972). Beide Berichte sind politisch engagiert und beziehen sich auf die Gegenwart.
Im Spätwerk Luise Rinsers (*1911) überwiegt dokumentarische Prosa in Form von gesellschaftskritisch-religiös engagierten Tagebüchern. Die drei Romane *Baustelle* (1970), *Grenzübergänge* (1972) und *Kriegsspielzeug* (1978) spiegeln ihr Bemühen, durch die Auseinandersetzung mit der Vergangenheit und der Gegenwart zu einer Lebensform zu finden, in der nicht Anpassung, sondern Veränderungsbewußtsein dominiert.

Künstlerbiographien

Neben Memoiren und Erinnerungen (z. B. Canetti, s. S. 295; Zuckmayer, s. S. 229, 234) erschienen Bücher über Dichter oder auch Komponisten. Peter Härtling schrieb einen Roman über *Hölderlin* (1976) und über Eduard Mörike: *Die dreifache Maria* (1982); Adolf Muschg (s. S. 314) schrieb über *Gottfried Keller* (1977). Im gleichen Jahr veröffentlichte Dieter Kühn sein Porträt über Oswald von Wolkenstein: *Ich Wolkenstein.*

Dokumentarisches Erzählen

Dokumentarische Verfahrensweisen übernahm Böll in seinem Roman *Gruppenbild mit Dame* (1971). Der Erzähler – er nennt sich „der Verf." – befragt alle ihm erreichbaren Menschen, die Leni Pfeiffer, der „Trägerin der Haupthandlung", jemals begegnet sind. Die Informationen setzt er zu einem Bericht zusammen, die ein dokumentarisches Bild von der deutschen Gesellschaft der 30er und 40er Jahre entwerfen.

Bölls Erzählung *Die verlorene Ehre der Katharina Blum oder: Wie Gewalt entstehen und wohin sie führen kann* (1974) kann man ebenfalls „dokumentarisch" nennen. Katharina Blum verliebt sich im Kölner Karneval spontan in einen jungen Mann, von dem sie noch nicht weiß, daß er der Terroristenszene angehört. Sie schweigt bei zahlreichen Verhören über den Aufenthaltsort ihres Freundes und erschießt zum Schluß einen allzu neugierigen und dienstbeflissenen Journalisten. Diese Erzählung griff sehr direkt in die gesellschaftlich-politischen Diskussionen (Terrorismus) ein und attackierte gleichzeitig das Unwesen eines menschenverachtenden Journalismus.
Einen Blick über das Geschehen in der Bundesrepublik hinaus tat Nicolas Born (1937–1979) mit seinem Roman *Die Fälschung* (1979). Der deutsche Reporter Georg Laschen versucht, vom Kriegsschauplatz im Libanon zu berichten, jedoch wird ihm schnell die Fragwürdigkeit seiner Tätigkeit bewußt:

> Vielleicht waren alle Photos von der Wirklichkeit nicht in Ordnung, falsch, alle Sätze über die Wirklichkeit falsch.

Drama der 70er Jahre

Volksstücke

Martin Sperr (*1944)

Neben dem Dokumentartheater entstanden Ende der 60er Jahre in der Nachfolge M. Fleißers (s. S. 210) und Ö. von Horváths (s. S. 211) in Bayern spielende Volksstücke. Die beiden wichtigsten Vertreter sind M. Sperr und F. X. Kroetz. Sperrs Trilogie *Jagdszenen aus Niederbayern* (1966), *Landshuter Erzählungen* (1967) und *Münchner Freiheit*

(1971) zeigt grausam-intime Szenen menschlicher Niedertracht, die Jagd auf Außenseiter, die rücksichtslose Verfolgung wirtschaftlicher Interessen. Sperrs Stücke sind im bäuerlich-kleinbürgerlichen Milieu angesiedelt, was ebenfalls für die Stücke von F. X. Kroetz, z. B. *Wildwechsel* (1971) und *Das Nest* (1975), gilt.

Franz Xaver Kroetz (*1946)

Auch im Bereich der Dramatik erhielt die Darstellung des Persönlichen, Individuellen der menschlichen Beziehungen einen neuen Stellenwert. Botho Strauß' Stück *Bekannte Gesichter, gemischte Gefühle* (1974) mischt Darstellung des Spießertums mit zunächst grotesk wirkenden Metaphern für die Kälte unter den Menschen. Die *Trilogie des Wiedersehens* (1976) ist ein schonungsloser Angriff auf das mondäne und inhaltsleere Kulturleben. 1977 erschien Strauß' Erzählung *Die Widmung*, in der es auch um Beziehungen geht, jedoch steht das Ende einer Beziehung im Mittelpunkt:

Botho Strauß (*1944)

> Die Kraft, die eine Liebesbeziehung bewegt hat, kommt erst im Bruch zur größten Wirkung.

Literatur von Frauen für Frauen

Auch in der Frauenliteratur rückt das Private in den Mittelpunkt, es wird hier jedoch zum politischen Thema. Nachdem man in den 60er Jahren Unterdrückungen in der ganzen Welt kritisiert und bekämpft hatte, wurden nun auch die Unterdrückung der Frau in der Gesellschaft, die Probleme und der Lebensumkreis der Frau zum Thema der Literatur. Die tradierte Mutterrolle, das Bild der verführerischen Frau wurde nun in Frage gestellt. Die Schweizerin Verena Stefan veröffentlichte 1975 ihren Roman *Häutungen – Autobiographische Aufzeichnungen, Gedichte, Träume, Analysen*, ein Dokument der Suche nach einer neuen Sprache der weiblichen Selbstempfindung, das zu einem der bekanntesten Werke der Frauenbewegung wurde.

Verena Stefan (*1947)

K. Strucks Romane *Klassenliebe* (1973) und *Die Mutter* (1975) thematisieren Wahrnehmungen aus der Perspektive der Frau und Mutter, deren Selbstwertgefühl zerstört ist:

Karin Struck (*1947)

> Wer nie putzen mußte, weiß von nichts. Das Kind spielt nur. Das Mädchen lernt nur. Die Studentin liest nur. Die Schriftstellerin schreibt nur. Die Mutter ist ein einziges großes Nur.

Gisela Elsner (1937–1992)

G. Elsners Roman *Abseits* (1982) behandelt wesentlich deutlicher die Stellung der Frau in der Gesellschaft. Elsner schildert gesellschaftskritisch und realistisch den Abstieg Lilo Bessleins, einer modernen Madame Bovary, die sich in ihrer Ehe langweilt, nachdem sie wegen der kleinen Tochter den Beruf aufgegeben hat. Nach vielen fehlgeschlagenen Versuchen, ihrem Leben einen neuen Sinn zu geben, endet sie im Selbstmord.

Zu diesem Thema leistete G. Grass einen besonderen Beitrag: Sein Roman *Der Butt* (1977) geht aus von dem Märchenmotiv des Fischs (Butt), der Wünsche erfüllen kann und nun im 20. Jh. vor einem „Frauentribunal" erklären muß, warum er bis jetzt ausschließlich den

Männern die Macht gab. Die äußere Anordnung des Romans folgt den neun Monaten einer Schwangerschaft, doch der Inhalt umfaßt die ganze Menschheitsgeschichte.

Moderne Märchen

Im Spiel mit den Formen und im Verwischen der Grenzen zwischen Wirklichkeit und Phantasie soll der Leser wieder Spaß am Lesen bekommen. Chr. Meckels Geschichten und Gedichte erzählen von phantastischen Figuren, die die Menschen – und den Autor – zu neuen Einsichten zwingen. In der Erzählung *Tullipan* (1965) heißt es:

Christoph Meckel (*1935)

> Er [Tullipan] hatte langsam und über viele Jahre hin Gestalt angenommen, nach zahllosen Verwandlungen erst gab ich ihm seinen Namen. Tullipan war ein Versuch ohne Risiko und ein Spiel ohne Regel und Ende, an ihm versuchte ich die ungewissen, unausgewiesenen Fähigkeiten meiner Fantasie.

Auch *Der wahre Muftoni* (1982) ist eine Gestalt mit phantastischer Herkunft, die sich mit Hilfe von Phantasie und Geld die Welt erobert.

Peter Rühmkorf (*1929)

In jüngster Zeit erschienen von P. Rühmkorf ,,aufgeklärte Märchen" unter dem Titel *Der Hüter des Misthaufens* (1983). Rühmkorf führt phantastische Einfälle logisch weiter, die Macht des Wunderbaren wird wieder spürbar.

Michael Ende (1929–1995)

Michael Endes Märchen werden inzwischen nicht nur von Kindern, sondern auch von Erwachsenen gelesen. *Die unendliche Geschichte* (1979) kann man wie ein schönes Märchen von der Rettung des Menschen vor dem Nichts mit Hilfe der Phantasie lesen, aber auch wie eine Theorie der schöpferischen Phantasie.

Thema: Frieden

Ein neuer Berührungspunkt in der Literatur der DDR und der Bundesrepublik entstand durch das Engagement in den Fragen der Abrüstung und der Friedenssicherung. Nach vielen Jahren trafen sich 1981 Schriftsteller (z. T. von Stefan Hermlin initiiert) aus Ost und West wieder zu gemeinsamem Gespräch. Doch die immer noch schwierige Situation machte sich auch nach diesem Treffen bemerkbar. Zahlreiche Schriftsteller verließen den 1969 gegründeten westdeutschen ,,Verband deutscher Schriftsteller", darunter Autoren, die von Ost nach West umgezogen waren. Sie protestierten damit gegen eine nicht genügend differenzierte Haltung der Leitung des Schriftstellerverbandes gegenüber dem ,,Schriftstellerverband der DDR".

Zerstörung von Umwelt und Natur

In den 80er Jahren richtete sich die öffentliche Aufmerksamkeit immer mehr auf die gefährlichen Konsequenzen der nuklearen Aufrüstung, auf die Ausbeutung der Natur und die Zerstörung der Umwelt. Vor allem die Reaktorkatastrophe von Tschernobyl im April 1986 zeigte die Risiken des Umgangs mit der Kernenergie und führte die schleichende Vernichtung von Mensch und Natur deutlich vor Augen.

Bereits 1981 wurde Tankred Dorsts (*1925) Stück *Merlin oder Das wüste Land* uraufgeführt, dessen 97 Szenen die Dramenform eigentlich sprengen. Dorst führt ein Welttheater vor, in dem eine mythische Vorzeit in Beziehung zur heutigen Zeit gesetzt wird: Die Hoffnung auf ein Friedensreich des Königs Artus wird durch Merlin, einen Sohn des

Teufels, immer wieder zunichte gemacht. Intrige, Krieg, Zerstörung und Tod bestimmen den Gang der Geschichte:

KÖNIG ARTUS Warum sind überhaupt Kriege in der Welt? Liegt es an mir? Verführe ich, der König, zehntausend vernünftige Menschen dazu, sich gegenseitig umzubringen? Oder Mordred? Oder ist es etwas anderes? Ist es vielleicht die Eigentumsfrage? Das behaupten ja auch einige. Oder ist vielleicht in den Menschen eine dunkle, unergründbare Phantasiebewegung, die sie mit unaufhaltsamer Gewalt in den Tod treibt?

Harald Mueller (*1934)

Von gescheiterten Hoffnungen und Erinnerungen an idyllische Orte und Zeiten handelt auch Harald Muellers Stück *Totenfloß* (uraufgeführt 1984), das ein apokalyptisches Szenarium einer nuklear verseuchten Welt entwirft. Hier erweisen sich allerdings auch die Grenzen der Darstellbarkeit einer solchen geschichtlichen Endzeit, die von Mueller in harter und brutaler Sprache auf die Bühne gebracht wird.

Ernst Jünger (*1895)

Auf die Ereignisse in Tschernobyl hat Christa Wolf unmittelbar mit ihrer Erzählung *Störfall* (s. S. 276) reagiert. Gabriele Wohmann (s. o.) stellt nicht das Ereignis der Reaktorkatastrophe, sondern die Folgen und den unterschiedlichen Umgang damit ins Zentrum ihres Romans *Der Flötenton* (1987). Distanziert und nüchtern reagierte E. Jünger auf dieses Ereignis, das er als logische Konsequenz des menschlichen Forschens und Handelns versteht: „Die Wälder sterben, die Wüste wächst." In seinen Reiseaufzeichnungen *Zwei Mal Halley* (1987) berichtet er von seiner Reise nach Südostasien, wo er den Halleyschen Kometen zum zweiten Mal sah, nachdem sich diese seltene kosmische Konstellation 1911 schon einmal ergeben hatte. Weit weg von Europa registrierte der 91jährige E. Jünger die Reaktorkatastrophe und hielt sie in sezierenden, oft mythologischen Bildern fest.

Günter Grass

Auch Günter Grass (s. S. 239) berichtete fern von Europa aus einer fremden Welt, auf die er mit Erschütterung reagierte. Nachdem er 1986 in seinem apokalyptischen Roman *Die Rättin* seinen Alptraum vom Selbstmord der Menschheit und vom Untergang der Welt ausgebreitet hatte, zog er sich eine Weile nach Kalkutta/Indien zurück und berichtete 1988 in seinem Werk *Zunge zeigen. Ein Tagebuch in Zeichnungen, Prosa und einem Gedicht* von dieser Erfahrung des Chaos. Zunge zeigen bedeutet hier ein Zeichen der Scham, die Grass angesichts des Reichtums in Europa und des grenzenlosen Elends in Teilen Indiens empfand. In seinem erzählenden Gedicht heißt es:

Gegenwärtig jedoch
fanden wir mitten im Müll, wo er geebnet
schon Humus zu werden
und Gemüse zu treiben verspricht,
eine Schule in einem Schuppen versteckt.
Still hockten Müllkinder über Schiefertafeln
und übten bengalische Schrift.
Das Leben ist schön, hieß (für uns) übersetzt,
was sie zur Übung wieder und wieder
schrieben.

Trauer und Ironie kennzeichnen einen weiteren Text der älteren Autorengeneration: Siegfried Lenz (s. S. 245) erzählt im Roman *Die Klangprobe* (1990) vom Steinmetz Hans Bode, der auf der Suche nach verborgenen Rissen und Sedimenten an Steinen die Klangprobe vornimmt. Sie soll ihm die Gewißheit geben, daß ein Stein, Symbol der Dauer, rein und nicht vom Zerfall gefährdet ist.
Die Gedenkjahre der 80er Jahre (1983 war der 50. Jahrestag der Machtergreifung durch Hitler und der Bücherverbrennungen, 1985 wurde an das Kriegsende erinnert, 1988 jährten sich die Pogrome gegen Juden in der sogenannten Reichskristallnacht zum 50. Mal) provozierten eine stärkere Auseinandersetzung mit der deutschen Geschichte und forderten all das, was man mit dem Begriff „Vergangenheitsbewältigung" umschreibt.

Vergangenheitsbewältigung

1982 erschien Ralph Giordanos (*1923) autobiographischer Bericht *Die Bertinis,* in dem er das schwierige Leben eines Heranwachsenden in einer während des Dritten Reichs untergetauchten jüdischen Familie aufzeichnet.
1985 unternahm Anne Duden (*1942) mit ihrem Prosaband *Das Judasschaf* den Versuch, den Zusammenhang von Vergangenheit und Gegenwart zu zeigen. Einführend wird die Parabel vom Judasschaf erzählt, das die anderen Schafe jeweils zur Schlachtbank führen muß. Das quälende Bewußtsein und Bewußtmachen unsäglicher Verbrechen der Nationalsozialisten erzeugt bei der Protagonistin einen Zustand des „bei lebendigem Leibe Informiertsein[s]". Im gleichen Jahr provozierte die geplante Aufführung eines Stücks von Rainer Werner Fassbinder (1946-1982) einen Skandal, der zur Absage der Aufführung führte: In *Der Müll, die Stadt und der Tod* werden Korruption und Spekulationsgeschäfte im Frankfurter Westend unter Beteiligung eines Mitglieds der Jüdischen Gemeinde thematisiert.

Hans Joachim Schädlich (*1935)

1986 veröffentlichte Hans Joachim Schädlich, der 1977 vom Osten in den Westen übersiedelte, seinen Roman *Tallhover.* Die Kunstfigur Tallhover lebt zwischen 1819 und 1955 und betätigt sich als Voyeur, Spitzel, Geheimpolizist und Denunziant. In oft tragikomischen Zügen schildert Schädlich mit nüchtern-lakonischer Sprache historisch präzise Tallhovers Betätigungsfelder von der Zeit der Restauration bis zum Aufstand des 17. Juni 1953 in Ostberlin (s. S. 263). Tallhover, der ewige Spitzel, fordert zum Schluß eine gerechte Strafe für sich:

Ich habe mich im Lauf der Geschichte oft gefragt, wer meine Beschützer waren. Im Grunde wollte kein Leiter meine Schuld ans Licht kommen lassen, weil jeder einen Freispruch vor der Geschichte brauchte – er wäre anderenfalls allgemeiner Verachtung der Dienste aller Länder verfallen. Das Ergebnis der Geschichte ist, daß ich, der ich mir historische Schuld zuschreiben muß, noch als ein bewährter Mitarbeiter angesehen werde, der stets seine Pflicht erfüllt hat.

Nochmals: Väter und Söhne

Auch in den 80er Jahren befragten Autoren individuelle Schicksale, um über die Vergangenheit Aufschluß zu bekommen. Jurek Becker (s. S. 267), zu dieser Zeit mit einem DDR-Visum in West-Berlin lebend, veröffentlichte 1986 den Roman *Bronsteins Kinder.* Der 19jährige Jude Hans entdeckt, daß sein Vater und zwei weitere Juden ihren ehemaligen KZ-Aufseher in einem abgelegenen Holzhaus gefangenhalten. Aus dieser Entdeckung resultieren lang vermiedene Gespräche zwischen Sohn und Vater, aber auch Gespräche zwischen dem Sohn und dem Gefangenen. Der Vater kommt am Ende „auf die denkbar schwerste Art zu Schaden, er starb" an Herzversagen. Im gleichen Jahr erschien ein weiteres Vater-Buch, Ludwig Harigs (*1927) autobiographischer Bericht *Ordnung ist das ganze Leben.* Dankbar und kontrolliert kritisch zeichnet Harig das Porträt seines Vaters, der als junger Mann im 1. Weltkrieg schlimme Erfahrungen machte und von da an seinem Leben durch Ordnungsliebe, Disziplin und Marschmusik die Überlebensenergie zu sichern sucht. Wie Alfred Andersch (s. S. 239) bereits 1980 in seiner Schulgeschichte *Der Vater eines Mörders,* so versuchte auch Peter Schneider (s. o.) 1989 in seiner Erzählung *Vati,* das Grauen und die Schizophrenie der nationalsozialistischen Zeit anhand einer individuellen Lebensgeschichte begreiflich zu machen. Andersch stellte aus der Sicht eines Schülers einen Schuldirektor – den Vater Heinrich Himmlers – dar, während Schneider anhand von dokumentarischem Material die Beweggründe des SS-Arztes Josef Mengele aus der Sicht seines Sohnes zu verstehen sucht.

„Deutscher Herbst"

Der politische Terrorismus durch die RAF (Rote Armee Fraktion) in den 70er Jahren, der eine seiner Wurzeln auch in dem Schweigen über persönliche Schuld hat, wird in den 80er Jahren nochmals in der Literatur lebendig. Eva Demski (*1944) gab 1984 ihren autobiographisch gefärbten Roman *Scheintod* heraus, der von den Ereignissen nach dem Tod ihres Mannes berichtet, der als Strafverteidiger einiger RAF-Terroristen tätig war.

1987/1988 erschienen vier aus ganz unterschiedlichen Perspektiven unternommene Auseinandersetzungen mit dem „deutschen Herbst 1977", dem Höhepunkt des Terrorismus in Deutschland. Rainald Goetz (*1954) erzählt in *Kontrolliert* (1988) die ganz konkrete Geschichte des Jahres 1977, von der Entführung des Arbeitgeberpräsidenten Hanns Martin Schleyer bis hin zu seiner Ermordung und dem Tod der Terroristen im Gefängnis von Stammheim. Die Erzählhaltung dreht die Frage, wie junge Menschen zu Terroristen wurden, um und mißt den eigenen Abstand zum Terrorismus aus. Friedrich Christian Delius versucht in seinem auf Recherchen beruhenden, dokumentarischen Roman *Mogadischu Fensterplatz* (1987), die Ereignisse von Mogadischu darzustellen. 1977 war dort in Somalia ein von Terroristen entführtes Flugzeug gestürmt und befreit worden, was Opfer auf beiden Seiten kostete. Christian Geisslers (*1928) „romantisches fragment" *kamalatta* (1988) berichtet die sich verzweigende, fiktive Geschichte des Dokumentarfilmers Rupert Koch, der in die Vorbereitun-

Friedrich Christian Delius (*1943)

gen für einen terroristischen Anschlag verwickelt wird. Aus der Innenperspektive erzählt Peter Jürgen Boock (*1951), ein ehemaliges Mitglied der RAF, in seinem Roman *Abgang* (1988).

Tagebücher

Selbstbefragung und Selbstvergewisserung finden auch in den 80er Jahren in Tagebüchern, Aufzeichnungen und Notizen statt, beispielsweise Ilse Aichingers (s. S. 290, 293) Konfessionen eines Schriftstellerlebens in *Kleist, Moos, Fasane* (1987). Hermann Lenz' (*1913) auf sechs Teile angelegtes autobiographisches Werk fand 1986 seinen vorläufigen Abschluß in dem Band *Der Wanderer.* Lenz' alter ego Eugen Rapp ist auch in diesem Text den Verletzungen durch die jüngste Zeitgeschichte ausgesetzt. In diesen Zusammenhang gehören auch die Aufzeichnungen des Weltbürgers Elias Canetti (s. S. 295) *Das Geheimherz der Uhr* (1987).

Hanns-Josef Ortheil (*1951)

Auch die allgemeine Geschichte der Bundesrepublik rückte ins Blickfeld der jüngeren Autorengeneration. Hanns-Josef Ortheil gab in zwei umfangreichen Romanen, *Schwerenöter* (1987) und *Agenten* (1989) gründliche Zeitanalysen, die zugleich auch Rechenschaftsberichte sind. Die Spiegelaffäre (1962), die Ermordung Robert F. Kennedys (1968), die Notstandsgesetze, große Koalition und Studentenunruhen kennzeichnen die Lebensstationen zweier ungleicher Brüder in *Schwerenöter.* Auch Martin Walser beschäftigt sich immer wieder mit bundesdeutschen Befindlichkeiten und diffizilen mitmenschlichen Beziehungen. In seinem 1985 erschienenen Roman *Brandung* ist der Protagonist wiederum der Stuttgarter Studienrat Helmut Halm (schon bekannt aus dem *Fliehenden Pferd* (s. S. 246), den das Angebot eines Gastsemesters aus dem tristen deutschen Alltag und aus einer scheinbar ungefährdeten, aber langweiligen Ehe nach Kalifornien lockt. Dort trifft er die junge Studentin Fran und kann sich zwischen Lebensgier und Lebensangst nicht so recht entscheiden, was sich bereits in den ersten Sätzen des Romans andeutet:

Halm stand vor dem Spiegel im Bad, hatte das Rasieren hinter sich, konnte aber nicht aufhören, sein Gesicht mit einer unauflösbaren Mischung aus Mißgunst und Genuß zu betrachten. Halm wachte auch in den Ferien auf, als müsse er in die Schule, aber nachdem er aufgestanden war, tat es ihm gut, jede Bewegung ein bißchen verkommen lassen zu dürfen.

Parallel zu einer Flut von belletristischen Veröffentlichungen und hohen Auflagen macht sich am Ende der 80er Jahre ein Wandel bemerkbar. 1988 notiert Hans Magnus Enzensberger (s. o.) in seinem Essayband *Mittelmaß und Wahn:* „Die Literatur aber ist wieder zu dem geworden, was sie von Anfang an war: eine minoritäre Angelegenheit." Zunehmende Präsenz der Medien und Innovationen der Kommunikationstechnologie treten in Konkurrenz mit der Literatur und verändern die Bedingungen literarischer Produktion und das Schreiben selbst. Auf die Aufbruchsphase der 60er Jahre mit ihren Utopien im politischen, wissenschaftlichen und künstlerischen Bereich folgte der

Subjektivismus der 70er Jahre und die Erkenntnis, daß Konzepte zur Verbesserung sich als Fehlschläge erwiesen. In der Literatur der 80er Jahre setzte dann die Diagnose des Zerfalls ein, die eine Pluralität von nicht verbindlichen Möglichkeiten zuläßt und fördert. Dieses als „postmodern" bezeichnete Denken propagiert einen prinzipiellen Pluralismus, der Vergangenes und Modernes gleichermaßen akzeptiert und antizipiert. Ausgehend von der Architektur wurde dieses Denken zunächst von französischen und italienischen Literaten (Michel Tournier, Umberto Eco) aufgenommen, bevor es sich auch in der deutschsprachigen Literatur bemerkbar machte (s. auch Gerold Späth, S. 318 und österreichische Autoren, S. 302).

Postmoderne

Gerhard Köpf (*1948) erzählt „beharrlich davon (...), wie es gewesen sein könnte, wenn es dereinst geschähe" in seinem breit angelegten Roman *Die Erbengemeinschaft* (1987). Brigitte Kronauer (*1940) läßt *Die Frau in den Kissen* (1990) erzählen, was ihr, der die Liebe abhanden gekommen ist, durch den Kopf geht, da nichts mehr von Bedeutung zu sein scheint. Ingomar von Kieseritzkys (*1944) Romane *Das Buch der Desaster* (1988) und *Anatomie für Künstler* (1989) liefern Beispiele für die spielerische Beschreibung einer katastrophalen, sinnentbehrenden Welt. Sie enden in der Aufdeckung von heilloser Absurdität und Komik, was auch das Lachen über sich selbst einschließt. Im *Buch der Desaster* heißt es:

> Brant, Alfons Robert Brant, war der Verfasser massenhaft vieler und massenhaft gleichförmiger Bücher für ein Publikum mit einem prononcierten Sinndefizit. Die Titel waren einander alle etwas ähnlich und ein paar lauteten (wir wollen nicht alle aufzählen, Brants Produktivität im Sinnstiften war gigantisch):
> Selbstbewußt – aber wie?
> Hoffnung und das endliche Leben (ein Titel, den ich immer ein wenig zweideutig fand).
> Lebenskunst und Selbsthilfe.

Auch die Liebesgeschichten sind diesem Zerfall ausgesetzt: 1983 hatte Bodo Morshäuser (*1953) in seiner Erzählung von der *Berliner Simulation* berichtet, eine Liebesgeschichte, in der alle Gefühlsregungen nur noch Zitate einer vergangenen Wirklichkeit sind. Botho Strauß (*1944) veröffentlichte nach einigen Stücken 1987 wieder Prosa. *Niemand anderes* stieß bei der Kritik auf ein sehr zwiespältiges Echo. Strauß erzählt in elegischem Ton von mißlungenen oder gar nicht erst zustande kommenden Paarbeziehungen. Er faßt die trostlosen Situationen so präzise in eine glatte Sprache, daß die Personen dahinter fast verschwinden und der Eindruck vom Schreiben als Verkünden entsteht. Im gleichen Jahr erzählt Bodo Kirchhoff (*1948) in seinen Prosastükken *Ferne Frauen* von der nicht mehr möglichen Verständigung zwischen Mann und Frau und setzt damit seine Texte über das Verschwinden der Individualität und Subjektivität radikaler fort, als Botho Strauß dies tut. Anita Albus (*1942) widmet sich in ihrem Briefroman *Farfallone* (1989) demselben Thema mit einem spöttischen Unterton.

Lyrik

Auch in der Lyrik spiegeln sich das Phänomen der Vereinsamung des Menschen und der zunehmenden Natur- und Umweltzerstörung. 1986 erschien Hans-Ulrich Treichels (*1952) Lyrikband *Liebe Not,* in dem er Metrum und Reim wieder als Formelemente einsetzt. Vor ihm hatte Ulla Hahn 1981 bereits in *Herz über Kopf* geschrieben:

Ars poetica

Danke ich brauch keine neuen
Formen ich stehe auf
festen Versesfüßen und alten
Normen Reimen zu Hauf
(Auszug)

H.-U. Treichel formuliert in Umkehrung von Günter Eichs Gedicht *Inventur* (s. S. 236) in seinem Band *Liebe Not:*

Mit nichts

Ich flechte dem Tag keinen Kranz. Ich singe
der Liebe kein Lied. Ich sage nicht, daß ich
es anders will. Hier ist der Tisch, dort ist
der Stuhl, irgendwo liegen Schuhe und Hemd.
Mit nichts gehe ich durch den Wind.

Annäherungen an die Form des Großgedichts zeigt Jürgen Beckers (*1932) Gedichtband *Odenthals Küste* (1986), der in einer äußerst nüchternen Sprache Bilder kombiniert, deren Verständnis sich nicht einfach erschließen läßt. Auch hier geht es um Vereinsamung, um Entwurzelung und um das Verschwinden einer beseelten Gegenwart hinter sprachlichen Versatzstücken. Hatte Hilde Domin (*1912) in ihrer Frankfurter Poetikvorlesung 1987/88 noch „Das Gedicht als Augenblick der Freiheit“, definiert, so geben jüngere Autoren diese Hoffnung fast auf.
Die Kunst der politischen Lyrik zeigt auch weiterhin Wolf Biermann (s. S. 272) als Erbe der Kunst Heinrich Heines (s. S. 149): Seine „Gedichte, Lieder, Balladen“ unter dem Titel *Affenfels und Barrikade* (1986) führen nochmals seine argumentative Kraft und seine lyrisch-rhythmische Sprache vor, wenn er die Widersprüche der deutschen Gegenwart zum Gegenstand seiner Lieder macht.

verwelkt ist die blume vergißmein nicht
fürs ganz große morden geht kein gericht
die Deutschen haben den Juden verziehn
– und bloß den Zigeunern noch nicht

1989 erschien ein Band des jungen Lyrikers Thomas Kling (*1957). *geschmacksverstärker* erinnert in seiner sprachlichen Erbitterung, der Zerstörung der Orthographie und der Auflösung der Bedeutungszusammenhänge an die Gedichte R. D. Brinkmanns (s. o.). Viel mehr Gemeinsamkeiten lassen sich allerdings zu den jungen Lyrikern der DDR erkennen, in deren Texten die Themen der schwindenden Bedeutung von Normen, Dogmen, allmählicher Auflösung und wachsendem Protest gegen Zwänge ebenfalls auftauchen. Der Literaturwissenschaftler Walter Höllerer (*1922) diagnostizierte bereits im September 1989 die „Mauerrisse" in der Literatur beider deutscher Staaten.

Kurzbiographien Literatur der Bundesrepublik Deutschland (1945–1990)

ALFRED ANDERSCH (1914 in München – 1980 in Berzona/Schweiz)
Andersch wurde 1933 als kommunistischer Jugendleiter verhaftet. 1944 desertierte er in Italien vom Kriegsdienst, er war in amerikanischer Gefangenschaft. Gemeinsam mit H. W. Richter gab er 1946/47 die Zeitschrift *Der Ruf* heraus. In den folgenden Jahren war Andersch Mitarbeiter bei verschiedenen Rundfunkanstalten und Zeitschriften.

Die Kirschen der Freiheit (autobiographischer Roman, 1952)
Sansibar oder der letzte Grund (Roman, 1957)
Die Rote (Roman, 1960)
Efraim (Roman, 1967)
Der Vater eines Mörders. Eine Schulgeschichte (Roman, 1980)

GOTTFRIED BENN (1886 – 1956) → s. S. 201

HEINRICH BÖLL (1917 in Köln – 1985 in Langenbroich/Eifel)
Böll ging in Köln zur Schule und bestand 1937 das Abitur. Nach einer abgebrochenen Buchhändlerlehre und ersten Versuchen als Schriftsteller begann er 1939 Germanistik und Altphilologie zu studieren. Dieses Studium nahm er nach dem Krieg wieder auf. Gleichzeitig publizierte er seine ersten literarischen Arbeiten. Seit 1951 lebte er „als freier Schriftsteller mit festem postalischen Wohnsitz in Köln, aber ständig wechselndem Arbeitsplatz". Er reiste nach Irland, Rom, in die Sowjetunion und in die USA. 1970–72 war er Präsident des PEN-Zentrums der Bundesrepublik, 1971–74 des internationalen PEN. Böll war Mitglied in verschiedenen Künstlervereinigungen. Neben zahlreichen anderen Auszeichnungen und Preisen erhielt Böll 1972 den Nobelpreis für Literatur.

Der Zug war pünktlich (Erzählung, 1949)
Wanderer, kommst du nach Spa . . . (Erzählungen, 1950)
Wo warst du, Adam? (Roman, 1951)
Und sagte kein einziges Wort (Roman, 1953)
Haus ohne Hüter (Roman, 1954)
Doktor Murkes gesammeltes Schweigen und andere Satiren (1958)
Ansichten eines Clowns (Roman, 1963)
Als der Krieg ausbrach (Erzählungen, 1965)
Gruppenbild mit Dame (Roman, 1971)
Die verlorene Ehre der Katharina Blum oder: Wie Gewalt entsteht und wohin sie führen kann (Erzählung, 1974)
Berichte zur Gesinnungslage der Nation (1975)
Fürsorgliche Belagerung (Roman, 1979)
Was soll aus dem Jungen bloß werden? Oder: Irgendwas mit Büchern (autobiographische Schrift, 1981)

Frauen vor Flußlandschaft. Roman in Dialogen und Selbstgesprächen (1985)

WOLFGANG BORCHERT (1921 in Hamburg – 1947 in Basel)
Borchert machte eine Buchhändlerlehre und war kurze Zeit Schauspieler in Lüneburg. Als Soldat wurde Borchert 1942 schwer verwundet und 1943 krank aus der Armee entlassen. Er starb einen Tag vor der Uraufführung seines Dramas *Draußen vor der Tür.*

Draußen vor der Tür (Drama, 1947)
Die traurigen Geranien (Erzählungen aus dem Nachlaß, 1962)

GÜNTER EICH (1907 in Lebus/Mecklenburg – 1972 bei Salzburg)
Eich studierte Volkswirtschaft und Sinologie in Berlin und Paris. Seit 1932 arbeitete er als freier Schriftsteller. Er nahm am Krieg teil und war ein Jahr als Kriegsgefangener in den USA. 1953 heiratete Eich die österreichische Schriftstellerin Ilse Aichinger. Er erhielt 1950 den ,,Preis der Gruppe 47" und 1952 den Hörspielpreis der Kriegsblinden für *Träume.*

Abgelegene Gehöfte (Gedichte, 1948)
Träume. Vier Spiele (1953)
Stimmen. Sieben Hörspiele (1958; darin u. a. *Die Mädchen aus Viterbo,* Ursendung 1953)
Maulwürfe. Prosa (1968)
Gedichte (herausgegeben und ausgewählt von Ilse Aichinger, 1973)

HANS MAGNUS ENZENSBERGER (*1929 in Kaufbeuren/Allgäu)
Enzensberger studierte Philologie und Philosophie und promovierte mit einer Arbeit über Clemens Brentano. Er unternahm viele Reisen; 1961 zog er nach Norwegen, 1965 nach Südamerika und übernahm 1967/68 eine Gastprofessur in Connecticut/USA. Bereits 1963 erhielt er den Georg-Büchner-Preis. Enzensberger war Mitglied der „Gruppe 47", Gründer und Herausgeber der Zeitschrift *Kursbuch* und der bibliophilen und engagierten Buchreihe der „Anderen Bibliothek".

verteidigung der wölfe (Gedichte, 1957)
landessprache (Gedichte, 1960)
blindenschrift (Gedichte, 1964)
Der kurze Sommer der Anarchie (Roman, 1972)
Mausoleum. Balladen aus der Geschichte des Fortschritts (1975)
Der Untergang der Titanic. Eine Komödie (1978)
Ach Europa! Wahrnehmungen aus sieben Ländern. Mit einem Epilog aus dem Jahre 2006 (1987)
Mittelmaß und Wahn. Gesammelte Zerstreuungen (1988)

GÜNTER GRASS (*1927 in Danzig)
Grass nahm am Zweiten Weltkrieg teil und geriet 1945 in amerikanische Gefangenschaft. 1948–56 studierte er Bildhauerei in Düsseldorf und Berlin. Nebenher betätigte er sich als Schriftsteller. Er gehörte seit 1955 der ,,Gruppe 47" an. 1956–59 lebte er in Paris, seit 1960 wohnt er als freier Schriftsteller hauptsächlich in Berlin, seit 1972 auch in Schleswig-Holstein. Grass stiftete 1978 den „Alfred-Döblin-Preis" und erhielt selbst für seine Werke zahlreiche in- und ausländische Auszeichnungen. (Auch Volker Schlöndorffs Verfilmung der *Blechtrommel* bekam verschiedene Preise.)

Die Blechtrommel (Danziger Trilogie I; Roman, 1959)
Katz und Maus (Danziger Trilogie II; Novelle, 1961)
Hundejahre (Danziger Trilogie III; Roman, 1963)
Die Plebejer proben den Aufstand. Ein deutsches Trauerspiel (1966)
Gesammelte Gedichte (1971)
Aus dem Tagebuch einer Schnecke (Prosa, 1972)
Der Butt (Roman, 1977)
Denkzettel. Politische Reden und Aufsätze 1965–1976 (1978)
Das Treffen in Telgte (Erzählung, 1979)
Kopfgeburten oder Die Deutschen sterben aus (1980)
Aufsätze zur Literatur 1957–1979 (1980)
Die Rättin (Roman, 1986)
Zunge zeigen. Ein Tagebuch in Zeichnungen, Prosa und einem Gedicht (1988)
Ein Schnäppchen namens DDR. Letzte Reden vorm Glockengeläut (1990)
Unkenrufe (Erzählung, 1994)
Ein weites Feld (Roman, 1995)

UWE JOHNSON (1934 in Kammin/Pommern – 1984 bei London)
Johnson war bis 1945 Schüler eines nationalsozialistischen Internats. Er studierte in Rostock und Leipzig Germanistik; 1959 zog er von Mecklenburg nach West-Berlin. 1966–68 lebte er in New York und ging anschließend nach England, wo er zurückgezogen lebte und an seinem Hauptwerk *Jahrestage* arbeitete.

Mutmaßungen über Jakob (Roman, 1959)
Das dritte Buch über Achim (Roman, 1961)
Jahrestage. Aus dem Leben der Gesine Cresspahl (I–IV: 1970, 1971, 1973, 1983)

KARL KROLOW (*1915 in Hannover)
Der Lyriker Krolow studierte Germanistik, Romanistik, Philosophie und Kunstgeschichte. Der sehr produktive Schriftsteller ist Mitglied der Deutschen Akademie für Sprache und Dichtung in Darmstadt und wurde mit vielen Preisen ausgezeichnet. Krolow übersetzte moderne französische und spanische Lyrik.

Hochgelobtes, gutes Leben (Gedichte, 1943)
Wind und Zeit. Gedichte 1950–1954 (1954)
Fremde Körper (Gedichte, 1959)
Der Einfachheit halber (Gedichte, 1970)
Das andere Leben. Eine Erzählung (1979)
Schönen Dank und vorüber (Gedichte, 1984)
Die andere Seite der Welt (Gedichte, 1987)

BRIGITTE KRONAUER (*1940 in Essen)
B. Kronauer studierte Germanistik und Pädagogik. Sie veröffentlichte literaturwissenschaftliche Arbeiten und kleine Prosastücke in Zeitschriften, bevor sie begann, Erzählungen und Romane zu schreiben, für die sie mit zahlreichen Preisen ausgezeichnet wurde.

Der unvermeidliche Gang der Dinge (1974)
Frau Mühlenbeck im Gehäus (Roman, 1980)
Rita Münster (Roman, 1983)
Berittener Bogenschütze (Roman, 1986)
Die Frau in den Kissen (Roman, 1990)
Schnurrer. Geschichten (1992)

SIEGFRIED LENZ (*1926 in Lyck/Masuren, heute Polen)
Lenz, der als Marinesoldat am Krieg teilnahm, studierte Philosophie und Anglistik in Hamburg. 1950/51 arbeitete er als Feuilleton-Redakteur der *Welt*, seit 1951 lebt er als vielfach ausgezeichneter Funkautor und Schriftsteller weiterhin in Hamburg.

Es waren Habichte in der Luft (Roman, 1951)
So zärtlich war Suleyken. Masurische Geschichten (Erzählungen, 1955)
Deutschstunde (Roman, 1968)
Das Vorbild (Roman, 1973)
Einstein überquert die Elbe bei Hamburg (Erzählungen, 1975)
Heimatmuseum (Roman, 1978)
Elfenbeinturm und Barrikade. Erfahrungen am Schreibtisch (1983)
Exerzierplatz (Roman, 1986)
Das serbische Mädchen (Erzählung, 1987)
Die Klangprobe (Roman, 1990)

BOTHO STRAUSS (*1944 in Naumburg)
Strauß studierte Germanistik, Theatergeschichte und Soziologie, war Redakteur der Zeitschrift *Theater heute* und dramaturgischer Mitarbeiter an der „Schaubühne" in Berlin. Er wurde als Verfasser zahlreicher und vieldiskutierter Bühnenstücke, als Prosaautor und Essayist bekannt und erhielt 1989 den Georg-Büchner-Preis.

Bekannte Gesichter, gemischte Gefühle (Komödie, 1974)
Trilogie des Wiedersehens (Theaterstück, 1976)
Die Widmung (Erzählung, 1977)
Der Park (Stück, 1983)
Der junge Mann (Roman, 1984)
Diese Erinnerung an einen, der nur einen Tag zu Gast war (Gedicht, 1985)
Niemand anderes (Prosa, 1987)
Schlußchor. Drei Akte (1991)
Anschwellender Bocksgesang (Essay, 1995)

MARTIN WALSER (*1927 in Wasserburg am Bodensee)
Walser wuchs am Bodensee auf und bestand 1946 das Abitur. Krieg, Arbeitsdienst und Gefangenschaft hatten seine Schulzeit unterbrochen. In Regensburg und Tübingen studierte er bis 1951 Literatur, Geschichte und Philosophie und promovierte mit einer Arbeit über Kafka. 1949–57 arbeitete er beim Süddeutschen Rundfunk und reiste in verschiedene europäische Länder. Seit 1957 lebt er wieder am Bodensee. Walser ist Mitglied des PEN-Zentrums der Bundesrepublik und anderer Künstlervereinigungen; er erhielt 1955 den „Preis der Gruppe 47" und später weitere Auszeichnungen.

Ein Flugzeug über dem Haus und andere Geschichten (1955)
Halbzeit (Roman, 1960)
Das Einhorn (Roman, 1966)
Die Zimmerschlacht („Übungsstück für Ehepaare", 1967)
Der Sturz (Roman, 1973)
Wie und wovon handelt Literatur? (Aufsätze und Reden, 1973)
Ein fliehendes Pferd (Novelle, 1978)
Heimatlob. Ein Bodensee-Buch (1978)
In Goethes Hand. Szenen aus dem 19. Jahrhundert (1982)
Brandung (Roman, 1985)
Dorle und Wolf (Novelle, 1990)
Die Verteidigung der Kindheit (Roman, 1991)
Ohne einander (Roman, 1993)

PETER WEISS (1916 in Nowawes/Berlin – 1982 in Stockholm)
Weiss wuchs in Berlin und Bremen auf. 1934 emigrierte die Familie über London nach Prag, 1939 über die Schweiz nach Schweden. Seit 1945 war Weiss schwedischer Staatsbürger. Er arbeitete zunächst als Maler und seit 1947 auch als Schriftsteller in schwedischer und deutscher Sprache. 1952–60 hatte er Erfolg mit Experimental- und Dokumentarfilmen und Collagen. 1960 veröffentlichte er zum ersten Mal in Deutschland und arbeitete seitdem nur noch als Schriftsteller. Er erhielt zahlreiche Preise und Ehrungen.

Die Verfolgung und Ermordung Jean Paul Marats... (Drama, 1964)
Die Ermittlung. Oratorium in elf Gesängen (Drama, 1965)
Diskurs über ... Viet Nam... (Stück in 2 Akten, 1968)
Trotzki im Exil (Stück in 2 Akten, 1970)
Hölderlin (Stück in 2 Akten, 1971)
Die Ästhetik des Widerstands (Roman, I–III: 1975, 1978, 1981)

20 Literatur der Deutschen Demokratischen Republik (DDR)

Nach 1945 gab es in Deutschland zwei Literaturen mit einer jeweils eigenständigen Entwicklung. Die Literatur der am 7.10.1949 gegründeten DDR (vorher Sowjetische Besatzungszone genannt) konnte fast nahtlos über die in der Emigration entstandenen Werke deutschsprachiger Autoren an die proletarisch-revolutionäre Literatur der Jahre vor dem Nationalsozialismus anschließen. Die aus der Emigration zurückkommenden Schriftsteller mußten sich entscheiden, in welchem Teil Deutschlands sie in Zukunft leben wollten. Arnold Zweig, Anna Seghers, Bertolt Brecht und Stefan Hermlin kehrten aus westlichen Ländern in die DDR zurück; Heinrich Mann hatte den gleichen Entschluß gefaßt, starb aber noch in Amerika. Johannes R. Becher (er wurde später Kulturminister der DDR) und Peter Huchel kamen aus russischem Exil wieder nach Ost-Berlin. Zu einer Auseinandersetzung zwischen Schriftstellern der Emigration und Schriftstellern der ,,inneren Emigration" (s. S. 226) ist es – anders als in der Bundesrepublik – kaum gekommen.

Sozialistische Nationalliteratur

In der DDR hingen Literatur und staatliche Beurteilung dieser Literatur von Anfang an eng zusammen. Im sozialistischen Staat wurde die Literatur als Waffe im Klassenkampf betrachtet; dementsprechend hatten alle Künstler den gesellschaftlichen Auftrag, in diesem Kampf unterstützend mitzuwirken. In der DDR war es nach Ansicht der Partei ihre Aufgabe, eine sozialistische Nationalliteratur zu schaffen.
Da Literatur und Politik so eng miteinander verknüpft waren, kann man den Weg der Literatur in der DDR mit Stationen der politischen Entwicklung markieren.

Erste Phase: Antifaschistische Literatur

Die erste Phase (1945–1949) war antifaschistisch und demokratisch geprägt. Man plante ganz bewußt einen Neuanfang nach dem Nationalsozialismus, den man in der DDR ,,Hitlerfaschismus" nannte. Im Juli 1945 wurde der ,,Kulturbund zur demokratischen Erneuerung Deutschlands" gegründet, dessen Präsident J. R. Becher wurde. Die Literatur der ersten Jahre nach dem Krieg war bestimmt von Autoren der älteren Generation, die alle ihren Widerstand gegen den Faschismus bewiesen hatten: Anna Seghers, Erwin Strittmatter und Louis Fürnberg.

Anna Seghers (1900–1983)

Anna Seghers hatte bereits 1928 den Kleist-Preis für ihre Erzählung *Der Aufstand der Fischer von St. Barbara* erhalten. Einige Kapitel ihres bekannten Romans *Das siebte Kreuz* (1942, s. S. 223) erschienen 1939 in einer Moskauer Zeitschrift. 1944 wurde der Roman in Amerika verfilmt. Als sie nach dem Krieg aus mexikanischem Exil zurückkam, war A. Seghers keine Unbekannte mehr und galt als Erzählerin, die sich in ihren Romanen leidenschaftlich den Unterdrückten und Verfolgten widmete. Ihr Erzählprinzip, aus episodenhaften Schilderungen von Einzelcharakteren ein Gesamtbild entstehen zu lassen, wandte sie auch in dem Roman *Die Toten bleiben jung* (1949) an. Die Entwicklung der deutschen Geschichte zwischen 1918 und 1945 wird an vielen Schicksalen exemplarisch erzählt. Im Mittelpunkt stehen Menschen, die wegen ihrer kommunistischen Überzeugung verfolgt und oft auch umgebracht werden.

Erwin Strittmatter (1912–1994)

Erwin Strittmatter ist ein volkstümlicher Erzähler, der das Genre des Heimatromans den neuen Anforderungen eines Romans für die sozialistische Gesellschaft anpaßte. 1950 erschien die überarbeitete Fassung des Romans *Der Ochsenkutscher*, der die Jahre 1918 bis 1933 (Weimarer Republik, s. S. 203) umfaßt und autobiographisch gefärbt ist.

Zweite Phase: Schematisierte Wirklichkeitsdarstellung

Eine zweite Phase der Literatur der DDR begann um 1950 und setzte sich bis zum Ende der 50er Jahre fort. Am Anfang dieser Phase konnte man eine schematisierte Wirklichkeitsdarstellung beobachten. Die Konsolidierung des Arbeiter- und Bauernstaats und der Aufbau einer sozialistischen Gesellschaftsordnung sollten Themen der Literatur sein, so wurde es auf den Parteitagen gefordert. Die Konsequenzen dieser gesellschaftlichen Neuorientierung schränkten den schriftstellerischen Spielraum bald ein. Eine Diskussion um die mangelnde Berücksichtigung von Gegenwartsproblemen in der neuen Literatur begann. Sie setzte sich fort auf den Parteitagen der Sozialistischen Einheitspartei Deutschlands (SED) und auf den Schriftstellerkongressen, ebenso in den beiden wichtigen literaturwissenschaftlichen Zeitschriften der DDR: in *Sinn und Form* (gegründet 1949) und in *Neue deutsche Literatur* (gegründet 1953).

Die Literatur dieser Jahre kam über Situationsschilderungen und oft recht eindimensionale Zeichnung von Charakteren kaum hinaus. Im Bereich der Dramatik ist wieder E. Strittmatter zu nennen. Sein Dorfdrama *Katzgraben* (1953) zeigt „Szenen aus dem Dorfleben" nach der Bodenreform, die die Besitzverhältnisse auf dem Land grundlegend veränderte. Brecht griff dieses Stück auf und arbeitete es für sein 1949 gegründetes Theater, das „Berliner Ensemble" um. Brecht inszenierte dort viele seiner eigenen, im Exil entstandenen Stücke; er begann 1949 mit *Mutter Courage und ihre Kinder* (entstanden 1939, s. S. 227). Das „Berliner Ensemble" gewann unter seiner Leitung internationalen Ruf, seine Methoden wurden überall diskutiert. Innerhalb der DDR wurde Brechts Arbeit allerdings nicht immer gutgeheißen; er selbst war

Bertolt Brecht (1898–1956)

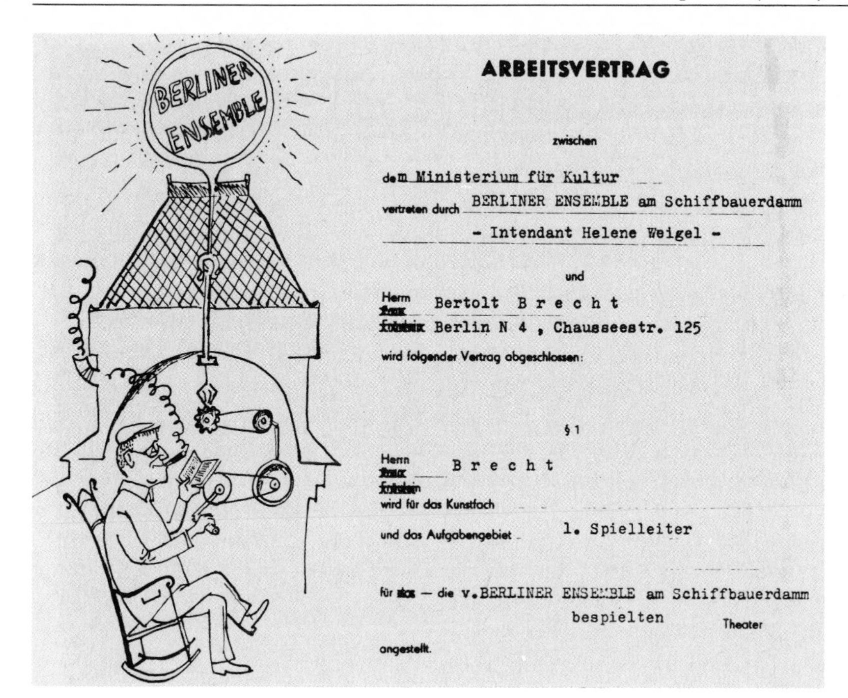

ARBEITSVERTRAG

zwischen

dem Ministerium für Kultur

vertreten durch BERLINER ENSEMBLE am Schiffbauerdamm

- Intendant Helene Weigel -

und

Herrn Bertolt B r e c h t

Berlin N 4 , Chausseestr. 125

wird folgender Vertrag abgeschlossen:

§ 1

Herrn B r e c h t

wird für das Kunstfach

und das Aufgabengebiet 1. Spielleiter

für die v.BERLINER ENSEMBLE am Schiffbauerdamm bespielten Theater

angestellt.

Brecht im Turm des Theaters am Schiffbauerdamm, Zeichnung von Herbert Sandberg

mit der politischen Entwicklung unzufrieden. 1951 richtete er an alle deutschen Künstler und Schriftsteller ein Manifest mit den warnenden Schlußworten:

Das große Carthago führte drei Kriege. Es war noch mächtig nach dem ersten, noch bewohnbar nach dem zweiten. Es war nicht mehr auffindbar nach dem dritten.

Die Buckower Elegien (1953) enthalten seinen Beitrag zu den Geschehnissen vom 17. Juni 1953 in Ost-Berlin, als ein Volksaufstand niedergeschlagen wurde:

Die Lösung

Nach dem Aufstand des 17. Juni
Ließ der Sekretär des Schriftstellerverbands
In der Stalinallee Flugblätter verteilen
Auf denen zu lesen war, daß das Volk
Das Vertrauen der Regierung verscherzt habe
Und es nur durch doppelte Arbeit
Zurückerobern könne. Wäre es da
Nicht doch einfacher, die Regierung
Löste das Volk auf und
Wählte ein anderes?

Einige Romane der 50er Jahre rückten die Kriegs- und Emigrationszeit ins Zentrum; zum Beispiel die Romane von A. Seghers *Die Toten*

Bruno Apitz (1900–1979)

bleiben jung (s. o.) und von Bruno Apitz *Nackt unter Wölfen* (1958). Apitz überlebte acht Jahre im Konzentrationslager Buchenwald, wo sein Roman spielt. Er erzählt von einem jüdischen Kind, das im Konzentrationslager versteckt wird. Die drohende Gefahr der Entdeckung löst eine Kette von Handlungen der Gefangenen aus, die zur Rettung des Kindes führen. Die Erzählung von den kommunistischen Häftlingen, die für das Kind sorgen, und die Darstellung der faschistischen Befehlshaber ergeben für den Roman eine Mischung aus fast sentimentaler Phantasie und erschreckendem Tatsachenbericht, was ein Grund für den außerordentlichen Erfolg des Buches war.

Lyrik

Peter Huchel (1903–1981)

Wie Brecht hatte auch Peter Huchel schon vor dem Krieg als Schriftsteller gewirkt; die Gedichte von 1925–1947, *Die Sternenreuse,* erschienen erst 1967. Seine nach dem Krieg entstandenen Gedichte wurden in Sammelbänden nur in der Bundesrepublik publiziert: *Chausseen Chausseen* (1963). Huchels Thema war die Landschaft seiner Heimat, der Mark Brandenburg. Als der Krieg in diese Landschaft einbrach, wurde auch in seinen Gedichten das Grauen spürbar.

Dezember 1942

Wie Wintergewitter ein rollender Hall.
Zerschossen die Lehmwand von Bethlehems Stall.

Es liegt Maria erschlagen vorm Tor,
Ihr blutig Haar an die Steine fror.

Drei Landser ziehen vermummt vorbei.
Nicht brennt ihr Ohr von des Kindes Schrei.

Im Beutel den letzten Sonnblumenkern,
Sie suchen den Weg und sehn keinen Stern.

Aurum, thus, myrrham offerunt. . .
Um kahles Gehöft streicht Krähe und Hund.

. . . quia natus est nobis Dominus.
Auf fahlem Gerippe glänzt Öl und Ruß.

Vor Stalingrad verweht die Chaussee.
Sie führt in die Totenkammer aus Schnee.

Nach dem Krieg versuchte er vergebens, die Methode des sozialistischen Realismus auf seine Lyrik zu übertragen. Huchel blieb bei den Themen Heimat, Landschaft, Natur; er bewahrte seine Gedichte aber vor Sentimentalität und großem Pathos, was J. R. Becher und Louis Fürnberg nicht beabsichtigten. J. R. Bechers *Schritt der Jahrhundertmitte* (1958) enthält Gedichte, die vom neuen, sozialistischen Menschen handeln; schon der Titel klingt pathetisch. Die Gedichte entsprechen in ihrer Parteilichkeit ganz der offiziellen politischen Linie. Charakteristisch für die von der Partei akzeptierte Lyrik sind auch die Gedichte Fürnbergs, zum Beispiel die folgende *Kantate 1* aus *Gesang der Jugend* (1957):

Johannes R. Becher (1891–1958)

Louis Fürnberg (1909–1957)

Früh am Morgen sangen die Vögel: Wacht auf!
Und wir sprangen ans Fenster und sahen hinaus!
Überall rief es nach uns!
Überall war es Licht!
Und die letzte Spur Schlaf
blies uns der Wind vom Gesicht,
und da wußten wir:
es ist unser Tag!

Sozialistischer Realismus

Die Methode des sozialistischen Realismus war nicht nur auf die Literatur beschränkt. Jeder sollte die Darstellungen der sozialistischen Gesellschaft verstehen, deswegen wurden Vereinfachungen und Verdeutlichungen im sozialistischen Realismus bevorzugt. In der Literatur wurde dafür sowohl ein positiver Held benötigt, der aus dem Arbeitermilieu kommt oder Verbindung zu ihm hat, als auch eine optimistische Grundhaltung, die mit dem Weltbild des Kommunismus übereinstimmt. Experimente, Mystisches und Themen aus dem religiösen Bereich sollten im sozialistischen Realismus vermieden werden.

Bitterfelder Weg

Ab 1956 wurde die offizielle Diskussion um die Literatur neu belebt. Die Partei strebte eine engere Verbindung zu den Schriftstellern an. Noch einmal wurde auf einem Parteitag das Leben und der Kampf der Arbeiterklasse zum Hauptthema der künstlerischen Gestaltung erklärt. 1959 wurde vorgeschlagen, daß Betriebe und Fabriken durch Freundschaftsverträge und Studienaufträge den Künstlern helfen sollten, die künstlerische Praxis des sozialistischen Realismus weiter zu entwickeln. 1956 wurde auf dem Schriftstellerkongreß ein umfassendes Kulturprogramm beschlossen, das Programm des ,,Bitterfelder Wegs". Es war geprägt von dem Bemühen, der sozialistischen Literatur einen breiteren Rahmen zu geben als bisher:

Unser aller gemeinsames Grunderlebnis sollte sein, daß wir als Künstler dazu auserkoren sind, in den Reihen der Arbeiter und Bauern für den Sieg des Sozialismus zu kämpfen. Wer auf dieses Grunderlebnis gestoßen ist, der kann alles.

Dritte Phase: Konsolidierung

Die dritte Phase der Literatur in der DDR begann ungefähr um 1960 mit einer einseitigen Förderung schreibender Arbeiter. Man hatte eine ganz mechanistische Auffassung von der unmittelbaren Rückwirkung der Kultur auf die Ökonomie. Das Spannungsverhältnis zwischen Literatur und Realität wurde völlig ausgeklammert oder aufgehoben. 1964 wurde auf der 2. Bitterfelder Konferenz festgestellt, daß die Ergebnisse hinter den Erwartungen weit zurückgeblieben waren. Wenn ein Autor an den wirtschaftlichen Mißständen Kritik geübt hatte, zog das oft Publikationsverbote nach sich. So kam es in dieser Zeit, auch bedingt durch den Bau der Berliner Mauer im August 1961, zu einer ersten Ausreisewelle von Schriftstellern. Uwe Johnson (s. S. 240, 245), Christa Reinig (*1926), Helga M. Novak (*1935), Manfred Bieler (*1934) und andere verließen die DDR.

Christa Wolf (*1929)

Christa Wolfs Erzählung *Der geteilte Himmel* (1963) zeigte, daß der auf den Schriftstellerkongressen entworfene Bitterfelder Weg mit einigen Erweiterungen (der Schriftsteller gibt seine Chronistenhaltung auf und bringt auch Subjektives in sein Werk) eine Grundlage für die Literatur sein konnte. Zwei zu dieser Zeit äußerst aktuelle Themen werden in einer ab und zu etwas sentimentalen Liebesgeschichte miteinander verbunden. Rita kommt vom Land und entwickelt sich als Schülerin eines Lehrerbildungsinstituts und als (Ferien-)Arbeiterin in einem Waggonwerk zu einem vollwertigen Mitglied der sozialistischen Gesellschaft. Ihr Freund Manfred ist Chemiker und stammt aus einer bürgerlichen Familie. Rita kann nicht verhindern, daß er eines Tages die DDR verläßt und in den Westen geht. Ein letztes Treffen in West-Berlin bestärkt Rita in ihrem Entschluß, im Osten zu bleiben.

Die Entscheidung (1959) von Anna Seghers stellt die Entwicklung zweier Stahlwerke dar, die nach dem Krieg durch die Grenze so getrennt werden, daß eines in der Bundesrepublik, das andere in der DDR liegt. *Das Vertrauen* (1968) ist die Fortsetzung dieses Themas. Beide Romane sollen zeigen, daß sich unter veränderten Produktionsverhältnissen auch die Menschen ändern. Beide Romane befolgen konsequent die Richtlinien des Bitterfelder Wegs.

Auch Erwin Strittmatters *Ole Bienkopp* (1963) ist ein Beispiel für die Literatur im Anschluß an den Bitterfelder Weg. Wieder spielt die Handlung in der DDR. Strittmatter zeigt, unter welchen Begleitumständen in einem Dorf eine Landwirtschaftliche Produktionsgenossenschaft (LPG) gegründet wird. Ole Bienkopp ist ein eifriger Verfechter der sozialistischen Reform, stößt in seinem Dorf jedoch immer wieder auf Gegner. Er wird dadurch immer fanatischer und stirbt, als er mit einer Schaufel den Bagger ersetzen will, der nicht geliefert wurde.

Günter Kunert (*1929)

Die Protagonisten der genannten Romane sind arbeitende Menschen im Alltag der sozialistischen Aufbauphase der DDR. Das gilt zum Teil auch noch für Günter Kunerts Prosaskizzen *Tagträume* (1964), in denen die Tagträume jedoch oft zu Alpträumen werden. Es sind kleine Erzählungen, die sich leicht auf den Alltag in der DDR übertragen lassen.

Hermann Kant (*1926)

In den Romanen der 60er Jahre werden auch kritische Töne laut. In den Gegenwartsromanen wandten sich die Autoren nun den Problemen der Akademiker in ihrem Staat zu. 1965 erschien Hermann Kants *Die Aula*, ein Roman über die 1949 gegründete Arbeiter- und Bauernfakultät (ABF). Aus der Rückschau versucht Kant Bilanz zu ziehen, was aus den ehemaligen Studienkollegen geworden ist und wie sich die damals formulierten Theorien bewährt oder auch verändert haben. Der Roman besteht aus einer Abfolge von Episoden um Robert Iswall (dahinter verbirgt sich der Autor). Dieser soll zum Jubiläum der ABF eine Rede halten, die ihm arge Kopfschmerzen bereitet, die er aber zum Schluß gar nicht zu halten braucht.

Günter de Bruyn (*1926)

Buridans Esel (1968), ein Roman von Günter de Bruyn, gibt Auskunft über den Alltag in der DDR. Auch hier ist die Hauptfigur ein Akademiker: ein Bibliothekar, der sich zwischen seiner Frau und seiner Kollegin in der Bibliothek nicht entscheiden kann – wie einst in der französischen Fabel der Esel, der zwischen zwei Heuhaufen verhungerte, weil er sich für keinen entscheiden konnte. De Bruyn urteilt nicht, sondern sympathisiert abwechselnd mit seinen Figuren.

Vergangenheitsbewältigung

Franz Fühmann (1922–1984)

Auch am Anfang der 60er Jahre ist bei vielen Schriftstellern die deutsche Vergangenheit und das eigene Erleben der Jahre 1933–1945 noch nicht bewältigt. Franz Fühmanns Erzählzyklus *Das Judenauto* (1962) gilt als gelungenes Beispiel der Vergangenheitsbewältigung. In „vierzehn Tagen aus zwei Jahrzehnten" kommentiert Fühmann wichtige geschichtliche Ereignisse aus der deutschen Geschichte von 1929–1949 aus sehr persönlicher Sicht, so daß in der Autobiographie Symptomatisches dieser Zeit erkennbar wird. Auch in den Erzählungen unter dem Titel *König Ödipus* (1966) kommt noch einmal die Zeit des Faschismus zur Sprache; der Mechanismus der Verführung durch diese Ideologie wird anschaulich gemacht.

Jurek Becker (*1937)

J. Beckers Roman *Jakob der Lügner* (1969), der von einem polnischen Ghetto erzählt, thematisiert ebenfalls die Zeit des Nationalsozialismus. Becker selbst hatte in einem solchen Ghetto gelebt. Jakob Heym ermutigt seine Schicksalsgenossen, die im Ghetto von der Außenwelt völlig isoliert sind, zum Durchhalten. Durch erfundene positive Nachrichten aus einem angeblich versteckten Radio macht er allen Gefangenen Hoffnung. Dem Besitzer eines Radios droht im Ghetto die Todesstrafe, so daß Heym ständig Mutproben bestehen muß für etwas, was gar nicht existiert. Der Erzähler ist ein Überlebender aus dem Ghetto, der dem Leser am Ende des Romans zwei Schlüsse anbietet. Der ins Utopische gewendete Schluß erzählt vom Überleben des Jakob Heym, der realistischere deutet dessen Tod an.

Johannes Bobrowski (1917–1965)

Johannes Bobrowskis Roman *Levins Mühle. 34 Sätze über meinen Großvater* (1964) geht ebenfalls in die Vergangenheit zurück. Bobrowskis Affinität zum Osteuropäischen macht sich hier bemerkbar. Der Roman spielt um 1870 im westpreußischen Grenzland zwischen Deutschland und Polen. Levin ist Jude und wird, wie die Polen und die Zigeuner, vom Großvater zutiefst verachtet. Dieser Nationalist kämpft auf seine Art gegen die „andersrassigen Minderheiten". Er öffnet eine Schleuse und läßt Levins Mühle durch Wasser überfluten, nachdem er vergeblich versucht hat, Levin die Mühle abzukaufen. Bobrowski stellt die einzelnen Charaktere volkstümlich dar, ohne einen Heimatroman geschrieben zu haben. Spannungen zwischen verschiedenen Nationalitäten sind auch das Thema des Romans *Litauische Claviere* (1966).

Ende des Bitterfelder Wegs

Christa Wolfs Roman *Nachdenken über Christa T.* (1968) stellt eine Akademikerin in den Mittelpunkt. Die Ich-Erzählerin nimmt sich vor, die Lebensgeschichte ihrer 1963 gestorbenen Freundin Christa T. zu erzählen. Das Erzählen wird zum Nachdenken über sie und auch zum Nachdenken über ihr eigenes Leben. Beide Figuren lassen sich im Verlauf dieses Romans nicht immer voneinander unterscheiden. Die Biographie der Erzählerin gleicht stark derjenigen von Christa T.

Christa T. hat nach dem Germanistikstudium geheiratet und ist mit ihrer Familie auf das stille Land gezogen. Sie ist sensibel, oft etwas abwesend und melancholisch. Sie stirbt an Leukämie. Mehr gelitten hat sie jedoch an ihrer Umwelt, an den Verhältnissen in der DDR, die sich anders gestalteten, als die junge, begeisterungsfähige Generation es nach dem Krieg erwartet hatte. Christa T. ähnelt den Figuren aus den Romanen der Empfindsamkeit (s. S. 69), sie hat aber auch Gemeinsamkeiten mit Gestalten aus Romanen der Bundesrepublik in ihrer enttäuschten Abkehr vom zunächst enthusiastisch begrüßten neuen Leben. Da dieser Roman recht weit von der Methode des sozialistischen Realismus entfernt ist, mußte sich Christa Wolf viel Kritik gefallen lassen.

Die bei vielen Autoren zunehmende Überzeugung, daß die Phase des Bitterfelder Wegs beendet sei, brachte Romane an die Öffentlichkeit, die das Geschehen häufig in die Historie verlegten. Kritik durch die Partei und die Schwierigkeiten einiger Autoren, ihre Werke in der DDR zu veröffentlichen, trugen zu dieser Entwicklung bei.

Stefan Heym (*1913)

St. Heyms Roman *Lassalle* (1969) erzählt von den letzten Lebensjahren Ferdinand Lassalles (1825–1868), des Gründers der sozialdemokratischen Bewegung in Deutschland. Hier drängen sich – durchaus beabsichtigt – Parallelen zu Stalin auf. Der Roman *Der Tag X* entstand 1959, erschien aber erst 1974 in der Bundesrepublik unter dem Titel *5 Tage im Juni*. Der Roman bezieht sich auf den 17. Juni 1953 und stellt den Widerspruch dar, in dem sich die Arbeiter nach ihrem Aufstand befanden: Arbeiter, die gegen ihren Staat protestieren, durfte es im Sozialismus eigentlich nicht geben.

Irmtraud Morgner (1933–1990)

I. Morgners Roman *Hochzeit in Konstantinopel* (1968) berichtet von Bele, einer Frau mit vielen Talenten und Berufen, die für den Atomphysiker Paul Geschichten aus ihrem Leben zusammenfabuliert. Eigene Erlebnisse, Märchenhaftes und Erfundenes greifen ineinander. Doch Paul ist für Geschichten dieser Art nicht der geeignete Zuhörer, die Hochzeit – im Titel angedeutet – findet nicht statt. Morgner leistete für die DDR-Literatur den ersten literarischen Beitrag zum Thema

Thema: Frau

Emanzipation der Frau mit dem Roman *Leben und Abenteuer der Trobadora Beatriz nach Zeugnissen ihrer Spielfrau Laura. Roman in dreizehn Büchern und sieben Intermezzos* (1974). Die Trobadora Beatriz erwacht 1968 nach achthundertjährigem Schlaf. Sie erlebt die Pariser Studentenunruhen und zieht in die DDR, wo sie Laura trifft. Beide Frauen müssen erfahren, daß die Rechte der Frauen auch in der DDR zwar theoretisch, aber kaum praktisch realisiert sind. Die innere Kraft phantastischer Entwürfe muß hier der Macht der äußeren Wirklichkeit standhalten.

1986 erschien Monika Marons (*1941) Roman *Die Überläuferin,* der die Einschränkungen und Behinderungen einer Frau in der Gesellschaft thematisiert. Maron erzählt von einer Wissenschaftlerin, deren Beine eines Morgens plötzlich gelähmt sind. Allein und auf sich selbst verwiesen, muß sie sich mit ihren Phantasien auseinandersetzen. In

einer Art „Kopf-Theater" begegnet sie nochmals der ganzen Engstirnigkeit und Mitläufermentalität, unter der sie immer litt.
Der Blickwinkel der Frauen ist auch Maxie Wander (1933–1977) wichtig: In ihrer Dokumentation *Guten Morgen, du Schöne* (1977) kommen Frauen aus den verschiedensten Berufen zu Wort, die völlig unbefangen ihr Leben und ihre Sorgen in der DDR schildern. Sarah Kirsch stellte bereits 1973 eine solche Dokumentation ,,unfrisierter Erzählungen" zusammen: *Die Pantherfrau*.

Drama

Diese dritte Phase der Literatur der DDR erbrachte neben zahlreichen Romanen auch viele Dramen und Gedichte. Die DDR-Dramatik zeigte zwei Tendenzen: Man erfand Märchenhandlungen oder dramatisierte geschichtliche Stoffe, wozu auch die Adaptionen historischer Dramen gehören.

Peter Hacks (*1928)

P. Hacks ist ein Schüler Bertolt Brechts. *Die Schlacht bei Lobositz* (1954, uraufgeführt 1956) handelt von Ulrich Bräker, einem Schweizer Autor, dessen Autobiographie Hacks als Quelle diente. Bräker mußte gegen seinen Willen am Siebenjährigen Krieg (1756–1763) teilnehmen und desertierte deshalb. *Die Sorgen und die Macht* (1958, uraufgeführt 1960) steht im Zusammenhang mit dem Bitterfelder Weg. Es ist ein Gegenwartsstück und spielt im Braunkohlewerk ,,Roter Hammer". Die Arbeiter stellen mehr Briketts her, als die Norm von ihnen verlangt. In der Eile geraten jedoch die Briketts so schlecht, daß die Glasfabrik, die sie benötigt, kein gutes Glas produziert und dadurch ihre eigene Norm nicht erfüllen kann. Der Widerspruch zwischen hoher Qualität und Quantität wird auf einfache Weise klar gemacht. Das Stück setzte lang anhaltende Diskussionen in Gang, die damit endeten, daß Hacks als Dramaturg des Deutschen Theaters in Ost-Berlin zurücktrat.
Hacks' folgende Stücke spielen in historischen Zeiten, beispielsweise *Margarete in Aix* (1967, uraufgeführt in Basel 1969). Die 1973 uraufgeführte Verskomödie *Adam und Eva* deutet den Sündenfall im Paradies um, er wird als erster Schritt zur Selbstverwirklichung des Menschen dargestellt. Zu dramatisierten Stoffen aus der Mythologie kommen ,,Stücke nach Stücken", zum Beispiel *Das Jahrmarktsfest zu Plundersweilern* (1973) nach einem frühen Lustspiel von Goethe, und Stücke, in denen Gestalten aus der Literaturgeschichte selbst auftreten: *Rosie träumt* (1974) nach der Figur der Dichterin Hrosvith von Gandersheim, die um 935 geboren wurde (s. S. 17). Goethe diente Hacks als Anlaß für das Einpersonenstück *Ein Gespräch im Hause Stein über den abwesenden Herrn von Goethe* (1974). Charlotte von Stein, Goethes Freundin in Weimar, hält einen langen Monolog über ihre Beziehung zu Goethe, über ihre Enttäuschungen und ihre Hoffnungen.

Heiner Müller (1929–1995)

Der Dramatiker Heiner Müller hat viel von Brechts Arbeitsweise gelernt: Müllers Gegenwartsstück *Der Bau* (1963, uraufgeführt 1980) ist nach Motiven von Erik Neutschs (*1931) Roman *Spur der Steine* geschrieben. Das Stück handelt von einer Baubrigade, deren Mitglied Barka allmählich ein sozialistisches Bewußtsein entwickelt. Der langsame Prozeß dieses Umdenkens wird in vielen Stationen gezeigt. Einen einheitlichen Handlungsstrang gibt es nicht, das Publikum muß mitdenken. Arbeiter, Bürokraten, Parteisekretäre und Ingenieure kommen in diesem Stück zu Wort und äußern nicht immer Lobendes über die DDR. Das Stück wurde 1963 noch während der Proben vom Spielplan gestrichen. Wie P. Hacks wandte sich auch H. Müller anschließend historischen Stücken vor allem antiker Autoren zu. In einer Neufassung des *Philoktet* von Sophokles (1958/1964, uraufgeführt 1968 in München) geht es um Odysseus, Philoktet und Neoptolemos. Odysseus braucht Hilfe im Kampf um Troja und schickt Neoptolemos zu Philoktet, um ihn aus dem „Exil" zurückzuholen. Besonders interessant sind für Odysseus die Waffen Philoktets. Lüge und Mord sind die wichtigsten Hilfsmittel in dieser Auseinandersetzung. Odysseus vertritt Lüge, Haß und Mord, Neoptolemos ist ein Unentschiedener und gerät zwischen die Fronten, Philoktet kann nur noch hassen. H. Müller hat die drei Kämpfer als „drei Clowns und Gladiatoren ihrer Weltanschauung" charakterisiert. Müller bearbeitete außerdem Stücke von Aischylos (*Prometheus,* 1967/68, uraufgeführt 1969), von Molière und Shakespeare. Mit *Germania Tod in Berlin* (1956/1971, uraufgeführt 1978) kommt wieder die jüngste Vergangenheit auf die Bühne. Es sind Fragmente von Szenen, die im Ersten und im Zweiten Weltkrieg spielen, aber mit skurrilen und grausamen Bildern aus der Vergangenheit vermischt werden. So entsteht eine Collage ohne konkreten Zeitbezug, wodurch ihre Wirkung aber nicht verringert wird.

Ulrich Plenzdorf (*1934)

Großen Erfolg beim Publikum hatte ein Stück von U. Plenzdorf: *Die neuen Leiden des jungen W.* wurde 1973 uraufgeführt. (1972 war es in Prosa in der Zeitschrift *Sinn und Form* abgedruckt worden.) Der bekannte Stoff von Goethes *Die Leiden des jungen Werthers* (s. S. 95) diente Plenzdorf als Vorlage für die in der Ost-Berliner Gegenwart spielende Handlung. Doch nicht nur bei Goethe machte Plenzdorf Anleihen. Sein Held Edgar Wibeau liebt Beat-Musik, den Roman des Amerikaners J. D. Salinger *Der Fänger im Roggen* (1951) und Jeans:

> Natürlich Jeans! Oder kann sich einer ein Leben ohne Jeans vorstellen? Jeans sind die edelsten Hosen der Welt. (...) Ich meine, Jeans sind eine Einstellung und keine Hosen.

Edgar haust in einer Gartenhütte in Ost-Berlin, wo er eine Reclam-Ausgabe des *Werther* findet. Er verliebt sich in Charlie, die jedoch schon verlobt ist. Edgar schreibt an seinen Freund Old Willi keine Briefe, sondern schickt ihm besprochene Tonbänder und montiert passende Stellen aus dem *Werther* in die Berichte über sich selbst. Edgar stirbt am Schluß durch einen Stromschlag, er begeht nicht – wie Werther – Selbstmord. Der trockene Humor, die saloppe Sprache und die Hauptfigur Edgar Wibeau, der als Außenseiter trotzdem Attribute eines positiven Helden im Sinn des sozialistischen Realismus aufweist, garantierten den Erfolg des Stücks.

Volker Braun wurde zunächst als Lyriker bekannt. Seine Stücke, die sich zum größten Teil mit Gegenwartsproblemen der DDR beschäftigen, stellen fragende, provozierende Helden vor. *Großer Friede* wurde 1979 uraufgeführt. Das Stück spielt vor 2000 Jahren während eines Bauernaufstandes in China.

Volker Braun (*1939)

Die Lyrik der 60er und 70er Jahre stand zunächst noch unter dem Einfluß Peter Huchels (s. o.). Schon 1945 waren in Zürich St. Hermlins *Zwölf Balladen von den großen Städten* erschienen. Seine Lyrik ist durch sprachliche Gewandtheit und stilisierte Stimmungen charakterisiert. *Die Städte* (1965) ist eine Gedichtsammlung, deren Thema der antifaschistische Widerstand ist. Hermlin wandte sich anschließend der Prosa zu. Die neuen Inhalte einer sozialistischen Literatur waren für ihn offensichtlich nicht in der an großen Vorbildern geprägten Form seiner Lyrik zu fassen.

Lyrik
Stephan Hermlin (*1915)

Bobrowskis Sammlung *Schattenland Ströme* (1962) enthält Gedichte, aus denen Trauer und Melancholie, aber auch hin und wieder verhaltene Freude klingt. Bobrowski setzt bei seinem Publikum literarische Kenntnisse voraus, es muß Anspielungen auf andere deutsche Dichter (Klopstock, Hölderlin, s. S. 65, 117) selbst erkennen und deuten. Wie in seinen beiden Romanen (*Levins Mühle* und *Litauische Claviere,* s. S. 267) spielt auch in den Gedichten die Landschaft des östlichen Europa eine große Rolle. Anders als in der agitatorischen Lyrik J. R. Bechers und L. Fürnbergs (s. o.) ist die Sowjetunion hier nicht das ideologische Vorbild; Bobrowski stellt die weite Landschaft Osteuropas dar:

Johannes Bobrowski

Russische Lieder

Maryna
von einem Turm
über die Landschaft der Felsen hinab
singend, drei Flüsse
unter den Füßen ihr, aber
Nacht und des Winds
Schatten im Flug.

Schöne Geliebte,
mein Baum,
dir im Gezweig
hoch mit offener Schläfe
gegen den Mond
schlaf ich, begraben
in meine Flügel.

Schlaf ich –
du reichst mir ein Salzkorn
geschöpft im unbefahrenen
Meer, ich geb dir wieder
einen Tropfen Regen
aus dem Lande,
wo keiner weint.

Sarah Kirschs Lyrikband *Landaufenthalt* (1967) enthält nicht nur Naturgedichte, wie der Titel vermuten läßt, sondern auch Gedichte um Freundschaft und Liebe. Sie sind im Ton beeinflußt von J. Bobrowski, aber auch von dem Russen W. Majakowskij (1893–1930). Sie selbst bekennt ihre Nähe zu Annette von Droste-Hülshoff, der Dichterin des 19. Jhs. (s. S. 142), wenn sie schon im Titel eines ihrer Gedichte sagt: *Der Droste würde ich gern Wasser reichen* (aus: *Zaubersprüche*, 1973).

Sarah Kirsch (*1935)

Wolf Biermann (*1936)

Eine folgenreiche Kontroverse entstand 1976 um den Liedermacher Wolf Biermann. Schon 1963 erhielt er, der seine Vorbilder in François Villon (15. Jh.), Heinrich Heine und Bert Brecht sieht, ein Aufführungsverbot. Er nahm Ungerechtigkeiten im eigenen Land unter die Lupe und mußte sich bald „Besudelung der Partei der Arbeiterklasse" vorwerfen lassen. 1976 wurde er während eines Konzertes in der Bundesrepublik aus der DDR ausgebürgert, er durfte nicht mehr zurückkehren. Fast alle bekannten Schriftsteller der DDR protestierten gegen diese Maßnahme und gerieten nun selbst in die Schußlinie der Kritik; unter ihnen waren J. Becker, F. Fühmann, St. Hermlin, St. Heym, S. Kirsch, G. Kunert, H. Müller und Ch. Wolf.

Umzug von Ost nach West

Reiner Kunze (*1933)

Dieses Ereignis markiert einen Einschnitt in der Literatur der DDR. Im Lauf der folgenden Jahre erhielten viele Autoren ein Visum für einen längeren Aufenthalt in der Bundesrepublik oder siedelten für immer um. Sarah Kirsch und Reiner Kunze kamen in die Bundesrepublik, ebenso Günter Kunert. Kunzes Gedichtband *Sensible Wege* (1969) hatte in der DDR ein Strafverfahren gegen ihn ausgelöst und konnte nur in der Bundesrepublik erscheinen. In S. Kirschs Gedichtband *Zaubersprüche* (1973) findet man schon versteckte Hinweise auf die Haßliebe zur Heimat, auf eine mögliche Abwendung, die sich allerdings nur schmerzhaft vollziehen kann:

Ich wollte meinen König töten

Ich wollte meinen König töten
Und wieder frei sein. Das Armband
Das er mir gab, den einen schönen
Namen
Legte ich ab und warf die Worte
Weg die ich gemacht hatte: Vergleiche
Für seine Augen die Stimme die
Zunge
Ich baute leergetrunkene Flaschen
auf
Füllte Explosives ein – das sollte ihn
Für immer verjagen. Damit
Die Rebellion vollständig würde
Verschloß ich die Tür, ging
Unter Menschen, verbrüderte mich
In verschiedenen Häusern – doch
Die Freiheit wollte nicht groß werden
Das Ding Seele dies bourgeoise Stück
Verharrte nicht nur, wurde milder
Tanzte wenn ich den Kopf
An gegen Mauern rannte. Ich ging
Den Gerüchten nach im Land die
Gegen ihn sprachen, sammelte
Drei Bände Verfehlungen eine
Mappe
Ungerechtigkeiten, selbst Lügen
Führte ich auf. Ganz zuletzt
Wollte ich ihn einfach verraten
Ich suchte ihn, den Plan zu vollenden
Küßte den andern, daß meinem
König nichts widerführe

Nachdem die wichtigsten Lyriker der DDR nicht mehr im Lande lebten, wurde die Frage des Gehens oder Bleibens von den Autoren in Ost und West immer wieder gestellt. Ihre Themen beinhalten auch das Problem der Entscheidung zwischen Anpassung und Verweigerung, zwischen (staatlichem) Auftrag und (persönlicher) Verantwortung des Künstlers. Peter Hacks (s. o.) schreibt in seinem Gedicht

Lieb und Leiden (1988)

Herbst tritt ein. Dissidenten reisen wie Kraniche westwärts.
Wie überwintern? Ich brech Nadelgeäst für den Herd.
(...)
Was ich tu oder lasse, es ist zum Besten des Landes.
Aber dem Vaterland paßt das nun gar nicht so sehr.
(Auszug)

Volker Braun (s. o.), ebenfalls im Osten, beschreibt das, was für ihn eine Utopie bleibt:

Das Lehen (1987)

Ich bleib im Lande und nähre mich im Osten.
Mit meinen Sprüchen, die mich den Kragen kosten
In anderer Zeit: noch bin ich auf dem Posten.
In Wohnungen, geliehn vom Magistrat
Und eß mich satt, wie ihr, an der Silage.
Und werde nicht froh in meiner Chefetage
Die Bleibe, die ich suche, ist kein Staat.
Mit zehn Geboten und mit Eisendraht:
Sähe ich Brüder und keine Lemuren.
Wie komm ich durch den Winter der Strukturen.
Partei mein Fürst: *sie hat uns alles gegeben*
Und alles ist noch nicht das Leben.
Das Lehen, das ich brauch, wird nicht vergeben.

Günter Kunert (s. o.) formuliert in seinem Gedicht *Belagerungszustand* (1980) vom Westen aus gesehen ähnliches. Er spricht von „zaghafte[n] Worte[n], Wegbereiter/ dorthin wo das Gespräch über Bäume/ kein Schweigen mehr bindet/ dorthin wo keiner einem/ die Sprache verschlägt".

Bedrohung der Natur

Kunerts Lyrik ist jedoch weniger vom DDR-Kontext geprägt als von frühzeitigen Hinweisen auf die bedrohte Natur und die damit einhergehende Selbstvernichtung der Menschheit. Das gilt schon für seine Gedichtsammlung *Unterwegs nach Utopia* (1977), wo er in einem *Lagebericht* feststellt: „Nur noch Natur ist uns geblieben oder was von ihr geblieben ist." Im Gedicht, in der Macht der Poesie erhofft er das verschwundene Land Utopia zu finden, „wo keiner lebend hingelangt/ wo nur Sehnsucht/ überwintert". Auch in Heinz Czechowskis (*1935) Gedichten spiegelt sich dieses Thema: „Doch die vertriebenen Paradiese/ Blühen jetzt anderswo". Wulf Kirstens (*1934) Naturlyrik gegen „den reißwolf des fortschritts" erkundet im engeren Umkreis die Zerstörung seiner sächsischen Heimat. Kirstens Gedichtband *die erde bei Meißen* (1986) stellt gleichzeitig auch Lyrik vor, die den Kontrast zwischen rückwärts gewandter Sehnsucht und ökologischem Protest darzustellen versucht.
Richard Pietraß (*1946) beschäftigt sich ebenfalls mit der allmählichen Vernichtung dessen, was die Autoren der vorhergehenden Generation

noch als Schönheiten der Natur erkennen konnten. Seine Gedichte unter dem Titel *Spielball* (1987) variieren das Motiv der Erde, deren Existenz durch den Raubbau an der Natur verspielt wird.
Wolfgang Hilbig (*1941) spricht in seinen Texten mit kraftvoller Sprache von der als Alptraum erfahrenen Realität. Sein 1979 nur im Westen veröffentlichter Gedichtband mit dem mitleidlos diagnostizierenden Titel *abwesenheit* fragt im Titelgedicht

wie lang noch wird unsere abwesenheit geduldet
keiner bemerkt wie schwarz wir angefüllt sind
wie wir in uns selbst verkrochen sind
in unsere schwärze

nein wir werden nicht vermißt
(Auszug)

Ein Vertreter der jüngeren Generation, für den sich der unermüdliche Förderer Franz Fühmann (s. o.) sehr einsetzte, ist Uwe Kolbe (*1957). Er veröffentlichte 1980 in der DDR Gedichte unter dem programmatischen Titel *Hineingeboren*. Sie benennen das Lebensgefühl der jungen Generation, die sich der realen, ideologischen und ökologischen Begrenzung ihres Lebensraums immer bewußter wird und darüber nicht schweigen kann und will.

Literarische Vorbilder

In den 80er Jahren fallen in der Lyrik der DDR Texte der lyrischen Zwiespache mit anderen Autoren auf. Die poetischen Verständigungen greifen zunächst auf die direkten Vorbilder Huchel (s. o.) und Bobrowski (s. o.) zurück, beziehen sich dann auch auf gesellschaftliche Verweigerung und Ausgrenzung, wofür Dichter wie Klopstock (s. S. 65), Hölderlin (s. S. 117), Kleist (s. S. 120) oder Mörike (s. S. 142) als Kronzeugen aufgerufen werden. Dies tut beispielsweise Heinz Czechowski (*1935) in seinen Gedichten *Hölderlin – ohne Feiertag* (1981) oder *Mörike – zu den Akten* (1974). Die 1946 geborene Lyrikerin Brigitte Struzyk erinnert an die romantische Utopie des Offenen, Unendlichen. In ihrem Gedicht *Verschlossen* aus dem Band *Leben auf der Kippe* (1984) zitiert sie Hölderlins Elegie *Der Gang aufs Land*: „Komm! ins Offene, Freund!"
Auch in der Mythologie finden sich Identifikationsangebote, die von den Lyrikern aufgenommen werden. Zum einen ist das Sisyphos als Held des Absurden und Vergeblichen, zum anderen Ikarus als der Protagonist derer, die vor Übermut und Absturz warnen. Das Bild des (preußischen) Ikarus hatten schon W. Biermann (s. o.) und G. Kunert (s. o.) geprägt. Davon ausgehend wird das Motiv der Überwindung von Grenzen und Mauern, auch des real existierenden Sozialismus produktiv. Die jüngere Generation spricht zum Teil von Sisyphos, so Uwe Kolbe in seinem Gedicht *sisyphos nach Mattheuer* (einem bekannten Maler und Graphiker der DDR, geb. 1927):

sisyphos, bergab
gehst auch du andrer –
seits ich bin hier hier hier
ich bleibe bleib bleibe
ich schreib schreib schreibe
im ansatz klarer dann
stockend nun rennend
nach stoppuhr der klamotte nach
tiefer gehts ja nicht mehr
als anfang
(Auszug)

Christa Wolf: Kritische Repräsentantin

Auch Christa Wolfs 1979 erschienene Erzählung *Kein Ort. Nirgends* orientiert sich an wahlverwandten Dichtern der Romantik. Sie erzählt von einer fiktiven Begegnung zwischen Karoline von Günderrode (s. S. 130) und Heinrich von Kleist (s. S. 120) im Jahre 1804. Beide haben später Selbstmord begangen. Christa Wolf gestaltet dieses Treffen eindringlich und gibt einen Einblick in die Seelen der vom Leben Enttäuschten. Auch in dieser Erzählung geht es nicht um das Jahr 1804, sondern in der Vergangenheit sollen Tendenzen sichtbar gemacht werden, die man auf die Gegenwart übertragen kann. *Kein Ort. Nirgends* stellt die Frage nach dem Individuum in seinem Verhältnis zur Gesellschaft, nach seiner Nützlichkeit für die Gesellschaft. Es geht gleichzeitig um die Frage, was ein Autor ausspricht und was er unausgesprochen läßt. Nach dieser Erzählung wandte sich Ch. Wolf dem Kassandra-Mythos zu, der für sie Ähnliches aussagt wie das, was die Lyriker im Mythos um Sisyphos fanden. In ihrer ,,Schlüsselerzählung" *Kassandra* (1983) verknüpft sie Kassandra, die vergeblich Warnende im Trojanischen Krieg, mit unserer bedrohten Gegenwart und Zukunft, in der warnende Kassandra-Rufe genauso wenig gehört werden wie in der Antike:

Der eigentliche Grund, warum ich solch einen Stoff wie Kassandra nahm, war die Gefahr der möglichen Vernichtung und Selbstvernichtung unserer Kultur: wie kommen wir da heraus? Der Drang nach Macht der patriarchalischen Klassengesellschaften scheint mir, psychologisch gesprochen, in einer furchtbaren Angst der herrschenden Schicht begründet zu sein. Die Angst davor, daß sie in Wirklichkeit viel ohnmächtiger sind, als ihre äußere Stärke es scheinen läßt. Wenn man ihnen diese Angst nehmen könnte, wenn man für diese Aggressivität, die sich angestaut hat, einen ableitenden Kanal schaffen könnte, der nicht Krieg wäre. Wenn man ihnen Sicherheit geben könnte – das Gefühl, geliebt zu werden, das sie ja nicht haben, auch weil sie nicht lieben können. Diese furchtbare Kälte, diese Unfähigkeit zu fühlen und zu lieben, die unsere Kultur erzeugt und die nicht nur Männer betrifft, verlangt unbedingt nach Ersatz, weil man sonst zugrunde geht. Ersatzleben, Ersatzliebe. Man müßte erkennen, daß man sich das nicht länger leisten kann. Man müßte die Möglichkeit entwickeln zu empfinden, zu lieben und geliebt zu werden, nicht abgelehnt zu werden und nicht ablehnen zu müssen – ein utopischer Weg.

Vergangenheitsbewältigung

Die in den späten 80er Jahren in der DDR geschriebene Prosa ist ein Fundus von Auskünften über das Leben in der DDR. In den detaillierten Schilderungen individueller Probleme werden gleichzeitig die historischen und gesellschaftlichen Perspektiven aufgezeigt und einer kritischen Beurteilung unterzogen. 1985 erschien Christoph Heins erster Roman *Horns Ende*. Hier beginnt jedes Kapitel mit der eindringlichen Aufforderung „Erinnere dich!" Fünf Personen erzählen Anfang der 80er Jahre ihre Version eines Ereignisses, das 1957 stattfand und seine Wurzeln in den verdrängten Jahren vor 1945 hat: Der Selbstmord des Museumsdirektors Horn drängt die Überlebenden, sich mit der Vergangenheit auseinanderzusetzen. Vierzig Jahre nach Kriegsende klagt der Autor ein, sich der Vergangenheit zu stellen, die nach einer Mitverantwortung ebenso fragt wie sie den erklärten Antifaschismus in der DDR hinterfragt.

Christoph Hein (*1944)

Helga Schütz (*1937)

Auch Helga Schütz führt in ihrem Roman *In Annas Namen* (1986) ein individuelles Schicksal in der sozialistischen Provinz vor, das seinen Anfang in den Tagen der Bombardierung Dresdens (1945) nimmt. Anna wächst als Findelkind auf, führt ein verhältnismäßig privilegiertes Leben in der DDR und scheint in einer Liebesbeziehung an der Rivalin aus dem gelobten Westen zu scheitern. Sie fällt nach einem Autounfall in ein tiefes Koma, das als Ergebnis einer allmählichen Entfremdung und Erstarrung interpretiert werden kann, sowohl im persönlichen Lebenslauf als auch in der Entwicklung der politischen Situation in der DDR.

Volker Brauns (s. o.) *Hinze-Kunze-Roman* (1985) gibt – zum Teil in dialogischer Fassung – darüber Auskunft, daß auch im Sozialismus das Verhältnis von Herr und Knecht nicht überwunden wurde. Der durch Erzählerkommentare immer wieder unterbrochene Text liefert mit dem Bericht von Hinze, dem Fahrer, und Kunze, seinem Chef und Funktionär, auch ein Beispiel, wie Literatur im Sozialismus funktioniert:

> Kunze wußte plötzlich: der ist ein Künstler. Ja, das wars: ein weltfremder, unangenehmer Künstler. Kunze atmete erbittert auf; jetzt war er ihm auf die Schliche gekommen. Der würde keinen chauffieren und mußte nicht chauffiert werden, ein Freischaffender, der mußte nirgends hin. Für den standen die Fragen nicht. Der tat sich keinen Zwang an, bei dem griff die ganze Dialektik nicht.

„Störfälle"

1987 veröffentlichte Christa Wolf ihre Erzählung *Störfall. Nachrichten eines Tages*. In tagebuchartigen Abschnitten parallelisiert sie zwei „Störfälle": Die Reaktorkatastrophe von Tschernobyl (1986) und die Hirnoperation, der sich ihr Bruder unterziehen muß. Sie berichtet vom Leben, das nur noch von der Machbarkeit der Wissenschaft abhängig ist und so zum Alptraum wird. Alles ist unter das Diktat der Technik gezwungen, selbst die Sprache: „Der strahlende Himmel. Das kann man nun auch nicht mehr denken."

Verhaltener und gezeichnet vom melancholischen Gedanken, daß etwas zu Ende geht, ist Christa Wolfs Erzählung *Sommerstück* (1989). Ein erzählendes Ich erinnert sich an den Sommer 1977, der dem Jahr der Ausbürgerung Wolf Biermanns folgte (s. o.), und in dem die Umsiedelung Sarah Kirschs (s. o.) und der Tod Maxie Wanders (s. o.) bevorstanden. Diese Autorinnen treten kaum verschlüsselt in Wolfs Text auf, der die Idylle eines Sommers auf dem Land beschreibt und zugleich Rechenschaftsbericht über verpaßte Chancen ist. Sarah Kirsch hat diesem Sommer ebenfalls ein literarisches Denkmal in ihrem Prosaband *Allerlei-Rauh. Eine Chronik* (1988) gesetzt.
1989 erschien auch Christoph Heins Roman *Der Tangospieler.* Erneut folgt Hein hier seiner Methode des realistischen Erzählens, die mit kühler Präzision benennt, ohne selbst zu urteilen. Gerade darin liegt die Brisanz dieses Textes, der vom Tangospieler Dallow handelt, der nur zufällig deswegen einen Tango spielt, weil er einigen Studenten einen Gefallen tun wollte. Dallow ist eigentlich Historiker an der Universität und wird wegen seines nicht gesellschaftsfähigen Tangospiels inhaftiert. Der Roman handelt von der Zeit nach seiner Haftentlassung. Dallows Schwierigkeiten als eigensinniger Intellektueller und ehemaliger Häftling im DDR-Alltag bestimmen dieses Buch. Im gleichen Jahr, dem Jahr des Mauerfalls, erschien auch Heins Stück *Die Ritter der Tafelrunde.* Nach dem Konzept der Artus-Sage (s. S. 25) führt der Autor eine Gesellschaft vor, die sich selbst überlebt hat und nur noch mit sinnentleerten Sätzen ihren Zusammenhalt zu wahren versucht.

„Prenzlauer Berg“

Seit Anfang der 80er Jahre hatte sich auch in der DDR eine alternative Szene etabliert, deren bekanntester Sammlungspunkt das Ost-Berliner Viertel Prenzlauer Berg wurde. Hier entstanden in radikalen Sprachexperimenten unter Verzicht auf orthographische und semantische Normen halsbrecherisch anmutende Hoffnungen. Stefan Döring (*1954) spricht 1989 in seinem Gedichtband *Heutmorgestern* den wesentlichen Befund aus:

hochmut vor dem wall

die grenzen begrenzen nichts wesentliches
die fremden befremden nicht eigentlich
die übergänge unterlaufen unumgängliches

Erst nach der Wende 1989 wurde offenbar, was sich am Prenzlauer Berg „im Untergrund“ abgespielt hatte: Autoren mußten feststellen, daß sie von anderen Autoren ausgehorcht und denunziert worden waren. Der Untergang der DDR bedeutete hier Befreiung, für einen Teil der Autoren aber auch den Verlust ihrer poetischen Heimat. Letztlich öffnete der November 1989 nicht nur endgültig den Eisernen Vorhang, sondern er stellte die Menschen vor eine völlig neue, unabsehbare Situation, wie Heinz Czechowski feststellt:

Nach der Wende

Was hinter uns liegt,
Wissen wir. Was vor uns liegt,
Wird uns unbekannt bleiben,
Bis wir es
Hinter uns haben.

Kurzbiographien Literatur der DDR

JOHANNES BOBROWSKI (1917 in Tilsit – 1965 in Berlin)
Bobrowski wuchs im deutsch-polnischen Grenzgebiet auf und besuchte das Gymnasium in Königsberg. In Berlin begann er 1937 mit dem Studium der Kunstgeschichte. Am Zweiten Weltkrieg nahm er als Soldat teil und war von 1945–49 in russischer Kriegsgefangenschaft. Anschließend war Bobrowski Lektor in einem Verlag der DDR.

Sarmatische Zeit (Gedichte, 1961)
Schattenland Ströme (Gedichte, 1962)
Levins Mühle. 34 Sätze über meinen Großvater (Roman, 1964)
Mäusefest und andere Erzählungen (1965)
Litauische Claviere (Roman, 1966)

BERTOLT BRECHT (1898–1956) → s. S. 229

GÜNTER DE BRUYN (*1926 in Berlin)
Nach Kriegsdienst, kurzer Gefangenschaft und Lazarettaufenthalt wurde de Bruyn zum sog. Neulehrer ausgebildet und unterrichtete in einem kleinen märkischen Dorf. Ab 1953 arbeitete er am Zentralinstitut für Bibliothekswesen in Berlin, seit 1962 ist er freier Schriftsteller. Seit 1980 gibt er die Reihe „Märkischer Dichtergarten“, die an Dichter der Mark Brandenburg erinnert, mit heraus.

Buridans Esel (Roman, 1968)
Das Leben des Jean Paul Friedrich Richter. Eine Biographie (1975)
Märkische Forschungen. Eine Erzählung für Freunde der Literaturgeschichte (1978)
Neue Herrlichkeit (Roman, 1984)
Jubelschreie, Trauergesänge. Deutsche Befindlichkeiten (Essays, 1991)
Zwischenbilanz. Eine Jugend in Berlin (Autobiographie, 1992)

PETER HUCHEL (1903 in Lichterfelde/Berlin – 1981 in Staufen/Schwarzwald)
Huchel wuchs in der Mark Brandenburg auf. Er studierte Literatur und Philosophie in Berlin, Freiburg und Wien. Huchel blieb während des Dritten Reiches in Deutschland; er nahm am Krieg teil und geriet in russische Gefangenschaft. 1949–62 war er Chefredakteur der literaturwissenschaftlichen Zeitschrift *Sinn und Form*. Seit 1971 lebte er in der Bundesrepublik und in Italien.

Chausseen Chausseen (Gedichte, 1963)
Die Sternenreuse. Gedichte 1925–1947 (1967)

SARAH KIRSCH (*1935 in Limlingerode/Harz)
Sarah Kirsch, geboren als Ingrid Bernstein, studierte Biologie in Halle, bevor sie 1963–65 ans „Institut für Literatur J. R. Becher" in Leipzig ging. Ab 1968 lebte sie als freie Schriftstellerin in Ost-Berlin. Obwohl sie verschiedene literarische Preise bekam, wurde sie aus der SED ausgeschlossen, als sie sich 1976 dem Protest gegen die Ausbürgerung des Liedermachers Wolf Biermann anschloß. 1977 übersiedelte sie nach West-Berlin, seit 1983 lebt sie in Schleswig-Holstein. Die Künstlerin, die seit 1988 auch malt, gilt als eine der bedeutendsten Lyrikerinnen der deutschen Gegenwartsliteratur.

Landaufenthalt (Gedichte, 1967)
Die Pantherfrau. Fünf unfrisierte Erzählungen aus dem Kassetten-Recorder (1973)
Zaubersprüche (Gedichte, 1973)
La Pagerie (lyrische Prosa, 1980)
Irrstern (Prosa, 1986)
Allerlei-Rauh. Eine Chronik (1988)
Erlkönigs Tochter (Gedichte, 1992)
Ich Crusoe (Gedichte mit 6 Aquarellen der Autorin, 1995)

UWE KOLBE (*1957 in Berlin)
Der Autor Franz Fühmann (1922–1984) hat Uwe Kolbe sehr gefördert und vermittelte ihm erste Veröffentlichungen in der Zeitschrift *Sinn und Form.* Kolbe war 1980/81 am Leipziger Institut für Literatur. Er bekam mit seinen Texten in der DDR Schwierigkeiten bis hin zu Publikationsverboten. Seit 1985 konnte er jedoch Auslandsreisen unternehmen und lebt heute in Berlin, seit 1988 auch in Hamburg.

Hineingeboren. Gedichte 1975–1979
Mikado oder Der Kaiser ist nackt. Selbstverlegte Literatur in der DDR (1988)

GÜNTER KUNERT (*1929 in Berlin)
Nach dem Krieg begann Kunert ein Graphikstudium und veröffentlichte seit 1948 in verschiedenen Zeitschriften vor allem Lyrik und kurze Erzählungen. Er nahm in den 70er Jahren Gastprofessuren in Austin/Texas und Warwick/England wahr. Nachdem er 1977 wegen seiner Beteiligung an den Protesten um die Ausweisung Wolf Biermanns aus der SED ausgeschlossen worden war, lebt er seit 1979 als freier Schriftsteller in Westdeutschland.

Wegschilder und Mauerinschriften (Gedichte, 1950)
Die Beerdigung findet in aller Stille statt (Erzählungen, 1968)
Der Mittelpunkt der Erde (Prosa; mit Zeichnungen von Günter Kunert, 1975)
Unterwegs nach Utopia (Gedichte, 1977)
Vor der Sintflut. Das Gedicht als Arche Noah (Frankfurter Vorlesungen, 1985)
Fremd daheim (Gedichte, 1990)

HEINER MÜLLER (1929 in Eppendorf/Sachsen – 1995 in Berlin)
Noch 1945 wurde Heiner Müller zum Kriegseinsatz herangezogen. In den frühen 50er Jahren war er als Journalist und Autor in Berlin tätig. Müller arbeitete im Schriftstellerverband der DDR mit, aus dem er 1961 ausgeschlossen wurde. Seit 1964 bearbeitete der Dramatiker antike Stoffe und beschäftigte sich vielfach mit Shakespeare. H. Müller beschäftigte sich oft über lange Zeiträume hinweg mit seinen Werken und verstand die einzelnen Versionen als verbesserbare Stufen. 1970–76 war er Dramaturg am Berliner Ensemble, das er nach der Wende bis zu seinem Tod mit vier weiteren Regisseuren leitete. 1985 wurde er als einer der bedeutendsten Dramatiker der Gegenwart mit dem Georg-Büchner-Preis geehrt.

Der Bau (Stück, entstanden 1963/64, Uraufführung 1980)
Philoktet (Stück, entstanden 1958/64, Uraufführung 1968)
Prometheus (Stück, entstanden 1967/68, Uraufführung 1969)
Germania Tod in Berlin (Stück, entstanden 1956/71, Uraufführung 1978)
Die Hamletmaschine (Stück, entstanden 1977, Uraufführung 1979)
Wolokolamsker Chaussee I, II, III (Stücke; I: 1984, 1985; II: 1985/86, 1987; III: 1985/86, 1987)
Krieg ohne Schlacht. Leben in zwei Diktaturen (Autobiographie, 1992)

ANNA SEGHERS (1900 in Mainz – 1983 in Ost-Berlin)
Anna Seghers studierte Philologie und Kunstgeschichte und promovierte 1924 mit einer Arbeit über den holländischen Maler Rembrandt. 1928 wurde sie Mitglied der KPD (Kommunistische Partei Deutschlands). 1933 mußte sie nach Frankreich fliehen, 1941 nach Mexiko. Sie nahm an mehreren antifaschistischen Kongressen teil. 1947 kehrte sie nach Ost-Berlin zurück. Sie war Präsidentin des Deutschen Schriftstellerverbandes in der DDR.

Der Aufstand der Fischer von St. Barbara (Erzählung, 1928)
Das siebte Kreuz. Roman aus Hitlerdeutschland (1942)
Transit (Roman, 1944 spanisch, 1948 deutsch)
Die Toten bleiben jung (Roman, 1949)
Die Entscheidung (Roman, 1959)
Das Vertrauen (Roman, 1968)

CHRISTA WOLF (*1929 in Landsberg/Warthe, heute Polen)
Christa Wolf studierte Germanistik in Leipzig und Jena. 1953–59 war sie Mitarbeiterin beim Deutschen Schriftstellerverband in Ost-Berlin und arbeitete anschließend als Redakteurin bei der Zeitschrift *Neue deutsche Literatur*. 1964 erhielt sie den Nationalpreis für Kunst und Literatur der DDR, 1978 den Bremer Literaturpreis. Sie war im Osten wie im Westen gleichermaßen anerkannt. Nach der Wende 1989 entfachte ihre Rolle im SED-Staat eine heftige Auseinandersetzung über ihre politische Glaubwürdigkeit und die ästhetische Qualität ihrer Bücher.

Moskauer Novelle (1961)
Der geteilte Himmel (Erzählung, 1963)

Nachdenken über Christa T. (Roman, 1968)
Kindheitsmuster (autobiographisch gefärbter Roman, 1976)
Kein Ort. Nirgends (Erzählung, 1979)
Kassandra (Erzählung, 1983)
Störfall. Nachrichten eines Tages (Erzählung, 1987)
Sommerstück (Erzählung, 1989)
Was bleibt (Erzählung, 1990; geschrieben 1979)

21 Literatur im wiedervereinigten Deutschland (seit 1990)

Fall der Mauer

Die Ereignisse im Herbst 1989, die zum Fall der Mauer zwischen Ost und West am 9. November und schließlich mit dem Einigungsvertrag zur Wiederherstellung der deutschen Einheit am 3. 10. 1990 führten, spiegeln sich auch in der Literatur. Der literarischen Auseinandersetzung mit der Teilung Deutschlands folgten nun neben dem Versuch einer Aufarbeitung der Geschichte der DDR vielfache Beispiele der Selbstbefragung, autobiographische Berichte, Dokumente von Bespitzelungen durch die Stasi (Staatssicherheitsdienst der DDR) und ebenso eine immer wieder heftig diskutierte Rückbesinnung auf Begriffe wie „Nation" und „Vaterland".
Thomas Rosenlöcher (*1947) berichtet in seinem Dresdener Tagebuch *Die verkauften Pflastersteine* (1990) von den Tagen der Wende:

10. 11.
Die irrsinnigste Meldung wieder früh am Morgen (...): Die Grenzen sind offen! Liebes Tagebuch, mir fehlen die Worte. Mir fehlen wirklich die Worte. Mit tränennassen Augen in der Küche auf und ab gehen und keine Zwiebel zur Hand haben, auf die der plötzliche Tränenfluß zu schieben wäre.

Seit 1989 bestimmen die Auseinandersetzungen über die Modalitäten der Vereinigung sowie die Frage nach dem Verhältnis des Schriftstellers zu Politik und Macht die Diskussionen. Diese Fragen wurden zunehmend auch von der Literaturkritik gestellt. In dieser Situation erschien 1990 Christa Wolfs (s. S. 266, 275) Erzählung *Was bleibt* und löste sofort heftigste Debatten aus. Eine innerhalb wie außerhalb der DDR hochgeachtete und mit Preisen ausgezeichnete Autorin veröffentlichte kurz nach der Wende einen 1979 entstandenen, im November 1989 überarbeiteten Text über eine in der DDR lebende Schriftstellerin, die bemerkt, daß sie von Leuten der Staatssicherheit überwacht wird. Der Text handelt davon, wie dies ihr Leben, Denken und Fühlen beeinflußt und bedroht und wie sich die Grenze zwischen dem Alltäglichen und dem Außergewöhnlichen langsam verwischt:

Christa Wolf

Ich zog im Schlafzimmer die Vorhänge zu und legte mich ins Bett. Dies war eine der tief erleichterten Minuten des Tages. Kein fremder Mensch, kein fremder Blick, vielleicht nicht einmal ein fremdes Ohr folgten mir in diesen Raum. Ich genoß die unaussprechliche Wohltat, unbeobachtet und allein zu sein und keine Forderung an mich zu haben. Nicht denken, nicht arbeiten. Nichts herausfinden, nichts wissen wollen. Ruhig auf dem Rücken liegen, die Augen schließen, atmen. Atmen. Ich atme. Ich denke nicht. Ich bin ruhig.

Der Zeitpunkt der Veröffentlichung dieses (schon älteren) Textes hat die Diskussion zu einem regelrechten Literaturstreit werden lassen. Man warf Christa Wolf vor, Konflikte vermieden und sich allzu affirmativ verhalten zu haben und verknüpfte so moralische Integrität mit literarischer Qualität.

Umgang mit Stasi-Akten

Welche Ausmaße der Druck zur Konformität und die Bespitzelung „unzuverlässiger" Autoren tatsächlich angenommen hatten, zeigten die Akten des Staatssicherheitsdienstes, die nicht nur betroffene Autoren sichten konnten. Reiner Kunze (s. S. 272) legte 1990 seine Dokumentation *Deckname Lyrik* vor, die aus Aktenauszügen besteht und allein durch ihre Zusammenstellung den akribischen Zynismus der Observierungen belegt und die Maßnahmen auflistet, die den Autor und seine Familie schließlich zum Verlassen der DDR zwangen. Auch Erich Loest (*1926) veröffentlichte seine Erfahrungen mit der Stasi: *Die Stasi war mein Eckermann oder: mein Leben mit der Wanze* (1991).

Die deutsche Literatur der frühen 90er Jahre ist durch das Ereignis der Wiedervereinigung stark geprägt. Vor allem ostdeutsche Autoren setzten sich mit den Voraussetzungen und den Auswirkungen des politischen Umbruchs auseinander und beschrieben die Anpassungen, Widerstände und Brüche in eigenen oder erdachten Lebensgeschichten.

Monika Maron (*1941)

Monika Maron erzählt in ihrem Roman *Stille Zeile sechs* (1991) von einer jungen Frau in der DDR der 80er Jahre, die einem alten Funktionär die gelähmte Hand ersetzt und seine Erinnerungen für ihn notiert. Bald kann sie dazu nicht mehr schweigen:

Er saß nicht hinter dem Schreibtisch, ich notierte nichts. Ich mußte etwas sagen, worauf er in der Legende seines Lebens, an die er inzwischen selbst glaubte, keine Antwort finden konnte; etwas, das jenseits der Politik lag.

Der Tod des alten Mannes verhindert die erhofften Antworten, und so bleibt die junge Frau mit ihren Fragen, die Anklage und Verteidigung zugleich enthalten, allein zurück.

Kurt Drawert (*1956)

Kurt Drawert berichtet in seinem „deutschen Monolog" *Spiegelland* (1992) von sich selbst und der Geschichte seiner Sprachfindung, die angesichts der väterlichen – und staatlichen – Sprechgewalt nur stokkend und stotternd verläuft. Daß die Sprache der Diktatur mit ihren starren Mustern und Schablonen bis in die private Sphäre hineinreicht und als hemmend und fesselnd empfunden wird, zeigt Drawert in diesem Monolog, der auch eine Vater-Sohn-Geschichte ist:

Der einem wie Stallgeruch anhaftende Status DDR geht weiter und die belästigenden Fragen gehen weiter, nirgendwo kann man der Gesellschaft, in die man zufällig hineingeworfen war und die man vielleicht nur aus Faulheit und mangelndem Leidensdruck nicht verließ, da man lange schon fertig war mit ihr nach außen und nach innen und nichts mehr erwartete und nichts mehr bekam, entkommen, verurteilt, in der Fremde deren Repräsentant zu sein.

Kristallisationspunkt Berlin

Wolfgang Hilbig (*1941)

1993 machte Wolfgang Hilbig den Staatssicherheitsdienst zum Thema eines Romans. *„Ich“* ist über weite Strecken der Erinnerungsbericht eines IM, eines Inoffiziellen Mitarbeiters der Stasi, der eigentlich die Aufgabe hat, einen Schriftsteller, genannt „Reader“, zu beobachten. Doch für Cambert, den Spitzel, ergibt sich nichts, was von Readers literarischen Texten – vorgetragen in der Literaturszene des Prenzlauer Bergs – zu berichten wäre. So wird Cambert in einem feuchten Keller unter dem Ministerium für Staatssicherheit aus Mangel an Beobachtbarem selbst zum Schriftsteller, zum Chronisten seines eigenen Ichs. Hilbigs Analogie zwischen Spitzel und Schriftsteller, der eine im fremden Auftrag, der andere aus eigenem Interesse beobachtend, treibt auf eine Groteske zu, wenn Cambert aus Mangel an „Material“ damit beginnt, eine West-Berliner Studentin zu observieren, die Lesungen in Ost-Berlin besucht, die Beschattung bemerkt und sich zurückzieht. Da wiederum „Reader“ auf diese Studentin angesetzt war, wird IM Cambert strafversetzt zurück in die Provinz, aus der er kam. So muß sich jeder von jedem beobachtet fühlen; das wahre Leben verwandelt sich in einen Text über dieses Leben.

Adolf Endler (*1930)

Die Atmosphäre des Prenzlauer Bergs, eines Ost-Berliner Stadtteils, fangen Adolf Endlers „Sudelblätter 1981–1983“ *Tarzan vom Prenzlauer Berg* (1994) ein. Endler, ein Repräsentant der sog. Nischengesellschaft in der DDR, öffnet in seinem nach Stichwörtern geordneten Tagebuch den Blick auf eine paradoxe Zeit, in der man schon mit einfachen Mitteln subversiv sein konnte.

Günter de Bruyn (s. S. 266), engagierter Begleiter der Ereignisse, veröffentlichte 1992 seine autobiographische *Zwischenbilanz. Eine Jugend in Berlin.* Er spricht zunächst von den Beweggründen, nun Auskunft über sich selbst zu geben:

Mit achtzig gedenke ich, Bilanz über mein Leben zu ziehen; die Zwischenbilanz, die ich mit sechzig beginne, soll eine Vorübung sein; ein Training im Ich-Sagen, im Auskunftgeben ohne Verhüllung durch Fiktion. Nachdem ich in Romanen und Erzählungen lange um mein Leben herumgeschrieben habe, versuche ich jetzt, es direkt darzustellen, unverschönt, unüberhöht, unmaskiert. Der berufsmäßige Lügner übt, die Wahrheit zu sagen. Er verspricht, was er sagt, ehrlich zu sagen; alles zu sagen, verspricht er nicht.

1994 veröffentlichte Brigitte Burmeister (*1940) ihren Berlin-Roman *Unter dem Namen Norma,* der den Zwischenzustand der nicht mehr geteilten und noch nicht zusammengewachsenen Stadt thematisiert.

Demselben Thema widmet sich der westdeutsche Autor Peter Schneider (s. S. 252). Der Roman *Paarungen* (1992) beschreibt, wie die 68er-Generation mit Trennung und „Paarung“ umgeht, und parallelisiert die jüngste Geschichte Berlins mit dem Wunsch der Protagonisten nach dauerhafter Liebe:

> Am seltsamsten erschien ihm, daß die Einwohner ihren Mauertick nicht zu bemerken schienen; als führten sie mit ihrem rastlosen Trennen und Teilen ein Muster aus, das in ihren Seelen eingegraben war.

Stücke

Westdeutsche Autoren beschäftigten sich aus einem anderen Blickwinkel mit dem Zusammenbruch der DDR. 1991 wurden zwei Stücke aufgeführt, die dies belegen: Botho Strauß (s. S. 248) läßt in seinem dreiaktigen Stück *Schlußchor* einen Chor auftreten, aus dem sich kein Individuum herauslösen kann und der als allgegenwärtige Kulisse für die kleinen Dramen und beziehungsreichen Begegnungen fungiert. Im letzten Akt, der in der Nacht des Mauerfalls spielt, wird der Chor von der Bühne entlassen, ein Adler fliegt umher und wird von einer übriggebliebenen Figur zerfetzt. Mit dem Stück *Wessis in Weimar* griff Rolf Hochhuth (s. S. 242) in die aktuelle Debatte über die Eigentumsverhältnisse an Grundstücken und Immobilien in der ehemaligen DDR ein. Damit zielt das Stück auf die vieldiskutierte Arbeit der Treuhand, einer zur Privatisierung volkseigener Betriebe eingesetzten Kommission, deren Vorstand D. K. Rohwedder 1991 in Westdeutschland einem Mordanschlag zum Opfer fiel. Das Stück wurde als nachträgliche Rechtfertigung des Mordes verstanden, worauf Hochhuth entgegnete: „Ich legitimiere nicht seine Ermordung, ich versuche nur zu erklären, warum es Menschen gibt, die auf ihn geschossen haben.“

Zeitroman

Martin Walsers (s. S. 246, 253) umfangreicher Epochenroman *Die Verteidigung der Kindheit* (1991) ist die Geschichte einer Mutter-Sohn-Beziehung und gleichzeitig die Verschränkung eines (auf authentischem Material beruhenden) privaten Themas mit dem nationalen. Der Protagonist Alfred Dorn geht in den 50er Jahren illegal von Dresden nach West-Berlin, um dort Jura zu studieren. Er bleibt ein Außenseiter und beinahe Lebensunfähiger, beschäftigt sich unter anderem mit einer literarischen Arbeit über „das Problem der Darstellung von Menschen, die wirklich gelebt haben“, womit Walser auf die eigentliche Problematik des Romans hinweist.
Günter Grass, ein Kritiker der Wiedervereinigung („moralischer Ausverkauf“), hatte 1958 mit der *Blechtrommel* den großen Roman der Kriegs- und Nachkriegszeit vorgelegt (s. S. 239). 1995 veröffentlichte er *Ein weites Feld,* seinen breit angelegten Roman über den in der DDR lebenden Theodor Wuttke, genannt Fonty, der sich vollkommen mit Leben und Werk Theodor Fontanes (s. S. 159) identifiziert. Grass stellte ihm den „Tagundnachtschatten“ Hoftaller zur Seite, einen Spitzel und Nothelfer in einer Person. Diese Figur ist Hans Joachim Schädlichs Roman *Tallhover* (s. S. 251) entlehnt. *Ein weites Feld* hat in Ost

und West ein heftiges und durchaus unterschiedliches Echo hervorgerufen. Während Ostdeutsche sich in ihrem DDR-Leben zutreffend porträtiert sahen, wurde im Westen vor allem eine Verharmlosung der Methoden der Staatssicherheit kritisiert.
Andreas Neumeister (*1959) nannte seinen Roman *Ausdeutschen* (1994). Auch dieser Text handelt von Berlin, wo der Protagonist Eindrücke sammelt, ohne eine bestimmte Absicht und ohne einen Kommentar abzugeben. Notizen, Beobachtungen und Sprachassoziationen werden hier aneinandergereiht, der Autor macht es sich nicht mehr zur Aufgabe, einordnend oder sinndeutend zu agieren.

Durs Grünbein (*1962)

Der junge, in Dresden geborene Lyriker Grünbein hat in den Jahren nach der Wende in Deutschland große Aufmerksamkeit auf sich gezogen und 1995 den Georg-Büchner-Preis erhalten. In Grünbeins Gedichtband *Schädelbasislektion* (1991) heißt es:

(...)
Solange es Tontafeln gab, bekritzelt mit Krähenfüßen,
Bliebst du dem Fundort treu, provinziell bis zum Gaumen,
In den Taschen die Reiseführer durch langen Schlaf.

Einer Blindschleiche, vielleicht, wärst du zögernd gefolgt.

Grünbeins Lyrik kommt ohne die direkte Ost-West-Polarisierung aus und umfaßt Erfahrungen von Katastrophen und Tod. Sein Band *Falten und Fallen* (1994) beinhaltet elegische Texte, die sich mit Tod und Leben befassen und schon vom Bewußtsein der kommenden Jahrtausendwende geprägt sind.

Seit der Wende sind jedoch auch Werke erschienen, die sich nicht mit dem Thema der Teilung und Vereinigung Deutschlands befassen. Formen und Inhalte des postmodernen Erzählens (s. S. 254) werden weiterhin erprobt, beispielsweise von Helmut Krausser (*1964). Er liefert in seinem Roman *Melodien oder Nachträge zum quecksilbrigen Zeitalter* (1993) ein monströses Porträt der Renaissance als Spiegelbild unserer Gegenwart. Im Erzählen ist auch immer das Erinnern aufbewahrt: Winfried Georg Sebald (*1944) setzt in seiner Erzählung *Die Ausgewanderten* (1992) Bruchstücke jüdischer Lebensgeschichten zusammen und vergegenwärtigt auf diese Weise das Entschwundene.
Auch deutschsprachige Autoren aus der ehemaligen Tschechoslowakei, aus Rumänien, den ehemaligen sowjetischen Staaten und aus dem ehemaligen Jugoslawien veröffentlichen in Deutschland und haben teil an der Entwicklung eines literarischen Kontinuums, das über alle Nationalitätenkonflikte hinweg die Freiräume der Phantasie bewahrt.

Kurzbiographien Literatur im wiedervereinigten Deutschland

DURS GRÜNBEIN (*1962 in Dresden)
Grünbein begann ein Studium der Theatergeschichte, bevor er bei verschiedenen Zeitschriften und Projekten mitarbeitete. Seit der Wende unternahm er viele Auslandsreisen und erhielt 1995 für sein lyrisches Werk den Georg-Büchner-Preis. Durs Grünbein lebt in Berlin.

Grauzone morgens (Gedichte, 1988)
Schädelbasislektion (Gedichte, 1991)
Falten und Fallen (Gedichte, 1994)
Den Teuren Toten. 33 Epitaphe (1994)

WOLFGANG HILBIG (*1941 in Meuselwitz bei Leipzig)
Hilbig wuchs bei seinem Großvater auf und wurde zunächst Dreher, bevor er zur Nationalen Volksarmee eingezogen wurde. Er arbeitete in verschiedenen Berufen wie Werkzeugmacher und Heizer und beteiligte sich an den „Zirkeln schreibender Arbeiter". Wegen seiner ersten Veröffentlichungen im Westen wurde Hilbig 1978 für einige Wochen verhaftet.

abwesenheit (Gedichte, 1979)
die versprengung (Gedichte, 1986)
Eine Übertragung (Roman, 1989)
Alte Abdeckerei (Erzählung, 1991)
zwischen den paradiesen. Prosa. Lyrik (1993)
„Ich" (Roman, 1993)

MONIKA MARON (*1941 in Berlin)
M. Maron studierte Theaterwissenschaften und Kunstgeschichte und arbeitete einige Jahre als Reporterin, bevor sie ab 1976 als freiberufliche Autorin in der DDR lebte, die sie 1988 verließ.

Flugasche (Roman, 1981)
Die Überläuferin (Roman, 1986)
Stille Zeile sechs (Roman, 1991)
Nach Maßgabe meiner Begreifungskraft. Artikel und Essays (1993)

22 Literatur Österreichs seit 1945

Hugo von Hofmannsthal schrieb 1916:

Österreich ist zuerst Geist geworden in seiner Musik und in dieser Form hat es die Welt erobert.

Er lobt die Heiterkeit und Volkstümlichkeit der Musik und fährt fort:

In dieser Luft erwächst sie [die österreichische Dichtkunst] als ein eigenes Gebilde, als ein volkstümliches Gebilde auch in ihrem größten Vertreter, dem Kunstdichter Grillparzer, volkshaft um wieviel mehr in dem Schauspieler Raimund, in dem Schauspieler Nestroy, in dem Bauernsohne Anzengruber, in dem Waldbauernbuben Rosegger, in dem Böhmerwaldsohn Stifter.

Hofmannsthal und seine Zeitgenossen gehörten der Generation an, die die Jahrhundertwende (fin de siècle) bewußt erlebte und gestaltete (s. S. 176). Die österreichische, im 19. Jh. begründete Theatertradition erhielt neue Impulse. Hofmannsthal, Max Reinhardt und Richard Strauss gründeten 1917 in Salzburg die „Salzburger Festspielhausgemeinde".

Politische Situation

Die österreich-ungarische Donaumonarchie (Habsburger) vereinigte viele Nationalitäten, die alle ihre Spuren in der Kulturgeschichte Österreichs hinterließen. Nach dem Zusammenbruch der Monarchie entstand 1918 die „Republik Deutsch-Österreich". Der Völkerbund verbot 1922 den Anschluß der Republik an das Deutsche Reich, der jedoch 1938 durch Hitler erfolgte. Dadurch kam auch Österreich unter die Herrschaft des Nationalsozialismus. Auch österreichische Schriftsteller wurden nun zu politischen Entscheidungen gezwungen. Viele sahen – wie ihre deutschen Kollegen – in dieser Zeit den einzigen Ausweg in der Emigration: Hermann Broch, Elias Canetti, Ödön von Horváth, Robert Musil, Joseph Roth und Stefan Zweig (vgl. S. 217 ff.: Deutsche Literatur im Exil).
Nicht nur unter dem Faschismus, auch nach dem Zweiten Weltkrieg hat sich Österreich mit den politischen Gegebenheiten „arrangiert". Durch die Zusicherung der strikten Neutralität erreichte Österreich

mit dem 1955 abgeschlossenen Staatsvertrag den Abzug aller vier Siegermächte (USA, England, Frankreich, Sowjetunion) aus österreichischem Territorium.
In Österreich schüttelte man das Trauma der nationalsozialistischen Herrschaft und die Schuldfrage schneller und problemloser ab als in Deutschland. Die Auseinandersetzung der jüngeren mit der älteren Generation in bezug auf das „Mitmachen" im Nationalsozialismus fand in der Literatur kaum einen Niederschlag. Viele österreichische Autoren publizierten zuerst in der Bundesrepublik, wo ihre Werke daher häufig viel früher als in Österreich rezensiert und diskutiert wurden. Die Frage, ob man die Entwicklung der Literaturen beider Länder voneinander trennen kann, wird immer wieder gestellt. Betrachtet man die Literatur Österreichs für sich, muß man stets die Verbindung zur deutschen Geschichte und Literatur einbeziehen.
In der Literatur, die nach dem Krieg in Österreich entstand, gab es von Anfang an zwei Entwicklungslinien. Auf der einen Seite stehen die Werke der bereits vor dem Krieg etablierten und bekannten Autoren, die zum großen Teil im Exil waren. Daneben stehen die Werke der Autoren, die 1920 und später geboren wurden. Die Berührungspunkte sind nicht sehr zahlreich.

Zeitschriften

Als Publikationsorgan für die Gruppe der „älteren" Autoren ist die Monatsschrift *Turm* zu nennen. Sie wurde im August 1945 von der neu entstandenen „Österreichischen Kulturvereinigung" gegründet. Diese Zeitschrift wurde ein wichtiges Sprachrohr des vorsichtigen Fortschritts. Die Autoren beschäftigten sich mit Themen aus der Vergangenheit oder stellten Auszüge aus neu entstehenden Werken vor. A. Lernet-Holenia, Mitarbeiter dieser Zeitschrift, schrieb:

Alexander Lernet-Holenia (1897–1976)

In der Tat brauchen wir nur dort fortzusetzen, wo uns die Träume eines Irren unterbrochen haben, in der Tat brauchen wir nicht voraus-, sondern nur zurückzublicken, (. . .) wir *sind*, im besten und wertvollsten Verstande, unsere Vergangenheit, wir haben uns nur zu besinnen, *daß* wir unsere Vergangenheit sind – und sie wird unsere Zukunft werden.

Zum vorläufig einzigen Sammelpunkt avantgardistischer Tendenzen in der neueren österreichischen Literatur wurde die Zeitschrift *Plan*, die Otto Basil ab Oktober 1945 in Wien herausgab. 1938 hatte er bereits zwei Hefte dieser Zeitschrift veröffentlicht, bevor sie verboten wurde. Der *Plan* sollte dazu beitragen,

den Schutt wegzuräumen, den auf geistigem Gebiet (. . .) die unsägliche Zerstörung der faschistischen Diktatur zurückgelassen hat.

Heimito von Doderer (1896–1966)

In den 50er Jahren erschien eine Reihe von Romanen, die schon früher entstanden waren. H. von Doderer veröffentlichte 1951 *Die Strudlhofstiege oder Melzer und die Tiefe der Jahre*. Der Roman deckt das fast unüberschaubare Panorama des gesellschaftlichen Lebens in Wien um 1910 (Monarchie) und um 1925 (Republik) noch einmal auf. Hauptper-

son ist der ehemalige Major Melzer. Es gibt weder einen geordneten Handlungsablauf noch eine Konzentration auf die Hauptfigur, so daß eine Inhaltsangabe kaum möglich ist. Verbindendes Element durch die Jahre hindurch ist die Strudlhofstiege, eine Treppe, die zwei Wiener Straßen und damit zwei verschiedene Welten miteinander verbindet. Der Roman endet mit Melzers Hochzeit, einem trotz aller Morbidität des dargestellten gesellschaftlichen Lebens heiteren Schluß.
Doderer bezeichnete seinen 1956 erschienenen Roman *Die Dämonen. Nach einer Chronik des Sektionsrates Geyrenhoff* als „Synopsis des Lebens". Diese Zusammenschau ist recht wehmütig gefärbt. Der Roman entstand zwischen 1931 und 1940. Auch hier überschneiden sich zahlreiche Handlungen, die Zahl der Figuren ist noch viel größer als in der *Strudlhofstiege* (teilweise sind es die gleichen wie dort). Im Mittelpunkt steht wieder die Wiener Gesellschaft. Der Titel *Die Dämonen* – gleichlautend wie ein Romantitel des Russen Dostojewski (1871/72) – weist auf eine kranke, von falschen Idealen geleitete Gesellschaft. Doch bei Doderer gibt es immer auch eine Möglichkeit der Heilung: das Bewahren der Zeit in der Erinnerung. Der Blick richtet sich also zurück in die Vergangenheit.
Die Rückschau, die Enttäuschung über den Verlauf der Geschichte, der Zusammenbruch des gesellschaftlichen und politischen Systems der alten Monarchie sind Themen der Romane, die in den 50er Jahren erschienen (z. B. A. Lernet-Holenia; F. Torberg, 1908–1979).

Ilse Aichinger (*1921)

Schon 1946 erschien im *Plan* Ilse Aichingers *Aufruf zum Mißtrauen*. In eindringlichen Fragen und Ausrufen fordert die Autorin zur Suche nach der vollkommenen, klaren Wahrheit in der Literatur auf. Ihr einziger Roman *Die größere Hoffnung* (1948) erzählt das Schicksal eines halbjüdischen Mädchens in Deutschland während der Zeit des Nationalsozialismus. Je häufiger Ellens Hoffnung auf ein anderes, besseres Leben enttäuscht wird, desto wunderbarer und paradiesischer kommt ihr dieses andere Leben vor. Der Roman geht neue Wege in der Darstellung. Die Lyrikerin Aichinger benutzt schon in diesem frühen Werk eine Erzählweise, die die lyrische, vielfach gebrochene Sicht der Ereignisse stärker betont als eine episch-breite, chronologische Darstellung.

Kluft zwischen den Generationen

Bis in die 50er Jahre kann man ein reibungsloses Nebeneinander der alten und der jungen Generation erkennen. Das änderte sich, als sich die junge Generation durch die Stipendien- und Verlagspolitik nicht genügend berücksichtigt fühlte. Die Kluft zwischen den Generationen der Autoren zeigte sich unter anderem auch in einer heftigen Kontroverse um Brechts Theaterstücke, die in Österreich lange Zeit nicht auf die Bühne gebracht werden konnten, weil man in ihnen kommunistische Tendenzen entdeckte. Erst 1963 wurden in Wien wieder Stücke von Brecht aufgeführt, was vorher nur auf skandalumwitterten Bühnen kleiner Städte möglich war.

„Wiener Gruppe"

Um 1954 entstand die „Wiener Gruppe", der junge und experimentierfreudige österreichische Schriftsteller angehörten, unter ihnen Gerhard Rühm und Hans Carl Artmann. G. Rühm verkürzte die Sprache auf die für das Verständnis wichtigsten Wörter. Die artistische Behandlung von Sprache löste deren kausalen Zusammenhang auf, was aber nicht mit dem Verzicht auf einen Sinnzusammenhang gleichzusetzen ist.

Gerhard Rühm (*1930)

stille
irgendwer sucht mich
stille
        wer sucht mich
stille
            sucht mich
stille
                    ich
stille

Auf diese Weise können neue Beziehungen entdeckt werden. Im Rückgriff auf den Dadaismus (s. S. 194) wandte Rühm die Technik der experimentellen Lyrik (oder konkrete Poesie, s. S. 310) auch auf das Theater an. Sein programmatischer Einakter *rund oder oval* (1954) wurde 1961 in Schweden uraufgeführt und gilt als Vorläufer des modernen Hörspiels.

1958 erschien H. C. Artmanns *med ana schwoazzn dintn* („mit einer schwarzen Tinte"). Die Sammlung von Gedichten verbindet auf eine ganz neue Art den Wiener Dialekt mit der Lust am Experimentieren mit der Sprache. 1956 hatte G. Rühm proklamiert:

Mundartdichtung Hans Carl Artmann (*1921)

was uns am dialekt interessiert, ist vor allem sein lautlicher reichtum (besonders im wienerischen), der für fast jede aussage die typischen nuancen findet.

Der neuen Mundartdichtung fehlte die geruhsame Behaglichkeit, die man bis dahin mit der Mundart assoziierte. Sie sollte nun beunruhigen und zum Mitdenken provozieren. Obwohl die Provokation eine Rolle spielte, fanden die Mitglieder der „Wiener Gruppe" zur Zeit des Bestehens ihrer Vereinigung nicht die Aufmerksamkeit, die sich später auf ihr Werk richtete.

Von der „Wiener Gruppe" beeinflußt ist Ernst Jandl, ein Sprachspieler und Wortverdreher, der die Dinge beim Wort nimmt und der die Tiefe unter der Oberfläche versteckt. Seine „Letternkunst", sein hintersinniger (Wort-)Witz und seine Pointiertheit haben die literarische Avantgarde publikumsfähig gemacht.

Spiel mit der Sprache Ernst Jandl (*1925)

Jandl ist ein wichtiger Repräsentant der konkreten Poesie, die

eine dichtung [ist], die nichts enthält, was man wissen kann, sie ist „konkret", indem sie möglichkeiten innerhalb der sprache erzeugt.

1966 erschien seine Sammlung *Laut und Luise* (ein Spiel mit den Wörtern „laut" und „leise"), 1968 sein Gedichtband *Sprechblasen*. Bei seinen lautmalenden Sprechgedichten wird schon im Titel angedeutet, daß die graphische Gestalt die jeweiligen Aussagen unterstützt und bei der Betrachtung berücksichtigt werden muß:

ottos mops		
ottos mops trotzt	otto holt koks	ottos mops klopft
otto: fort mops fort	otto holt obst	otto: komm mops komm
ottos mops hopst fort	otto horcht	ottos mops kommt
otto: soso	otto: mops mops	ottos mops kotzt
	otto hofft	otto: ogottogott

In Jandls späteren Gedichtbänden *idyllen* (1989) und *stanzen* (1992) tragen Sprachartistik und Witz einen bitteren, manchmal sarkastischen Beigeschmack der Trauer über das Altern. Als Dramatiker erfolgreich wurde Jandl 1980 mit der „Sprechoper" *Aus der Fremde,* in der der Alltag eines depressiven Schriftstellers ganz im Konjunktiv beschrieben und gesprochen wird.

Friederike Mayröcker (*1924)

Mit der Sprache experimentiert auch F. Mayröcker, die zusammen mit Ernst Jandl 1967 die preisgekrönten Hörspiele *Fünf Mann Menschen* und *Der Gigant* verfaßte. Seit Mitte der 50er Jahre veröffentlicht sie Gedichte, kurze Prosatexte und Erzählungen, die den Leser zu Aktivität, Phantasie und Kritik herausfordern sollen.

Erich Fried (1921–1988)

Lyrik

Erich Fried, der 1938 nach London ging, nahm eine ähnliche Position ein wie früher Karl Kraus (s. S. 179), wenn es um Zeitkritik und politisches Engagement ging. Seine 1945 veröffentlichten Gedichte *Österreich* tragen volksliedhaften Charakter. Die Sammlung *Reich der Steine, zyklische Gedichte* (1963) stellt dagegen das Wortspiel in den Vordergrund und Redewendungen, deren eigentlicher Bedeutung Fried nachspürt. Er nahm sich zunehmend weltpolitischer Themen an (Vietnam, Israel, Aufrüstung, Frieden); aber auch das Thema der nationalsozialistischen Vergangenheit taucht immer wieder auf, ebenso die Warnung vor neuem Krieg:

Zwei Haikus vom Krieg

„Kämpft gegen den Krieg!"
Hunderttausend sagten doch:
„Warum gerade ich?"

Als der Rauchpilz stieg
hunderttausend fragten noch:
„Warum gerade mich?"

Die Lyrik, die im Wiener Kreis und in seinem Umfeld entstand, präsentierte sich in vielfältiger Form, damit wollte man der Gefahr der Gewöhnung und der Wiederholung entgehen. Die Arbeitsform der Montage, das Possenhafte und auch das Groteske sollten provozieren. Man trennte sich ganz bewußt von der traditionellen Lyrik und sah im Surrealismus und in den Sprachtheorien Ludwig Wittgensteins (1889–1951) die Wurzeln dieser neuen Lyrik.

Die österreichische Nachkriegsliteratur bietet auch eine Lyrik, die weniger Sprachexperimente betreibt, aber nicht als traditionell in einem konservativen Sinn bezeichnet werden kann, z. B. Gedichte von Celan, Ausländer, Aichinger und Bachmann.

Paul Celan (1920–1970)

Paul Celan lebte seit 1948 in Paris. 1952 erschien seine zweite Gedichtsammlung *Mohn und Gedächtnis*, mit der die deutschsprachige Nachkriegslyrik einen ersten Höhepunkt erreichte. Celan ist stets ein Einzelgänger geblieben. Seine Gedichte sind geprägt von Ernüchterung und Melancholie. An dem Gedicht *Todesfuge* (aus *Mohn und Gedächtnis*), das die Grausamkeiten in den Konzentrationslagern des Dritten Reiches in außerordentlich schöner und musikalischer Sprache thematisiert, entzündete sich eine anhaltende Diskussion. Theodor W. Adorno (1903–1969) faßte sie in der Frage zusammen, ob man „nach Auschwitz" überhaupt noch ein Gedicht schreiben könne, ob man diese Schrecken überhaupt in Sprache fassen könne. (In Auschwitz befand sich das größte Vernichtungslager der Nationalsozialisten.) Celan verwendete in seinen Gedichten die Sprache so, daß der Leser sich auf ihre neuen Bedeutungsmöglichkeiten einlassen muß, um dem Gehalt der Gedichte näherzukommen. 1955 folgte der Gedichtband *Von Schwelle zu Schwelle,* 1963 *Die Niemandsrose*. Celans letzter Gedichtband *Schneepart* (1971) erschien erst nach seinem Freitod. Die zunehmende Sprachverknappung machen das Verständnis seiner Gedichte schwierig. Er selbst sagte:

Das Gedicht ist einsam. Es ist einsam und unterwegs, wer es schreibt, bleibt ihm mitgegeben.

Rose Ausländer (1907–1988)

Eine Nähe zu der Lyrik Celans bemerkt man bei Rose Ausländer. Ihre Themen sind zunächst von der Situation des Exils während des Zweiten Weltkriegs bestimmt. 1967 erschien die Gedichtsammlung *36 Gerechte*. R. Ausländer verließ sich in ihren Gedichten auf den Moment, auf das gerade Geschehende, und verlieh ihm Worte:

Meine bevorzugten Themen? Alles – das Eine, und das Einzelne, Kosmische, Zeitkritik, Landschaften, Sachen, Menschen, Stimmungen, Sprache – alles kann Motiv sein.

Ilse Aichinger

I. Aichingers lyrische Kurztexte erschienen erst 1978 unter dem Titel *Verschenkter Rat*. Bei ihr fließen Realismus und Surrealität ineinander. Ihr lyrisches Ich drückt aus, was sich um sie herum bewegt und verändert: die österreichische Landschaft, Dörfer, Alpen, das offene Land. I. Bachmann sagte über den Schriftsteller:

Ingeborg Bachmann (1926–1973)

Alle Fühler ausgestreckt, tastet er nach der Gestalt der Welt, nach den Zügen der Menschen in dieser Zeit.

Ihre ersten Veröffentlichungen *Die gestundete Zeit* (1953) und *Anrufung des großen Bären* (1956) machten sie schnell als Lyrikerin bekannt. Ihre Nähe zu Rilke (s. S. 179) fiel bald auf; man findet bei ihr eine Symbiose von Tradition und Aktualität, von Poesie und Intellekt und eine Bereitschaft, alles in sich aufzunehmen. Das lyrische Ich faßt die nicht zufriedenstellende Realität in Worte. I. Bachmann erprobte stets neue Formen; sie benutzte strenge Reimmuster, aber auch sehr kunstvolle freie Rhythmen. In ihrer Affinität zum Romanischen, der Liebe zur Musik (sie schrieb Libretti für den Komponisten Hans Werner Henze) und im vorsichtigen Experimentieren mit der Sprache steht sie H. von Hofmannsthal (s. S. 176) nahe.

Die große Fracht

Die große Fracht des Sommers ist verladen,
das Sonnenschiff im Hafen liegt bereit,
wenn hinter dir die Möwe stürzt und schreit.
Die große Fracht des Sommers ist verladen.

Das Sonnenschiff im Hafen liegt bereit,
und auf die Lippen der Galionsfiguren
tritt unverhüllt das Lächeln der Lemuren.
Das Sonnenschiff im Hafen liegt bereit.

Wenn hinter dir die Möwe stürzt und schreit,
kommt aus dem Westen der Befehl zu sinken;
doch offnen Augs wirst du im Licht ertrinken,
wenn hinter dir die Möwe stürzt und schreit.

Sieben Erzählungen, 1961 unter dem Sammeltitel *Das dreißigste Jahr* erschienen, kreisen alle um die Suche nach Wahrheit, Freiheit und Gerechtigkeit. I. Bachmann versucht, den Widerspruch zwischen dem Sprechen und dem Handeln darzustellen, z. B. in *Alles*:

Und ich wußte plötzlich: alles ist eine Frage der Sprache und nicht nur dieser einen deutschen Sprache, (...) Denn darunter schwelt noch eine Sprache, die reicht bis in die Gesten und Blicke, das Abwickeln der Gedanken und den Gang der Gefühle, und in ihr ist schon all unser Unglück.

I. Bachmanns Erzählsammlung *Simultan* (1972) und ihr einziger vollendeter Roman *Malina* (1971) fanden bei den Kritikern zunächst nicht die gleiche Anerkennung wie ihre Gedichte. *Malina* bildet zusammen mit den beiden Fragment gebliebenen Romanen *Der Fall Franza* (1979) und *Requiem für Fanny Goldmann* (1979) den Zyklus ,,Todesarten". Las man *Malina* zunächst nur als radikale Anklage gegen die Ohnmacht von Frauen in der Männergesellschaft, so erkannte man im Zusammenhang mit der Diskussion postmoderner Positionen und Schreibweisen in den 80er Jahren die innovative ästhetische Leistung dieses Romans.

Hörspiel

Als Muster in der Gattung des Hörspiels gilt I. Bachmanns *Der gute Gott von Manhattan* (1958). Der gute Gott ist von der verderblichen Kraft der Liebe überzeugt, deshalb hat er Jennifer getötet und dadurch das Liebespaar Jan und Jennifer getrennt. Wie in einem analytischen Drama (s. S. 83) ist die Katastrophe bereits geschehen. Neu ist, daß in wechselnden Szenen die Zeitebenen vor und nach der Katastrophe und der Prozeß um die Schuldfrage dargestellt werden.
Celan, Ausländer, Aichinger und Bachmann wurden schon früh außerhalb Österreichs beachtet. Für die noch jüngeren Autoren war eine Gruppenbildung im eigenen Lande unbedingt notwendig, um ihnen und ihren Werken einen Sammelpunkt zu schaffen.

,,Forum Stadtpark" in Graz

1959 wurde in Graz der Verein ,,Forum Stadtpark" gegründet, dessen Zeitschrift *manuskripte* ab 1960 erschien. Der Verein etablierte sich in einem Haus in Graz, um allen Künsten (zeitgenössischer Literatur,

Musik, Malerei und Plastik) ein Zentrum zu bieten. Dieser feste Bezugspunkt garantierte, daß die Grazer Gruppe nicht so schnell auseinanderfiel, wie andere Gruppierungen junger Autoren (s. o. „Wiener Gruppe"). Für die österreichische Nachkriegsliteratur ist das „Forum Stadtpark" die wichtigste Institution. Alle bekannten zeitgenössischen Autoren nahmen daran teil. Man war offen für alles Neue im Bereich der Kunst und Literatur. Heute ist der aus dem „Forum Stadtpark" hervorgegangene „Steirische Herbst" eine über die Grenzen Österreichs hinaus bekannte Veranstaltung (Lesungen mit Preisvergabe, Neue Musik usw.), die einmal jährlich im Herbst in Graz/Steiermark stattfindet.

„Österreichische Gesellschaft für Literatur"

1961 wurde von Regierungsseite die „Österreichische Gesellschaft für Literatur" gegründet, die nicht nur Lesungen veranstaltete, sondern auch Stipendien an Autoren und Literaturwissenschaftler vergab und der österreichischen Literatur im Ausland mehr Geltung verschaffen wollte.

Prosa
Elias Canetti (1905–1994)

E. Canetti war ein Autor, der Brücken zwischen den Generationen geschlagen hat. Er ist spanisch-jüdischer Herkunft und rechnete sein Werk zur österreichischen Literatur. 1963 las er in der „Österreichischen Gesellschaft für Literatur". Canetti hatte auch schon vor dem Zweiten Weltkrieg Werke veröffentlicht (z. B. *Die Blendung*, 1935/36, dieser Roman wurde aber erst in den 60er Jahren rezipiert). Sein Hauptwerk, die kulturphilosophische Schrift *Masse und Macht* (1960), gibt eine zum Teil sehr eigenwillige Analyse der modernen Gesellschaft. *Die Stimmen von Marrakesch. Aufzeichnungen nach einer Reise* (1967) entstand nach einer fast zufälligen Reise dorthin. Die Aufzeichnungen stehen in der Tradition der Reiseliteratur. Es sind vierzehn Miniaturen, in denen das Altvertraute und das Exotische einer orientalischen Stadt eingefangen wurden. Die Armut und die Sehnsucht nach einem bißchen Glück kommen hier zum Ausdruck:

> Am meisten Zulauf haben die Erzähler. Um sie bilden sich die dichtesten und auch die beständigsten Kreise von Menschen. (...) Ihre Worte kommen von weiter her und bleiben länger in der Luft hängen als die gewöhnlicher Menschen.

Autobiographisches Erzählen

1977 erschien *Die gerettete Zunge. Geschichte einer Jugend,* 1980 wurde diese Autobiographie fortgesetzt mit *Die Fackel im Ohr. Lebensgeschichte 1921–1931.* Canetti beschreibt minutiös seine Kindheit in Bulgarien und England, in Wien und Zürich. Er berichtet vom frühen Tod des Vaters und vom Verhalten der Mutter, die dem Sohn den Weg in die Weltliteratur wies. Diese Ende der 70er Jahre erschienene Autobiographie ist kein Einzelphänomen.

Eine Entwicklung hin zur autobiographischen Literatur kann man auch bei Thomas Bernhard und Peter Handke beobachten. Beide Autoren waren in Graz am „Forum Stadtpark" beteiligt, Handke jedoch weit engagierter als Bernhard.

Thomas Bernhard
(1931–1989)

Th. Bernhard war ein sehr „erfolgreicher Außenseiter“ der österreichischen Literatur. Er begann mit düsterer Lyrik, setzte sein Werk aber bald mit Romanen und verschiedenen Theaterstücken fort. Er selbst bezeichnete sich als „Geschichtenzerstörer“. Bernhards erster Roman *Frost* (1963) wurde zunächst als „negativer Heimatroman“ interpretiert. Das ist nicht im traditionellen Sinn zu verstehen. Für die Figuren in Bernhards Werk kann es eigentlich nirgends „Heimat“ geben. *Frost* ist ein Bericht in der Ich-Form. Ein Medizinstudent soll in einem abgelegenen Dorf bei Salzburg einen als verrückt geltenden Maler beobachten. Sein Bericht gibt die sich steigernden Ausbrüche des Malers wieder, der an der Atmosphäre des Frosts, an der eisigen Kälte unter den Menschen leidet. Eines Tages verschwindet der Maler, sein Ende bleibt ungewiß. Die weiteren Romane von Bernhard zeigen, daß das Negative zu seinem Programm gehörte. Seine Themen waren Krankheit und Tod, Selbsthaß und Selbstmord, Verstörung und Verbrechen. Die oft monotone, abweisend wirkende Erzählhaltung stellt ein positives Weltbild in Frage und wirkt provozierend. Die Romane *Die Ursache. Eine Andeutung* (1975), *Der Keller* (1976) und *Der Atem* (1978) stellen Österreich als das Negative schlechthin dar; sie sind die Salzburger Autobiographie Bernhards, die er mit weiteren Romanen fortsetzte. Hier wirkt die einst glanzvolle österreichische Politik nach, der das heutige Österreich – nach Meinung Bernhards – kaum etwas Gleichwertiges entgegensetzen kann. Der „Habsburgische Mythos“ kann nur noch lähmend wirken, wie es in *Holzfällen. Eine Erregung* (1984) noch einmal deutlich wird.

Peter Handke
(*1942)

In den 60er Jahren begann Peter Handkes erfolgreiche Karriere als Schriftsteller und Dramatiker. 1966 verschaffte ihm sein spektakulärer Auftritt bei der (westdeutschen) „Gruppe 47“ (s. S. 238) während einer Tagung in Princeton/USA die Neugier der Kollegen und des Publikums. Handke wandte sich gegen die sogenannte „impotente Beschreibungsliteratur“. Handkes frühe Stücke zeigen eine Abkehr von Handlungsabläufen oder Fabeln (wie es auch für die frühen Romane von Th. Bernhard gilt). Doch in den folgenden Romanen verzichtet Handke keineswegs mehr auf das Erzählen von Geschichten und Handlung. Das bestätigen Werke wie *Der kurze Brief zum langen Abschied* (1972) und *Wunschloses Unglück* (1972). Beide Erzählungen sind autobiographisch gefärbt. *Das Gewicht der Welt. Ein Journal* (1977) schwankt zwischen Tagebuch und Materialsammlung. Handke registrierte hier über einen Zeitraum von einigen Monaten alle sprachlichen Wahrnehmungen, ohne sie zu differenzieren. *Kindergeschichte* (1981) ist eine ebenfalls genau registrierende Darstellung, in der es um das Verhältnis zwischen Vater und Kind geht. Handke stellt nicht nur die Freude dar, die ein Kind bedeuten kann, sondern er erzählt auch vom Gefühl der Einengung, vom Verzicht auf eigenes Leben für das Leben des Kindes: ein Opfer, das Wut und Haß wecken kann, das aber auch zu einem neuen Verhältnis des Erwachsenen zu sich selbst führen kann. *Der Chinese des Schmerzes* (1983) berichtet von der langsamen

Erkenntnis des Lehrers Loser, daß er seine eigene Mitte nur mit Hilfe eines anderen Menschen wiederfinden kann, daß es keinen Sinn hat, sich zurückzuziehen. „Auf dem Weg hin und her mäandernd und doch zielstrebig", so kann man Losers Entwicklung, aber auch Handkes Erzählweise beschreiben. Mit seinen drei Prosawerken *Versuch über die Müdigkeit* (1989), *Versuch über die Jukebox* (1990) und *Versuch über den geglückten Tag* (1991) und ausführlicher dann in *Mein Jahr in der Niemandsbucht. Ein Märchen aus den neuen Zeiten* (1994) wendet sich Handke den kleinen Dingen des Lebens zu und beschreibt Momentaufnahmen aus dem Alltag.

Gert Jonke (*1946)

Gert Jonke gehört ebenfalls zu den Schriftstellern aus dem „Forum Stadtpark". Sein *Geometrischer Heimatroman* (1969) beschreibt einen Dorfplatz, den zwei Personen überqueren wollen, ohne daß sie dabei gesehen werden. Sie warten daher, bis der Platz leer ist und beobachten dabei die Menschen. Die Idylle wirkt weder gemütlich noch liebenswert. Jonke hat nicht nur die Szenerie geometrisch angeordnet und beschrieben, sondern auch den Roman streng aufgebaut. Seine Art, die Sprache zu benutzen, läßt Unsicherheit entstehen; alle Wahrnehmungen der Menschen in diesem Roman sind möglicherweise auch Täuschungen. In Jonkes Künstlererzählungen *Schule der Geläufigkeit* (1980) kann man Wirklichkeit und Phantasie am Ende nicht mehr voneinander trennen: In der Erzählung *Die Gegenwart der Erinnerung* hängt der Photograph Diabelli für ein Sommerfest Bilder in seinem Garten auf, die den durch sie verdeckten Ausschnitt genau wiedergeben. Die Gäste dieses Gartenfestes und Diabelli selbst werden schließlich Opfer ihrer eigenen Manipulationen an der Wirklichkeit. Niemand weiß, ob er im Moment handelt oder ob er sich nur an gleiche Handlungen erinnert. Die Frage des Romans, was Wirklichkeit ist und was Kunst, knüpft an Ideen der Romantik an.

Gerhard Roth (*1942)

Aus der Enge ausbrechen wollen die Figuren in Gerhard Roths Romanen. In *Der große Horizont* (1974) leidet die Hauptfigur Haid unter Verfolgungswahn, in *Winterreise* (1978) versucht der Lehrer Nagl, aus der Alltagsnormalität auszubrechen, indem er mit einer ehemaligen Geliebten in das winterliche Italien fährt:

> Er fuhr in der Eisenbahn und bemerkte, daß er über die Erde dachte, wie über ein fremdes Gestirn, dem man aus der Unendlichkeit des Raumes nicht ansehen konnte, daß Menschen es bewohnten, als lebte er selbst nicht auf ihm, sondern außerhalb. Er hatte das Gefühl, als sei er aus der Erde gefallen.

Auch die Beziehung zu Anna kann ihm dieses Gefühl nicht nehmen, sie erschöpft sich nur noch in rastloser sexueller Befriedigung. Am Ende kauft Nagl ein Ticket nach Fairbanks/Alaska, er geht in die Einsamkeit des ewigen Eises. Roth thematisiert in seinen Romanen ein „Unbehagen in der Kultur" (so der Titel eines Essays von S. Freud, 1930).

Wie viele andere scheint Peter Rosei bei Thomas Bernhard gelernt zu

Peter Rosei (*1946)

haben. In seinen jüngsten Erzählungen wird eine traditionelle Handlungsstruktur immer mehr reduziert bzw. umgekehrt, z. B. in dem kurzen Roman *Wer war Edgar Allan?* (1977). Ein junger Österreicher lebt in Venedig ein Doppelleben. Er hört von dem Tod einer Rauschgiftsüchtigen und lernt einen Herrn namens Edgar Allan kennen, den er als seinen Doppelgänger empfindet. Schließlich fragt er sich, ob er vielleicht selbst an dem Todesfall beteiligt war. So gelingt Rosei die Beschreibung der völligen psychischen Auflösung eines Individuums.

Frauenliteratur: Barbara Frischmuth (*1941)

Auch österreichische Autorinnen leisteten einen Beitrag zum Thema der Frauenemanzipation. In B. Frischmuths erstem Roman *Klosterschule* (1968) machen sich die Erkenntnisse ihres Sprachstudiums bemerkbar, aber auch die Hinwendung zum Genre der Frauenliteratur. In vierzehn Kapiteln werden Situationsbeschreibungen junger Mädchen in einem katholischen Internat gegeben. Diese Beschreibungen entlarven eine Vorstellungswelt, die von den vielen Regeln und starren Sprachmustern (Sprüche, Redewendungen) im Internat geprägt ist und einem Einfluß von draußen kaum eine Chance läßt. Der erste Roman ihrer Trilogie *Die Mystifikationen der Sophie Silber* (1976) erzählt von einer Schauspielerin, *Amy oder die Metamorphose* (1978) berichtet von der ersten Schwangerschaft einer jungen Frau. Ihren Abschluß findet die Trilogie mit *Kai und die Liebe zu den Modellen* (1979). Durch ihren Sohn Kai erfährt Amy ihre eigene Rolle als Frau und Mutter neu. B. Frischmuth bezog in diese Romane auch den Bereich des Mythischen mit ein, sie verband übergangslos die Wirklichkeit mit Traum und Phantasie.

Elfriede Jelinek (*1946)

Die Klavierspielerin (1983) von E. Jelinek handelt von einer Künstlerin, die das Künstlertum von Kindheit an nur als eine Form der Tyrannei empfunden hat. Ihre Flucht vor dieser Tyrannei, ihre Flucht vor der Mutter hinein in das Leben, in sexuelle Perversionen, machen sie erneut abhängig. E. Jelinek beschreibt diese Folge von Abhängigkeiten. Sie urteilt nicht, sondern läßt die Erzählung für sich selbst sprechen.

Julian (Jutta) Schutting (*1937)

Eine Nähe zu Handke und den Einfluß des österreichischen Sprachphilosophen L. Wittgenstein kann man in den Gedichten und Erzählungen von J. Schutting erkennen. Der erste Gedichtband *In der Sprache der Inseln* (1973) beinhaltet „Dinggedichte" (s. S. 179), in denen sich die Begriffe oft von dem lösen, was sie bezeichnen. So entsteht eine „inselselige" Sprache, eine „Sprache der Inseln". *Salzburg retour. Trauermusik: Thema und Variationen* (1978) und *Der Vater* (1980) haben den Tod zum Thema. Melancholie und Trauer bestimmen die Erzählung *Salzburg retour;* in *Der Vater* wird die Beziehung einer Tochter zu ihrem Vater nach dessen Tod hinterfragt.

Brigitte Schwaiger (*1949)

Das gleiche Thema hat B. Schwaigers Roman *Lange Abwesenheit* (1978), in dem sie das langwierige Sterben ihres Vaters aus der Rückschau darstellt. Ihr Ich-Roman *Wie kommt das Salz ins Meer* (1977) zeigt den schleichenden Prozeß des Aktivwerdens einer jungen Frau.

Sie entwickelt sich vom „gedachten Nein“ bei ihrer Hochzeit hin zum „ausgesprochenen Nein“ bei der Scheidung von ihrem Mann.

Drama seit Mitte der 60er Jahre

Das moderne österreichische Theater erlangte erst Mitte der 60er Jahre wieder größere Bedeutung.
Ein wesentlicher Bezugspunkt aus der eigenen Tradition war das Volksstück, als dessen „Vater“ Ödön von Horváth in den 60er Jahren in Österreich gleichermaßen wiederentdeckt wurde wie in der Bundesrepublik (s. S. 210ff., 247f.). Weitere Impulse kamen von der „Wiener Gruppe“, die bereits in den 50er Jahren erste Versuche unternommen hatte, die Techniken der experimentellen Lyrik im dramatischen Bereich umzusetzen (s. S. 290f.).

Peter Handkes Theatertheater

Daran knüpfte P. Handke mit seinen „Sprechdramen“ an. Mit dem Begriff „Theatertheater“ faßt er die Bühne auf als „Spielraum zur Schaffung bisher unentdeckter innerer Spielräume des Zuschauers“: Theater soll das Bewußtsein des einzelnen für Genauigkeit schulen, es soll empfindlich und reizbar machen. Es soll „Mittel [sein], auf die Welt zu kommen“. In seinem ersten Stück *Publikumsbeschimpfung* (Uraufführung 1966), auf das man mit „Autorenbeschimpfung“ reagierte, ist der Titel Programm. Es kehrt das Verhältnis zwischen Schauspielern und Publikum um:

Sie werden beschimpft werden, weil auch das Beschimpfen eine Art ist, mit Ihnen zu reden. Indem wir beschimpfen, können wir unmittelbar werden. Wir können einen Funken überspringen lassen.

Das Stück hat keine Handlung im herkömmlichen Sinn. Der sich steigernde Akt der Beschimpfung des Publikums ist ein Angriff auf die Institution des Theaters, das den Zuschauer in der Rolle des passiven Konsumenten beläßt. Die Bühne wird zu einem künstlichen „Sprach- und Sprechraum“. Das zweite Sprechstück *Kaspar* (Uraufführung 1968) zeigt, wie „jemand durch Sprechen zum Sprechen gebracht werden kann. Das Stück könnte auch Sprechfolterung heißen“. *Kaspar* baut auf der Vorlage des historischen Kaspar Hauser (1812–1833) auf, der als Kind verschleppt wurde, die ersten Lebensjahre isoliert in einem Gefängnis verbrachte, und die menschliche Sprache erst mühsam im Erwachsenenalter erlernte. Distanzierte sich Handke in seinen frühen Stücken von einer Handlung im traditionellen Sinn (s. o.), so verzichtete er in den späteren Stücken sogar auf das Sprechen. *Die Stunde da wir nichts voneinander wußten* (Uraufführung 1992) besteht nur aus Regieanweisungen.

Thomas Bernhard

Anfang der 70er Jahre eroberte sich auch Th. Bernhard seinen Platz im österreichischen Drama der Gegenwart. Wie seine Prosa schaffen auch seine Dramen eine trostlose Atmosphäre, eine Welt der Kälte, in der Krankheit, Wahnsinn und Tod auf makabre Art zu Themen mit Variationen werden. Nach seinem ersten Stück *Ein Fest für Boris* (Uraufführung 1970) verging bis zu seinem Tod 1989 kaum ein Jahr, in dem nicht ein neues Bernhard-Stück uraufgeführt wurde, u.a. 1972 *Der Ignorant und der Wahnsinnige,* 1974 *Die Jagdgesellschaft,* 1981 *Über allen Gipfeln ist Ruh'* und 1988 sein letzter großer Erfolg *Heldenplatz.* Ging es Handke um eine „Publikumsbeschimpfung, so hatte Bernhard eine Österreichbeschimpfung im Sinn: „Daß ich ein Österreicher bin / ist mein größtes Unglück" sagt die Hauptfigur in *Heldenplatz.* In dem Stück wird eine jüdische Familie vorgeführt, die nach der Rückkehr aus dem englischen Exil nach Wien am alten und neuen Antisemitismus zugrundegeht. Zu Beginn des Stücks ist der Held bereits tot. Er hat sich aus dem Fenster eines Hauses am Wiener Heldenplatz gestürzt, dem Platz, auf dem Hitler 1938 von vielen Österreichern jubelnd begrüßt wurde. Die Angehörigen erinnern sich in Monologen an die Ereignisse, die zu dem Selbstmord führten. Immer wieder macht Bernhard das Theater zum Ort der Reflexion über sich selbst und über die Kunst. Die Theaterwelt wird zu einem Zeichensystem, das auf sich selbst verweist – eine Entwicklung, die auch E. Jelineks Stücke erkennen lassen und fortführen. Ihr erstes Stück *Was geschah, nachdem Nora ihren Mann verlassen hatte oder Stützen der Gesellschaften* wurde 1979 beim „Steirischen Herbst" in Graz uraufgeführt. Ibsens Nora-Figur (s. S. 165) bricht zwar aus ihrer Ehe aus, bleibt aber auf vielschichtige Weise in traditionellen Strukturen gefangen. Neben Montagetechnik und experimentellen Elementen sind Jelineks Stücke dadurch charakterisiert, daß ihre Figuren als Sprachschablonen erscheinen. Sie artikulieren beständig ihre Interessen und kommentieren ihr eigenes Handeln:

Selbstreflexion des Theaters

Elfriede Jelinek

Figuren als Sprachschablonen

> Nora: Ich bin keine Frau, die von ihrem Mann verlassen wurde, sondern eine, die selbsttätig verließ, was seltener ist. Ich bin Nora aus dem gleichnamigen Stück von Ibsen. Im Augenblick flüchte ich aus einer verwirrten Gemütslage in einen Beruf.

In ihrem nächsten, 1982 uraufgeführten Stück dramatisiert Jelinek die Biographie einer Künstlerin: *Clara S. musikalische Tragödie* zeigt Berührungspunkte zu ihrem Roman *Die Klavierspielerin* (s. o.). Nach der mit der Sprache experimentierenden Posse *Burgtheater* (Uraufführung 1985) machte Jelinek vor allem mit *Krankheit oder Moderne Frauen* (Uraufführung 1987) von sich reden. Das Stück ist ein von Blut und Gewalt geprägtes Horrorszenario, in dem am Ende ein weibliches Doppelgeschöpf in einer von Männern geschaffenen Todeslandschaft erschossen werden muß, weil es zum Monster gerät. Der einzige Raum für Frauen ist die Krankheit: „Ich bin krank, also bin ich", definiert sich Carmilla, die eine Hälfte des Doppelwesens. Jelineks Stücke sind alle von tiefem Pessismismus getragen: Ihre Kritik am Patriarchat läßt in der Konsequenz nicht den Optimismus zu, der die Frauenbewegung in den 70er Jahren beflügelt hatte. Jelineks Patriarchatskritik intendiert immer auch die Enthüllung faschistischer Strukturen.

Patriarchatskritik auf der Bühne

Werner Schwab (1958–1994)

Anfang der 90er Jahre trieb der junge Grazer Dramatiker W. Schwab die Bösartigkeit Bernhards und Jelineks noch weiter. In Stücken wie

Volksvernichtung oder Meine Leber ist sinnlos (Uraufführung 1991) oder *Pornogeographie. Sieben Gerüchte* (Uraufführung 1993) brachte er sexuelle Perversionen und exzessive menschliche Verhaltensweisen auf die Bühne.

Neues Volksstück
Peter Turrini (*1944)

Einige österreichische Autoren berufen sich auf das Volksstück als Theatertradition im Sinne von Fleißer und Horvath (s. o.). 1971 wurde P. Turrini mit seinem provokativen Stück *Rozznjogd* („Rattenjagd"), uraufgeführt am Wiener Volkstheater, über Nacht bekannt und handelte sich damit das Image des Bürgerschrecks ein. In *Rozznjogd* stehen im Mittelpunkt Metaphern: die Welt als Müllhalde und der Mensch als Ratte. Damit kritisiert Turrini die Verbindung von Kapitalismus und Konsum. Seine Direktheit erzielt das Stück durch die in Wiener Mundart gehaltenen Dialoge. Auch Turrinis 1972 uraufgeführtes Volksstück *Sauschlachten* ist eine zynische Parabel von der Vernichtung eines Außenseiters.

Felix Mitterer (*1948)

Außenseiter

Ende der 70er Jahre entstehen die ersten Stücke des Tirolers F. Mitterer, der sich dem Realismus des klassischen Volksstücks wieder annähert. Die Dorfgemeinschaft rückt in den Mittelpunkt, ihr Umgang mit Autoritäten und Außenseitern wird in fast naturalistischer Weise dargestellt. Die Stücke wenden sich gegen die Unterdrückung von Sexualität durch religiöse Moralvorstellungen und gesellschaftliche Restriktionen, z. B. *Stigma. Eine Passion* (Uraufführung 1982). Die Ausgrenzung von Außenseitern verurteilt das Stück *Sibirien. Ein Monolog* (Uraufführung 1989). *Kein schöner Land,* das 1987 in Innsbruck uraufgeführt wurde, zeigt die Auseinandersetzung mit der Zeit des Nationalsozialismus.
Wolfgang Bauer (*1941) beschäftigt sich in seinen Stücken *Party for Six* (Uraufführung 1967) und *Magic Afternoon* (Uraufführung 1968) mit frustrierten und des Lebens überdrüssigen Außenseitern der Gesellschaft. Dabei erweitert er diese Problematik um seine kritische Haltung gegenüber der kapitalistischen Konsumgesellschaft, die sich nach dem Krieg entwickelt hat.

Prosa seit den 70er Jahren
Josef Winkler (*1953)

In der Prosa seit den 70er Jahren spielen wiederum die Ausgestoßenen, meistens aus der dörflichen Gemeinschaft, häufig die Hauptrolle. In J. Winklers Romanerstling *Menschenkind* (1979) geht es um ein Ereignis, das sich nach Aussagen des Erzählers in den 70er Jahren in dessen Heimatort zugetragen hat: Zwei Jugendliche haben sich gemeinsam auf einem Heuboden erhängt. Das erfährt der Leser bereits aus der Vorbemerkung des Erzählers. Grund für ihren Selbstmord ist die Intoleranz der Dorfgemeinschaft gegenüber der ausgelebten Homosexualität der beiden Jungen. Religion, Sexualität, Eros und Tod stehen bei Winklers Darstellung im Mittelpunkt der Problematik. Später bezieht er sich mit seinen Werken auf literarische Vorbilder: 1992 erscheint sein Essay *Das Zöglingsheft des Jean Genet,* mit dem sich Winkler auf die Spuren seines literarischen „Übervaters" Genet (1910–1986) begibt, der als Außenseiter der bürgerlichen Gesellschaft schlechthin gilt.

Vater-Sohn-Konflikt

Die Auseinandersetzung mit der väterlichen Autorität ist ein weiterer Themenschwerpunkt in der Prosa der jüngeren Generation. Winkler verarbeitet diese Auseinandersetzung in seinem 1980 erschienen Roman *Der Ackermann aus Kärnten,* der sich ebenfalls auf den Doppel-Suizid im Dorf bezieht. Von Sprachverlust als Folge einer gescheiterten Vater-Sohn-Beziehung erzählt Norbert Gstrein (*1961) in seinem Roman *Das Register* (1992). In seiner Debüterzählung *Einer* (1988) ist Jakob, der verstörte Held, auch erzählperspektivisch ausgegrenzt. Die Mutter, Brüder und Bekannte aus dem heimatlichen Bergdorf berichten über ihn und seine Außenseiterrolle; Jakob selbst bleibt in der Gemeinschaft wie auch im Text sprachlos. In seiner 1993 erschienenen Novelle *O2* wählt Gstrein einen bereits von Jean Paul bearbeiteten Stoff: Eine historische Ballonfahrt zweier konkurrierender Wissenschaftler zwischen Augsburg und dem Tiroler Ötztal liegt der Novelle als Handlung zugrunde. Das eigentliche Thema ist allerdings die Sprache als Werkzeug der Macht. Gstrein spielt in diesem Text mit der klassischen Novellenform. Die Novelle beginnt mit dem Aufstieg des Ballons und endet mit seiner Bruchlandung. Der spielerische Umgang mit einer bestehenden Textform reiht Gstreins Novelle in die Kategorie „postmodern" ein.

Sprachlose Außenseiter

Postmoderne Erzählverfahren

Christoph Ransmayr (*1954)

Rückgriff auf antike Mythen

Diese Bezeichnung trifft auch auf Chr. Ransmayrs sehr erfolgreichen Roman *Die letzte Welt* (1988) zu. „Postmodern" ist hier die Auffassung von Geschichte als bereits erzählter Geschichte, d. h. es gibt intertextuelle Bezüge, in diesem Fall zu Ovids *Metamorphosen*. Ransmayrs Roman erzählt von einer Reise auf den Spuren Ovids in den Ort Tomi am Schwarzen Meer, wohin Ovid von Kaiser Augustus verbannt wurde. Die fiktive Hauptfigur Cotta, ein römischer Freund Ovids, versucht, den in Rom kursierenden Gerüchten von Ovids Tod auf die Spur zu kommen. Außerdem versucht Cotta, mit Ovid auch dessen Hauptwerk, die *Metamorphosen* wiederzufinden, von dem es heißt, der Dichter hätte es vernichtet. In postmoderner Erzählweise wird Cottas Realitität von mythischen Figuren aus Ovids *Metamorphosen* durchkreuzt. Dem Leser bietet das „Ovidische Repertoire" im Anhang Hilfe in diesem literarischen Referenzspiel. Die scharfe Trennung unterschiedlicher Zeitebenen ist in diesem Roman aufgehoben. Die Figur Cotta bewegt sich simultan in der römischen Zeit und in der Gegenwart, so wird er z. B. im antiken Tomi Zeuge einer Kinovorführung.

Lyrik der 80er und 90er Jahre

Auch in der österreichischen Lyrik der 80er und beginnenden 90er Jahre ist die Anspielung auf literarische Texte und literarische Textformen ein häufiges Verfahren.

Robert Schindel (*1944)

In R. Schindels Gedichten nimmt das lyrische Ich den Dialog zu Autoren wie Hölderlin, Trakl und Celan auf. Häufig wird von Schindel die Form des Sonetts, der Elegie und der Ballade aufgegriffen. Zentrale Themen in seinen Gedichtbänden *Ohneland. Gedichte vom Holz der Paradeiserbäume 1979–1984* (1986), *Geier sind pünktliche Tiere* (1987), *Im Herzen die Krätze* (1988) und *Ein Feuerchen im Hintennach.*

Gedichte 1986–1991 (1992) wie auch in seinem 1992 erschienenen Roman *Gebürtig* sind der Umgang der jüngeren jüdischen Generation mit dem Holocaust und das Zusammenleben von Juden und Nichtjuden. Dabei spielt seine Heimatstadt Wien immer wieder eine wichtige Rolle wie z. B. in *Vineta I*:

Ich bin ein Jud aus Wien, das ist die Stadt
Die heiße Herzen, meines auch, in ihrem Blinddarm hat
Die schönste Stadt der Welt direkt am Lethefluß
Ich leb in ihr, in der ich soviel lachen muß

Alfred Kolleritsch (*1931)

Auf die Elegien Rilkes besinnt sich A. Kolleritsch in seinen Gedichten, die eine modifizierte, der Gegenwart angepaßte, nicht strenge Form der Klage darstellen. Die Erfahrungen schmerzhafter Trennung und Selbstzweifel stehen im Mittelpunkt der melancholisch gefärbten Lyrik, deren bildhafte Sprache sehr philosophisch ist. 1978 veröffentlichte Kolleritsch den Band *Einübung in das Vermeidbare.* Das Vermeidbare im Gegensatz zum Unvermeidbaren läßt hier Spielräume für poetische Entfaltung individuellen Erlebens:

Wenn ich zu dir auf die Bühne komme,
ist das Spiel aus.
Wir gehen hinaus.
Wo das Meer ist,
könnte ich schwimmen,
wären wir eins geblieben.
(Auszug)

Peter Waterhouse (*1956)
Spiel mit der Sprache

Der 1956 in Berlin geborene, seit langem in Wien lebende P. Waterhouse setzt seine sprachskeptischen Erkenntnisse in seinen Gedichten um in ein Spiel mit der Sprache und mit der Vieldeutigkeit der sprachlichen Zeichen. Dadurch wird jede endgültige Sinnzuschreibung verhindert: „Der Name der Sprache heißt: Abwesenheit. Ungarn, Donau. Pisa./ Maria. Apfelkern. uns steht ziemlich vieles zur Verfügung./ Alles flieht.“ Da Sprache und Wirklichkeit in dieser Auffassung nicht zur Deckung kommen können, gibt es für das lyrische Ich keine Möglichkeit, sich über Sprache der eigenen Identität zu vergewissern. Waterhouse spielt in seinen Gedichten mit diesem Unvermögen und der Widersprüchlichkeit der Sprache. Das Spiel mit der Sprache und der Bezug auf literarische Vorbilder werden z. B. schon am Titel des Gedichtbandes *MENZ* (1984) deutlich, einer Zusammenziehung aus „Mensch“ und dem Namen der Büchner-Gestalt „Lenz“. Der Ton der Gedichte ist nicht klagend, sondern heiter, von Sprachwitz geprägt. Auch bei Waterhouse finden sich Anklänge an Hölderlin und Trakl, aber auch an Günter Eich und die Autoren der „Wiener Gruppe“.

Lyrik im Multimediazeitalter

Diese und in ihrer Nachfolge die Vertreter der „Schule für Dichtung“ in Wien spielen für die jüngere österreichische Autorengeneration eine Vorbildrolle. Das experimentelle Moment ist im Multimediazeitalter beeinflußt vom Umgang mit dem Computer und der Videotechnik. Bei Autoren wie Elfriede Czurda, Anselm Glück, Bodo Hell oder Christian Ide Hintze treten die Verbindung von Text und Bild, von Gesprochenem und Geschriebenen in den Vordergrund. Alle diese Autoren stehen für die besondere Lebendigkeit und Innovationskraft der österreichischen Literatur, wie sie sich in den letzten Jahren gezeigt hat.

Kurzbiographien Österreich

INGEBORG BACHMANN (1926 in Klagenfurt – 1973 in Rom)
Sie studierte Philosophie an österreichischen Universitäten und promovierte mit einer Arbeit über den Philosophen Heidegger. 1951–53 war sie Rundfunkredakteurin. Ab 1953 lebte sie mit Unterbrechungen in Rom. 1955 wurde sie von der Harvard-Universität zu einer Amerikareise eingeladen, 1959 erhielt sie die Poetikprofessur in Frankfurt. Krank und vom Leben verunsichert starb sie 1973 nach einem Wohnungsbrand. Sie erhielt viele Preise, darunter 1968 den „Großen Österreichischen Staatspreis"; bereits 1953 hatte sie den „Preis der Gruppe 47" und 1959 den Hörspielpreis der Kriegsblinden bekommen.

Die gestundete Zeit (Gedichte, 1953)
Anrufung des großen Bären (Gedichte, 1956)
Der gute Gott von Manhattan (Hörspiel, 1958)
Das dreißigste Jahr (Erzählungen, 1961)
Der junge Lord (Libretto für eine Oper, 1965)
Malina (Roman, 1971)
Simultan (Erzählungen, 1972)

THOMAS BERNHARD (1931 bei Maastricht/Holland – 1989 in Gmunden/Oberösterreich)
Th. Bernhard wuchs bei seinen Großeltern auf. 1942 kam er in ein Salzburger Internat. Er nahm Gesangsunterricht, machte eine kaufmännische Lehre und arbeitete als freier Mitarbeiter bei einer Salzburger Zeitung. Bis 1957 studierte er Musik und Schauspiel am Mozarteum in Salzburg. Bernhard unternahm viele Reisen. Zwischen 1964 und 1988 erhielt der äußerst produktive Schriftsteller zahlreiche Preise, darunter 1970 den Georg-Büchner-Preis; einige Auszeichnungen lehnte er aber auch ab. Bernhard verfügte in seinem Testament, daß während der 70jährigen Dauer des Urheberrechts keines seiner Werke in Österreich aufgeführt oder publiziert werden darf.

Frost (Roman, 1963)
Ein Fest für Boris (Stück, 1970)
Der Ignorant und der Wahnsinnige (Stück, 1972)
Die Jagdgesellschaft (Stück, 1974)
Die Ursache. Eine Andeutung (Roman, 1975)
Der Keller. Eine Entziehung (Roman, 1976)
Minetti. Ein Portrait des Künstlers als alter Mann (Monolog, 1977)
Der Atem. Eine Entscheidung (Roman, 1978)
Die Kälte. Eine Isolation (autobiographische Prosa, 1981)
Über allen Gipfeln ist Ruh'. Ein deutscher Dichtertag um 1980 (Komödie, 1981)
Ein Kind (Roman, 1982)

Holzfällen. Eine Erregung (Roman, 1984)
Heldenplatz (Stück, 1988)

ELIAS CANETTI (1905 in Rustschuk, heute Bulgarien – 1994 in Zürich)
Canetti verbrachte seine Kindheit und Jugend in Rustschuk und zog mit der Familie nach England, Wien, Zürich und Frankfurt. Er beherrschte viele Sprachen, schrieb aber seine Werke auf deutsch. 1924–29 studierte er in Wien Naturwissenschaften und promovierte in Chemie. 1938 emigrierte Canetti zuerst nach Paris, dann nach London. Lange lebte er abwechselnd in London und Zürich, erst ab Ende der 80er Jahre vorwiegend in Zürich. Canetti ist mit vielen Ehren und Preisen ausgezeichnet worden, 1981 erhielt er für sein Lebenswerk den Nobelpreis für Literatur.

Die Blendung (Roman, 1935/36)
Masse und Macht (philosophische Schrift, 1960)
Die Stimmen von Marrakesch. Aufzeichnungen nach einer Reise (1967)
Die gerettete Zunge. Geschichte einer Jugend (Autobiographie 1905–1921, 1977)
Die Fackel im Ohr. Lebensgeschichte 1921–1931 (1980)
Das Augenspiel. Lebensgeschichte 1931–1937 (1985)

PAUL CELAN, eigentlich PAUL ANTSCHEL (1920 in Czernowitz/Bukowina – 1970 in Paris)
Celan begann ein Studium an der Universität in Czernowitz, kam 1942 in ein rumänisches Arbeitslager und konnte 1945 aus seiner jetzt russischen Heimat nach Bukarest ausreisen. Über Wien kam er 1948 nach Paris, wo er Germanistik studierte. In Frankreich arbeitete Celan als Sprachlehrer und Übersetzer (A. Rimbaud, P. Valéry, O. Mandelstam und W. Shakespeare). 1970 setzte er seinem Leben ein Ende.

Mohn und Gedächtnis (Gedichte, 1952)
Von Schwelle zu Schwelle (Gedichte, 1955)
Sprachgitter (Gedichte, 1959)
Die Niemandsrose (Gedichte, 1963)
Fadensonnen (Gedichte, 1968)
Schneepart (Gedichte, 1971)

HEIMITO VON DODERER (1896 in Weidlingen/Wien – 1966 in Wien)
Doderer nahm am Ersten Weltkrieg teil und geriet in russische Gefangenschaft (Sibirien). Er beendete 1925 sein Studium der Geschichte. 1938 vernichtete er sein Parteibuch der Nationalsozialistischen Partei, 1940 konvertierte er zum Katholizismus. Im Zweiten Weltkrieg war er Fliegeroffizier. Nach dem Krieg war er freier Schriftsteller und erhielt Preise und Ehrungen.

Die erleuchteten Fenster oder Die Menschwerdung des Amtsrates Julius Zihal (Roman, 1950)
Die Strudlhofstiege oder Melzer und die Tiefe der Jahre (Roman, 1951)
Die Dämonen. Nach einer Chronik des Sektionsrates Geyrenhoff (Roman, 1956)

PETER HANDKE (*1942 in Griffen/Kärnten)
Handke, der Internatsschüler war und eigentlich Priester werden sollte, studierte Jura in Graz. Dort gehörte er dem „Forum Stadtpark" an. Er gab sein Studium auf, als sein erster Roman *Die Hornissen* veröffentlicht wurde. Handke lebte in verschiedenen Städten der Bundesrepublik und Österreichs, unternahm viele Reisen und wohnt seit 1991 bei Paris. Er wurde mit zahlreichen Literaturpreisen, darunter bereits 1973 dem Georg-Büchner-Preis, ausgezeichnet, von denen er auch einige weitergab oder ablehnte.

Die Hornissen (Roman, 1966)
Publikumsbeschimpfung (Sprechstück, 1966)
Kaspar (Sprechstück, 1968)
Die Angst des Tormanns beim Elfmeter (Erzählung, 1970)
Der kurze Brief zum langen Abschied (Erzählung, 1972)
Wunschloses Unglück (Erzählung, 1972)
Die linkshändige Frau (Erzählung, 1976)
Das Gewicht der Welt. Ein Journal (1977)
Kindergeschichte (Erzählung, 1981)
Über die Dörfer (Dramatisches Gedicht, 1981)
Der Chinese des Schmerzes (Erzählung, 1983)
Der Himmel über Berlin. Ein Filmbuch (1987)
Versuch über die Müdigkeit (Prosa, 1989)
Versuch über die Jukebox (Prosa, 1990)
Versuch über den geglückten Tag. Ein Wintertagtraum (Prosa, 1991)
Die Stunde da wir nichts voneinander wußten (Schauspiel, 1992)
Langsam im Schatten. Gesammelte Verzettelungen 1980–1992 (1992)
Mein Jahr in der Niemandsbucht. Ein Märchen aus den neuen Zeiten (1994)

ERNST JANDL (*1925 in Wien)
Jandl studierte nach Rückkehr aus der Kriegsgefangenschaft Germanistik und Anglistik in Wien, 1950 promovierte er über Arthur Schnitzlers Novellen. Bis 1978 war er Lehrer an einem Gymnasium, seitdem ist er freier, vielfach ausgezeichneter Schriftsteller. Jandl gehört zu den bekanntesten experimentellen Autoren der Gegenwart. Zusammen mit Friederike Mayröcker erhielt er 1968 den Hörspielpreis der Kriegsblinden; 1984 wurde er mit dem Georg-Büchner-Preis, 1993 mit dem Kleist-Preis ausgezeichnet.

Laut und Luise (Gedichte, 1966)
Sprechblasen (Gedichte, 1968)
My right hand, my writing hand, my handwriting (Gedichte, 1976)
Das röcheln der mona lisa (Hörspiel, 1970)
Aus der Fremde (Sprechoper in 7 Szenen, 1980, Uraufführung 1979)
idyllen (Gedichte, 1989)
stanzen (Gedichte, 1992)

ELFRIEDE JELINEK (*1946 in Mürzzuschlag/Steiermark)
Jelinek verlebte ihre Kindheit und Jugend in Wien, wo sie später Kunstgeschichte, Theaterwissenschaft und Musik studierte. 1972 verbrachte sie in Berlin, 1973 folgte ein Aufenthalt in Rom. Sie lebt als freie Schriftstellerin in Wien, München und Paris. Seit 1969 erhielt Jelinek zahlreiche Ehrungen und Literaturpreise.

Was geschah, nachdem Nora ihren Mann verlassen hatte oder Stützen der Gesellschaften (erschienen 1977/78; Uraufführung 1979)
Die Klavierspielerin (Roman, 1983)
Clara S. musikalische Komödie (Uraufführung 1982, erschienen 1984)
Burgtheater. Posse mit Gesang (Uraufführung 1985, erschienen 1986)
Krankheit oder Moderne Frauen (Uraufführung 1987)
Lust (Roman, 1989)

23 Literatur der deutschsprachigen Schweiz seit 1945

Die Schweiz ist ein viersprachiges Land, in dem deutsch, französisch, italienisch und rätoromanisch gesprochen wird. Bis auf die Literatur in rätoromanischer Sprache kann man die Schweizer Literatur jeweils im Zusammenhang mit dem gleichsprachigen Nachbarland sehen.

Literatur vor 1945

Der Beitrag der Schweiz zur deutschsprachigen Literatur reicht bis in die Anfänge der schriftlichen Fixierung der Dichtung zurück: Berühmt sind die Übersetzungen des St. Galler Mönchs Notker Labeo (~950–1022) aus der lateinischen Sprache in alemannische Mundart (s. S. 17). Im 18. Jh. führten Bodmer und Breitinger ihren Literaturstreit mit Gottsched (s. S. 78). Geßners *Idyllen* (1756, s. S. 66) und Johann Caspar Lavaters *Physiognomische Fragmente* (1775–1778) sind genauso bekannt wie Albrecht von Hallers Gedicht *Die Alpen* (1732), das die schweizerische Landschaft als Rahmen für eine kulturkritische Betrachtung benutzt. Im 19. Jh. trugen J. Gotthelf, G. Keller und C. F. Meyer (s. S. 140, 160, 161) maßgeblich zur deutschsprachigen Literatur bei. Robert Walsers (1878–1956) Romane und Feuilletons entstanden in den ersten drei Jahrzehnten des 20. Jhs. Sie wurden zu dieser Zeit kaum beachtet, erleben aber seit den 70er Jahren eine Renaissance. Das gilt beispielsweise für seinen teilweise autobiographischen Roman *Der Gehülfe* (1908), einen „Auszug aus dem schweizerischen Leben" und sein Tagebuch des Internatszöglings *Jakob von Gunten* (1909), das von Walsers Aufenthalt in einer Dienerschule berichtet.
An den Literaturversuchen junger Autoren, die gegen ihre Vorgänger rebellierten und etwas Neues schaffen wollten (Sturm und Drang, Romantik, Naturalismus, Expressionismus), waren Schweizer Autoren kaum beteiligt.
Um 1916 entstand in Zürich ein Zentrum des Dadaismus (s. S. 194). Während der Zeit des Nationalsozialismus in Deutschland und in Österreich wurde die Schweiz zum ersten Fluchtziel für viele deutsche Schriftsteller, Schauspieler, Journalisten und Wissenschaftler. Vorher hatten die Schweizer Intellektuellen ihren Wirkungskreis auch in Deutschland gehabt – nun mußten sie sich den kleinen schweizerischen

Markt mit deutschen Intellektuellen teilen. Zürich wurde zum Mittelpunkt des Theaters und des Kabaretts.

Situation nach 1945

Nach 1945 war die Situation der Schweiz völlig anders als die der übrigen europäischen Länder. Die Schweiz hatte am Zweiten Weltkrieg nicht teilgenommen, sie war neutral geblieben. Doch ihre zentrale geographische Lage erforderte nun die Auseinandersetzung mit den Problemen der Nachkriegszeit.

Die Nachkriegsliteratur erfuhr von zwei Schweizer Autoren wesentliche Impulse: von Max Frisch und Friedrich Dürrenmatt. Beide gehören der Generation an, die die politische Entwicklung Deutschlands bis zum Zweiten Weltkrieg bewußt verfolgen konnte. Sie traten aber erst Ende der 50er Jahre mit politisch engagierten Werken an die Öffentlichkeit.

Max Frisch (1911–1991)

Der Erzähler und Dramatiker Max Frisch wird schon jetzt als ,,Klassiker der Moderne" bezeichnet. Seine Romane und Theaterstücke wurden in viele Sprachen übersetzt. Gleich nach dem Zweiten Weltkrieg unternahm Frisch mehrere Reisen durch Deutschland, Polen, die Tschechoslowakei und Österreich. Sein *Tagebuch 1946–1949* (1950) gibt Zeugnis von seinen Erfahrungen auf diesen Reisen. In knapper Diktion werden hier private Aufzeichnungen mit Reflexionen über Politik und Literatur kombiniert. Das Tagebuch ist von Anfang an für die Öffentlichkeit geschrieben; in der Vorbemerkung heißt es:

– einmal angenommen, daß es ihn [den Leser] gibt, daß jemand ein Interesse hat, diesen Aufzeichnungen und Skizzen eines jüngeren Zeitgenossen zu folgen, dessen Schreibrecht niemals in seiner Person, nur in seiner Zeitgenossenschaft begründet sein kann, vielleicht auch in seiner besonderen Lage als Verschonter, der außerhalb der nationalen Lager steht –

Suche nach der Identität

Zwischen diesem Tagebuch und seinen späteren Werken kann man viele Parallelen ziehen; Frischs wichtigste Themen wurden hier schon angesprochen: Die Frage, wie ein Mensch seine Identität finden und vor allem, wie er sie bewahren kann, ist das zentrale Thema von Frischs erstem Roman *Stiller* (1954). Gleich der erste Satz ,,Ich bin nicht Stiller" führt mitten in die Problematik hinein. Es geht um die Frage nach dem Bild, das sich seine Umgebung von ihm entwirft. Jim White kommt aus Amerika in die Schweiz zurück und wird an der Grenze verhaftet, weil man ihn für den Bildhauer Anatol Stiller hält. Stiller wird seit einigen Jahren vermißt, er soll in eine Agentenaffäre verwickelt gewesen sein. White leugnet, Stiller zu sein. Seine Frau Julika und seine Freunde versuchen, ihm seine Identität als Stiller zu beweisen. Der Roman besteht zum großen Teil aus Tagebuchaufzeichnungen Stillers/Whites; daneben baute Frisch Skizzen, Parabeln, Märchenhaftes sowie lyrische und dramatische Elemente ein. Auch die Problemstellung des Romans *Homo Faber* (1957) ist im *Tagebuch 1946–1949* bereits genannt. Der Techniker Walter Faber, dem nichts auf der Welt ein Rätsel ist, der alles mathematisch errechnen kann, verliebt sich in ein junges Mädchen und folgt ihm bis nach Griechenland, wo er ihren Tod verschuldet. Erst nach dem Unglücksfall erfährt Faber, daß das Mädchen Sabeth seine Tochter war.

Friedrich Dürrenmatt (1921–1990)

Neben Max Frisch ist der Dramatiker F. Dürrenmatt wichtigster Repräsentant der Schweizer Literatur. Seine Komödie *Die Ehe des Herrn Mississippi* wurde 1952 in München uraufgeführt. Sie benutzt Elemente der Kriminalkomödie, spielt in einem Biedermeierzimmer und behandelt die Gegenwart. Florestan Mississippi ist ein fanatischer Kämpfer für die Gerechtigkeit, für die er sogar Verbrechen begeht. Dürrenmatts Romane *Der Richter und sein Henker* (1952) und *Der Verdacht* (1953) sind leicht lesbare und spannungsgeladene Kriminalromane. Beide haben einen aktuellen Hintergrund. *Der Verdacht* thematisiert die Vermutung des Detektivs Bärlach, der Leiter eines Zürcher Sanatoriums sei Arzt in einem Konzentrationslager gewesen.
Der Besuch der alten Dame, eine ,,tragische Komödie in drei Akten", erschien 1956. In diesem Stück spielt die Gemeinde, der ,,Kleinstaat", eine wichtige Rolle; deswegen hat man es als ein sehr schweizerisches Stück bezeichnet. Das verarmte Dorf Güllen wird von einer amerikanischen Milliardärin besucht, die in diesem Dorf geboren wurde. Sie bietet der Gemeinde finanzielle Hilfe, fordert dafür aber den Tod ihres Jugendgeliebten. Er schickte sie vor vielen Jahren fort, als sie ein Kind von ihm erwartete. In Güllen wird dieser Handel zunächst entrüstet abgelehnt, dann siegt aber doch das Geld über die Moral. Der Jugendgeliebte ist zum Schluß derjenige, der sich opfert.

Konkrete Poesie

Eugen Gomringer wurde in den 50er Jahren bekannt für seine ,,konkrete Poesie". Diese Gedichtform sollte als ,,Gebrauchsgegenstand" den Leser unmittelbar ansprechen und sofort verständlich sein:

der heutige Mensch will rasch verstehen und rasch verstanden werden.

Eugen Gomringer (*1925)

Gomringer wollte eine Neubestimmung der Funktion des Dichters und der Dichtung in der Gesellschaft provozieren. Das neue Gedicht ist in den Teilen und als Ganzes überschaubar und auf wesentliche, knappe Formen reduziert. Die ,,konkrete Poesie" kann verschiedene Formen haben. Die Gedichte können rein akustisch oder visuell wirken, können Spielerei mit syntaktischen Formen sein oder sinnvolle Satzkonstruktionen neu kombinieren:

das schwarze geheimnis
ist   hier
hier   ist
das schwarze geheimnis

Gomringer sprach – in Anlehnung an den französischen Lyriker Mallarmé (1842–1898) – von ,,konstellationen", die den Raum des Gedichts, das Blatt Papier, miteinbeziehen und dabei neue Assoziationsmöglichkeiten schaffen. In seinem programmatischen Aufsatz *vom vers zur konstellation* (1954) heißt es:

die konstellation ist die einfachste gestaltungsmöglichkeit der auf dem wort beruhenden dichtung.

Gomringer beeinflußte die Wiener Autoren H. C. Artmann und G. Rühm (s. S. 291), die ebenfalls Mitte der 50er Jahre eine neue Lyrik vorstellten.

Lyrik

Dazu gehört auch das Werk der Lyrikerin Erika Burkart (*1922). Es umfaßt in thematischer Geschlossenheit die Vorstellung der Einheit von Ich und Natur. In ihren 1964 erschienenen Gedichten *Ich lebe* heißt es: „Gedichte sind Grade des Schweigens". Hier geht es nicht um einen unproduktiven Zustand, sondern um die sensible Aufnahme der wortlosen Sprache der Natur.

Engagiertes Drama: Frisch und Dürrenmatt

Anfang der 60er Jahre traten Frisch und Dürrenmatt mit gegenwartsbezogenen Stücken an die Öffentlichkeit und leiteten damit eine neue – engagierte – Phase der Literatur ein.

Andorra. Ein Stück in 12 Bildern (1961) von Max Frisch stellt an einem Modellfall das biblische Gebot „Du sollst dir kein Bildnis machen" auf sehr konkrete Weise dar: Andri wächst als Adoptivsohn bei einem Lehrer im Modellstaat Andorra auf. Er soll das Kind jüdischer Eltern sein. Nur der Lehrer weiß, daß Andri in Wirklichkeit sein unehelicher Sohn ist. Andri wird verachtet, die Leute entdecken an ihm „typisch jüdische Eigenschaften". Er kann sich gegen diese Feindseligkeiten nicht wehren und sieht sich schließlich selbst als Außenseiter. Andri muß als Jude, der er nicht ist, sterben. Frisch hatte in seinem *Tagebuch 1946–1949* bereits eine Prosafassung dieses mehrfach umgearbeiteten Stoffes veröffentlicht.

Bühnenmodell für Andorra

Dürrenmatt ging es in seiner „Komödie in zwei Akten" *Die Physiker* (1962) um die Verantwortung der Wissenschaftler vor der Menschheit. Der Physiker Möbius, ein naturwissenschaftliches Genie, hat sich in eine Irrenanstalt zurückgezogen und hat die Aufzeichnungen seiner Entdeckungen auf dem Gebiet der Kernphysik verbrannt, damit sie nicht zur Vernichtung der Menschheit mißbraucht werden könnten. Zwei Agenten, in Wahrheit auch Physiker, sind Möbius auf der Spur, sie tarnen sich ebenfalls im Wahnsinn. Der eine nennt sich Newton, der andere Einstein. Die Krankenschwestern, die Verdacht schöpfen, werden ermordet. Zum Schluß erklärt die Leiterin der Anstalt, sie habe alle Unterlagen kopiert, bevor Möbius sie verbrannte, die Physiker seien ihre Gefangenen. Sie können den Mißbrauch ihrer Forschungsergebnisse nicht mehr verhindern. Die wirklich Verrückte ist also die Leiterin der Irrenanstalt. Dürrenmatt erläuterte sein Stück in den folgenden 21 Punkten:

21 Punkte zu den Physikern

1. Ich gehe nicht von einer These, sondern von einer Geschichte aus.
2. Geht man von einer Geschichte aus, muss sie zu Ende gedacht werden.
3. Eine Geschichte ist dann zu Ende gedacht, wenn sie ihre schlimmstmögliche Wendung genommen hat.
4. Die schlimmst-mögliche Wendung ist nicht voraussehbar. Sie tritt durch Zufall ein.
5. Die Kunst des Dramatikers besteht darin, in einer Handlung den Zufall möglichst wirksam einzusetzen.
6. Träger einer dramatischen Handlung sind Menschen.
7. Der Zufall in einer dramatischen Handlung besteht darin, wann und wo wer zufällig wem begegnet.
8. Je planmässiger die Menschen vorgehen, desto wirksamer vermag sie der Zufall zu treffen.
9. Planmässig vorgehende Menschen wollen ein bestimmtes Ziel erreichen. Der Zufall trifft sie dann am schlimmsten, wenn sie durch ihn das Gegenteil ihres Ziels erreichen: Das, was sie befürchteten, was sie zu vermeiden suchten (z. B. Ödipus).
10. Eine solche Geschichte ist zwar grotesk, aber nicht absurd. (sinnwidrig)
11. Sie ist paradox
12. Ebensowenig wie die Logiker können die Dramatiker das Paradoxe vermeiden.
13. Ebensowenig wie die Logiker können die Physiker das Paradoxe vermeiden.
14. Ein Drama über die Physiker muss paradox sein.
15. Es kann nicht den Inhalt der Physik zum Ziele haben, sondern nur ihre Auswirkung.
16. Der Inhalt der Physik geht die Physiker an, die Auswirkung alle Menschen.
17. Was alle angeht, können nur alle lösen.
18. Jeder Versuch eines Einzelnen, für sich zu lösen, was alle angeht, muss scheitern.
19. Im Paradoxen erscheint die Wirklichkeit.

20. Wer dem Paradoxen gegenübersteht, setzt sich der Wirklichkeit aus.
21. Die Dramatik kann den Zuschauer überlisten, sich der Wirklichkeit auszusetzen, aber nicht zwingen, ihr standzuhalten oder sie gar zu bewältigen.

Friedrich Dürrenmatt

13. 2. 62.

Weder Frisch noch Dürrenmatt wollten tragische Konflikte in einer Tragödie, die individuelle Verantwortung voraussetzt, darstellen. Dürrenmatt erklärte die Komödie zur angemessenen Form der Darstellung:

> Wir sind zu kollektiv schuldig, zu kollektiv gebettet in die Sünden unserer Väter und Vorväter. Wir sind nur noch Kindeskinder. Das ist unser Pech, nicht unsere Schuld: Schuld gibt es nur noch als persönliche Leistung, als religiöse Tat. Uns kommt nur noch die Komödie bei.

Kurzprosa

Peter Bichsel (*1935)

In den 60er Jahren traten bis dahin unbekannte Schweizer Autoren an die Öffentlichkeit. 1964 erschien von Peter Bichsel *Eigentlich möchte Frau Blum den Milchmann kennenlernen*. Die kurzen Prosatexte hatten gleich großen Erfolg. Bichsel erzählt sachlich-nüchtern vom Alltag sogenannter kleiner Leute; schon der Titel weist auf das Milieu hin. Bichsels Roman *Die Jahreszeiten* (1967), für den er den Preis der Gruppe 47 (s. S. 238) erhielt, zeugt von seinem sprach- und erzählkritischen Schreiben. Dargestellt werden soll das Alltagsleben. Doch durch den leitmotivisch wiederkehrenden Satz ,,Ich stelle mir vor“ (ähnlich wie in *Mein Name sei Gantenbein* von M. Frisch, s. u.) wird das Erzählte sofort auf eine fiktive Ebene gebracht, die jedoch immer wieder von den im Erzähltext Agierenden in Frage gestellt wird.

Sprachskepsis

Schließlich rettet sich der Erzähler, indem er selbst anstelle der Hauptperson in einen Zug steigt und entschwindet. *Kindergeschichten* (1969) sind Texte, die für Kinder und Erwachsene geschrieben sind. Die Geschichte vom Mann, der seine eigene Sprache erfindet und zum Bett nun ,,Tisch“ sagt, ist für Kinder ein lustiges Verwirrspiel. Für Erwachsene ist es eine Geschichte über Sprache als Kommunikationsmittel, das aber zur Isolation führen kann. Zum Schluß versteht der alte Mann niemanden mehr, aber auch er wird von niemandem verstanden.
1985 veröffentlichte Peter Bichsel nach einigen poetologischen Arbeiten wieder eine Reihe von Erzählungen unter dem Titel *Der Busant. Von Trinkern, Polizisten und der schönen Magelone.* Auch hier spielt Bichsel, jedoch erweitert er dieses Spiel auf die Verschränkung unterschiedlicher Handlungs- und Zeitebenen und wechselnder Erzählperspektiven. Das Erzählen von alltäglichen, sich ins Ungewöhnliche steigernden Geschichten wird oft selbst zum Thema:

Und Habertruber muß gar nichts gewesen sein, nichts getan haben. Er kann ein Leben geführt haben, das nicht erzählenswert ist, trotzdem wird auch sein Leben zur Geschichte, wenn wir uns an ihn erinnern. Das genügt, um ihn zu vermissen und über seinen Tod zu weinen.

Kurt Marti (*1921)

Die Erzählungen des protestantischen Pfarrers Kurt Marti *Wohnen zeitaus* (1965) beziehen sich auf Schweizerische Verhältnisse. Es scheinen zunächst Dorfgeschichten in der Tradition des 19. Jhs. zu sein (z. B. G. Keller, *Die Leute von Seldwyla*, s. S. 161), aber in bewußtem Gegensatz dazu wollen sie auf die Verstädterung der Dörfer aufmerksam machen. In seinen Gedichten verbindet Marti Christentum und soziales Engagement. Die Sprache behält ihren Mitteilungscharakter und wird nicht – wie bei Gomringer – aus diesem Zusammenhang herausgelöst. Marti übt Kritik am Bestehenden, er untersucht Vertrautes und zerlegt es so, daß der Leser gezwungen wird, das Vertraute neu zu überdenken. 1963 erschienen die *gedichte am rand*, die einzelne Bibelstellen kommentieren (er entwarf sie zunächst ,,am Rand" neben Bibeltexten). Die 1971 herausgegebenen Gedichte der Sammlung *Heil-Vetia* (Wortspiel mit dem lateinischen Namen der Schweiz ,,Helvetia") ergeben eine kritische Bestandsaufnahme:

mein kleines land
  ,,zu manchen lastern
  sind wir nicht zahlreich genug" (a. turel)
mein sicheres land
  an deine banksafes kommt niemand heran
  aus deinen hochsicherheitszellen niemand
  heraus
mein liberales land
  jeder darf frei seine meinung äußern
  wenn ihn der Brotkorb nicht reut
mein konservatives land
  zum bestehenden das du verteidigst
  gehört die zerstörung dessen was besteht
(. . .)
mein schönes land
  wo schmucke schwermut prangt
  mit grünen soldaten mit roten geranien

Mundartliteratur

Wie in den anderen deutschsprachigen Ländern die Mundart für die Literatur wiederentdeckt wurde, so gibt es auch in der Schweiz Mundartliteratur, deren Zentrum Bern ist. Gomringer und Marti schrieben Gedichte in Mundart. Urs Widmer verwendete in seinem Zweipersonenstück *Nepal* (1977) ebenfalls Mundart, um einer allgemeinen Erfahrung noch mehr Authentizität zu verleihen.

Romane der 60er Jahre

Neben zahlreichen Prosatexten sind zwei Romane aus den 60er Jahren für die deutsche Literatur wichtig geworden: Frischs 1964 erschienener Roman *Mein Name sei Gantenbein* und der ein Jahr später von Adolf Muschg veröffentlichte Roman *Im Sommer des Hasen*. Frischs dritter Roman deutet schon durch den Konjunktiv im Titel auf die Problematik. Gantenbein stellt sich blind und wird zum genauesten Beobachter seiner Umwelt:

Ich stelle mir vor:
Sein Leben fortan, indem er den Blinden spielt auch unter vier Augen, sein Umgang mit Menschen, die nicht wissen, daß er sie sieht, seine gesellschaftlichen Möglichkeiten, seine beruflichen Möglichkeiten dadurch, daß er nie sagt, was er sieht, ein Leben als Spiel, seine Freiheit kraft eines Geheimnisses usw.
Sein Name sei Gantenbein.
Ich probiere Geschichten an wie Kleider!

Adolf Muschg (*1934)

Muschg erzählt in *Im Sommer des Hasen* (1965) von sechs jungen Autoren, die von einer Schweizer Exportfirma ein halbes Jahr nach Tokio eingeladen werden, um sich im fremden Land umzusehen. Anschließend sollen sie in der Schweiz ihre Erfahrungen wiedergeben. In mehrfacher Brechung ergibt sich auf diese Weise ein Bild Japans und gleichzeitig auch ein Bild des jeweiligen Schriftstellers in der Auseinandersetzung mit seiner Umgebung.

Politisch engagierte Literatur

Das zunehmend politische Engagement von Schriftstellern in den 60er Jahren machte sich auch im „Schweizerischen Schriftsteller-Verein" bemerkbar. 1969 kam es zu einem offenen Streit. Anlaß war das von der Schweizer Justiz und Polizei herausgegebene *Zivilverteidigungsbuch* (1969). Einige Autoren, vor allem solche der deutschsprachigen Schweiz, distanzierten sich aus politischen Gründen von dieser Schrift und traten aus dem Verein aus. Die ,,Oltener Gruppe" konstituierte sich; zu ihr gehörten P. Bichsel, F. Dürrenmatt, M. Frisch und A. Muschg, der die Gruppe jedoch bald wieder verließ.

Urs Jaeggi (*1931)

Brandeis (1978) von Urs Jaeggi ist ein autobiographisch gefärbter Roman und behandelt die Jahre zwischen 1966 und 1972 in der Bundesrepublik – einer politisch bewegten Zeit mit Studentenunruhen, Diskussionen um den Vietnamkrieg, Terrorismus und Drogenproblemen. Die Hauptfigur Brandeis ist ein Soziologieprofessor, der mit den unzufriedenen Studenten sympathisiert. Aber er läßt sich vom Fluß der Ereignisse nicht mitreißen. Dem Engagement in einer Gruppe zieht er individuelle Unabhängigkeit vor.

Frischs *Tagebuch 1966–1971* (1972) gibt Zeugnis von dieser politisch bewegten Zeit. Der Prager Frühling, das amerikanische Engagement in Vietnam, die Militärjuntas in Griechenland und Chile, die Ermordung Martin Luther Kings und amerikanische Raumfahrtunternehmen sind Themen in diesem Tagebuch. Die eingestreuten Erzählungen und Skizzen wirken hier fast wie Fremdkörper.

Die Werke Frischs nach diesem politisch engagierten Tagebuch wendeten sich wieder privaten Themen zu. Die Erzählung *Montauk* (1975) beginnt mit einem Appell an den Leser:

Dies ist ein aufrichtiges Buch, Leser, es warnt dich schon beim Eintritt, daß ich mir darin kein anderes Ende vorgesetzt habe als ein häusliches und privates.

Montauk kann als Liebesgeschichte und wohl auch als Schlüsselroman gelesen werden. Es geht um den Versuch, die ,,dünne Gegenwart" darzustellen. Darunter verstand Frisch eine Gegenwart, die von der Vergangenheit unbelastet und ohne Sorgen um die Zukunft ist.

Neue Subjektivität

Der Rückzug vom politischen Engagement machte sich in vielen Werken der 70er Jahre bemerkbar. Die Schriftsteller formulierten nun ein subjektives Unbehagen an Politik und Gesellschaft, die autobiographischen Elemente nahmen in den Romanen zu.

Seit den frühen 70er Jahren veröffentlichen zunehmend auch Autorinnen in der Schweiz. Gertrud Leuteneggers (*1948) erster Roman *Vorabend* (1975) schildert die Eindrücke und assoziierten Erinnerungen, die der Erzählerin während eines Spaziergangs am Vorabend einer Demonstration, die die gleiche Route nehmen wird, durch den Kopf gehen. Die verweigerte Teilnahme wird trotzdem zu einer intensiven Auseinandersetzung mit der eigenen Position.

Autorinnen wie Eveline Hasler (*1933) und Adelheid Duvanel (*1936) stehen heute für die Autorinnen der Schweiz, die weit über die Landesgrenzen hinaus gelesen werden. Ihre Themen sind vorwiegend die Belange der sozial Schwachen, der Außenseiter und ungerecht Behandelten; Entfremdung und Einsamkeit spielen eine zentrale Rolle.

1974 erschienen die Romane *Der Immune* von Hugo Loetscher (*1929) und *Albissers Grund* von A. Muschg. Beide Romane spielen in der heutigen Schweiz. Der Immune ist keineswegs unempfindlich für das, was um ihn herum passiert. Er will aber von dieser Welt nicht betroffen werden, sondern überleben. Deshalb schließt er sich auch keiner Gruppe an, er bleibt „immun“. Muschgs Roman *Albissers Grund* ist nicht nur eine kriminalistische Suche nach Albissers Motiv für den versuchten Mord an seinem Psychiater Zerutt. Er deckt auch die Problematik einer Gesellschaft auf, die zu schwach ist, sich von Vorbildern zu lösen und selbst aktiv zu werden.

Urs Widmer (*1938)

Urs Widmer gestaltet in einigen seiner Werke das Motiv des Wanderns und Reisens. In dem Abenteuerroman *Die Forschungsreise* (1974) bereitet sich der Ich-Erzähler auf eine Gipfelbesteigung in den Alpen vor. Diese Reise wird gleichzeitig eine Reise zur Erforschung des Ichs und der Welt.

Scott und Livingstone und Parry und Hillary sind auch eines Tages losgegangen, sie wußten auch nicht genau, bei wieviel Grad flüssiges Vitamin C einfriert.

Widmers *Schweizer Geschichten* (1975) kann man ebenfalls als Reisegeschichte charakterisieren. Während einer Ballonfahrt machen der Erzähler, „die dicke Frau und ein Pilot“ Station in verschiedenen Schweizer Kantonen und erleben Dinge, die das jeweils Typische eines Kantons charakterisieren sollen.

Otto F. Walter (1928–1994)

Walters Roman *Die Verwilderung* (1977) schildert in Collage-Technik ein junges Paar, das sich von der Gesellschaft zurückzieht. Dieser Rückzug in das Private ist gleichzeitig ein Rückzug aus der Isolation. Einige Außenseiter schließen sich Rob und Leni an, sie erfahren im emotionalen wie auch im wirtschaftlichen Bereich eine neue Gemeinschaft. Der Rückzug ist also nicht als völlige Resignation zu verstehen, sondern als hoffnungsvolle Möglichkeit für ein gemeinschaftliches Zusammenleben. Sie scheitern jedoch an der ,,Verwilderung" der Gesellschaft, durch deren Schuld sie sterben.

Thema: Krankheit und Tod

Hermann Burger (1942–1989)

Wie in den Werken des Österreichers Th. Bernhard (s. S. 296) spielt auch in einigen Romanen junger Schweizer Autoren das Todesmotiv eine große Rolle. Hauptfigur in H. Burgers Roman *Schilten* (1976) ist ein Lehrer, der seinen seltsamen Unterricht in einem langen Brief an seinen Vorgesetzten rechtfertigt. Schule und Friedhof liegen sich in Schilten direkt gegenüber, so daß es der Lehrer absurd findet, die Kinder auf das Leben vorzubereiten, da sie doch ständig den Tod vor Augen haben. Die Pädagogik des Lehrers scheitert, weil er selbst ein schon abgestorbenes Leben führt.
Burgers Grundthema der Todesnähe durchzieht sein Werk und steigert sich bis zum *Tractatus logico-suicidalis. Über die Selbsttötung* (1988), in dem er den Selbstmord auch als Kunstwerk zu erklären sucht. Seine Erzählung *Diabelli* (1979) berichtet von einem Zauberer, dessen brillante Artistik sich als Kompensation eines frühen Verlusts der Mutter erklärt. Sein erfolgreiches Verwirrspiel beruht auf der Täuschung des Publikums und zerfällt im Kern eigentlich in ein Nichts. Burgers Roman *Die Künstliche Mutter* (1982) führt in die Welt der „Impotienten". Die Hauptfigur Schöllkopf unterzieht sich in einer unterirdischen Klinik einer Therapie, genannt „Künstliche Mutter", die ihn von den Folgen der Lieblosigkeit und Beziehungsunfähigkeit seiner Mutter heilen soll. Mit großer Fabulierkraft und Sprachphantasie wird hier ein Krankheitsszenario entworfen, das in seiner Trostlosigkeit und Kälte an Thomas Bernhard erinnert, dem sich Burger verbunden fühlte.
Burger verwendet in seinen Texten häufig die Briefform, beispielsweise auch in den Erzählungen unter dem Titel *Blankenburg* (1986). Hier schreibt ein an „Morbus Lexis", an „Leselosigkeit" Erkrankter Briefe in eine Welt, die er sich strahlend und heiter vorstellt. Immer wieder finden sich in Burgers Texten Bezüge zu seiner eigenen Befindlichkeit, zu seinen Depressionen. Seine Frankfurter Poetik-Vorlesung *Die allmähliche Verfertigung der Idee beim Schreiben* (1986) deutet nochmals den Zusammenhang zwischen Schreiben, psychologischer Selbstinterpretation und Todesnähe. Auch in Burgers Gedichten zeigen sich diese Themen, beispielsweise in *Das alte Kinderkarussell* (1979):

August – auf unserm Schulhausplatz, markiert mit Kreide,
ein Labyrinth von Buden in der Mittagsglut.
Da steht mein Rößlispiel, die Plachen zugeknöpft;
es dreht sich langsam, knarrend, wie vom Wind getrieben,
und aus dem Innern weht ein süßer Kampferduft.
(Auszug)

Fritz Zorn (1944–1976)

1977 gab A. Muschg die Aufzeichnungen *Mars* von Fritz Zorn (d. i. Fritz Angst) heraus, der 1976 an Krebs starb. Es sind ,,zornige" Äußerungen gegen Gott und Gesellschaft. Zorns Wille, das Leben zu akzeptieren, erwacht erst im Bewußtsein des eigenen nahenden Todes. Diese Autobiographie in Form einer Krankengeschichte verbindet die Selbstanalyse des Kranken mit der Kritik an einer krankmachenden („kanzerogenen“) Gesellschaft. *Mars* hatte in der Bundesrepublik großen Einfluß auf die sogenannte Selbsterfahrungsliteratur. *Schatten. Tagebuch einer Krankheit* (1979) von W. M. Diggelmann ist ebenfalls unter dem Eindruck einer tödlichen Krankheit geschrieben. Doch Diggelmanns Tagebuch findet am Ende einen versöhnlichen Ton:

Walter Matthias Diggelmann (1927–1979)

> Die Frage, wie wird es weitergehen, ist in den Hintergrund getreten. Es geht in sich so weiter, (. . .) es geht so weiter, weil ich eins geworden bin mit dem, was ich getan habe, was ich geschaffen habe –, und auch mit dem, was ich unterlassen habe. So wird es weitergehen, so und nicht anders.

Freude am Erzählen

Gerold Späth (*1939)

Im Gegensatz zu diesen Werken stehen die Romane von Späth. Das lebensfrohe, weit ausgreifende Erzählen, die Lust am Fabulieren und das Erfinden von immer wieder neuen Geschichten stehen hier im Vordergrund. 1970 erschien *Unschlecht*, die Geschichte vom Leben und Lieben eines reichen, listigen Narren. Späth steht in der Tradition barocker Schelmenromane (s. S. 55), er gilt auch als „Schweizer Rabelais“. 1980 folgte sein fünfter Roman, *Commedia.* Ein souveräner, allwissender Erzähler entfaltet hier einen kleinstädtischen Kosmos, in dem die Geschichten der Menschen und die der im Museum präsentierten, von ihnen benutzten Gegenstände in unentwirrbaren Beziehungen zueinander stehen. Dieser Roman kann als „postmodern“ bezeichnet werden, da der Leser in diesem Überangebot an Geschichten selbst seinen Weg suchen muß, sozusagen eine aktive Leserolle zugewiesen bekommt, und jede Mitteilung in Kombination mit weiteren erzählten Ereignissen eine neue, zusätzliche Bedeutung erhält. Eine Einheit der Figuren ist nicht mehr vorhanden. Ähnlich verfährt Späth auch in seinem 1984 erschienenen Roman *Sindbadland,* einem Konvolut aus Geschichten, Skizzen, Anekdoten und Berichten mit dem gemeinsamen Nenner von Fernweh, Reisen und Fluchten, unerfüllten Sehnsüchten und Phantasien. Gerold Späths Texte sind in ihrer Fabulierkunst häufig mit den Werken von Günter Grass (s. S. 250, 285) verglichen worden.

Silvio Blatter (*1946)

In die Nähe des Heimatromans begibt sich Silvio Blatter mit seinen Romanen *Zunehmendes Heimweh* (1978) und *Kein schöner Land* (1983). Beide spielen in Freiamt, einer Schweizer Landschaft, und problematisieren den Heimatbegriff. Nicht Idylle, sondern Zerstörung der Landschaft und die Verunsicherung der Menschen gehören zur Thematik dieser Romane.

Urs Faes (*1947) hat in seinen Prosatexten ebenso zunächst das Alltägliche dargestellt, hinter dessen Fassade die Abgründe lauern. Mehr und mehr werden jedoch Aufbrüche geschildert, wie beispielsweise im Roman *Bis ans Ende der Erinnerung* (1986): „Heimkehren würde heißen: kämpfen, sich einmischen, verändern, leben.“

Schweizer Mikrokosmos

Auch weitere Schweizer Autoren haben sich mit der Schweiz als einer überschaubaren, aber auch begrenzten Welt auseinandergesetzt und dabei häufig fiktive Orte gewählt: Otto F. Walter (s. o.) nennt seinen Mikrokosmos, einen fast mythischen Ort, Jammers (in *Zeit des Fasans,* 1988). Jürg Federspiel (*1931) beschreibt in einer Mischung aus Reportage und Fiktion *Die beste Stadt für Blinde* (1980) und Reto Hänny (*1947), der 1980 Proteste gegen die überteuerte Renovierung des Zürcher Opernhauses zum Anlaß seiner Schrift *Zürich, Anfang September* (1981) nahm, meint mit seinem anagrammatischen Titel *Ruch. Ein Bericht* (1979) die Stadt Chur. Auch „Schilten", Hermann Burgers Schauplatz seines gleichnamigen Romans (s. o.), kann in diesen Zusammenhang gestellt werden.

Auch Martin Dean (*1955) gibt in seiner autobiographischen Prosa *Außer mir. Ein Journal* (1990) sehr präzise das Lebensgefühl in der Schweiz wieder; er schreibt: „Rascher lernt man ein Land an seinen Rändern kennen."

Adolf Muschgs Erzählsammlungen *Liebesgeschichten* (1972), *Entfernte Bekannte* (1976) und *Leib und Leben* (1982) berichten von Beziehungen zwischen Menschen. Oft sind es Liebesgeschichten, die eigentlich schon zu Ende sind. Aus der Ferne wird noch einmal die verlorene Nähe beschworen. Die Erzählungen sind sehr konzentriert, sie könnten oft Stoff für einen ganzen Roman geben. Meist spielen sie in der Schweiz, mit dem Schweizer Bürgertum als sozialem Hintergrund. Die Erzählungen Muschgs werden wegen ihrer brillanten Sprache allgemein gelobt. Schon der Titel *Entfernte Bekannte* zeigt den Widerspruch, in dem sich viele Figuren aus Muschgs Erzählungen befinden. Sie schwanken zwischen menschlicher Nähe, die sie sich wünschen, und großer Ferne, unter der sie leiden. Phantasievolle Handlungen der Erzählungen machen diese Spannung deutlich.

Adolf Muschgs „Erziehungsroman eines Vampirs" *Das Licht und der Schlüssel* (1984) führt drei Personen zusammen: Zu Mona, einer todkranken Frau, und Constantin Samstag, einem „Vampir", der sie aus Liebe heilen möchte, gehört ein Dritter, der jedoch nur als angeredeter Briefpartner in Erscheinung tritt: ein blinder Tabakhändler, der Samstag beauftragt, das perfekte (holländische) Stilleben aus dem 17. Jahrhundert zu beschaffen, an dessen Licht er wieder sehend werden könnte. Der Roman ist über das Erzählte hinausweisend ein Diskurs über das Vermögen und die Grenzen der Kunst und weist schon im Titel auf die Metaphorik der Aufklärung hin.

Botschaften vom Ende

Max Frischs letztes Stück, *Triptychon. Drei szenische Bilder* (1978), handelt vom Tod und damit nicht mehr von einer Zukunft, an die man nicht denken will, sondern von einem totalen Verlust an Zukunft. In drei Tableaus von statischer Choreographie führt Frisch eine Trauergesellschaft vor, in der selbst die Toten sich ihres Lebens nur als eines vergeblichen Lebens erinnern. Seine 1979 veröffentlichte Erzählung *Der Mensch erscheint im Holozän* thematisiert die selbstgewählte Isolation eines Rentners in einem abgeschiedenen Tal im Tessin, der sein Leben im Angesicht der gewaltigen Gebirgsmassive als nichtig betrachtet. Seine Zitatensammlung, die er auf Zetteln überall im Haus anheftet, ist ebenso gefährdet wie sinnlos:

> ein Durchzug, wenn Corinne die Fensterläden öffnet, und die Zettel liegen auf dem Teppich, ein Wirrwarr, das keinen Sinn gibt.

Die aufgegebene Hoffnung auf einen Sinn und die Parallelität von individuellem und kollektivem Ende offenbaren Frischs besorgtes und schonungsloses Porträt seiner Zeit und auch seiner selbst als Künstler und alternder Mensch.

Ebenso wie Max Frisch beschäftigte sich Friedrich Dürrenmatt mit Endzeitvisionen und veröffentlichte 1989 einen kurzen Roman *Durcheinandertal.* Hier arbeitet Dürrenmatt nochmals mit grotesken, einem Welttheater ähnlichen Figuren. Zwiesprache mit Gott, der einen zweiten Gott neben sich hat, und der mörderische Konflikt zwischen Gut und Böse, Erschaffung und Vernichtung sowie die Verknüpfung von entlegensten Schauplätzen ergeben ein monströses Weltpanorama, in dem die Suche nach Gott mit dem Untergang des Protagonisten Moses Melker ebenfalls als Vision untergeht. Dabei stellt sich die Frage nach Gerechtigkeit, die Dürrenmatts Werk durchzieht, gar nicht mehr.

Allerdings nutzte Dürrenmatt auch weiterhin das Genre der Kriminalgeschichte, mit dem er bereits 1952 (*Der Richter und sein Henker,* s. S. 310) an die Öffentlichkeit trat. In dem Roman *Justiz* (1985) geht es um den unauflösbaren Gegensatz von Gerechtigkeit und der Pragmatik der Justiz. Ein Jahr später erschien die „Novelle in vierundzwanzig Sätzen“ *Der Auftrag oder Vom Beobachten des Beobachters der Beobachter.* Der Schauplatz ist die nordafrikanische Wüste, wo Agenten waffenexportierender Länder sich bei den Tests gegenseitig nicht aus den Augen lassen. Dies geschieht mit aufwendigstem technischen Gerät und läßt keinen unbeobachtet. Trotzdem ist der Tod einer Frau, vermutlich ein Mord, ungeklärt, er soll mittels der Filmtechnik aufgedeckt werden:

> D. antwortete, sie wolle in die Wüste gehen, weil sie eine neue Rolle suche, ihre alte Rolle sei die einer Beobachterin von Rollen gewesen, nun beabsichtige sie, das Gegenteil zu versuchen, nicht zu porträtieren, was ja einen Gegenstand voraussetzte, sondern zu rekonstruieren, den Gegenstand ihres Porträts herzustellen, damit aus einzelnen herumliegenden Blättern einen Laubhaufen anzusammeln, wobei sie nicht wissen könne, ob die Blätter, die sie da zusammenschichte, auch zusammengehörten, ja, ob sie am Ende nicht sich selber porträtiere, ein Unterfangen, das zwar verrückt sei aber wiederum so verrückt, daß es nicht verrückt sei und er wünsche ihr alles Gute.

Die Schweiz als Thema

Max Frisch griff mit einem Text nochmals unmittelbar in die Tagespolitik ein: *Schweiz ohne Armee? Ein Palaver* (1989), aus dem im gleichen Jahr das Stück *Jonas und sein Veteran* entstand. Anlaß war ein Referendum über die Notwendigkeit einer Armee in der Schweiz. Frisch läßt Großvater und Enkel miteinander reden über die Schweiz im 2. Weltkrieg, über Dienstverweigerung und Friedenspolitik. Als Jonas schon fort ist, bekennt der Veteran: „Ja, man ist schon ziemlich feig, Jonas."

1991 wurde in Zürich nach langen Jahren wieder ein Stück eines Schweizer Dramatikers uraufgeführt: *Der Gesandte* von Thomas Hürlimann. Der Titel bezieht sich auf den Schweizer Gesandten in Berlin von 1938–1945, Hans Frölicher (im Stück Heinrich Zwygart), und deutet damit auf die Verarbeitung von Zeitgeschichte. Das Stück problematisiert den schmalen Grat zwischen Kollaboration und Neutralität, auf dem Zwygart in Berlin agierte, und zeigt die Folgen auch für ihn: Sein (vermeintliches) Verdienst, Hitlers Truppen von der Schweiz ferngehalten zu haben, wird nach dem Krieg einem Armeeobersten zugeschrieben.

Thomas Hürlimann (*1950)

Auch für Thomas Hürlimann ist der Tod ein wichtiges Thema. Seine Erzählung *Die Tessinerin* (1981) schildert nicht nur das qualvolle Sterben einer Außenseiterin, sondern bezieht auch autobiographische Elemente mit ein, hier der Tod des Bruders. Hürlimanns Novelle *Das Gartenhaus* (1989) erzählt in beschaulichen, melancholischen Bildern von einem Oberst und seiner Frau Lucienne, in deren Trauer um den toten Sohn sich ein makabres Gespinst gegenseitiger Verletzungen andeutet, das in der Hinwendung zur Vergangenheit dann doch in einer leisen Versöhnung aufgeht, denn „On a du style, befahl sich Lucienne, wandte den Blick ab und schritt weiter".

In diesem Sinne sind weiterhin wichtige Impulse von jungen Schweizer Autoren zu erwarten. Die Perspektive des Beobachtens von den Rändern her hat der deutschsprachigen Literatur der Schweiz von jeher einen besonderen Ton gegeben. Die Auseinandersetzung mit Vergänglichkeit, Endlichkeit und Tod ist universell, ebenso die Problematisierung des Erzählens selbst. Den spezifischen und immer wieder neuen Ausprägungen sollte ein fortwährendes Interesse gewahrt werden.

Kurzbiographien Schweiz

PETER BICHSEL (*1935 in Luzern)

Bichsel wuchs im Kanton Solothurn in der Schweiz auf. Nach seiner Ausbildung zum Volksschullehrer arbeitete er von 1955–68 und 1973 in seinem Beruf. Zwischen 1972 und 1989 hielt er sich als Gastdozent, Publizist und Stadtschreiber mehrmals in Deutschland und den USA auf. 1974 bis 1981 war Bichsel, der in Bellach bei Solothurn lebt, persönlicher Berater eines sozialdemokratischen Bundesrates (Ministers). Seit 1968 äußert er sich ziemlich regelmäßig in verschiedenen Schweizer Tages- und Wochenzeitungen mit Kolumnen zu Tagesereignissen kritisch über sein Land. Bichsel erhielt verschiedene Preise, darunter 1965 den „Preis der Gruppe 47" und 1970 den Deutschen Jugendbuchpreis.

Eigentlich möchte Frau Blum den Milchmann kennenlernen
(21 Geschichten, 1964)

Die Jahreszeiten (Roman, 1967)
Kindergeschichten (1969)
Geschichten zur falschen Zeit (Zeitungskolumnen, 1979)
Der Leser. Das Erzählen. Frankfurter Poetik-Vorlesungen (1982)
Der Busant. Von Trinkern, Polizisten und der schönen Magelone (Erzählungen, 1985)

HERMANN BURGER (1942 in Burg/Kanton Aargau – 1989 in Brunegg)
Burger studierte Architektur, später Germanistik in Zürich. Er schrieb seine Dissertation über Paul Celan und seine Habilitation über zeitgenössische Schweizer Literatur. Er lebte und arbeitete als Literaturwissenschaftler, Redakteur und Schriftsteller in Zürich. 1989 nahm er sich das Leben.

Schilten (Roman, 1976)
Diabelli (Erzählungen, 1979)
Kirchberger Idyllen (Gedichte, 1980)
Die Künstliche Mutter (Roman, 1982)
Die allmähliche Verfertigung der Idee beim Schreiben. Frankfurter Poetik-Vorlesung (1986)
Blankenburg (Erzählungen, 1986)
Tractatus logico-suicidalis. Über die Selbsttötung (1988)

FRIEDRICH DÜRRENMATT (1921 in Konolfingen/Kanton Bern – 1990 in Neuchâtel)
Der Sohn eines Pfarrers studierte in Zürich und Bern Literatur, Philosophie und Naturwissenschaften. Er schwankte zwischen dem Beruf eines Malers und eines Schriftstellers und malte und zeichnete ein Leben lang. Theater war für ihn eine „Verbindung zwischen Malerei und Schreiben". Ab 1952 wohnte Dürrenmatt mit seiner Familie in Neuchâtel. Er war Mitglied des PEN-Zentrums der Bundesrepublik und erhielt zahlreiche Preise, Auszeichnungen und die Ehrendoktorwürde zahlreicher Universitäten im In- und Ausland.

Die Ehe des Herrn Mississippi (Komödie, 1952)
Der Richter und sein Henker (Kriminalroman, 1952)
Der Verdacht (Kriminalroman, 1953)
Ein Engel kommt nach Babylon (Komödie, 1954)
Der Besuch der alten Dame (tragische Komödie, 1956)
Die Physiker (Komödie, 1962)
Gesammelte Hörspiele (1970)
Dramaturgisches und Kritisches, Theater-Schriften und Reden II (1972)
Der Meteor. Eine Komödie in 2 Akten (2. Fassung 1980)
Minotaurus. Eine Ballade (1985)
Justiz (Roman, 1985)
Der Auftrag oder Vom Beobachten des Beobachters der Beobachter (Novelle in vierundzwanzig Sätzen, 1986)
Durcheinandertal (Roman, 1989)

MAX FRISCH (1911 in Zürich – 1991 in Zürich)
Der Architektensohn Max Frisch studierte Germanistik (1931–33) und Architektur (1936–41) in Zürich. 1942 richtete er sich dort ein Architekturbüro ein. 1947 traf er Bertolt Brecht und Peter Suhrkamp, für dessen Verlag er seit 1950

schrieb. 1954 löste Frisch sein Büro auf und lebte seitdem als freier Schriftsteller mit wechselndem Wohnsitz in Männedorf, Rom, Berzona (Tessin), Berlin und New York. Er unternahm seit 1946 zahlreiche Reisen durch Europa und die USA und besuchte auch China. Er war Mitglied verschiedener deutscher Sprach- und Kunstakademien und erhielt seit 1938 zahlreiche Preise und Auszeichnungen, darunter die Fördergabe der Stiftung Pro Helvetia (1956) und den Friedenspreis des Deutschen Buchhandels (1976).

Jürg Reinhart (Roman, 1934)
Nun singen sie wieder (Versuch eines Requiems, 1946)
Tagebuch 1946–1949 (1950)
Don Juan oder Die Liebe zur Geometrie (Komödie, 1953)
Stiller (Roman, 1954)
Homo faber (Roman, 1957)
Biedermann und die Brandstifter („Lehrstück ohne Lehre“, 1958)
Andorra. Stück in 12 Bildern (Drama, 1961)
Mein Name seit Gantenbein (Roman, 1964)
Biografie: Ein Spiel (Drama, 1967)
Wilhelm Tell für die Schule (1971)
Tagebuch 1966–1971 (1972)
Montauk (Erzählung, 1975)
Triptychon (Drei szenische Bilder, 1978)
Der Mensch erscheint im Holozän (Erzählung, 1979)
Blaubart (Erzählung, 1982)
Schweiz ohne Armee? Ein Palaver (1989)
Jonas und sein Veteran (Drama, 1989)

EUGEN GOMRINGER (*1925 in Cachuela Esperanza/Bolivien)
Gomringer studierte Nationalökonomie und Kunstgeschichte in Bern und Rom (1946–50). 1960 gründete er die „eugen gomringer press“ in Frauenfeld. 1962–67 arbeitete er als Geschäftsführer des Schweizerischen Werkbundes in Zürich. Seit 1967 ist er Kulturbeauftragter der Rosenthal AG in Selb (Bundesrepublik Deutschland). Als Professor für Ästhetik ist er an der Kunstakademie Düsseldorf tätig.

konstellationen (1953)
vom vers zur konstellation (programmatischer Aufsatz, 1954)
konkrete poesie – poesia konkreta (Schriftenreihe, 1960–65)

THOMAS HÜRLIMANN (*1950 in Zug)
Hürlimann studierte Philosophie in Zürich und Berlin und arbeitete drei Jahre als Regieassistent am Schiller-Theater in Berlin. Hürlimann lebt seit 1985 wieder in der Schweiz.

Die Tessinerin. Geschichten (1981)
Das Gartenhaus (Novelle, 1989)
Der Gesandte (Stück, 1991)
Innerschweizer Trilogie (Drei Stücke, 1991)

ADOLF MUSCHG (*1934 in Zollikon/Kanton Zürich)
Muschg studierte Germanistik, Anglistik und Philosophie in Zürich. 1959 promovierte er über den Expressionisten Ernst Barlach. Er war erst Gymnasiallehrer in Zürich, dann Hochschuldozent an deutschen, schweizerischen,

japanischen und amerikanischen Universitäten. Seit 1970 ist er Professor für Literaturwissenschaften in Zürich. 1974–77 war Muschg Mitglied der Kommission für die Vorbereitung einer Totalrevision der Schweizerischen Bundesverfassung. Er ist außerordentliches Mitglied der Akademie der Künste in Berlin und auch im Literaturbetrieb engagiert. Muschg erhielt zahlreiche Literaturpreise, darunter 1994 den Georg-Büchner-Preis.

Im Sommer des Hasen (Roman, 1965)
Liebesgeschichten (Erzählungen, 1972)
Albissers Grund (Roman, 1974)
Entfernte Bekannte (Erzählungen, 1976)
Noch ein Wunsch (Erzählung, 1979)
Leib und Leben (Erzählungen, 1982)
Das Licht und der Schlüssel. Erziehungsroman eines Vampirs (1984)

GEROLD SPÄTH (*1939 in Rapperswil/Kanton Zürich)
Späth war von Beruf Orgelbauer; er hat eine kaufmännische Ausbildung und lebt als freier Schriftsteller in Rapperswil.

Unschlecht (Roman, 1970)
Stimmgänge (Roman, 1972)
Balzapf (Roman, 1977)
Commedia (Roman, 1980)
Sindbadland (Roman, 1984)

URS WIDMER (*1938 in Basel)
Widmer studierte Germanistik, Romanistik und Geschichte in Basel, Montpellier und Paris. 1966 promovierte er mit einer Arbeit über deutsche Nachkriegsprosa und war anschließend Verlagslektor im Walter Verlag und im Suhrkamp Verlag. Seit 1967 lebt Urs Widmer in Frankfurt/Main. Er ist Mitglied der Deutschen Akademie der Darstellenden Künste. Widmer erhielt 1976 den Hörspielpreis der Kriegsblinden.

Die lange Nacht der Detektive (Stück, 1973)
Die Forschungsreise (Abenteuerroman, 1974)
Schweizer Geschichten (1975)
Nepal (Stück, 1977)
Liebesnacht (Erzählung, 1982)

Zeittafel: geschichtliche Daten, literarische Werke

Die frühe Zeit der deutschen Literatur ist mit ihren Autoren und Werken chronologisch dokumentiert. Ab 1450 sind Epochen aufgeführt; innerhalb der Epochen sind die Autoren in alphabetischer Reihenfolge genannt, ihre Werke chronologisch.

Aus Platzgründen wurden in die Zeittafel nur die Werke aufgenommen, die in der fortlaufenden Darstellung der Epochen genannt sind. Die Zeittafel enthält also keine Werke, die lediglich in den Kurzbiographien erwähnt werden. Titel ohne Verfasserangabe sind durch Fettdruck hervorgehoben.
Die geschichtlichen Daten bieten einen groben Orientierungsrahmen für die Einordnung der Werke in ihre Entstehungszeit.

Für die Zeit 1945–1995 werden nur die geschichtlichen Daten angegeben, da es verfrüht erscheint, für die neueren literarischen Strömungen bereits Epochen festzulegen.

Verwendete Abkürzungen

A = Anthologie
Ab = Autobiographie
afrz. = altfranzösisch
ahdt. = althochdeutsch
BT = Bürgerliches Trauerspiel
D = Deutschland
E = Epos
engl. = englisch
Ez = Erzählung
frz. = französisch
G = Gedicht
gr. = griechisch
GS = Gedichtsammlung
K = Komödie, Lustspiel
lat. = lateinisch
M = Märchen
mhdt. = mittelhochdeutsch
N = Novelle
norw. = norwegisch
NS = Novellensammlung
P = Poetik
PS = Prosasammlung
R = Roman
S = Stück
span. = spanisch
T = Tragödie
TS = Theoretische Schrift
Ü = Übersetzung
VB = Volksbuch
VS = Volksstück
ZkS = Zeitkritische Schrift
Zs = Zeitschrift

750–1049

751 Beginn der Herrschaft der Karolinger (Pippin der Kleine)
768–814 Regierungszeit Karls des Großen (Unterwerfung und Christianisierung der Sachsen; „Karolingische Renaissance": der Hof in Aachen als kulturelles Zentrum, Einrichtung von Dom- und Klosterschulen, Buchmalerei)
800 Kaiserkrönung Karls des Großen in Rom
842 Straßburger Eide: Ludwig der Deutsche und Karl der Kahle verbünden sich gegen ihren Bruder Lothar I.
843 Vertrag von Verdun: Teilung des Reiches unter Ludwig dem Deutschen (ostfränk. Reich), Lothar I. (mittleres Reich) und Karl dem Kahlen (westfränk. Reich)
910 Gründung des Klosters Cluny: Ausgangspunkt der klösterlichen Reformbewegungen
919 Beginn der Herrschaft der Ottonen (Heinrich I.)
936–73 Regierungszeit Ottos I. (Die Kirche wird zur Stütze des Reiches; „Ottonische Renaissance": lateinische Dichtung, Buchmalerei im Kloster Reichenau)
955 Schlacht auf dem Lechfeld: Beendigung der ungarischen Beutezüge
962 Kaiserkrönung Ottos I. in Rom

Ältere oder Lieder-Edda (germanisch-heidnische Liedersammlung, aufgezeichnet im 13. Jh. in Skandinavien) – **(Merseburger) Zaubersprüche** (germanisch-heidnisch, aufgezeichnet im 10. Jh.) – **Abrogans** (lat.-ahdt. Wörterbuch, ~ 760) – **Vocabularius Sancti Galli** (lat.-ahdt. Ü, zwischen 770 und 790) – **Würzburger Markbeschreibungen** (vor 790) – **Admonitio Generalis** (Bildungsprogramm Karls des Großen, 789) – **Wessobrunner Schöpfungsgedicht** (Ende 8. Jh.) – **Althochdeutscher Isidor** (Ü-TS, kurz vor 800) – **Muspilli** (religiöse Stabreimdichtung, frühes 9. Jh.) – **Tatians Evangelienharmonie** (~ 830) – **Einhart:** Vita Caroli Magni (Biographie, ~ 830) – **Hildebrandslied** (Heldengedicht, ~ 830/840) – **Heliand** (religiöse Stabreimdichtung, ~ 830–850) – **Altsächsische Genesis** (religiöse Stabreimdichtung, ~ 830–850) – **Straßburger Eide** (842) – **Otfrid von Weißenburg:** Evangelienharmonie (~ 870) – **Ludwigslied** (historisches G, 881/882) – **Christus und die Samariterin** (G, ~ 900) – **Quem quaeritis in sepulchro, o christicolae?** (Ostertropus, Mitte 10. Jh.) – **Notker Labeo:** Psalter (Ü, frühes 11. Jh.) – **Ruodlieb** (R, Mitte 11. Jh.)

1050 – 1199

1054 Kirchenschisma: Bruch zwischen der (griechischen) Ostkirche und der (lateinischen) Westkirche
1075–1122 Investiturstreit: Auseinandersetzung um die Vormachtstellung von Kaisertum (Heinrich IV.) und Papsttum (Gregor VII.) wird durch das Wormser Konkordat 1122 beendet
1077 Gang nach Canossa: Heinrich IV. bittet Papst Gregor VII. um Aufhebung des Kirchenbanns
1079–1142 Petrus Abälard, erster bedeutender Scholastiker
1096–99 Erster Kreuzzug, Eroberung Jerusalems
1138–1268 Herrschaft der Staufer
12. Jh. Entstehung des Rittertums, deutsche Ostkolonisation, Kreuzzüge, Ketzerbewegungen
1152–90 Regierungszeit Friedrichs I. Barbarossa
1190 Deutsche Kaufleute gründen den Deutschen Orden, zunächst Krankenpflegeorden, ab 1198 geistlicher Ritterorden

Ezzo: Ezzo-Lied (Weltchronik, 1063) – **Noker von Zwiefalten:** Memento mori (religiöse Dichtung, ~ 1070) – **Annolied** (religiöse Chronikdichtung, ~ 1085) – **Chanson de Roland** (altfrz. E, ~ 1110) – **Pfaffe Lamprecht:** Alexanderlied (zwischen 1120 und 1150) – **Kaiserchronik** (~ 1150) – **König Rother** (Spielmanns-E, ~ 1150) – **Heinrich von Melk:** Priesterleben (religiöse Dichtung, ~ 1160), Erinnerung an den Tod (religiöse Dichtung, ~ 1160) – **Pfaffe Konrad:** Rolandslied (~ 1170) – **Wernher:** Marienleben (religiöse Dichtung, 1172) – **Herzog Ernst** (Spielmanns-E, ~ 1180) – **Melker Marienlied** (12. Jh.) – **Mariensequenzen** (aus Seckau und Muri; 12. Jh.) – **Arnsteiner Gebet** (12. Jh.) – **Der von Kürenberg:** Ich zôch mir einen valken (Minnelied, 2. Hälfte 12. Jh.) – **Friedrich von Hausen:** Mîn herze und mîn lîp diu wellent scheiden (Minnelied, 2. Hälfte 12. Jh.) – **Reinmar von Hagenau:** Minnelieder (2. Hälfte 12. Jh.) – **Walther von der Vogelweide:** Minnelieder und politische Lyrik (Ende 12./Anfang 13. Jh.) – **Wolfram von Eschenbach:** Minnelieder (~ 1165–~ 1215) – **Heinrich von Veldeke:** Eneit (höfischer R, 1189) – **Hartmann von Aue:** Erec (Artus-R, ~ 1180/1185), Gregorius, der gute Sünder (höfische Verslegende, 1187/89 oder ~ 1195), Der arme Heinrich (höfische Verslegende, ~ 1195), Iwein (Artus-R, ~ 1202/1205)

1200–1449

1198–1210 Deutscher Thronstreit: Staufer siegreich über die Welfen
13. Jh. Höhepunkt der Städtegründungen; Entstehung der Bettelorden; Blütezeit von Scholastik und Mystik
1212–50 Regierungszeit Friedrichs II.
1215 Viertes Laterankonzil unter Papst Innozenz III: Höhepunkt geistlicher und weltlicher Macht des Papsttums, u. a. Inquisition, Judenkennzeichnung
1257–73 Interregnum: Ausbau der Macht der Fürsten
1273–91 Regierungszeit Rudolfs von Habsburg
1309 Verlegung des Papstsitzes von Rom nach Avignon (bis 1376)
1339–1454 Hundertjähriger Krieg zwischen England und Frankreich
1343 Deutsche Hanse
1347–78 Regierungszeit Karls IV.
1348 Gründung der ersten deutschen Universität in Prag
ca. 1350 Entwicklung von Feuerwaffen trägt zum Niedergang des Rittertums bei
1414–18 Das Konstanzer Konzil beendet das Kirchenschisma
1415 Verbrennung des tschechischen Reformators Johannes Huß
1445 Gutenberg entwickelt bewegliche Lettern für den Buchdruck

Wolfram von Eschenbach: Parzival (Vers-R, 1200/1210), Willehalm (Fragment e. höfischen Ez, zwischen 1212 und 1218), Titurel (Vers-Ez, zwischen 1215 und 1219) – **Gottfried von Straßburg:** Tristan und Isolt (Vers-R, 1200/1210) – **Nibelungenlied** (Helden-E, ~ 1200) – **Schwänke des Pfaffen Amîs** (zwischen 1220 und 1250) – **Kudrunlied** (Helden-E, ~ 1230/1240; überliefert im Ambraser Heldenbuch, 1516) – **Mechthild von Magdeburg:** Das fließende Licht der Gottheit (mystische Schrift, 1250–1281/82) – **Wernher der Gartenaere:** Meier Helmbrecht (Vers-Ez, zwischen 1250 und 1282) – **Konrad von Würzburg:** Der Welt Lohn (Vers-N, ~ 1260) – **Manessische Handschrift** (Sammlung mhdt. Minnedichtung, ~ 1300–~ 1340) – **Osterspiel von Muri** (Mitte 13. Jh.) – **Thomas von Aquin:** Summa Theologiae (scholastische TS, 1267–1273) – **Heinrich von Seuse:** Der Seuse (Ab, 1362) – **Innsbrucker Osterspiel** (1391) – **Johannes von Tepl:** Der Ackermann aus Böhmen (Prosadialog, ~ 1400)

1450-1599

1453 Eroberung Konstantinopels durch die Türken
1466 Johann Mentelin druckt die erste deutsche Bibel
1487 Das „Handbuch der Hexenverfolgung“ (Hexenhammer) leitet die Hexenprozesse ein
1492 Christoph Columbus entdeckt Nordamerika, Martin Behaim entwirft den ersten Globus
1493–1519 Regierungszeit Maximilians I.
1498 Vasco da Gama entdeckt den Seeweg nach Ostindien
1516 Unter Kaiser Karl V. wird das spanische Weltreich mit Deutschland in Personalunion vereinigt
1517 95 Thesen Martin Luthers, Beginn der Reformation
1519–22 Erste Weltumsegelung durch Magellan
1524/25 Bauernkrieg
1526/27 Paracelsus hält in Basel Medizinvorlesungen auf deutsch
1529 Belagerung Wiens durch die Türken
1545–63 Tridentinisches Konzil: Sammlung der Gegenreformation
1555 Augsburger Religionsfriede
1562–98 Hugenottenkriege in Frankreich
1568–1644 Freiheitskampf der Niederlande gegen Spanien
1582 Kalenderreform Papst Gregors XIII.; Kalender in Deutschland erst 1700 übernommen

Humanismus/Reformation

Boccaccio: Decamerone (Ü, ital. PS, um 1472) – **Brant:** Das Narrenschiff (ZkS, 1494) – **Celtis:** Ars versificandi et carminum (P, 1456) – **Erasmus:** Adagia (Sprichwörtersammlung, 1500), Laus Stultitiae/Lob der Torheit (ZkS, 1509) – **Fischart:** Eulenspiegel (Vers-Ü, 1572) – **Historia von D. Johann Fausten** (VB, 1587) – **Hutten:** Epistolae obscurorum virorum/Dunkelmännerbriefe (ZkS, 1515) – **Kopernikus:** De revolutionibus orbium coelestium/Über die Kreisbewegungen der Himmelskörper (TS, 1543) – **Luther:** An den christlichen Adel deutscher Nation (ZkS, 1520), Von der Freiheit eines Christenmenschen (ZkS, 1520), De Captivitate Babylonica (ZkS, 1520), Sendbrief vom Dolmetschen (1530) – **de Montalvo:** Amadîs de Gaula (span. R, 1490/92), Amadîs de Gaula (Ü, span. R, 1569–98) – **Murner:** Die Narrenbeschwörung (ZkS, 1512), Von dem großen lutherischen Narren (E, 1522) – **Reuchlin:** Epistolae clarorum virorum/Briefe berühmter Männer (ZkS, 1514) – **Reynke de Vos/Reinecke Fuchs** (E, 1498) – **Sachs:** Der fahrende Schüler im Paradeis (Fastnachtsspiel, 1550) – **Die Schildbürger** (VB, 1598) – **Till Eulenspiegel** (VB, 1510/11) – **Wickram:** Das Rollwagenbüchlein (Schwänke, 1555), Der Goldfaden (R, 1557)

1600-1699

1610–43 Regierungszeit Ludwigs XIII. (Frankreich verwirklicht den Absolutismus und wird zur führenden Macht in Europa)
1618–48 Dreißigjähriger Krieg: Religiöse Machtkämpfe, in die auch Schweden und Frankreich eingreifen; beendet durch den Westfälischen Frieden
1634 Ermordung des kaiserlichen Heerführers Wallenstein
1643–1715 Regierungszeit Ludwigs XIV. in Frankreich („Sonnenkönig"), bis 1661 unter der Leitung Kardinal Mazarins
1657 Johannes Amos Comenius: Reformierung des Schulwesens
1669 Auflösung der Deutschen Hanse
1683 Erste größere deutsche Siedlung in Pennsylvania, Nordamerika
1683–99 Türkenkrieg: Österreich-Ungarn (Habsburger) wird europäische Großmacht
1687 Christian Thomasius hält an der Universität Leipzig die erste öffentliche deutsche (statt lateinische) Vorlesung
1689–1725 Regierungszeit Peters des Großen, Zar von Rußland

Barock

Angelus Silesius: Cherubinischer Wandersmann (GS, 1675) – **Beer:** Teutsche Winternächte (R, 1682), Die kurtzweiligen Sommertäge (R, 1683) – **Bidermann:** Cenodoxus (T, 1602) – **Fleming:** Teutsche Poemata (GS, 1641/42) – **Gerhardt:** Geistliche Andachten (1666) – **Grimmelshausen:** Simplizissimus (R, 1669–73) – **Gryphius:** Sonette (1639), Oden (1643), Horribilicribrifax (K, 1650), Cardenio und Celinde (T, 1657), Peter Squentz (K, 1658), Leo Armenius (R, 1660) – **Harsdörffer:** Poetischer Trichter (P, 1647–53) – **Herzog v. Braunschweig:** Aramena (R, 1668) – **Hofmannswaldau:** Getichte (1679), Gedichte (1695) – **Logau:** Sinn-Gedichte (1654) – **Lohenstein:** Cleopatra (T, 1661) – **Opitz:** Buch von der Deutschen Poeterey (P, 1624), Teutsche Poemata (GS, 1624), Die Troerinnen (Ü, gr. T, 1625), Schäferei von der Nymphen Hercinie (R, 1630) – **Reuter:** Schelmuffsky (R, 1696) – **Shakespeare:** A Midsummer Night's Dream (engl. K, 1600) – **Spee von Langenfeld:** Trutz-Nachtigall (GS, 1649) – **Weise:** Masaniello (T, 1682) – **Zesen:** Adriatische Rosemund (R, 1645)

Pietismus

Milton: Paradise Lost (engl. E, 1667) – **Spener:** Pia Desideria (TS, 1675)

1700-1749

1700 Wilhelm Leibniz gründet die Preußische Akademie der Wissenschaften in Berlin
1701 Preußen wird Königreich
1701–14 Spanischer Erbfolgekrieg: Österreich und Frankreich kämpfen um die Vormachtstellung in Europa
1710 Gründung der ersten Porzellanmanufaktur in Meißen
1740–80 Regierungszeit Maria Theresias in Österreich-Ungarn
1740–86 Regierungszeit Friedrichs II. (des Großen), König von Preußen

Pietismus

Brockes: Irdisches Vergnügen in Gott (GS, 1721) – **Klopstock:** Messias (E, 1748) – **Tersteegen:** Geistliches Blumen-Gärtlein (GS, 1729)

Rokoko

Gleim: Scherzhafte Lieder (1744) – **Hagedorn:** Oden und Lieder (1742)

Empfindsamkeit

Gellert: Die Betschwester (K, 1745), Die zärtlichen Schwestern (K, 1745), Leben der schwedischen Gräfin G . . . (R, 1746) – **Richardson:** Pamela (engl. R, 1740), Clarissa (engl. R, 1748) – **Young:** Night Thoughts (engl. Vers-E, 1742)

Aufklärung

Bodmer: Von dem Wunderbaren in der Poesie (P, 1740) – **Bodmer, Breitinger** (Hrsg.): Discourse der Mahlern (Zs, ab 1721) – **Breitinger:** Critische Dichtkunst (P, 1740) – **Brockes** (Hrsg.): Der Patriot (Zs, ab 1724) – **Defoe:** Robinson Crusoe (engl. R, 1719) – **Gottsched:** Critische Dichtkunst (P, 1730), Der sterbende Cato (R, 1732), Deutsche Sprachkunst (P, 1748) – **Lillo:** The London Merchant (engl. BT, 1731) – **Mattheson** (Hrsg.): Der Vernünftler (Zs, ab 1713) – **J. E. Schlegel:** Vergleichung Shakespears und Andreas Gryphs (TS, 1741), Die stumme Schönheit (K, 1747) – **Schnabel:** Wunderliche Fata einiger Seefahrer (Insel Felsenburg; R, 1731) – **Zedler:** Universal-Lexikon (1732)

1750-1799

1750 Abschaffung der Hexenprozesse in Deutschland

1756–63 Siebenjähriger Krieg, beendet durch den Frieden von Hubertusburg (Preußen wird europäische Großmacht)

1769 Erfindung der Dampfmaschine (Patent für James Watt)
1776 Amerikanische Unabhängigkeitserklärung

Pietismus

Klopstock: Hermanns Schlacht (S, 1769)

Rokoko

Gessner: Idyllen (1756) – **Gleim:** Preußische Kriegslieder (1758) – **Wieland:** Don Sylvio von Rosalva (R, 1764), Musarion (Vers-E, 1768), Oberon (Vers-E, 1780)

Empfindsamkeit

Göttinger Musenalmanach (Zs, ab 1770) – **Klopstock:** Oden (1771) – **La Roche:** Geschichte des Fräuleins von Sternheim (R, 1771) – **Miller:** Siegwart. Eine Klostergeschichte (R, 1776) – **Sterne:** Sentimental Journey (engl. R, 1768) – **Voß:** Luise (G, 1795) – **Claudius** (Hrsg.): Wandsbecker Bothe (Zs, ab 1771)

Aufklärung

Allgemeine Deutsche Bibliothek (Zs, ab 1765) – **Blanckenburg:** Versuch über den Roman (P, 1774) – **Diderot, d'Alembert:** Encyclopédie ou Dictionnaire raisonné (frz. Lexikon, 1751) – **Encyclopaedia Britannica** (engl. Lexikon, 1767) – **Gellert:** Lehrgedichte und Erzählungen (1754) – **Kant, Mendelssohn:** Was ist Aufklärung? (TS, 1783) – **Kant:** Kritik der praktischen Vernunft (TS, 1788) – **Lessing:** Fabeln und Erzählungen (1753), Miß Sara Sampson (BT, 1755), Minna von Barnhelm (BT, 1767), Hamburgische Dramaturgie (TS, 1767), Emilia Galotti (BT, 1772), Anti-Goezes (TS, 1778), Nathan der Weise (T, 1779), Erziehung des Menschengeschlechts (TS, 1780) – **Möser:** Patriotische Phantasien (PS, 1774) –**Nicolai, Lessing, Mendelssohn** (Hrsg.): Bibliothek der schönen Wissenschaften (Zs, ab 1757), Literatur-Briefe (TS/Zs, ab 1759) – **Uz:** Versuch über die Kunst stets fröhlich zu sein (TS, 1760) – **Wieland:** Geschichte des Agathon (R, 1766) – **Wieland** (Hrsg.): Teutscher Merkur (Zs, ab 1773)

1789 Französische Revolution: Der Nationalkonvent erklärt Frankreich zur Republik
1799–1814/15 Regierungszeit Napoleons Bonaparte, erster Konsul von Frankreich (1804–14 französischer Kaiser)

Sturm und Drang

Bürger: Gedichte (1778) – **Gerstenberg:** Ugolino (T, 1768) – **Goethe:** Zum Shäkespears Tag (TS, 1771), Sesenheimer Lieder (1771), Urfaust (T, 1772), Götz von Berlichingen (T, 1773), Die Leiden des jungen Werthers (R, 1774), Prometheus (G, 1774) – **Herder:** Über die neuere Deutsche Litteratur (TS, 1767), Journal meiner Reise im Jahre 1769 (Ab/TS), Über den Ursprung der Sprache (TS, 1772), Von deutscher Art und Kunst (TS, 1773), Volkslieder (1778) – **Klinger:** Sturm und Drang (T, 1776), Die Zwillinge (T, 1776) – **Lenz:** Anmerkungen übers Theater (TS, 1774), Der Hofmeister (K, 1774), Der neue Menoza (K, 1774), Die Soldaten (K, 1776) – **Macpherson:** Fragments of Ancient Poetry (engl. GS, 1760) – **Moritz:** Anton Reiser (R, 1785) – **Percy:** Ancient English Poetry (engl. GS, 1765) – **Schiller:** Die Räuber (T, 1781), Kabale und Liebe (BT, 1784) – **Wagner:** Die Kindermörderinn (T, 1776)

Klassik

Goethe: Italiänische Reise (Ab, 1786), Römische Elegien (1786), Iphigenie auf Tauris (T, 1787), Egmont (T, 1788), Torquato Tasso (T, 1790), Wilhelm Meisters Lehrjahre (R, 1795), Venetianische Epigramme (1796), Balladen (1797), Hermann und Dorothea (Vers-E, 1797) –**Schiller** (Hrsg.): Thalia (Zs, ab 1785) – **Schiller:** Don Carlos (T, 1787), Die Götter Griechenlands (G, 1788), Über Anmuth und Würde (TS, 1793), Ästhetische Briefe (TS, 1795), Über naive und sentimentalische Dichtung (TS, 1795), (Hrsg.): Die Horen (Zs, ab 1795), Balladen (1797) – **Schiller, Goethe:** Über epische und dramatische Dichtung (TS, 1797), Xenien (G, 1797) – **Winckelmann:** Gedanken über die Nachahmung der Griechischen Werke (TS, 1755)

Zwischen Klassik und Romantik

Hölderlin: Fragment des Hyperion (R, 1794), Hyperion (R, 1797), Der Tod des Empedokles (T, 1797) – **Jean Paul:** Schulmeisterlein Wutz (Ez, 1793), Quintus Fixlein (Ez, 1796)

Romantik

Fichte: Wissenschaftslehre (TS, 1794) – **Novalis:** Blüthenstaub-Fragmente (1798), Die Christenheit oder Europa (TS, 1799) – **F. Schlegel:** Lucinde (R, 1799) – **F. und A. W. Schlegel** (Hrsg.): Athenäum (Zs, ab 1798) – **Tieck:** Der blonde Eckbert (M, 1797), Der gestiefelte Kater (M, 1797), Franz Sternbald's Wanderungen (R, 1798) – **Tieck, Wackenroder:** Herzensergießungen eines kunstliebenden Klosterbruders (PS, 1797)

1800-1849

1803 Reichsdeputationshauptschluß: Säkularisierung der geistlichen Fürstentümer
1803–15 Napoleonische Kriege
1806–13 Rheinbund: Deutsche Fürsten vereinen sich gegen Österreich und Preußen; Niederlagen des Preußischen Heeres bei Jena und Auerstedt; Kaiser Franz II. dankt ab (Ende des „Heiligen Römischen Reiches Deutscher Nation")
1810 Wilhelm von Humboldt gründet die Berliner Universität
1813 Völkerschlacht bei Leipzig: In den Freiheitskriegen 1813–15 kämpft Preußen gegen die napoleonische Fremdherrschaft
1814–15 Wiener Kongreß: Neuordnung Europas unter Fürst Metternich

Pietismus

Jung-Stilling: Lebensgeschichte (Ab, 1835)

Aufklärung

Lichtenberg: Vermischte Schriften (PS, 1800)

Klassik

Goethe: Winckelmann und sein Jahrhundert (TS, 1805), Faust I (T, 1808), Die Wahlverwandtschaften (R, 1809), Zur Farbenlehre (TS, 1810), Dichtung und Wahrheit (Ab, 1811), West-östlicher Divan (GS, 1819), Wilhelm Meisters Wanderjahre (R, 1821), Trilogie der Leidenschaft (G, 1827), Faust II (T, 1832) – **Schiller:** Maria Stuart (T, 1800), Wallenstein (T, 1800), Die Jungfrau von Orleans (T, 1801), Die Schaubühne als moralische Anstalt betrachtet (TS, 1802), Die Braut von Messina (T, 1803), Wilhelm Tell (S, 1804)

Zwischen Klassik und Romantik

Hebel: Alemannische Gedichte (1803), Schatzkästlein des rheinischen Hausfreundes (PS, 1811) – **Hölderlin:** Brod und Wein (G, 1800) – **Jean Paul:** Titan (R, 1803), Vorschule der Ästhetik (TS, 1804), Flegeljahre (Ab/R, 1804) – **Kleist:** Die Familie Schroffenstein (T, 1803), Amphitryon (K, 1807), Das Erdbeben in Chili (N, 1807), Penthesilea (T, 1808), Die Marquise von O. (N, 1810), Michael Kohlhaas (N, 1810), Das Käthchen von Heilbronn (S, 1810), Über das Marionettentheater (TS, 1810), Der zerbrochne Krug (K, 1811), Prinz Friedrich von Homburg (S, 1811)

Romantik

A. Arnim: Die Kronenwächter (R, 1817), Einquartierung im

1815–66 Deutscher Bund: Deutsche Einzelstaaten werden vereinigt
1816 Herzogtum Weimar erhält die erste deutsche Verfassung
1819 Das erste Dampfschiff fährt von den USA nach Europa; Karlsbader Beschlüsse: Demagogenverfolgung, Überwachung von Presse und Universitäten
1821–29 Griechische Freiheitskämpfe

Pfarrhaus (N, 1817), Der tolle Invalide (N, 1818) – **B. Arnim:** Goethes Briefwechsel mit einem Kinde (R, 1835), Dies Buch gehört dem König (Ez, 1843) – **Brentano:** Godwi (R, 1801), Kasperl und Annerl (N, 1817) – **Brentano, A. Arnim:** Des Knaben Wunderhorn (GS, 1806) – **Chamisso:** Peter Schlemihl (M, 1814) – **Eichendorff:** Aus dem Leben eines Taugenichts (N, 1826), Gedichte (1837) – **Görres:** Teutsche Volksbücher (1807) – **J. und W. Grimm:** Kinder- und Haus-Märchen (M, 1812), Deutsche Grammatik (1819) – **Hauff:** Märchenalmanach (M, 1826) – **Hoffmann:** Der goldne Topf (M, 1814), Die Elixiere des Teufels (R, 1815), Nachtstücke (Ez, 1817), Die Serapions-Brüder (M/Ez, 1819), Kater Murr (R, 1820) – **Kerner:** Reiseschatten (R, 1811), Die Seherin von Prevorst (R, 1829) – **Novalis:** Hymnen an die Nacht (G, 1800), Heinrich von Ofterdingen (R, 1802) – **Schwab** (Hrsg.): Deutsche Volksbücher (1836), Sagen des klassischen Altertums (1838) – **Uhland:** Gedichte und Balladen (1815), Hoch- und niederdeutsche Volkslieder (GS, 1844)

Biedermeier

Droste-Hülshoff: Die Judenbuche (N, 1842), Gedichte (1844) – **Fliegende Blätter** (Zs, ab 1844) – **Gotthelf:** Die schwarze Spinne (N, 1842), Uli der Knecht (R, 1841), Uli der Pächter (R, 1849) – **Grillparzer:** König Ottokar (T, 1825), Ein treuer Diener seines Herrn (T, 1828), Weh dem, der lügt (K, 1838), Der arme Spielmann (Ez, 1847) – **Immermann:** Die Epigonen (R, 1836) – **Mörike:** Maler Nolten (R, 1832), Gedichte (1838) – **Nestroy:** Lumpazivagabundus (VS, 1833) – **Raimund:** Alpenkönig und Menschenfeind (VS, 1828) – **Stifter:** Studien (NS, 1844 – darin: Brigitta)

1830 Julirevolution in Frankreich; Verbreitung nationalliberaler Ideen in Europa
1832 Hambacher Fest: Treffen süddeutscher Liberaler, führt zur Aufhebung von Presse- und Versammlungsfreiheit
1835 Erste deutsche Eisenbahnlinie für den Personenverkehr zwischen Nürnberg und Fürth
1837 Erstes modernes deutsches Urheberrechtsgesetz in Preußen
1844 Weberaufstände in Schlesien
1848 Revolutionen in Europa, Märzrevolution in Deutschland; Deutsche Nationalversammlung in der Frankfurter Paulskirche arbeitet Verfassung aus

Junges Deutschland

Börne: Briefe aus Paris (ZkS, 1832) – **Büchner:** Der Hessische Landbote (ZkS, 1834), Dantons Tod (T, 1835), Woyzeck (T, 1836), Lenz (Ez, 1839) – **Fallersleben:** Lied der Deutschen (1841) – **Grabbe:** Scherz, Satire, Ironie und tiefere Bedeutung (K, 1827), Don Juan und Faust (T, 1829), Napoleon oder die hundert Tage (T, 1831), Die Hermannsschlacht (T, 1838) – **Gutzkow:** Wally, die Zweiflerin (R, 1835) – **Heine:** Harzreise (Ab/ZkS, 1826), Buch der Lieder (GS, 1827), Die romantische Schule (TS, 1836), Deutschland. Ein Wintermärchen (Vers-E, 1844) – **Platen:** Polenlieder (A, 1836) – **Wienbarg:** Ästhetische Feldzüge (TS, 1834)

Poetischer Realismus

Balzac: La comédie humaine (frz. R, 1829–54) – **Dickens:** Pickwick Papers (engl. R, 1837) – **Hebbel:** Maria Magdalene (BT, 1844) – **Schmidt, Freytag** (Hrsg.): Die Grenzboten (Zs, ab 1848) – **Storm:** Immensee (N, 1849)

1850-1899

1851 Erste Weltausstellung in London
1853–56 Krimkrieg, beendet durch den Frieden von Paris
1861–65 Amerikanischer Sezessionskrieg
1861 Philipp Reis entwickelt den Fernsprecher
1862–90 Otto von Bismarck prägt die deutsche Politik als Ministerpräsident und Reichskanzler
1863 Lassalle gründet den Allgemeinen Deutschen Arbeiterverein
1864 Genfer Konvention: Gründung des Roten Kreuzes
1866 Deutscher Krieg zwischen dem Deutschen Bund und Österreich und zwischen Preußen und Italien
1869–1948 Mahatma Gandhi
1870 Erstes Vatikanisches Konzil (Unfehlbarkeitsdogma)

Romantik

Brentano: Gedichte (1854) – **J. und W. Grimm:** Deutsches Wörterbuch (ab 1852)

Biedermeier

Grillparzer: Die Jüdin von Toledo (T, 1853) – **Mörike:** Das Stuttgarter Hutzelmännlein (Ez, 1853), Mozart auf der Reise nach Prag (N, 1856) – **Stifter:** Bunte Steine (NS, 1853), Nachsommer (R, 1857)

Poetischer Realismus

Baudelaire: Les Fleurs du Mal (frz. GS, 1857) – **Busch:** Max und Moritz (Bildergeschichten, 1865), Die fromme Helene (Bildergeschichten, 1872), Fipps der Affe (Bildergeschichten, 1879) – **Flaubert:** Madame Bovary (frz. R, 1857) – **Fontane:** Balladen (1861 – darin: John Maynard), Wanderungen durch die Mark Brandenburg (PS, 1862), Irrungen Wirrungen (R, 1888), Unwiederbringlich (R, 1891), Effi Briest (R, 1894), Von Zwanzig bis Dreißig (Ab, 1898), Der Stechlin (R, 1899) – **Freytag:** Soll und Haben (R, 1855) – **Hebbel:** Agnes Bernauer (BT, 1852) – **Keller:** Der grüne Heinrich (Ab/R, 1854), Spiegel, das Kätzchen (N, 1856), Die Leute von Seldwyla I (NS, 1856 – darin: Romeo und Julia auf dem Dorfe), Züricher Novellen (NS, 1878), Das Sinngedicht (NS, 1882), Die Leute von Seldwyla II (NS, 1873/74 – darin: Kleider machen Leute) – **Marx:** Das Kapital (TS, 1867) – **Meyer:** Das Amulett (N, 1873), Georg Jenatsch (R, 1876), Der Heilige (N, 1880), Gedichte, Balladen (1882 – darin: Die Füße im Feuer), Das Leiden eines Knaben (N, 1883), Die Hochzeit des Mönchs (N, 1884) – **Nietzsche:** Die Geburt der Tragödie (TS, 1872), Unzeitgemäße Betrachtungen (ZkS, 1873), Also sprach Zarathustra (ZkS, 1883) – **Raabe:** Die Chronik der Sperlingsgasse (R,

1870/71 Deutsch-Französischer Krieg, ausgelöst durch den Streit um die Thronfolge in Spanien
1871 Gründung des Deutschen Reiches: Wilhelm I., preußischer König seit 1861, wird in Versailles deutscher Kaiser
1870–1924 Wladimir Iljitsch Lenin
1872–78 Kulturkampf zwischen Deutschem Reich und katholischer Kirche
1878 Sozialistengesetze unterdrücken die Sozialdemokratie
1883–89 Bismarcks Sozialgesetzgebung

1857), Der Hungerpastor (R, 1864), Abu Telfan (R, 1867), Der Schüdderump (R, 1870), Stopfkuchen (Ez, 1891) – **Storm:** Gedichte (1852), Pole Poppenspäler (N, 1874), Der Schimmelreiter (N, 1888)

Naturalismus

Bahr: Die Überwindung des Naturalismus (TS, 1891) – **Bölsche:** Die Naturwissenschaftlichen Grundlagen der Poesie (TS, 1887) – **Brahm** (Hrsg.): Neue deutsche Rundschau (Zs, ab 1894) – **Conrad:** Was die Isar rauscht (R, 1887) – **Die Gesellschaft** (Zs, ab 1885) – **J. und W. Hart** (Hrsg.): Kritische Waffengänge (Zs, ab 1882), Moderne Dichtercharaktere (A, 1884) – **Hauptmann:** Bahnwärter Thiel (N, 1888), Vor Sonnenaufgang (T, 1889), Die Weber (T, 1892), Der Biberpelz (K, 1893) – **Holmsen (d. i. Holz, Schlaf):** Papa Hamlet (Skizzen, 1889) – **Holz:** Das Buch der Zeit (GS, 1885), Die Kunst. Ihr Wesen und ihre Gesetze (TS, 1891), Phantasus (GS, 1898) – **Holz, Schlaf:** Die Familie Selicke (T, 1890) – **Huch:** Die Romantik (TS, 1899) – **Ibsen:** Nora (norw. S, 1879/80), Gespenster (norw. T, 1882/86), Die Wildente (norw. T, 1885/88) – **Kretzer:** Meister Timpe (R, 1888) – **Zola:** Les Rougon-Macquart (frz. R, 1871–1893), Le roman expérimental (frz. TS, 1880)

1884/85 Gründung deutscher Kolonien in Afrika
1885 Daimler und Benz entwickeln den ersten Kraftwagen mit Benzinmotor
1896 Erste Olympische Spiele der Neuzeit in Athen

Jahrhundertwende

Blätter für die Kunst (Zs, ab 1892) – **George:** Hymnen (GS, 1890), Algabal (GS, 1892), Das Jahr der Seele (GS, 1897) – **Hofmannsthal:** Der Thor und der Tod (lyr. S, 1894), Reitergeschichte (Ez, 1899) – **Huch:** Erinnerungen an Ludolf Ursleu (Ab, 1893) – **Kraus** (Hrsg.): Die Fackel (Zs, ab 1899) – **Rimbaud:** Illuminations (frz. GS, 1886) – **Schnitzler:** Anatol (S, 1893), Liebelei (S, 1896) – **Wedekind:** Frühlings Erwachen (T, 1891)

1900–1945

1900 Einführung des Bürgerlichen Gesetzbuches
ab 1901 Frauen werden zum Studium zugelassen
1908 Gründung der Luftschiffbaugesellschaft „Zeppelin“
1912/13 Balkankriege
1914 Ermordung des österreichischen Thronfolgers in Sarajewo
1914–18 Erster Weltkrieg
1917 Oktoberrevolution in Rußland
1918 Karl Liebknecht ruft die Deutsche Räterepublik aus
1919 Gründung des Völkerbundes; Vertrag von Versailles regelt nach der Niederlage Deutschlands die Reparationsleistungen

Jahrhundertwende

Freud: Traumdeutung (TS, 1900) – **George:** Der siebente Ring (GS, 1907) – **Hesse:** Unterm Rad (R, 1906), Gertrud (R, 1910) – **Hofmannsthal:** Brief des Lord Chandos (TS, 1902), Ausgewählte Gedichte (1903), Elektra (T, 1904), Jedermann (S, 1911), Das Salzburger Große Welttheater (S, 1922) – **Kafka:** Das Urteil (Ez, 1916), Die Verwandlung (Ez, 1916), In der Strafkolonie (Ez, 1919) – **Kraus:** Die letzten Tage der Menschheit (T, 1918) – **H. Mann:** Im Schlaraffenland (R, 1900), Professor Unrat (R, 1905), Der Untertan (R, 1918) – **Th. Mann:** Buddenbrooks (R, 1901), Tristan (NS, 1903), Der Tod in Venedig (N, 1913) – **Morgenstern:** Galgenlieder (GS, 1905) – **Rilke:** Stunden-Buch (GS, 1905), Die Weise von Liebe und Tod des Cornet (lyr. Ez, 1906), Neue Gedichte (1907), Aufzeichnungen des Malte Laurids Brigge (R, 1910), Duineser Elegien (1923), Sonette an Orpheus (1923) – **Schnitzler:** Lieutenant Gustl (N, 1900), Reigen. Zehn Dialoge (S, 1900), Traumnovelle (N, 1926) – **Wedekind:** Lulu (T, 1913)

Expressionismus

Barlach: Der tote Tag (S, 1912), Die Sündflut (S, 1924) – **Becher:** An Europa (GS, 1916) – **Benn:** Morgue (GS, 1912) – **Bronnen:** Vatermord (S, 1920) – **Dada-Almanach** (Zs, ab 1920) – **Hasenclever:** Der Sohn (S, 1914) – **Heym:** Der ewige Tag (GS, 1911), Umbra Vitae (GS, 1912) – **Kaiser:** Die Bürger von Calais (S, 1914) – **Kandinsky:** Der gelbe Klang (S, 1912) – **Kokoschka:** Mörder, Hoffnung der Frauen (S, 1910) – **Lichtenstein:** Die Dämmerung (GS, 1913) – **Pinthus** (Hrsg.): Menschheitsdämmerung (A, 1920) – **Sorge:** Der Bettler (S, 1912) – **Stadler:** Der Aufbruch (GS, 1914) – **Sternheim:** Aus dem bürgerlichen Heldenleben (4 S, 1911–1914) – **Stramm:** Du. Liebesgedichte (1915) – **Toller:** Gas I/II (S, 1918/20), Masse Mensch (S, 1921), Hoppla, wir leben (S, 1927) – **Trakl:** Gedichte (1913) – **Werfel:** Der Weltfreund (GS, 1911), Wir sind (GS, 1913), Nicht der Mörder, der Ermordete ist schuldig (N, 1920) – **Zss:** Der Sturm (ab 1910), Die Aktion (ab 1911), Die Revolution (ab 1913), Das neue Pathos (ab 1913), Die weißen Blätter (ab 1913), Der jüngste Tag (ab 1913), Dada (ab 1919)

1919–13 Weimarer Republik
1922 Benito Mussolinis (italienischer Ministerpräsident) Marsch auf Rom
ab 1922 Entwicklung des Tonfilms
1923 Hitler-Putsch in München
1926 Deutschland tritt dem Völkerbund bei
1928 Alexander Fleming entdeckt das Penicillin
1929 Weltwirtschaftskrise, ausgelöst durch Kursstürze an der New Yorker Börse; Genfer Konvention über die menschliche Behandlung von Kriegsgefangenen

Zwanziger Jahre

Brecht: Baal (S, 1920), Trommeln in der Nacht (K, 1923), Mann ist Mann (K, 1927), Hauspostille (GS/ZkS, 1927), Die Dreigroschenoper (S, 1928) – **Broch:** Die Schlafwandler (R, 1931) – **Döblin:** Berge Meere und Giganten (R, 1924), Berlin Alexanderplatz (R, 1929) – **Fleißer:** Fegefeuer in Ingolstadt (VS, 1926) – **Hesse:** Demian (R, 1919), Der Steppenwolf (R, 1927) – **Horváth:** Italienische Nacht (VS, 1931), Geschichten aus dem Wiener-Wald (VS, 1931) – **Joyce:** Ulysses (engl. R, 1922) – **Kästner:** Fabian (R, 1931) – **Kafka:** Der Prozeß (R, 1914), Brief an den Vater (Ab, 1919), Das Schloß (R, 1922), Amerika (R, 1927) – **Lehmann:** Bukolisches Tagebuch (Ab, 1927), Antwort des Schweigens (GS, 1935) – **Lukács:** Theorie des Romans (P, 1920) – **Th. Mann:** Von deutscher Republik (Rede, 1922), Der Zauberberg (R, 1924) – **Musil:** Der Mann ohne Eigenschaften (R, 1930) – **Proust:** Auf der Suche nach der verlorenen Zeit (frz. R, 1913) – **J. Roth:** Radetzkymarsch (R, 1932) – **Tucholsky:** Deutschland, Deutschland über alles (ZkS, 1929) – **Die Weltbühne** (Zs, ab 1918) – **Zuckmayer:** Der fröhliche Weinberg (VS, 1925), Der Hauptmann von Köpenick (K, 1931)

1933 Beginn des Dritten Reiches: Aufstieg der Nationalsozialistischen Partei Deutschlands, Machtergreifung Hitlers, öffentliche Bücherverbrennungen, Austritt Deutschlands aus dem Völkerbund
1934 Erster internationaler Schriftstellerkongreß „zur Verteidigung der Kultur" in Paris
1935 Nürnberger Gesetze: Juden verlieren die bürgerliche Gleichberechtigung
1936 Bürgerkrieg in Spanien
1938 Anschluß Österreichs an das Deutsche Reich; Reichskristallnacht: organisierte Aufstände gegen Juden; Otto Hahn entdeckt die Atomkernspaltung
1939–45 Hitlers Überfall auf Polen löst den Zweiten Weltkrieg aus
8. 5. 1945 Zusammenbruch des Deutschen Reiches
1945 Aufteilung Deutschlands in vier Besatzungszonen; Gründung der Vereinten Nationen

Exil und „innere Emigration"

Bergengruen: Der Großtyrann und das Gericht (R, 1935 in D) – **Brecht:** Dreigroschenroman (R, 1934), Furcht und Elend des Dritten Reiches (S, 1938), Mutter Courage und ihre Kinder (S, 1941), Leben des Galilei (S, 1943), Der gute Mensch von Sezuan (S, 1943) – **Brecht, Feuchtwanger, Bredel** (Hrsg.): Das Wort (Zs, Moskau, ab 1936) – **Feuchtwanger:** Der Wartesaal (R, 1930–40) – **Hesse:** Das Glasperlenspiel (R, 1943) – **Horváth:** Jugend ohne Gott (R, 1938) – **Jünger:** Auf den Marmorklippen (R, 1939 in D) – **Klepper:** Der Vater (R, 1937 in D) – **Le Fort:** Die Magdeburgische Hochzeit (R, 1938 in D) – **H. Mann:** Henri Quatre (R, 1935/38), Ein Zeitalter wird besichtigt (ZkS, 1945) – **K. Mann:** Der Vulkan (R, 1939), (Hrsg.): Die Sammlung (Zs, Amsterdam, ab 1933) – **Th. Mann:** Lotte in Weimar (R, 1939), Joseph und seine Brüder (R I–IV, 1933–43) – **Neue Deutsche Blätter** (Zs, ab 1933) – **Schaper:** Die sterbende Kirche (R, 1936 in D) – **R. Schneider:** Las Casas (R, 1938 in D) – **Seghers:** Das siebte Kreuz (R, 1942), Transit (R, 1944/48) – **Thieß:** Das Reich der Dämonen (R, 1941 in D) – **Toller:** Eine Jugend in Deutschland (Ab, 1933) – **Zuckmayer:** Aufruf zum Leben (TS, 1942) – **Zweig:** Die Welt von gestern (R, 1942)

1945–1995

1945 Nürnberger Prozesse
1948–49 Berlin-Blockade
1949 Gründung der Bundesrepublik Deutschland und der Deutschen Demokratischen Republik (DDR)
1949–63 Ära von Bundeskanzler Konrad Adenauer
1952 Ablehnung des Wiedervereinigungsangebots der UdSSR durch den Westen
1953 Tod Stalins, Arbeiteraufstand in Ost-Berlin (17. 6.)
1950–55 Politik der Westintegration der Bundesrepublik, NATO-Beitritt
1955 Aufnahme der DDR in den Warschauer Pakt, Beginn des „Kalten Kriegs" zwischen Ost und West, Aufbau der Bundeswehr
1958–61 Berlin-Krise
1961 Mauerbau, die DDR schließt die Grenzen zur Bundesrepublik
1962 die Spiegelaffäre löst heftige Diskussionen um die Pressefreiheit aus
1963 deutsch-französischer Freundschaftsvertrag
1966–69 große Koalition zwischen CDU/CSU/SPD (Kanzler: Kurt Georg Kiesinger, Außenminister: Willy Brandt)
1968 neue DDR-Verfassung („sozialistische deutsche Nation"); Höhepunkt der sog. Studentenunruhen (Anti-Vietnamkriegs- und Anti-Imperialismus-Demonstrationen), Notstandsgesetze, Entstehung der außerparlamentarischen Opposition (APO), Niederschlagung des „Prager Frühlings"

1969–72 und **1973–79** Verhandlungen über Rüstungsbegrenzung zwischen den USA und der Sowjetunion (SALT I und II)
1969–82 sozial-liberale Regierungskoalition SPD/FDP (Kanzler: Willy Brandt, ab 1974: Helmut Schmidt)
1970 „Ostverträge" (Unterzeichnung der Gewaltverzichtsabkommen mit der UdSSR und Polen), Beginn des deutsch-deutschen Dialogs
1971 Willy Brandt erhält für die neue Ostpolitik den Friedensnobelpreis; Beginn der Ära Erich Honecker in der DDR
1972 Vier-Mächte-Abkommen über Berlin erleichtert den innerdeutschen Transitverkehr (Grundlagenvertrag zur Entwicklung gutnachbarlicher Beziehungen)
1974 Guillaume-Affäre und Rücktritt des Bundeskanzlers Brandt
1976 Ausbürgerung Wolf Biermanns aus der DDR, danach Ausreisen vieler Autoren der DDR in die Bundesrepublik, Ausweisung westlicher Journalisten
1977 Höhepunkt des RAF-Terrors (Rote-Armee-Fraktion), „Deutscher Herbst"
1980 ff. Diskussion über die Nachrüstung, Höhepunkt der Friedensbewegung
1982 „Die Wende": CDU/CSU übernimmt nach Koalitionswechsel der FDP die Regierung mit Bundeskanzler Helmut Kohl
1986 Reaktorkatastrophe von Tschernobyl

1987 Honecker besucht die Bundesrepublik
1989 ab August Montagsdemonstrationen in den großen Städten der DDR, vor allem in Leipzig; Ungarn öffnet im September seine Grenzen, DDR-Bürger verlassen ihr Land über Ungarn; Entstehung der Bürgerrechtsbewegungen „Neues Forum“, „Demokratie jetzt“ und „Demokratischer Aufbruch“
18. 10. 1989 Rücktritt Honeckers
8. 11. 1989 Rücktritt des Politbüros der SED
9. 11. 1989 Fall der Berliner Mauer, Grenzöffnung
3. 10. 1990 Tag der deutschen Einheit: DDR tritt der Bundesrepublik bei, im Zwei-plus-Vier-Vertrag billigen die Allierten die Vereinigung Deutschlands
2. 12. 1990 erste gesamtdeutsche Wahlen zum Bundestag
1991 jeder Bundesbürger kann Einsicht in eventuell über ihn angelegte Akten des Staatssicherheitsdienstes (Stasi) der DDR beantragen; Sowjetunion zerfällt, Ende des „Kalten Krieges“
1991/92 Ausschreitungen Rechtsradikaler in deutschen Städten, daraufhin Demonstrationen gegen Ausländerfeindlicheit, Rechtsradikalismus und Gewalt
1992 Vertrag von Maastricht (Europäische Union)
1993 der Europäische Binnenmarkt tritt in Kraft

Personen- und Werkregister

B = Kurzbiographie

Sachregister

Quellennachweis

Der Verlag dankt den genannten Personen, Institutionen und Unternehmen für ihre freundliche Genehmigung zum Abdruck von Copyright-Material, soweit sie erreicht werden konnten. Trotz intensiver Bemühungen konnte mit den Copyright-Inhabern einiger verwendeter Texte (S. 184, 196, 265) kein Kontakt hergestellt werden. Für entsprechende Hinweise wäre der Verlag dankbar.

1. Texte

American Association of Teachers of German, INC, Cherry Hill (N. J.): **S. 275** Ein Gespräch über Kassandra, in: The German Quarterly, Vol 57, No. 1

Arche Verlags AG, Zürich: **S. 193** aus: Jakob van Hoddis, Dichtungen und Briefe. Hrsg. von Regina Nörtemann. Arche-Editionen des Expressionismus. (Hrsg. von Paul Raabe.) © 1987 by Arche Verlag AG, Raabe + Vitali, Zürich; **S. 194** aus: H. Ball, Gesammelte Gedichte © 1963 by Verlags-AG Die Arche, Zürich; ist seit 85 b. Diongenes.

Atrium Verlags AG, Zürich: **S. 212, 213** aus: E. Kästner, Gesammelte Schriften für Erwachsene (1959), © by E. Kästner Erben, München

Aufbau-Verlag, Berlin/Weimar: **S. 184** aus: H. Mann, Der Untertan (1977); **S. 265** aus: L. Fürnberg, Gesammelte Werke in 6 Bd. (1965), Bd. 2; **S. 277** aus: St. Döring, Heutemorgestern, Gedichte (1989).

Bayerische Verlagsanstalt, Bamberg: **S. 198** aus: W. Urbanek, Die Bürger von Calais (1973)

Beck'sche Verlagsbuchhandlung, München: **S. 193** aus: E. Stadler, Dichtungen, Schriften, Briefe, hrsg. von K. Hurlebusch und K. Schneider (1963); **S. 194** aus: E. Heym, Dichtungen und Schriften, Bd. 1, hrsg. von K. Schneider (1964)

Benzinger Verlag, Zürich: **S. 318** aus: W. M. Diggelmann, Schatten, Tagebuch einer Krankheit (1979)

claassen Verlag GmbH, Düsseldorf: **S. 226** aus: H. Mann, Ein Zeitalter wird besichtigt (1974), © by claassen Verlag GmbH, Düsseldorf

Claassen Verlag GmbH, Hamburg: **S. 236** aus: E. Langgässer, Gedichte (1959), © 1959 by Claassen Verlag GmbH, Hamburg

Deutscher Taschenbuch Verlag, München: **S. 300** zit. nach: Was geschah, nachdem Nora ihren Mann verlassen hatte – dtv 10017 (1982)

Deutsche Verlags-Anstalt, Stuttgart: **S. 255** aus: U. Hahn, Herz über Kopf (1981); **S. 271** aus: J. Bobrowski, Sarmatische Zeit, Schattenland Ströme (1961/62)

Diogenes Verlag AG, Zürich: **S. 312** aus: Friedrich Dürrenmatt. Die Physiker. Neufassung 1980. © 1980 by Diogenes Verlag AG Zürich; **S. 313** aus: Friedrich Dürrenmatt. Theater. Essays und Reden. © 1980 by Diogenes Verlag AG Zürich; **S. 316** aus: U. Widmer, Die Forschungsreise (1976); **S. 320** aus F. Dürrenmatt, Der Auftrag (1986)

Fink Verlag, München: **S. 166** aus: G. Mahal, Naturalismus (1975)

Fischer Verlag, Frankfurt: **S. 176, 177** aus: H. v. Hofmannsthal, Das erzählerische Werk (1969); **S. 177** aus: H. v. Hofmannsthal, Das Salzburger Große Welttheater (1957); **S. 178** aus: A. Schnitzler, Anatol (1972); **S. 179** aus: A. Schnitzler, Lesebuch (1978); **S. 184** aus: F. Kafka, Gesammelte Werke in 7 Bd., hrsg. v. Max Brod (1976), Bd. 4; **S. 203** aus: Th. Mann, Gesammelte Werke (1960), Bd. 11; **S. 205/206** aus: F. Kafka, Gesammelte Werke in 7 Bd., hrsg. v. Max Brod (1976), Bd. 2; **S. 206** aus: Th. Mann, Das erzählerische Werk (1975), Bd. 5; **S. 222** aus: L. Feuchtwanger, Exil (1979); **S. 229** zit. nach: M. Winkler, Deutsche Literatur im Exil (1933–1945); **S. 274** aus: W. Hilbig, abwesenheit (1979); **S. 283** aus: M. Maron, Stille Zeile sechs (1991); **S. 284** aus: G. de Bruyn, Zwischenbilanz, Eine Jugend in Berlin (1992); **S. 288** aus: Prosa III. Österreich im Spiegel seiner Dichtung (1952); **S. 297** aus: G.

Roth, Winterreise (1980); **S. 317** aus: H. Burger, Ein Mann aus Wörtern (1983)
Durs Grünbein: **S. 286** aus: Manuskript
Hanser Verlag, München: **S. 199** aus: E. Toller, Gesammelte Werke, Bd. 2 (hrsg. von J. M. Spalek und W. Frühwald), © 1978 by Sidney Kaufmann; **S. 295** aus: E. Canetti, Die Stimmen von Marrakesch (1978)
Henschelverlag Kunst und Gesellschaft, Berlin (Ost): **S. 234** aus: G. Weisenborn, Theater, Bd. 2, Stücke und Komödien (1964)
Henssel Verlag, Berlin: **S. 195** aus: J. Ringelnatz, Und auf einmal steht es neben dir (1976)
Huchel, Staufen/Breisgau: **S. 264** aus: P. Huchel: Chausseen Chausseen (1963)
Insel Verlag, Frankfurt: **S. 176** aus: H. v. Hofmannsthal, Die Gedichte und kleinen Dramen (1966); **S. 179** aus: R. M. Rilke, Werke in 6 Bd. (1974), Bd. I,1; **S. 181** Bd. I,2 und Bd. III,1; **S. 182** Bd. III,1
Kiepenheuer und Witsch Verlag, Köln: **S. 255** aus: W. Biermann, Affenfels und Barrikade (1986)
Kindler Verlag, München: **S. 236, 243, 244** zit. nach: Kindlers Literaturgeschichte der Gegenwart, Bd. 2, Die Literatur der Bundesrepublik Deutschland II (1980); **S. 289, 291** zit. nach: Kindlers Literaturgeschichte der Gegenwart, Bd. 5, Die zeitgenössische Literatur Österreichs I (1980); **S. 293, 294** zit. nach: Kindlers Literaturgeschichte der Gegenwart, Bd. 6, Die zeitgenössische Literatur Österreichs II
Klett Verlag, Stuttgart: **S. 254** aus: I. von Kieseritzky, Das Buch der Disaster (1988)
Klett-Cotta, Stuttgart: **S. 175** aus: Stefan George, Das Jahr der Seele (Gesamtausgabe der Werke, hrsg. von Otto von Holten, Bd. 4), Berlin: Georg Bondi, 1928. – Mit freundlicher Genehmigung des Verlags Klett-Cotta, Stuttgart; **S. 192** aus: G. Benn, Gesammelte Werke in 4 Bänden, Bd. 4: Autobiographische und vermischte Schriften, hrsg. von Dieter Wellershoff, Stuttgart: Klett-Cotta, [6]1989
Langen und Müller Verlag, München: **S. 183** aus: F. Wedekind, Prosa – Dramen – Verse (1971), © Albert Langen Georg Müller Verlag in der F. A. Herbig Verlagsbuchhandlung GmbH München
Langewiesche-Brandt KG Verlag, Ebenhausen: **S. 272** aus: Sarah Kirsch, Zaubersprüche (1973)
Lechte Verlag, Emsdetten: **S. 199** aus: Dramen der Zeit, Bd. 8, hrsg. von A. Müller und H. Schlien (1954)
Limes Verlag, München: **S. 191** aus: A. Stramm, Das Werk (1963), © by Limes Verlag in der F. A. Herbig Verlagsbuchhandlung GmbH München
List SV Südwest Verlagsgruppe, München: **S. 218, 221** aus: M. Winkler, Deutsche Literatur im Exil, Texte und Dokumente (1933–1945); **S. 235** aus: R. Hagelstange, Venezianisches Credo (1975); **S. 238** aus: W. Schnurre, Erzählungen 1945–1965 (1977)
Luchterhand Verlag, Neuwied: **S. 246** aus: G. Wohmann, Frühherbst in Badenweiler (1978); **S. 292** aus: E. Jandl, Der künstliche Baum (1970); **S. 314** aus: K. Marti, Schon wieder heute, Ausgewählte Gedichte (1959–1980) Sammlung Luchterhand (1982); **S. 314** aus: P. Bichsel, Der Busant (1985)
Luchterhand Literaturverlag, Darmstadt: **S. 250** aus: G. Grass, Zunge zeigen (1988); **S. 283** aus: Ch. Wolf, Was bleibt. Erzählung (1993)
Mitteldeutscher Verlag, Halle, Leipzig: **S. 276** aus: V. Braun, Hinze – Kunze – Roman (1985)
Nymphenburger Verlagshandlung, München: **S. 237/238** aus: H. W. Richter, Der Ruf – Unabhängige Blätter für die junge Generation. Eine Auswahl, hrsg. v. H. A. Neunzig (1976), © by Nymphenburger Verlagsbuchhandlung in der F. A. Herbig Verlagsbuchhandlung GmbH München
Piper Verlag, München: **S. 294** aus: I. Bachmann: Gedichte, Erzählungen, Hörspiel, Essays (1964), Das dreißigste Jahr (1983)
Rarisch, Klaus M., Berlin: **S. 167** aus: A. Holz, Phantasus, hrsg. v. E. und A. Holz (1961); **S. 167/168** zit. nach: Die Deutsche Literatur in Text und Darstellung, Bd. 12, hrsg. v. W. Schmähling (1977); **S. 169** aus: A. Holz/J. Schlaf: Papa Hamlet (1978)
Reclam Verlag, Ditzingen: **S. 189** zit. nach: F. Martini, Prosa des Expressionismus (1979); **S. 191** zit. nach: O. Best (Hrsg.), Expressionismus und Dadaismus (1974)
Residenz Verlag, Salzburg: **S. 303** aus: A. Kolleritsch, Einübung in das Unvermeidbare, Gedichte (1982)
Richardson, M., Heatherwood Courd: **S. 195** aus: Dada-Almanach, Das 20. Jahrhundert
Rowohlt Verlag, Reinbek: **S. 175** zit. nach: F. Schonauer, Stefan George – rm 44 (1960); **S. 189, 196** aus: K. Pinthus, Menschheitsdäm-

merung – rk 55/56 (1959); **S. 234** aus: Wolfgang Borchert, Das Gesamtwerk (1949); **S. 251** aus: H.-J. Schädlich, Tallhover (1986); **S. 263** zit. nach: M. Kesting, Bertolt Brecht – rm 37 (1959); **S. 285** aus. P. Schneider, Paarungen (1992)

Rühm, G., Köln: **S. 291**

Suhrkamp Verlag, Frankfurt: **S. 204** aus: H. Hesse, Die Romane und die Großen Erzählungen (1977), S. 27; **S. 209/210, 227/228** aus: B. Brecht, Die Stücke in einem Band (1978), S. 573, 578, 639/640, 986; **S. 213** O. Loerke, Gedichte (1983); **S. 236** aus: G. Eich, Gesammelte Werke, Bd. 1, Die Gedichte (1973); **S. 237** aus: K. Krolow, Ausgewählte Gedichte (1976), S. 42; **S. 241** aus: H. E. Nossack, Der jüngere Bruder (1973); **S. 242** aus: P. Weiss, Die Ermittlung (1965); **S. 244** aus: H. M. Enzensberger, Gedichte (1955–1970) (1971); **S. 250** aus: T. Dorst, Merlin oder Das wüste Land (1981); **S. 253** aus: M. Walser, Brandung (1985); **S. 255** aus: U. Treichel, Liebe Not (1986); **S. 263** aus: B. Brecht, Gesammelte Werke (1967); **S. 273** aus: V. Braun, Langsamer knirschender Morgen (1987); **S. 278** aus: H. Czichowski, Nach der Wende, zit. nach: Von einem Land und von einem anderen. Gedichte zur deutschen Wende, hrsg. von K. O. Conrady (1993); **S. 282** aus: Th. Rosenlöcher, Die verkauften Pflastersteine, Dresdner Tagebuch (1990); **S. 284** aus: K. Drawert, Spiegelland, Ein deutscher Monolog (1992); **S. 303** aus: R. Schindel, Ein Feuerchen im Hintennach, Gedichte 1986–191; **S. 309, 315** aus: M. Frisch, Gesammelte Werke in zeitlicher Folge (1972), Bd. II.2, S. 349, Bd. V.1, S. 21, Bd. VI.2, S. 619; **S. 320** aus: M. Frisch, Der Mensch erscheint im Holozän (1979)

Ullstein Verlag, Berlin: **S. 218** zit. nach: R. Drews, Verboten und verbrannt, hrsg. von A. Kantorowicz (1947)

Wagenbach Verlag, Berlin: **S. 292** aus: E. Fried, Das Nahe suchen (1983); **S. 249** aus: Chr. Meckel, Tullipan (1980)

Walter AG Verlag, Olten: **S. 208** aus: A. Döblin, Berlin Alexanderplatz (1972)

Weyrauch, M., Darmstadt: **S. 239**

2. Abbildungen

Akademie der Künste, Berlin/Ost: **S. 224**

Amerika Gedenkbibliothek, Berlin: **S. 123**

Archiv für Kunst und Geschichte, Berlin: **S. 130**

Athenäum Verlag, Königstein/Ts.: **S. 211**

Bayerische Staatsbibliothek, München: **S. 27, 77, 217**

Bayerische Staatsgemäldesammlung, München: **S. 140**

Bildarchiv Foto Marburg, Marburg: **S. 198**

Buch-Kunst-Verlag, Ettal: **S. 29** (Leuthold von Seven, Manesse-Handschrift)

Clausen, R., Hamburg: **S. 235**

Coburger Landesstiftung, Kunstsammlung der Veste Coburg, Coburg: **S. 42, 53**

Deutsche Bibliothek, Frankfurt: **S. 184** (H. Mann)

Deutscher Taschenbuch Verlag, München: **S. 247**

Grass, G., Berlin: **S. 240**

aus: Günter Grass „In Kupfer, auf Stein" © Copyright Steidl Verlag, Göttingen, 1994: **S. 250**

Goethe-Museum, Düsseldorf: **S. 90, 107**

Gutzeit, B., Schwerte: **S. 309**

Hanser Verlag, München: **S. 82**

Hartung & Karl, München: **S. 43, 156, 203**

Heine Institut, Düsseldorf: **S. 148**

Hensel, G., Darmstadt: **S. 296** (Zeichnung von Moidele Bickel), **S. 311**

Insel Verlag, Frankfurt: **S. 151, 180**

Institut für Zeitungsforschung, Dortmund: **S. 199**

Johann, D., Groß-Gerau: **S. 152**

Kinderbuchverlag, Berlin: **S. 131, 159**

Klett-Cotta Verlag, Stuttgart: **S. 175**

Klinkhardt & Biermann Verlag, München: **S. 72** (Noten-Satz)

Kommunes Kunstsamlinger, Munch-Museet, Oslo: **S. 190**

Kröner Verlag, Stuttgart: **S. 171**

Langewiesche & Nf. Köster KG, Königstein: **S. 183**

Lehmann, T., Bamberg: **S. 133** (Türknauf)

Limmer, I., Bamberg: **S. 23**

Luchterhand Verlag, Neuwied: **S. 268**

Metzlersche Verlagsbuchhandlung, Stuttgart: **S. 61**

Nationale Forschungs- und Gedenkstätten der klassischen deutschen Literatur, Weimar: **S. 98, 103**

Niemeyer Verlag, Tübingen: **S. 48**

Olms Verlag, Hildesheim: **S. 46**

Preußischer Kulturbesitz, Berlin: **S. 59, 93, 168**

Querido Verlag, Amsterdam: **S. 219, 220**

Reclam Verlag, Ditzingen: **S. 54, 68**
Reclam Verlag, Leipzig: **S. 14, 284**
Rogner & Bernhard, München: **S. 72** (Ludwig Richter)
Rowohlt Verlag, Reinbek: **S. 133**
Schiller Nationalmuseum, Marbach: **S. 94, 110, 111, 118, 143** (Mörike), **241**
Schmidt Verlag, Berlin: **S. 18**
Schweizer Tournee-Theater, Basel: **S. 313**
Stiftung Oskar Reinhart, Winterthur: **S. 127**
Süddeutscher Verlag, Bilderdienst München: **S. 31**
Suhrkamp Verlag, Frankfurt: **S. 204, 245, 253, 263**
Ullstein Bilderdienst, Berlin: **S. 81, 149**
Verlag der Kunst VEB, Dresden: **S. 40**
Wagenbach Verlag, Berlin: **S. 184** (Kafka)
Walter Verlag AG, Olten: **S. 207**
Winkler Verlag, München: **S. 158**
Zentralbibliothek, Zürich: **S. 67**

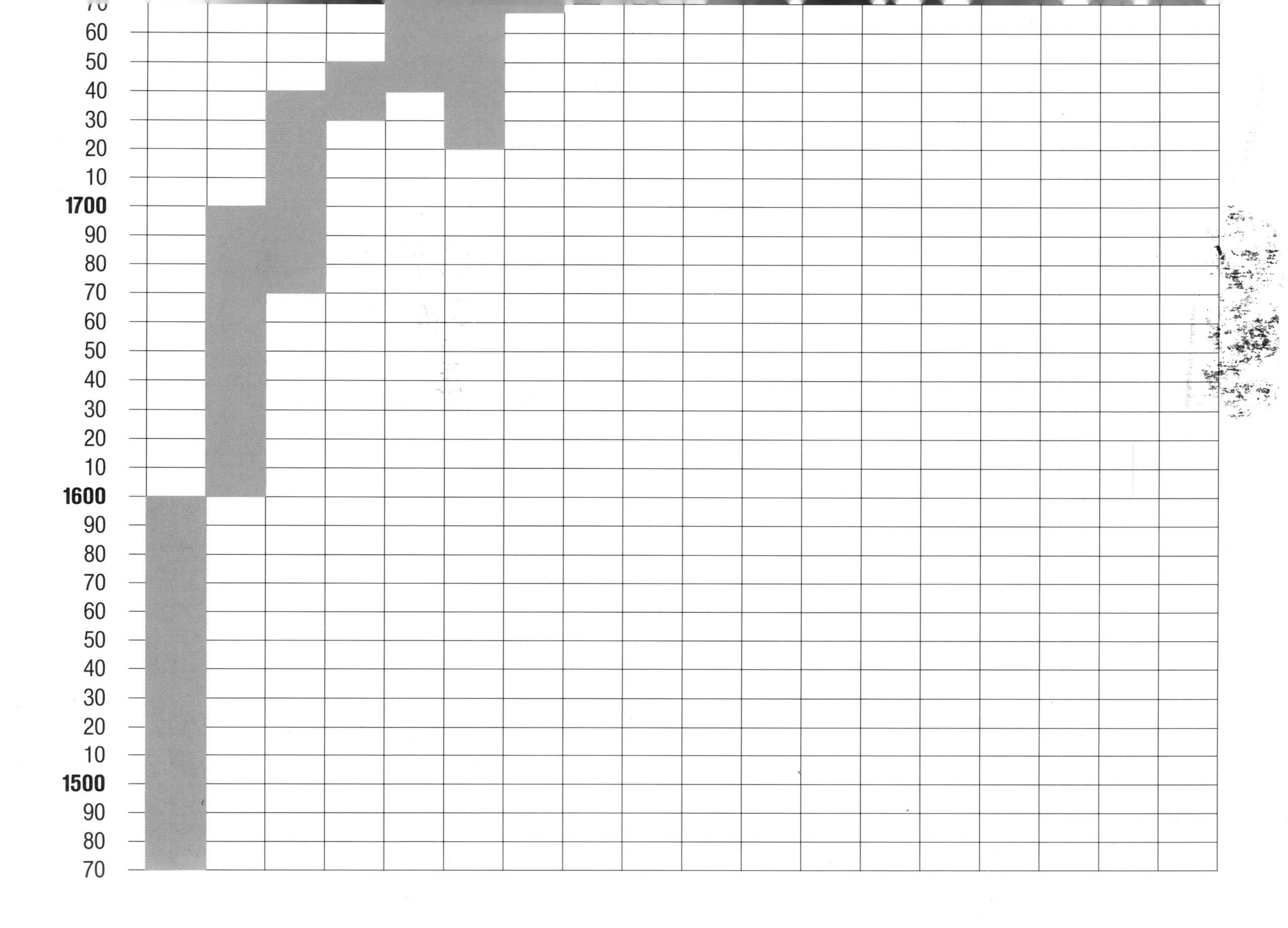
60
50
40
30
20
10
1700
90
80
70
60
50
40
30
20
10
1600
90
80
70
60
50
40
30
20
10
1500
90
80
70